사회복지사업법 해설 4판

최 호 용 법학박사

사회복지사업법 해설 4판

발　행 | 2023년 12월 4일
저　자 | 최호용
펴낸이 | 한건희
펴낸곳 | 주식회사 부크크
출판사등록 | 2014.07.15.(제2014-16호)
주　소 | 서울특별시 금천구 가산디지털1로 119 SK트윈테크타워 A동 305호
전　화 | 1670-8316
이메일 | info@bookk.co.kr

ISBN | 979-11-410-5550-9

www.bookk.co.kr

4판 발간에 즈음하여

3판(증보판)에서 밝힌 바와 같이 사회복지와 관련된 업무를 떠난 지도 5년이 훌쩍 지나가고 있습니다. 이러한 상황에서 이 책의 개정판을 계속 발간하는 것이 바람직한 행동인지 많이 고민하였고, 지금도 같은 고민을 계속하고 있습니다.

다만 이러한 고민의 와중에도 실무에 있어 이 책이 큰 도움이 되고 있다는 격려와 응원을 보내주시는 분들이 적지 않아, 초판 발간 시 기원했던 “작으나마 기댈 언덕”으로서 역할은 충분히 하고 있다는 안도감과 책임감에 개정 작업을 멈추는 것을 쉽게 결정하기 어려운 상황이기도 합니다.

이러한 여러 가지 고민을 담아, 4판에서는 그간 이 책에서는 해석이나 법리상 다툼이 크지 않아, 별도의 해설을 하지 않았던 총론 등의 부분을 추가하였습니다. 이는 “사회복지사업법 해설”이라는 표제에 보다 충실하게 완결성을 높이기 위해서 보완한 사항입니다. 아울러 이러한 체계 변화에 더해 3판(증보판) 발간 이후 있었던 총 4번의 「사회복지사업법」 개정 사항도 함께 반영하였습니다.

이 책이 사회복지 일선에서 힘들게 노력하시는 분들에게 여전히 기댈 언덕으로 남아, 아주 작은 부분이나마 도움이 될 수 있기는 바라겠습니다.

사회복지 현장에서 변함없이 자리를 지키고 계시는 많은 분들의 노고에 다시 한 번 더 깊이 감사드립니다.

2023년 12월

세종시 밀마루에서

3판(증보판) 발간에 즈음하여

개인적으로 사회복지 관련 업무와 무관한 곳을 옮겼기 때문에 종전 3판은 절판하고, 향후 더 이상 개정판을 발간하지 않을 예정이었습니다. 하지만 3판 절판 이후로 해설서의 구매 가능 여부나 재발간 요청이 간간이 이어지고 있고, 「사회복지사업법」이 일부 개정되는 등 여러 상황을 감안하여 종전 3판을 일부 개정한 증보판을 발간하게 되었습니다.

이번 증보판에서는 3판 발간 이후에 개정된 「사회복지사업법」의 내용과 개정 취지 등을 반영·해설하였고, 그 밖에 판례나 해석례 등 관련 자료 일부를 추가하거나 수정하였습니다.

모쪼록 이 책이 처음 발간되었을 때와 마찬가지로 사회복지 일선에서 힘들게 노력하시는 분들 모두에게 조금이나마 도움이 되기를 여전히 기원합니다.

아울러 2020년부터 계속 이어지고 있는 코로나19 와중에서도 여전히 사회복지 현장에서 변함없이 자리를 지키고 계시는 많은 분들의 노고에 깊이 감사드립니다.

2021년 8월

세종시 밀마루에서

3판 발간에 즈음하여

이번 「사회복지사업법 해설」 개정판에서는 2판 발간이후에 개정된 「사회복지사업법」 등 관련 법률의 내용과 개정 취지 등을 명확히 반영하여 해설하고자 하였고, 초판 및 2판 발간 이후 발견된 오류 등을 수정하는 데에도 많은 노력을 기울였습니다.

최근 사회복지와 관련된 사회적 환경이 갈수록 다변화되고 복잡화되고 있고, 이에 사회복지분야도 다른 사회·경제 영역과 마찬가지로 관련 법령과 제도의 틀 안에서 그에 부합되도록 운영하여야만 하는 상황에 직면하고 있습니다. 이러한 기조에 따라 사회복지사업을 수행하는 개인이나 법인의 철학과 신념만으로 사업을 추진하기가 점점 더 어려워질 뿐만 아니라, 필연적으로 종전의 관행과 법제도간에 충돌문제가 일어날 수밖에 없는 상황이 되고 있습니다.

모쪼록 이 책이 이러한 상황에서 사회복지분야가 현행의 법과 제도에 좀 더 부합되도록 운영되는데 도움이 되기를 바라고, 현행의 법제도가 사회복지사업의 실제를 보다 잘 반영할 수 있는 계기가 될 수 있기를 기원합니다.

항상 그러하지만 힘들고 어려운 사회복지 현장에서 열과 성을 다하여 묵묵히 자신의 업무를 수행하고 계시는 분들에게 거듭 감사의 마음을 전합니다.

아울러 이 책이 3판까지 나오기까지 큰 힘이 되어 주신 원경화, 문승원, 전인수, 배성진, 조미라, 남봉수, 정다은님께도 깊이 감사드립니다.

2019년 7월

세종시 밀마루에서

2판 발간에 즈음하여

2017년 5월에 이 책의 초판이 발간되고, 채 1년이 지나지 않았으나 그 기간 중 2번의 「사회복지사업법」 개정이 있었습니다.

이러한 개정을 통해 「사회복지사업법」의 체계에는 큰 변화가 있지는 않았지만, 상당한 수의 조문이 「사회보장급여의 이용·제공 및 수급권자 발굴에 관한 법률」로 이관이 되었고, 그에 따라 「사회복지사업법」은 사회복지법인과 사회복지시설과 관련한 내용이 주를 이루게 되었습니다.

또한 임원이나 시설장의 결격사유가 강화되었고, 임원의 선임과 관련하여 금품을 주고받는 경우에는 이를 처벌하는 규정도 새롭게 도입이 되는 등 사회복지법인이나 사회복지시설의 운영과 관련한 투명성을 높이고자 하는 노력이 상당히 반영되었습니다.

이 번 「사회복지사업법 해설」 개정판에서는 이러한 법률의 개정 사항을 모두 반영하여 그 개정 취지 등을 명확히 해설하고자 하였고, 초판 발간 이후 발견된 오류 등을 수정하는 데에도 노력을 했습니다. 또한 판례나 법제처 해석 등 외부 자료의 경우 초판에서는 주석으로 주로 처리하였으나, 개정판에서는 가급적 관련 내용을 명시하여 검색 등의 수고를 조금이나마 덜 수 있도록 하였습니다.

아울러 힘들고 어려운 사회복지 현장에서 열과 성을 다하여 묵묵히 자신의 업무를 수행하고 계시는 분들에게 거듭 감사의 마음을 전합니다.

2018년 4월

세종시 밀마루에서

머 리 말

이 책은 사회복지법인 및 사회복지시설에 대해서 가장 기본이 되는 사항을 담고 있는 법률인 「사회복지사업법」을 각각 그 조문별로 해설한 것으로서, 각 조문별로 그 입법 취지나 의미, 관련 사례들을 하나하나 설명하는 형식으로 이루어져 있습니다. 또한 사회복지법인과 관련해서 반드시 준용해야 하는 「민법」과 「공익법인의 설립·운영에 관한 법률」의 관련 조문도 같은 형식으로 설명을 하고 있습니다.

이 책이 법률에 대한 해설서이니만큼 전공자가 아닌 사람에게는 다소 딱딱하고 생소한 내용이 담길 수밖에는 없는 상황입니다. 하지만 가급적 쉬운 용어를 사용하고자 하였고, 무엇보다도 필자가 2013년부터 담당하여왔던 사회복지법인이나 사회복지시설과 관련한 각종 실무와 민원처리 경험과 그 고민을 최대한 녹여내어 사회복지사업과 관련한 실무에 실질적인 도움이 될 수 있도록 노력하였습니다.

아울러 사회복지시설의 경우는 「사회복지사업법」을 포함한 15개 법률에서 각각 해당 법률에서 관련 사회복지시설에 대해서 규정하고 있으나, 그 취지나 구성형식이 「사회복지사업법」과 대동소이하므로 이 책에서 설명하고 있는 사회복지시설과 관련한 여러 가지 사항들을 잘 익히면, 관련 법률 해석이나 실무처리에도 적지 않은 도움이 될 것으로 생각됩니다.

부디 이 책이 사회복지 현장에서 열과 성을 다하여 묵묵히 자신의 업무를 수행하고 계시는 분들에게 작으나마 기댈 언덕이라도 될 수 있기를 간절히 기원합니다.

끝으로 이 책에 담긴 내용은 전적으로 필자의 개인적인 견해로서 「사회복지사업법」을 주관하고 있는 보건복지부나 그 밖에 관련 부처의 공식적인 입장과는 무관하다는 점을 밝혀 둡니다.

2017년 5월

세종시 밀마루에서

〈차 례〉

제1장 총론

제2장 사회복지법인

제3장 사회복지시설

제3장의2 재가복지

제4장 보칙

제5장 벌칙

(부록1) 알아두면 유용한 사례

(부록2) 사회복지법인 정관(예시)

제1장

총칙

입법 연혁

「사회복지사업법」은 1970년 1월 1일에 제정·공포되고, 3개월 후인 같은 해 4월 2일부터 시행되었습니다. 아래 표를 참고하면 「사회복지사업법」이 현재 사회복지 관련 법률 중에서도 매우 이른 시기에 제정이 된 법률임을 알 수 있습니다.

[사회복지 관련 법률 제정 연혁]

법률명		제정일	시행일
현행	제정 당시		
「아동복지법」	「아동복리법」	1961.12.30.	1962.01.01.
「사회복지사업법」		1970.01.01.	1970.04.02.
「노인복지법」		1981.06.05.	1981.06.05.
「장애인복지법」	「심신장애자복지법」	1981.06.05.	1981.06.05.
「한부모가족지원법」	「모자복지법」	1989.04.01	1989.07.01.
「영유아보육법」		1991.01.14.	1991.01.14.
「정신건강증진 및 정신질환자 복지서비스 지원에 관한 법률」	「정신보건법」	1995.12.30.	1996.12.31.
「가정폭력방지 및 피해자보호 등에 관한 법률」		1997.12.31.	1998.07.01.
「국민기초생활 보장법」 (前身은 폐지된 「생활보호법」)		1999.09.07. (1961.12.30.)	2000.10.01. (1962.01.01.)
「농어촌주민의 보건복지 증진을 위한 특별법」		2004.01.29.	2004.04.30.
「건강가정기본법」		2004.02.09.	2005.01.01.
「청소년복지지원법」		2004.02.09.	2005.02.10.
「성매매방지 및 피해자보호 등에 관한 법률」		2004.03.22.	2004.09.23.
「다문화가족지원법」		2008.03.21.	2008.09.22.
「성폭력방지 및 피해자보호 등에 관한 법률」		2010.04.15	2011.01.01.
「노숙인 등의 복지 및 자립지원에 관한 법률」		2011.06.07.	2012.06.08

「사회복지사업법」은 사회복지와 관련된 관련 각종 법률들이 제정되기 전까지 사회복지사업의 기본법으로서 역할을 하였고, 관련 법률이 제정된 이후에도 사회복지시설과 사회복지법인의 운영 등에 있어 기본법의 역할을 하고 있습니다.

「사회복지사업법」은 1970년 제정된 이후 그간 20여회의 개정을 거쳐왔습니다. 다른 법률이 그러하듯이 각 시대의 변화를 반영하고, 사회복지와 관련된 중요한 사안이 발생한 경우 이를 해결하기 위해서 꾸준히 개정이 되어 온 것입니다. 「사회복지사업법」의 개정 연혁과 주요 내용은 아래의 표와 같습니다.

[「사회복지사업법」 제·개정 연혁][1)]

법률 번호	시행일	공포일	주요 내용
제19651호	2024.02.17.	2023.08.16. 일부개정	o 시 · 도지사가 사회복지법인에 시정명령을 하거나 설립허가를 취소할 수 있는 사유에 사회복지법인이 운영하는 시설에서 중대하고 반복적인 회계부정이나 불법행위가 발생한 때를 추가
제19453호	2023.07.14.	2023.06.13. 일부개정	o 사회복지시설의 개선, 사업의 정지, 시설의 장 교체 또는 시설의 폐쇄를 명할 수 있는 사유에 장애인학대 관련 범죄를 추가
제18618호	2022.06.22. 2021.12.21.	2021.12.21. 일부개정	o 사회복지법인의 임원, 사회복지시설의 장 및 법인 · 시설의 종사자가 될 수 없는 사람으로 아동학대 관련 범죄를 저지르고 형이 확정된 사람을 포함 o 사회복지시설의 장 및 법인 · 시설의 종사자에 대해서는 모든 결격사유 중 하나에 해당하는 경우에는 그 자격을 상실토록 명시 o 결격사유에 해당하는 범죄와 다른 범죄의 경합범에 대하여 벌금형을 선고하는 경우에 「형법」에 따라 하나의 벌금형을 선고하는 대신 각각의 범죄에 대하여 분리하여 선고토록 명시 o 사회복지관이 수행하는 사례관리 사업, 서비스 제공, 지역조직화 사업 등의 근거를 법률에 명시하고, 구체적인 기준이 없는 인력 기준을 규칙으로 정하도록 함
제17782호	2021.06.30. 2020.12.29.	2020.12.29. 일부개정	o 「지방재정법」, 「영유아보육법」, 「장애아동 복지지원법」 위반도 결격사유에 포함 o 사회복지시설의 무연고 사망자 유류금을 처리하는 절차를 명확히 함
제17174호	2020.07.01.	2020.03.31. 일부개정	o 사회복지사 자격증을 대여 · 알선하는 등의 행위를 금지하고, 위반시 1년 이하의 징역 또는 1천만원 이하의 벌금 o 보건복지부장관이 사회복지사의 자격을 취소하거나 정지시키려는 경우 한국사회복지사협회의 장 등 관계 전문가의 의견을 청취토록 함
제16738호	2019.12.03.	2019.12.03. 일부개정	o 사회복지사 자격증 발급 신청일 기준으로 결격사유에 해당하는 사람에게 사회복지사 자격증을 발급하지 못하도록 규정

1) 법제처 국가법령정보센터(law.go.kr) 참조

법률 번호	시행일	공포일	주요 내용
제16247호	2019.07.16. 2019.01.15.	2019.01.15. 일부개정	o 임원 해임결의를 위한 이사회 개최기한을 설정하고, 제18조제2항 · 제3항 또는 제7항을 위반하여 해임명령을 받은 경우에는 해당 임원의 직무집행을 정지 o 반복적 · 집단적으로 학대범죄가 발생한 경우 법인의 설립허가 취소 근거 마련 o 사회복지시설의 설치 · 운영중단 · 폐지 신고가 수리를 요하는 신고임을 명확히 함
제15887호	2019.06.12. 2020.12.12.	2018.12.11. 일부개정	o 시 · 도지사 또는 시장 · 군수 · 구청장이 사회복지법인과 사회복지시설에 대하여 지방의회의 추천을 받아 공인회계사 또는 감사인을 선임하여 회계감사를 실시할 수 있는 근거 신설 o 전문사회복지사 제도 도입 o 사회복지법인 등의 불합리한 채용관행을 개선할 수 있도록 종사자 채용절차를 규정
제14923호	2019.01.01. 2018.10.25. 2018.04.25.	2017.10.24. 일부개정	o 복지업무 종사자가 사회복지를 필요로 하는 사람의 인권을 침해하는 행위를 한 경우 해당 사실을 공표 o 사회복지서비스 제공은 현물(現物)로 제공하는 것을 원칙으로 규정 o 사회복지사의 자격이 취소된 경우 취소일부터 2년 이내에 자격 재교부 금지 o 사회복지법인 임원 및 사회복지시설의 장의 결격사유 추가
제14884호	2017.12.20.	2017.09.19. 일부개정	o 사회복지분야의 6급 이상 공무원으로 재직하다 퇴직한 사람의 결격사유를 「공직자윤리법」과 동일하게 3년으로 연장 - 제한되는 지역도 기초자치단체에서 5년 동안 소속하였던 기초자치단체로 연장
제14325호	2016.12.02.	2016.12.02. 일부개정	o 벌금액을 국민권익위원회의 권고안 등에 따라 징역 1년당 1천만원으로 개정
제13996호	2017.02.04. 2016.08.04. 2016.02.03.	2016.02.03. 일부개정	o 사회복지사업의 정의에 「청소년복지 지원법」 추가 o 사회복지사 자격의 정지 및 취소요건에 대한 법적 근거를 마련 o 보조금의 부정수급에 대하여 환수명령을 의무화하도록 명시
제11856호	2014.06.05.	2013.06.04. 일부개정	o 시설 운영자가 의무적으로 가입하여야 하는 보험에 안전사고로 인한 보호대상자에 대한 손해배상책임 추가
제11239호	2013.01.27. 2012.08.05.	2012.01.26. 일부개정	o 사회복지법인의 외부추천이사 근거 마련 o 성폭력범죄를 저지른 사람, 퇴직한 지 2년이 경과

법률 번호	시행일	공포일	주요 내용
			하지 아니한 사회복지공무원 등은 사회복지법인의 임원 또는 시설의 장 등이 될 수 없도록 규정 o 사회복지법인 또는 시설에 대하여 행정처분을 한 경우에는 관련 정보를 공표토록 규정 o 법인 이사회 회의록 공개의무 부여
제10997호	2012.08.05. 2012.06.08. 2011.11.05. 2011.10.05. 2011.08.04.	2011.08.04. 일부개정	o 사회복지사업에 출소자 갱생보호사업 포함 o 사회복지법인의 설치·운영 등에 관한 보건복지부 장관의 사무를 시·도지사에게 이양 o 사회복지시설 통합 설치 근거 마련
제9766호	2009.12.01.	2009.06.09. 일부개정	o 통합전산망 설치 근거 마련
제8691호	2007.12.14.	2007.12.14. 일부개정	o 사회복지업무 전자적 처리 근거 마련 등
제7587호	2005.08.14.	2005.07.13. 일부개정	o 대통령령에 규정되어 있는 사회복지사의 결격 사유를 법률로 상향
제6960호	2004.07.31.	2003.07.30. 일부개정	o 사회복지위원회를 지역사회복지협의체로 갈음
제6160호	2000.07.13.	2000.01.12. 일부개정	o 사회복지의 날 제정 o 시설에 대하여 화재보험에 가입 의무화
제5979호	1999.11.01.	1999.04.30. 일부개정	o 사회복지법인 허가권을 시·도지사에서 보건복지부 장관으로 변경
제5358호	1998.07.01.	1997.08.22. 전부개정	o 제정 및 전부개정 이전의 주요 내용은 생략
제4531호	1993.06.09.	1992.12.08. 전부개정	
제3656호	1983.05.21.	1983.05.21. 일부개정	
제2191호	1970.04.02.	1970.01.01. 제정	

제1조(목적)

제1조(목적) 이 법은 사회복지사업에 관한 기본적 사항을 규정하여 사회복지를 필요로 하는 사람에 대하여 인간의 존엄성과 인간다운 생활을 할 권리를 보장하고 사회복지의 전문성을 높이며, 사회복지사업의 공정 · 투명 · 적정을 도모하고, 지역사회복지의 체계를 구축하고 사회복지서비스의 질을 높여 사회복지의 증진에 이바지함을 목적으로 한다.

원칙적으로 모든 법령에는 제1조에 목적 규정을 두고 있습니다. 목적 규정은 그 법령의 입법 목적을 간결하고, 명확하게 요약한 문장으로서, 일반 국민들이 해당 법령의 입법 목적이나 취지를 쉽게 이해할 수 있도록 하기 위한 것입니다.[2] 또한 실무상으로는 해당 법령을 해석함에 있어서 해석의 지침으로 작용하기도 합니다.[3] 「사회복지사업법」의 목적 조문도 동 법률의 입법 목적이나 취지를 잘 드러내고 있는 한편, 개별 조문의 내용을 해석하고 적용함에 있어서 기준으로도 작용하고 있기 때문에 그 의미를 잘 이해하는 것이 중요합니다.

「사회복지사업법」 제정 당시 제1조 목적 조문은 "이 법은 사회복지사업에 관한 기본적 사항을 규정하여 그 운영의 공정적절을 기함으로써 사회복지의 증진을 도모함을 목적으로 한다."라고 규정되어 있었습니다. 현행 규정보다는 훨씬 간단한 내용으로 "공정"과 "적절"에 방점을 찍고 있는 것을 알 수 있습니다. 당시 사회복지사업이 주로 정부가 주도하여 자원을 배분하는 형태로 이루어졌기 때문에 공정함과 적절함을 강조한 것이 아닌가 생각됩니다. 현행 「사회복지사업법」 제1조의 목적은 종전처럼 공정·투명·적정함을 도모하는 것은 물론이고, 사회복지가 필요한 사람에 대해 인간의 존엄성과 인간다운 생활을 할 권리를 보장하는 것을 강조하고 있습니다. 또한 사회복지의 전문성을 제고하고, 지역사회복지 체계를 구축하는 것 또한 함께 규정하고 있는 점에서 제정 당시 「사회복지사업법」의 목적에서 조금 더 나가가 현재의 상황을 반영하고 있다는 것을 알 수 있습니다.

---

2) 법제처, 「법령 입안·심사 기준」(2022), 51쪽
3) 법제처, 「법령 입안·심사 기준」(2022), 51쪽

제1조의2(기본이념)

제1조의2(기본이념) ① 사회복지를 필요로 하는 사람은 누구든지 자신의 의사에 따라 서비스를 신청하고 제공받을 수 있다.
② 사회복지법인 및 사회복지시설은 공공성을 가지며 사회복지사업을 시행하는 데 있어서 공공성을 확보하여야 한다.
③ 사회복지사업을 시행하는 데 있어서 사회복지를 제공하는 자는 사회복지를 필요로 하는 사람의 인권을 보장하여야 한다.
④ 사회복지서비스를 제공하는 자는 필요한 정보를 제공하는 등 사회복지서비스를 이용하는 사람의 선택권을 보장하여야 한다.

제1조의2 기본이념 조문은 종전 「사회복지사업법」에는 없던 조문으로, 2012년 1월 16일에 공포되고, 같은 해 8월 5일부터 시행되었습니다. 이 조문은 당시 사회적으로 큰 물의를 일으킨 이른바 “도가니 사건”을 계기로 신설된 조문인데, 사회복지라는 과정에서 발생한 인권침해를 반성하고, 사회복지사업의 시행 과정 중에 인권을 보다 두텁게 보호하여야 한다는 취지를 담은 선언적 규정입니다.

우선 제1항을 살펴보면, 사회복지를 필요로 하는 경우라고 하더라도, 제공자의 일방적인 의사에 따라 서비스를 제공받는 것이 아니라, 수혜자 스스로의 의사를 전제로 서비스를 신청하는 경우에 서비스를 제공해야 함을 규정하고 있습니다. 사회복지가 수혜적인 행위라고 하더라도, 본인의 의사에 반하면 이는 수혜자에 대한 인권침해에 지나지 않는 것으로서, 반드시 수혜자 본인의 의지가 반영된 이후에 사회복지 서비스가 제공되어야 한다는 것을 명시하고 있는 것입니다.

제2항에서는 사회복지법인이나 사회복지시설은 공공성을 기본으로 하고, 그 외 사회복지사업의 경우도 반드시 공공성이 확보된 상태에서 시행되어야 함을 규정하고 있습니다. 사회복지법인이나 사회복지시설은 개인이 설립하거나, 운영하는 것이 필연적임에도 불구하고, 사적(私的)으로 운영되어서는 아니된다는 의미입니다. 사회복지사업을 수행함에 있어서도 그 주체가 국가나 지자체가 아닌 경우라고 하더라도 사적(私的)인 입장이 아닌 공적(公的)인 입장에서 운영을 해야 한다는 점을 규정하고 있는 것입니다. 사회복지를 시행하는 자와 그 수혜자 간에는 사적인 법률관계를 기본으로 하고 있지만, 수혜자의 경우 대부분 사회적 약자인 점에 미루어 보면 결코 사적자치(私的自治)에만 의존할 수 없는 상황이기 때문입니다.

제3항은 사회복지를 제공할 때 그 사회복지를 필요로 하는 사람의 인권을 보장해야 한다는 규정입니다. 이는 사회복지의 수혜자가 비용을 부담하지 않는 경우가

매우 많고, 이에 따라 사회복지 제공자가 일방적이거나 심한 경우 강압적인 형태로 사회복지를 제공하는 경우가 발생할 가능성이 작지 않기 때문에 수혜자의 인권이 침해되는 결과를 초래하는 경우가 있어 신설된 조문입니다.

제4항의 경우 사회복지서비스를 이용하는 사람에게 관련 정보를 충분히 제공함으로써 그 이용자가 자신의 의지로써 서비스를 이용케 해야 한다는 의미입니다. 충분하지 않은 정보를 바탕으로 제공자가 일방적으로 사회서비스를 제공할 경우 서비스 이용자의 기본권을 침해할 여지가 적지 않기 때문에 이러한 상황을 방지할 필요가 있어 신설된 조문입니다.

제2조(정의)

제2조(정의) 이 법에서 사용하는 용어의 뜻은 다음과 같다.

1. "사회복지사업"이란 다음 각 목의 법률에 따른 보호 · 선도(善導) 또는 복지에 관한 사업과 사회복지상담, 직업지원, 무료 숙박, 지역사회복지, 의료복지, 재가복지(在家福祉), 사회복지관 운영, 정신질환자 및 한센병력자의 사회복귀에 관한 사업 등 각종 복지사업과 이와 관련된 자원봉사활동 및 복지시설의 운영 또는 지원을 목적으로 하는 사업을 말한다.
2. "지역사회복지"란 주민의 복지증진과 삶의 질 향상을 위하여 지역사회 차원에서 전개하는 사회복지를 말한다.
3. "사회복지법인"이란 사회복지사업을 할 목적으로 설립된 법인을 말한다.
4. "사회복지시설"이란 사회복지사업을 할 목적으로 설치된 시설을 말한다.
5. "사회복지관" 이란 지역사회를 기반으로 일정한 시설과 전문인력을 갖추고 지역주민의 참여와 협력을 통하여 지역사회의 복지문제를 예방하고 해결하기 위하여 종합적인 복지서비스를 제공하는 시설을 말한다.
6. "사회복지서비스"란 국가 · 지방자치단체 및 민간부문의 도움을 필요로 하는 모든 국민에게 「사회보장기본법」 제3조제4호에 따른 사회서비스 중 사회복지사업을 통한 서비스를 제공하여 삶의 질이 향상되도록 제도적으로 지원하는 것을 말한다.
7. "보건의료서비스"란 국민의 건강을 보호 · 증진하기 위하여 보건의료인이 하는 모든 활동을 말한다.

법령상 정의 규정은 해당 법령에서 사용되고 있는 용어의 뜻을 명확히 정하는 용도로 규정하고 있습니다. 「사회복지사업법」에서는 제2조 아래에 1호부터 7호까지 모두 7개의 용어에 대해서 정의를 하고 있습니다. 「사회복지사업법」상 정의 규정의 내용이나 형식의 적정성 등과 관련하여서는 여러 가지 의견이 있을 수 있으나, 이 해설서에서는 제2조 정의 규정 전부에 대해서는 따로 언급하지 않고, 사회복지법인 및 사회복지시설 관련 장에서 해당 정의에 대해서만 해설하겠습니다.

제3조(다른 법률과의 관계)

제3조(다른 법률과의 관계) ① 사회복지사업의 내용 및 절차 등에 관하여 제2조제1호 각 목의 법률에 특별한 규정이 있는 경우를 제외하고는 이 법에서 정하는 바에 따른다.
② 제2조제1호 각 목의 법률을 개정하는 경우에는 이 법에 부합하도록 하여야 한다.

사회복지사업과 관련한 법률은 「사회복지사업법」과 「사회복지사업법」 제2조제1호 각 목에서 열거하고 있는 법률과 대통령령으로 정하는 법률이 그에 해당이 되는데, 「사회복지사업법」과 이러한 관련 법률들 사이의 적용 관계를 법 제3조에서 정하고 있습니다.

1. 타 법률 우선 원칙

사회복지사업과 관련하여서는 「사회복지사업법」이 기본이 되는 법률이지만, 개별 법률과 대통령령에서 정하는 법률에서 사회복지사업과 관련하여 「사회복지사업법」과 달리 정하고 있는 내용이 있다면, 「사회복지사업법」이 아니라 그 법률의 규정을 우선하여 적용하여야 합니다. 특히 사회복지시설과 관련하여서 「사회복지사업법」과 개별 법률간 중복되는 사항이 적지 않으므로 각별히 그 법률의 적용관계에 유의해야 합니다.

2. 법률 개정시 「사회복지사업법」 취지 부합 원칙

법 제3조제1항에서 사회복지사업과 관련한 사항에 대해서 개별 법률이 「사회복지사업법」의 규정에 우선하여 적용되는 원칙을 정하고 있는 반면, 제2항에서는 사회복지사업과 관련한 법률을 개정할 경우에는 「사회복지사업법」의 규정에 부합되도록 개정할 것을 명령하고 있습니다. 물론 이러한 명령은 강제성이 있다거나 하여, 이 규정을 위반해서 개정된 법률이 무효가 되거나 하는 것은 아닙니다. 하지만, 「사회복지사업법」에서 규정하고 있는 사항과 배치가 되도록 법률을 개정할 경우 법률간 충돌이나 적용에 있어서의 다양한 문제가 발생될 여지가 있으므로 가급적 사회복지사업 관련 개별 법률을 개정하거나 그 밖에 하위 규정이나 지침 등을 개정할 때에는 「사회복지사업법」의 취지와 내용에 위배되지 않는 방향으로 진행하여야 할 것입니다.

예컨대 사회복지시설의 장이나 종사자에 대한 결격사유 등을 정할 때에는 「사회복지사업법」상의 내용을 기준으로 하여, 각 사회복지시설 근거 법률의 특성에 따라 가중하여 규정하는 것은 문제가 없겠지만, 「사회복지사업법」보다 완화를 하는 경우는 아주 특별한 이유가 없는 한 매우 부적절하다고 할 것입니다. 「사회복지사업법」의 일반적인 기준에는 해당이 되어 종사자 등이 될 수 없지만, 개별 법률에 따라서는 종사자 등이 될 수 있게 된다면, 각 법률간 충돌은 물론이고, 「사회복지사업법」상 결격사유 규정 자체가 무력화되는 등의 문제가 발생하기 때문입니다.

또한 사회복지법인의 경우 「사회복지사업법」에서만 규정하고 있는 사항이므로 사회복지 관련 타 법률에서 사회복지법인의 구성 등에 대해 「사회복지사업법」과 다른 규정을 두는 것은 제3조를 위반하는 것이라고 할 수 있습니다. 21대 국회에 발의된 「영유아보육법」에서는 사회복지법인이 해산한 경우 「사회복지사업법」의 규정과 달리 특정인 등에게 잔여재산을 귀속시킬 수 있는 것으로 규정하고 있는데 이는 「사회복지사업법」상의 사회복지법인 제도를 형해화시킬 수 있는 것으로서 「사회복지사업법」 제3조의 취지에도 부합되지 않는 사항이라고 할 것입니다.[4]

---

4) 「국회 보건복지위원회 검토보고서(2123820)」, 19쪽 참조

제4조(복지와 인권증진의 책임)

제4조(복지와 인권증진의 책임) ① 국가와 지방자치단체는 사회복지서비스를 증진하고, 서비스를 이용하는 사람에 대하여 인권침해를 예방하고 차별을 금지하며 인권을 옹호할 책임을 진다.

② 국가와 지방자치단체는 사회복지서비스와 보건의료서비스를 함께 필요로 하는 사람에게 이들 서비스가 연계되어 제공되도록 노력하여야 한다.

③ 국가와 지방자치단체, 그 밖에 사회복지사업을 하는 자는 사회복지를 필요로 하는 사람에 대하여 그 사업과 관련한 상담, 작업치료(作業治療), 직업훈련 등을 실시하고 필요한 경우에는 주민의 복지 욕구를 조사할 수 있다.

④ 국가와 지방자치단체는 도움을 필요로 하는 국민이 본인의 선호와 필요에 따라 적절한 사회복지서비스를 제공받을 수 있도록 사회복지서비스 수요자 등을 고려하여 사회복지시설이 균형 있게 설치되도록 노력하여야 한다.

⑤ 국가와 지방자치단체는 민간부문의 사회복지 증진활동이 활성화되고 국가 및 지방자치단체의 사회복지사업과 민간부문의 사회복지 증진활동이 원활하게 연계될 수 있도록 노력하여야 한다.

⑥ 국가와 지방자치단체는 사회복지를 필요로 하는 사람의 인권이 충분히 존중되는 방식으로 사회복지서비스를 제공하고 사회복지와 관련된 인권교육을 강화하여야 한다.

⑦ 국가와 지방자치단체는 사회복지서비스를 이용하는 사람이 긴급한 인권침해 상황에 놓인 경우 신속히 대응할 체계를 갖추어야 한다.

⑧ 국가와 지방자치단체는 시설 거주자의 희망을 반영하여 지역사회보호체계에서 서비스가 제공될 수 있도록 노력하여야 한다.

⑨ 국가와 지방자치단체는 사회복지서비스를 필요로 하는 사람들에게 사회복지서비스의 실시에 대한 정보를 제공하여야 한다.

⑩ 국가와 지방자치단체는 사회복지서비스를 제공하는 자로부터 위법 또는 부당한 처분을 받아 권리나 이익을 침해당한 사람을 위하여 간이하고 신속한 구제조치를 마련하여야 한다.

제4조는 국가나 지방자치단체가 사회복지서비스를 증진하고, 그 서비스를 이용하는 사람의 인권을 증진시켜야 한다는 책무를 규정한 조문입니다. 이러한 목적 규정은 국가나 지방자치단체 등이 담당해야 할 책무를 법령으로 명확히 정함으로써 법령의 입법 목적을 좀 더 효과적으로 달성하기 위해 두는 것입니다.[5] 따라서 국가나 지방자치단체는 「사회복지사업법」에 따른 여러 가지 사항을 실현하고, 집행함에 있어 이 조문에서 정하고 있는 사항이 철저히 관철될 수 있도록 해야 합니다.

5) 법제처, 「법령 입안·심사 기준」(2022), 69쪽

제5조(인권존중 및 최대 봉사의 원칙)

제5조(인권존중 및 최대 봉사의 원칙) ① 이 법에 따라 복지업무에 종사하는 사람은 그 업무를 수행할 때에 사회복지를 필요로 하는 사람을 위하여 인권을 존중하고 차별 없이 최대로 봉사하여야 한다.

② 국가와 지방자치단체는 복지업무에 종사하는 사람이 그 업무를 수행할 때에 사회복지를 필요로 하는 사람의 인권을 침해하는 행위를 한 경우에는 제2조제1호 각 목의 법률이 정하는 바에 따라 처분하고 그 사실을 공표하는 등의 조치를 하여야 한다.

제5조는 사회복지 업무에 종사하는 사람에 대한 것으로서, 복지업무 수행 시 사회복지 수혜자의 인권을 존중하고, 차별 없이 최대한 봉사하는 것을 원칙으로 규정하고 있습니다. 국가나 지방자치단체에 대해서는 복지업무 종사자가 인권침해를 한 경우 제2조제1호에서 열거하고 있는 사회복지 관련 법률에서 정하고 있는 바에 따라 처분을 실시하고, 인권침해 사실을 공표토록 규정하고 있습니다.

제5조의2(사회복지서비스 제공의 원칙)

제5조의2(사회복지서비스 제공의 원칙) ① 사회복지서비스를 필요로 하는 사람(이하 "보호대상자"라 한다)에 대한 사회복지서비스 제공(이하 "서비스 제공"이라 한다)은 현물(現物)로 제공하는 것을 원칙으로 한다.

② 시장(「제주특별자치도 설치 및 국제자유도시 조성을 위한 특별법」 제11조제2항에 따른 행정시장을 포함한다. 이하 같다) · 군수 · 구청장(자치구의 구청장을 말한다. 이하 같다)은 국가 또는 지방자치단체 외의 자로 하여금 제1항의 서비스 제공을 실시하게 하는 경우에는 보호대상자에게 사회복지서비스 이용권(이하 "이용권"이라 한다)을 지급하여 국가 또는 지방자치단체 외의 자로부터 그 이용권으로 서비스 제공을 받게 할 수 있다.

③ 국가와 지방자치단체는 사회복지서비스의 품질향상과 원활한 제공을 위하여 필요한 시책을 마련하여야 한다.

④ 국가와 지방자치단체는 사회복지서비스의 품질을 관리하기 위하여 사회복지서비스를 제공하는 기관 · 법인 · 시설 · 단체의 서비스 환경, 서비스 제공 인력의 전문성 등을 평가할 수 있다.

⑤ 보건복지부장관은 제4항에 따른 평가를 위하여 평가기관을 설치 · 운영하거나, 평가의 전부 또는 일부를 관계 기관 또는 단체에 위탁할 수 있다.

⑥ 보건복지부장관은 제5항에 따라 평가를 위탁한 기관 또는 단체에 대하여 그 운영에 필요한 비용을 지원할 수 있다.

제5조의2에서는 사회서비스 제공 시 "현물(現物)" 제공을 원칙으로 규정하고 있습니다. 사회서비스 제공 방법에는 현물 외에도 현금(現金) 제공 등의 방법이 있으나 「사회복지사업법」에서는 현물(現物)로 제공하는 것을 원칙으로 명확히 하고 있습니다. 현물(現物) 제공의 경우 직접 현물을 제공하거나, 별도의 이용권을 제공함으로써 이를 갈음할 수 있도록 하고 있습니다.

사회서비스에 대한 평가의 경우 「사회복지사업법」 제5조의2 외에도 「사회서비스 이용권법」 제30조, 「사회서비스원법」 제32조 등에 따라서 구체적으로 실현되고 있습니다.

제6조(시설 설치의 방해 금지)

제6조(시설 설치의 방해 금지) ① 누구든지 정당한 이유 없이 사회복지시설의 설치를 방해하여서는 아니 된다.
② 시장 · 군수 · 구청장은 정당한 이유 없이 사회복지시설의 설치를 지연시키거나 제한하는 조치를 하여서는 아니 된다.

「사회복지사업법」에서는 정당한 이유 없이 사회복지시설의 설치를 방해하는 행위를 적극적으로 금지하고 있습니다. 이러한 조문은 사회복지시설이 기피시설로 오인되어 그 설치가 어렵게 되는 것을 막기 위해 도입된 것으로서, 만일 사회복지시설의 설치를 방해할 경우 이는 법 제54조제1호에 해당하는 범죄가 되어 1년 이하의 징역이나 1천만원 이하의 벌금에 처해지게 됩니다. 이러한 적극적인 방해행위 이외에도 사회복지시설의 설치신고를 수리하는 시장·군수·구청장이 정당한 이유 없이 사회복지시설의 설치를 지연시키거나 제한하는 조치도 금지하고 있습니다.

법 제6조제2항을 위반한 경우에 대해서는 별도로 처벌하는 규정을 두고 있지는 않습니다. 그러나 법률적 근거나 정당한 이유 없이 그 설치를 지연시킬 경우 그로 인해 발생하는 손해에 대해서는 당연히 배상을 해야 할 것이고, 나아가 해당 공무원은 직권남용이나 그 밖에 위법행위를 행한 것이 되어 징계 등의 처분이 가해질 수 있습니다. 반면 정당한 이유가 있는 경우, 즉 법령에 따른 권리행사나 정당한 재량권 행사를 하는 경우에 대해서는 이를 시설 설치의 방해로 보아서는 아니 된다는 것입니다. 본 조문에서 언급하고 있는 것은 어디까지나 정당한 이유 없는 행위들이기 때문입니다.

제6조의2(사회복지시설 업무의 전자화)

제6조의2(사회복지시설 업무의 전자화) ① 보건복지부장관은 사회복지법인 및 사회복지시설의 종사자, 거주자 및 이용자에 관한 자료 등 운영에 필요한 정보의 효율적 처리와 기록 · 관리 업무의 전자화를 위하여 정보시스템을 구축 · 운영할 수 있다.

② 보건복지부장관은 제1항에 따른 정보시스템을 구축 · 운영하는 데 필요한 자료를 수집 · 관리 · 보유할 수 있으며 관련 기관 및 단체에 필요한 자료의 제공을 요청할 수 있다. 이 경우 요청을 받은 기관 및 단체는 정당한 사유가 없으면 그 요청에 따라야 한다.

③ 지방자치단체의 장은 사회복지사업을 수행할 때 관할 복지행정시스템과 제1항에 따른 정보시스템을 전자적으로 연계하여 활용하여야 한다.

④ 사회복지법인의 대표이사와 사회복지시설의 장은 국가와 지방자치단체가 실시하는 사회복지업무의 전자화 시책에 협력하여야 한다.

⑤ 보건복지부장관은 제1항에 따른 정보시스템을 효율적으로 운영하기 위하여 「사회보장기본법」 제37조제7항에 따른 전담기구에 그 운영에 관한 업무를 위탁할 수 있다.

이 조문은 현재 보건복지부에서 사회복지법인 및 사회복지시설과 관려하여 운영 중인 "사회복지시설정보시스템"[6]의 근거 규정입니다. 제5항에서는 사회복지시설정보시스템의 운영은 「사회보장기본법」 제37조제7항에 따른 전담기구에 위탁할 수 있는 것으로 규정하고 있는데, 「사회보장기본법」 제37조제7항에 따른 전담기구는 같은 조 제2항에 따른 "사회서비스정보시스템"을 운영하는 전담기구를 의미합니다. 한편 「사회보장급여법」 제24조의2에서는 "사회서비스정보시스템"의 운영을 같은 법 제29조에 따라 설립된 한국사회보장정보원에 위탁할 수 있도록 규정하고 있습니다. 이러한 사항을 종합하여 보면, 「사회복지사업법」에 따른 "사회복지시설정보시스템"은 「사회보장급여법」 제29조에 따라 설립된 한국사회보장정보원에 위탁하여 운영되고 있는 것입니다.

---

6) https://www.w4c.go.kr

제9조(사회복지 자원봉사활동의 지원 · 육성)

제9조(사회복지 자원봉사활동의 지원 · 육성) ① 국가와 지방자치단체는 사회복지 자원봉사활동을 지원 · 육성하기 위하여 다음 각 호의 사항을 실시하여야 한다.
1. 자원봉사활동의 홍보 및 교육
2. 자원봉사활동 프로그램의 개발 · 보급
3. 자원봉사활동 중의 재해에 대비한 시책의 개발
4. 그 밖에 자원봉사활동의 지원에 필요한 사항

② 국가와 지방자치단체는 제1항 각 호의 사항을 효율적으로 수행하기 위하여 사회복지법인이나 그 밖의 비영리법인 · 단체에 이를 위탁할 수 있다.

제9조에서는 사회복지와 관련된 자원봉사활동에 대해서 규정하고 있습니다. 통상적인 자원봉사의 경우 행정안전부가 주관하는 「자원봉사법」에 기본적인 사항을 규정하고 있으나, 사회복지와 관련하여서는 특별히 「사회복지사업법」에서 별도의 규정을 두고 있는 것입니다. 사실 「자원봉사법」은 2006년에 제정된 법률임에 비해 「사회복지사업법」상 자원봉사활동은 1997년에 처음 규정된 것으로서 사회복지 관련 자원봉사의 연혁이 더 심도가 있다고 할 것입니다.

이 조문에 따른 사회복지 자원봉사의 경우 「사회복지사업법」 제33조에 따라 설립된 한국사회복지협의회가 "사회복지자원관리인증관리 시스템"[7]을 통하여 각종 사항을 운영하고 있습니다.

7) https://www.vms.or.kr

제10조(지도·훈련)

제10조(지도 · 훈련) ① 보건복지부장관은 이 법이나 그 밖의 사회복지 관련 법률의 시행에 관한 사무에 종사하는 공무원과 사회복지사업에 종사하는 사람의 자질 향상을 위하여 인권교육 등 필요한 지도와 훈련을 할 수 있다.

② 제1항의 훈련에 필요한 사항은 보건복지부령으로 정한다.

→ 「사회복지사업법 시행규칙」 제2조의2(훈련기관 등)

제10조는 사회복지 관련 사무에 종사하는 공무원이나 사회복지사업에 종사하는 사람의 자질을 향상시키기 위해 보건복지부장관이 필요한 지도·훈련을 실시할 수 있는 근거 조문입니다. 「사회복지사업법 시행규칙」 제2조의2제1항에서는 이 사무를 「사회복지사업법 시행령」 제25조제4항제1호에 따라 보건복지부장관이 지도 · 훈련 업무를 위탁한 기관이 실시하는 것으로 규정하고 있습니다. 한편 「사회복지사업법 시행령」 제12조에서는 "사회복지에 관한 교육훈련"을 한국사회복지협의회의 사업 및 업무로 규정하고 있습니다. 또한 「한국보건복지인재원법」에 따라 설립된 한국보건복지인재원도 "보건복지 분야 교육훈련"이 법정 사무로 규정되어 있어 이 조문과 관련된 업무를 수탁하여 처리할 수 있습니다.

제11조(사회복지사 자격증의 발급 등)

제11조(사회복지사 자격증의 발급 등) ① 보건복지부장관은 사회복지에 관한 전문지식과 기술을 가진 사람에게 사회복지사 자격증을 발급할 수 있다. 다만, 자격증 발급 신청일 기준으로 제11조의2에 따른 결격사유에 해당하는 사람에게 자격증을 발급해서는 아니 된다.

② 제1항에 따른 사회복지사의 등급은 1급 · 2급으로 하되, 정신건강 · 의료 · 학교 영역에 대해서는 영역별로 정신건강사회복지사 · 의료사회복지사 · 학교사회복지사의 자격을 부여할 수 있다.

③ 사회복지사 1급 자격은 국가시험에 합격한 사람에게 부여하고, 정신건강사회복지사 · 의료사회복지사 · 학교사회복지사의 자격은 1급 사회복지사의 자격이 있는 사람 중에서 보건복지부령으로 정하는 수련기관에서 수련을 받은 사람에게 부여한다.

④ 제2항에 따른 사회복지사의 등급별 · 영역별 자격기준 및 자격증의 발급절차 등은 대통령령으로 정한다.

⑤ 보건복지부장관은 제4항에 따른 사회복지사 자격증을 발급받거나 재발급받으려는 사람에게 보건복지부령으로 정하는 바에 따라 수수료를 내게 할 수 있다.

⑥ 제1항에 따라 사회복지사 자격증을 발급받은 사람은 다른 사람에게 그 자격증을 빌려주어서는 아니 되고, 누구든지 그 자격증을 빌려서는 아니 된다.

⑦ 누구든지 제6항에 따라 금지된 행위를 알선하여서는 아니 된다.

→ 「사회복지사업법 시행령」 제2조(사회복지사의 등급별 자격기준 등)

→ 「사회복지사업법 시행규칙」 제4조의2(영역별 사회복지사 수련기관 및 수련과정), 제4조 (사회복지사자격증의 발급신청등)

제11조는 사회복지사 제도에 대한 사항을 규정하고 있습니다. 사회복지사는 문언 그대로 사회복지에 관한 전문지식과 기술을 가진 사람에 대해 국가가 발급하는 국가전문자격입니다. 급수는 1급과 2급으로 나누어지며, 2급은 교육기관에서 특정 과목을 이수하고 학점을 취득할 경우 발급되며, 1급은 국가시험을 통해서만 발급이 가능합니다. 1급 사회복지사 자격이 있는 경우 수련기관에서 수련을 받으면, 전문 사회복지사인 정신건강사회복지사 · 의료사회복지사 · 학교사회복지사의 자격을 별도로 받을 수 있습니다.

사회복지사 자격은 다른 자격과 마찬가지로 그 자격을 취득하는 사람에게만 유효한 것으로서, 이를 빌려주거나, 빌리는 경우, 또는 그러한 행위를 알선하는 행위는 「사회복지사업법」 제54조에 따라 1년 이하의 징역이나 1천만원 이하의 벌금형에 해당되는 범죄가 됩니다.

제11조의2(사회복지사의 결격사유)

제11조의2(사회복지사의 결격사유) 다음 각 호의 어느 하나에 해당하는 사람은 사회복지사가 될 수 없다.
1. 피성년후견인 또는 피한정후견인
2. 금고 이상의 형을 선고받고 그 집행이 끝나지 아니하였거나 그 집행을 받지 아니하기로 확정되지 아니한 사람
3. 법원의 판결에 따라 자격이 상실되거나 정지된 사람
4. 마약 · 대마 또는 향정신성의약품의 중독자
5. 「정신건강증진 및 정신질환자 복지서비스 지원에 관한 법률」 제3조제1호에 따른 정신질환자. 다만, 전문의가 사회복지사로서 적합하다고 인정하는 사람은 그러하지 아니하다.

제11조의2는 사회복지사의 결격사유에 대해서 규정하고 있습니다. 제1호부터 제5호까지 규정하고 있는데, 제1호부터 제3호까지의 사유는 「사회복지사업법」 제19조제1항에 따른 사회복지법인의 임원의 결격사유와 동일하기 때문에 구체적인 내용은 해당 조문에 대한 해설을 참조하기 바랍니다.

이 조문에서만 규정하고 있는 제4호의 결격사유인 마약·대마 또는 향정신성의약품 중독자의 경우는 제1호의 결격사유와 마찬가지로 제한능력자임을 이유[8]로 결격사유로 규정하고 있는 것임에 유의해야 합니다. 마약 등의 중독자는 형사처벌 대상이 되어, 제2호나 제3호에 따른 결격사유에 해당하는 경우가 대부분일 것이나, 관련 사안으로 형사처벌이 끝난 경우라고 하더라도 중독인 상태가 해소되지 않은 경우에는 정상적인 행위능력을 가지고 있다고 보기 어렵기 때문에 별도로 결격사유로 명시하고 있는 것입니다. 한편 제5호 결격사유는 정신질환자의 경우 원칙적으로 사회복지사의 자격을 취득할 수 없는 것으로 하되, 전문의가 사회복지사로서 적합하다고 인정하는 경우에는 자격을 취득할 수 있습니다. 이는 「정신건강복지법」 제2조제3항에서 “모든 정신질환자는 정신질환이 있다는 이유로 부당한 차별대우를 받지 아니한다.”라고 규정한 것에 부합되는 규정이라고 할 수 있습니다.

8) 법제처, 「법령 입안·심사 기준」(2022), 190쪽 참조

제11조의3(사회복지사의 자격취소 등)

제11조의3(사회복지사의 자격취소 등) ① 보건복지부장관은 사회복지사가 다음 각 호의 어느 하나에 해당하는 경우 그 자격을 취소하거나 1년의 범위에서 정지시킬 수 있다. 다만, 제1호부터 제3호까지에 해당하면 그 자격을 취소하여야 한다.

1. 거짓이나 그 밖의 부정한 방법으로 자격을 취득한 경우
2. 제11조의2 각 호의 어느 하나에 해당하게 된 경우
3. 자격증을 대여 · 양도 또는 위조 · 변조한 경우
4. 사회복지사의 업무수행 중 그 자격과 관련하여 고의나 중대한 과실로 다른 사람에게 손해를 입힌 경우
5. 자격정지 처분을 3회 이상 받았거나, 정지 기간 종료 후 3년 이내에 다시 자격정지 처분에 해당하는 행위를 한 경우
6. 자격정지 처분 기간에 자격증을 사용하여 자격 관련 업무를 수행한 경우

② 보건복지부장관은 제1항제4호에 해당하여 사회복지사의 자격을 취소하거나 정지시키려는 경우에는 제46조에 따른 한국사회복지사협회의 장 등 관계 전문가의 의견을 들을 수 있다.

③ 제1항에 따라 자격이 취소된 사람은 취소된 날부터 15일 내에 자격증을 보건복지부장관에게 반납하여야 한다.

④ 보건복지부장관은 제1항에 따라 자격이 취소된 사람에게는 그 취소된 날부터 2년 이내에 자격증을 재교부하지 못한다.

제11조의3은 사회복지사 자격의 취소 및 정지와 관련된 조문입니다. 사회복지사 자격은 그 사유의 중대성에 따라 취소사유에 해당되면 재량의 여지 없이 반드시 취소해야 하는 사유(당연취소사유)와 재량에 따라 1년 이내의 기간을 주어 정지시키거나 취소시킬 것인지 여부를 결정할 수 있는 사유(임의취소사유)로 나눠집니다.

1. 당연취소사유

우선 당연취소사유는 ①거짓이나 그 밖에 부정한 방법으로 자격을 취득한 경우, ②사회복지사의 결격사유에 해당하게 된 경우, ③자격증을 대여·양도하거나, 위조·변조한 경우입니다. 이러한 사유에 해당될 때는 보전복지부장관은 그 재량의 여지 없이 반드시 자격을 취소해야 합니다.

2. 임의취소사유

임의취소사유에는 우선 사회복지사 업무수행 중 그 자격과 관련하여 고의나 중대한 과실로 다른 사람에게 손해를 입힌 경우가 있습니다. 이 사유에 해당되기 위해서는 ①사회복지사로서 업무를 수행하고 있는 중이어야 하고, ②사회복지사

자격과 관련한 건이어야 하며, ③고의나 중대한 과실이 개입되어야 하며, ④이러한 행위에 따라 다른 사람에게 손해가 발생해야 합니다. 이 중 어느 하나라도 해당되지 않으면, 이 임의취소사유가 적용되지 않습니다. 만일 임의취소사유에 해당될 경우 제2항에 따라 한국사회복지사협회장 등 관계 전문가 의견을 들을 수 있습니다. 하지만 이 절차는 필수절차가 아니므로 보건복지부장관의 재량에 따라 청취 여부를 선택할 수 있습니다. 즉 전문가 의견을 듣지 않았다고 하여 절차의 하자를 논할 수는 없을 것입니다.

다음으로 자격정지 처분을 이미 3회 이상 받은 경우나 정지 기간 종료 후 3년 이내에 다시 자격정지 처분에 해당하는 행위를 했을 때는 자격의 취소가 가능합니다. 제1항 본문의 문언상으로 보면 동 행위에 대해서 자격의 정지도 가능한 것으로 읽힐 수 있으나, 자격정지 처분에 해당하는 행위를 했다면 굳이 자격정지 처분을 3회 이상 받거나, 자격정지 기간이 끝나고 3년이 지나지 아니한 경우와 무관하게 자격정지 처분을 하면 충분한 것이므로, 제4호는 자격정지가 아니라 자격취소에만 해당되는 조문으로 읽어야 할 것입니다. 한편 이 경우 3회 이상 정지를 받은 기록에 대해서는 별도의 기한을 정하고 있지 않으므로, 자격을 취득한 이후 정지를 받은 경우가 3회 이상이면 해당될 것입니다. 또한 동일 급수에서 정지를 받은 것으로 한정하고 있지 않기 때문에 동일인이 어느 급수에서건 정지를 받은 경우가 3회 이상이면 해당됩니다. 정지 횟수와는 별개로 특정 정지기간이 만료되고 3년 이내에 다시 정지사유에 해당되면 자격 취소사유에 해당이 됩니다.

끝으로 자격정지 처분 기간에 자격증을 사용하여 자격 관련 업무를 수행한 경우도 자격취소 사유에 해당이 됩니다. 자격이 없는 자가 자격자인 것처럼 행위를 한 것으로서 당연취소사유인 제3호와 다를 바 없고, 제5호 사유와 마찬가지로 이미 자격이 정지된 상황에서 자격증을 사용한 경우이므로, 자격의 정지가 아닌 자격 취소사유로만 볼 필요가 있습니다.

3. 재교부 관련

자격이 취소된 경우 해당 자격증을 15일 이내에 보건복지부장관에게 반납해야 하고, 향후 2년 이내에는 자격을 재교부받을 수가 없습니다. 이때 제4항에서 사용하고 있는 "재교부"라는 용어에 대해 해석의 여지가 매우 큽니다. 통상의 경우 어떠한 자격이 취소되면, 당연히 새로운 절차를 거쳐 해당 자격을 다시 취득해야 합니다. 사회복지사 자격도 마찬가지로 취소가 된 이후에는 다시 새로운 절차를 거쳐서 해당 자격을 취득해야 하는 것입니다. 그런데 제11조의3제4항에서 사용하고 있는 "재교부"라는 용어가 마치 새로운 취득 절차가 없어도 다시 교부를 받을 수 있다는 의미로 받아들여질 가능성도 매우 큽니다. 이러한 용어의 사용은 우선 「의료법」 제65조와 같은 유사입법례를 참조한 것으로 사료됩니다. 또한 사회복지사 2급의 경우 자격이 취소되었다고 하더라도, 그 취득을 위한 학점 등이 함께 취소되거나 말소되는 것은 아니므로, 취소 이후 2년이 지나고 나면 시험 등 별도의 절차 없이 다시 2급 자격을 취득할 수 있고, 이러한 상황은 외형적으로 볼 때 자격증을 다시 교부받은, 즉 재교부라고 하여도 크게 그릇된 것이 아니기 때문에 사용된 용어로 사료됩니다. 그러나 유사 입법례인 「의료법」 제65조의 경우 「사회복지사업법」과 달리 해당 조문에서는 취소된 면허의 경우 반성하는 기미가 뚜렷한 경우 등에 한해서 새로운 면허 취득 절차 없이 종전의 면허를 재교부하는 절차가 명확히 규정되어 있습니다. 또한 「사회복지사업법」상 사회복지사 1급의 경우 시험을 전제로 하고 있는 자격임을 명확히 하고 있는 반면, 자격 취소 이후에 대한 특례를 별도로 규정하고 있지 않는 점에 미루어 보면, 「사회복지사업법」 제11조의3제4항에서 사용하고 있는 재교부라는 용어의 경우 「의료법」의 그것과 동일하게 해석하여서는 아니 된다고 할 것입니다. 요컨대 사회복지사 자격이 취소된 경우에는 그 취소일로부터 2년이 지나야만 2급 자격의 재교부 신청이나 1급 자격의 시험 응시가 가능하다고 할 것입니다.

제11조의4(유사명칭의 사용금지)

제11조의4(유사명칭의 사용금지) 이 법에 따른 사회복지사가 아니면 사회복지사 또는 이와 유사한 명칭을 사용하지 못한다.

사회복지사와 관련한 유사명칭을 법률로써 금지하는 것은 사회복지사가 「사회복지사업법」에 의해서만 자격이 부여되는 것으로, 동 법률에 따라 사회복지사로서 자격을 갖춘 사람만 이러한 자격명칭을 사용할 수 있도록 하기 위해서입니다. 또한 사회복지사 자격을 가진 사람을 보호하고 무자격자가 명칭을 사칭함으로써 오는 폐해를 방지하기 위해서 마련된 조문입니다.[9] 유사한 명칭을 사용하는 경우에는 「사회복지사업법」 제58조제2항에 따라 300만원 이하의 과태료 대상이 됩니다.

9) 법제처, 「법령 입안·심사 기준」(2022), 553쪽 참조

제12조(국가시험)

제12조(국가시험) ① 제11조제3항에 따른 국가시험은 보건복지부장관이 시행하되, 시험의 관리는 대통령령으로 정하는 바에 따라 시험관리능력이 있다고 인정되는 관계 전문기관에 위탁할 수 있다.

② 보건복지부장관은 제1항에 따라 국가시험의 관리를 위탁하였을 때에는 그에 드는 비용을 예산의 범위에서 보조할 수 있다.

③ 제1항에 따라 시험의 관리를 위탁받은 기관은 보건복지부장관의 승인을 받아 정한 금액을 응시수수료로 받을 수 있다.

④ 시험 과목, 응시자격 등 시험의 실시에 필요한 사항은 대통령령으로 정한다.

→ 「사회복지사업법 시행령」 제3조(국가시험의 시행 등), 제4조(시험의 응시자격 및 시험관리), 제5조(시험위원), 제5조의2(관계기관 등에의 협조요청)

사회복지사 1급 시험은 보건복지부장관이 직접 시행은 하지만, 관리는 「사회복지사업법 시행령」 제3조제2항제3호에 따라 「한국산업인력공단법」에 따른 한국산업인력공단에서 수탁하여 시행하고 있습니다.

제13조(사회복지사의 채용 및 교육 등)

제13조(사회복지사의 채용 및 교육 등) ① 사회복지법인 및 사회복지시설을 설치 · 운영하는 자는 대통령령으로 정하는 바에 따라 사회복지사를 그 종사자로 채용하고, 보고방법 · 보고주기 등 보건복지부령으로 정하는 바에 따라 특별시장 · 광역시장 · 특별자치시장 · 도지사 · 특별자치도지사(이하 "시 · 도지사"라 한다) 또는 시장 · 군수 · 구청장에게 사회복지사의 임면에 관한 사항을 보고하여야 한다. 다만, 대통령령으로 정하는 사회복지시설은 그러하지 아니하다.

② 보건복지부장관은 사회복지사의 자질 향상을 위하여 필요하다고 인정하면 사회복지사에게 교육을 받도록 명할 수 있다. 다만, 사회복지법인 또는 사회복지시설에 종사하는 사회복지사는 정기적으로 인권에 관한 내용이 포함된 보수교육(補修敎育)을 받아야 한다.

③ 사회복지법인 또는 사회복지시설을 운영하는 자는 그 법인 또는 시설에 종사하는 사회복지사에 대하여 제2항 단서에 따른 교육을 이유로 불리한 처분을 하여서는 아니 된다.

④ 보건복지부장관은 제2항에 따른 교육을 보건복지부령으로 정하는 기관 또는 단체에 위탁할 수 있다.

⑤ 제2항에 따른 교육의 기간 · 방법 및 내용과 제4항에 따른 위탁 등에 관하여 필요한 사항은 보건복지부령으로 정한다.

→ 「사회복지사업법 시행령」 제6조(사회복지사의 채용)

→ 「사회복지사업법 시행규칙」 제5조(사회복지사 임면사항 보고 및 보수교육 등), 제5조의2(보수교육 계획 및 실적보고 등), 제5조의3(보수교육 관계서류의 보존)

제13조은 사회복지사의 채용이나 교육 등에 대해서 규정하고 있습니다. 우선 사회복지법인이나 시설을 설치·운영하는 주체는 사회복지사를 반드시 그 종사자로 채용토록 의무를 부여하고 있습니다. 시행령 제6조에 따르면 ①사회복지프로그램의 개발 및 운영업무, ②시설거주자의 생활지도업무, ③사회복지를 필요로 하는 사람에 대한 상담업무를 수행하는 사회복지사를 반드시 채용해야 합니다. 다만 사회복지시설 관련 법률에서 별도의 규정이 있으면, 해당 법률에 따라 채용하면 됩니다.

만일 「사회복지사업법」이나 사회복지 관련 법률에 따라 사회복지사를 임면하였다면, 서면이나 사회복지시설정보시스템을 통해서 관련 사항을 지자체장에게 보고하여야 합니다. 다만, 「노인복지법」에 따른 노인여가복지시설(노인복지관 제외), 「장애인복지법」에 따른 장애인 지역사회재활시설 중 수화통역센터, 점자도서관, 점자도서 및 녹음서 출판시설, 「영유아보육법」에 따른 어린이집, 「성매매방지 및 피해자 보호 등에 관한 법률」 제9조에 따른 성매매피해자등을 위한 지원시설 및 같은 법 제17조에 따른 성매매피해상담소, 「정신건강증진 및 정신질환자 복지서비스 지원에 관한 법률」 제3조제6호 및 제7호에 따른 정신요양시설 및 정신재활시설, 「성폭력 방지 및 피해자보호 등에 관한 법률」에 따른 성폭력피해상담소의 경우는 임면 사항을 별도로 보고하지 않아도 됩니다. 이 시설들은 사회복지사 채용이 필수가 아니거나, 별도의 시스템을 통해 임면을 보고하는 시설들로서 「사회복지사업법」에 따른 사회복지사 임면 보고 의무를 면제한 것으로 사료됩니다.

제15조의2(사회복지의 날)

제15조의2(사회복지의 날) ① 국가는 국민의 사회복지에 대한 이해를 증진하고 사회복지사업 종사자의 활동을 장려하기 위하여 매년 9월 7일을 사회복지의 날로 하고, 사회복지의 날부터 1주간을 사회복지주간으로 한다.

② 국가와 지방자치단체는 사회복지의 날의 취지에 적합한 행사 등 사업을 하도록 노력하여야 한다.

사회복지의 날은 제15조의2가 신설·시행된 2000년부터 보건복지부에서 주관하여 행사를 실시하고 있습니다. 기념일인 9월 7일은 「국민기초생활 보장법」이 제정·공포된 날입니다.[10)]

10) "https://folkency.nfm.go.kr/kr/topic/detail/4116" 참조

제2장

사회복지법인

제2조(정의)

제2조(정의) 이 법에서 사용하는 용어의 뜻은 다음과 같다.
3. "사회복지법인"이란 사회복지사업을 할 목적으로 설립된 법인을 말한다.

1. 사회복지법인이란?

사회복지법인은 ①「사회복지사업법」에 따른 사회복지사업을 수행할 목적으로 만들어지는 법인으로서, ②「사회복지사업법」에서 정하고 있는 절차에 따라 설립된 법인만을 의미합니다. 따라서 어떤 법인이 그 목적사업으로 사회복지사업을 수행한다거나, 사회복지법인이라는 명칭이나 그와 비슷한 명칭을 사용하고 있는 경우[11)]라도 그 법인의 허가증에 명시된 설립 근거 법률이 「사회복지사업법」이 아니라면 사회복지법인이 아닙니다.

유용한 TIP 사회복지법인 여부를 확인하는 방법

① **(허가증 확인)** 사회복지법인 허가증에 법인의 설립 근거가 「사회복지사업법」으로 명시되어 있다면 그 법인은 사회복지법인이 됩니다.
- 만일 그 허가증에 「민법」이나 「공익법인의 설립 · 운영에 관한 법률」 또는 다른 법률만 명시되어 있다면 사회복지법인이라고 할 수 없습니다.

② **(등기부 확인)** 등기부상 13자리 등록번호 중 5·6번째 번호가 "32"로 표기된 경우에는 사회복지법인입니다.(근거 : 「법인 및 재외국민의 부동산등기용등록번호 부여에 관한 규칙」)

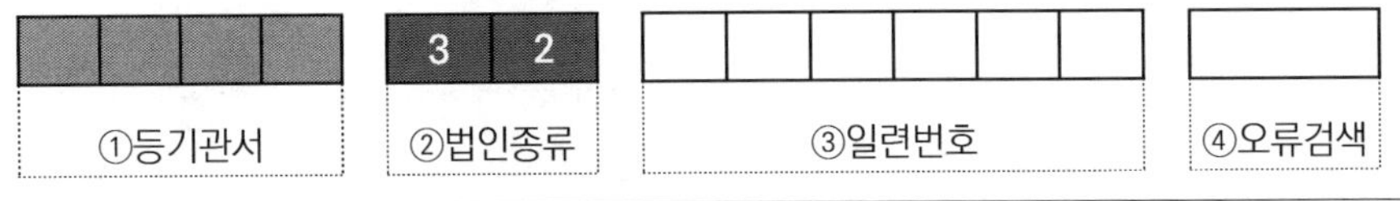

2. 사회복지법인은 어떤 사업을 할 수 있는가? (사회복지법인의 권리능력)

「민법」 제34조에서는 "법인은 법률의 규정에 좇아 정관으로 정한 목적의 범위 내에서 권리와 의무의 주체가 된다."라고 규정하고 있습니다. 이러한 「민법」 조문은 「사회복지사업법」 제32조에 따라 사회복지법인에도 그대로 준용되므로 사회복지법인은 그 설립 근거 법률인 「사회복지사업법」이 규정하고 있는 사항을 준수하여 정관으로 정한 목적의 범위 내에서만 권리와 의무의 주체가 됩니다.

사회복지법인은 「사회복지사업법」 제2조제3호에서 정하고 있는 바와 같이 사회

---

11) 사회복지법인이 아닌 법인이라면 「사회복지사업법」 제31조에 따라 사회복지법인이라는 명칭을 사용할 수 없지만, 이러한 규정을 무시하고 사용하는 예도 있음.

복지사업을 수행하기 위해 설립되는 법인이므로 「사회복지사업법」에서 정하고 있는 사회복지사업과 관련하여서만 권리와 의무의 주체가 될 수가 있습니다. 실무상으로는 「사회복지사업법」 제2조제1호 각 목에서 열거하고 있는 법률에 해당하는 사업만을 그 정관에 목적사업으로 명시할 수 있고, 그렇게 명시된 목적사업의 범위 내에서만 권리능력이 있는 것입니다.

해 석 례	「사회복지사업법」상 사회복지사업의 범위

o **해석번호** : [법제처 15-0247, 2015.6.23.]

o 「사회복지사업법」에 따른 사회복지사업은 원칙적으로 같은 법 제2조제1호 각 목의 법률에 따른 복지사업과 이와 관련된 사업 등으로 한정됩니다.

개인 해석	「사회복지사업법」상 사회복지사업의 범위

o 종전 보건복지부에서는 「사회복지사업법」 제2조제1호에 따른 사회복지사업을 ①제2조제1호 각 목에서 열거하고 있는 법률과 직접 관련이 있는 사업과 ②각 목에서 열거하고 있는 법률과는 직접 관련은 없지만 제2조제1호 각 호외의 본문에서 열거하는 사업(사회복지관 운영 등) 그리고, ③앞의 두 가지 사업을 지원하는 사업으로 구분하고 있었습니다.[12)]

- 종전 해석의 경우는 사회복지사업의 범위가 다소 모호하다는 단점은 있으나, 사회복지사업의 범위를 유연하게 확장할 수 있다는 장점이 있습니다.

o 반면 법제처 해석의 경우 사회복지사업이 무엇인지를 명확히 할 수 있다는 장점은 있으나, 제1호 각 목에서 열거하고 있지 않은 「사회복지사업법」에 근거를 두고 있는 사회복지관 운영이나, 결핵, 한센 관련 사업은 사회복지사업으로 볼 수 없게 되는 문제점이 있습니다.

o 각 해석은 일장일단(一長一短)이 있으므로 어떠한 해석의 방향이 더 적절한 것인지 단정하기는 어렵습니다. 다만 사회복지의 영역이 점점 확대되고 그 경계가 모호해지고 있는 상황을 고려한다면, 종전의 해석 태도가 좀 더 적절할 것으로 판단됩니다.

사례 예시	사회복지법인의 의료기관 개설 → 불가

o 「사회복지사업법」 제2조제1호 각 목에서 열거하고 있는 법률 중에는 「의료법」이 명시되어 있지 않으므로, 의료기관 등 「의료법」에 따른 사항에 대해서는 권리능력이 없습니다.

* 구체적인 사항은 부록1 중 "사회복지법인의 의료기관 개설 가능 여부" 참고

다만, 법 제28조에 따른 수익사업과 「사회복지사업법」이 아닌 기타 법률에서 사회복지법인이 수행할 수 있다고 명시한 사업의 경우는 「민법」 제34조에서 규정하고 있는 것처럼 "법률의 규정을 좇아" 수행할 수 있는 사업이라고 할 수 있으므로 관련 사항을 정관에 명시하여 주무관청의 인가를 받으면 그 사업을 수행할 수 있습니다.

12) 보건복지부, 「2015 사회복지법인 관리안내」, 3쪽 참조

사례 예시 「건강가정기본법」상 건강가정지원센터의 위탁운영 → 가능

o 「건강가정기본법」은 「사회복지사업법」 제2조제1호허목에서 위임한 바에 따라 2019년 6월 12일에 「사회복지사업법 시행령」 제1조의2에 사회복지사업 관련 법률에 추가되었기 때문에 현재는 사회복지사업의 범위에 해당하고, 따라서 사회복지법인도 종전의 「건강가정기본법」 규정과 무관하게 건강가정지원센터를 직접 또는 위탁받아 운영할 수 있습니다.

「건강가정기본법」

제35조(건강가정지원센터의 설치) ⑤센터의 운영은 여성가족부령이 정하는 바에 의하여 민간에 위탁할 수 있다.

시행규칙 제6조(건강가정지원센터의 위탁운영) 국가 및 지방자치단체는 법 제35조제5항의 규정에 의하여 다음 각호의 어느 하나에 해당하는 민간기관에 건강가정지원센터의 운영을 위탁할 수 있다.

3. 「사회복지사업법」 제2조제3호에 따른 사회복지법인

※ 2019년 6월 이전까지는 「건강가정기본법」은 사회복지사업과 관련이 없는 법률이었고, 따라서 건강가정지원센터도 사회복지시설이 아니었으나 위 규정에 따라 사회복지법인의 위탁운영이 가능하였습니다.

3. 사회복지법인이 아닌 법인이 사회복지법인으로 전환(轉換)될 수 있는지 여부

「사회복지사업법」에서는 사회복지법인으로의 전환과 관련된 조문이 없으므로 사회복지법인이 아닌 법인(이하 "이종(異種)법인")은 사회복지법인으로 전환할 수 없습니다. 그 설립 근거 법률이나 주무관청이 다르므로 이종법인이 사회복지법인이 되고자 한다면 그 법인을 해산하고, 「사회복지사업법」에 따라서 새로운 설립절차를 진행하는 방법밖에 없습니다.

법인 간 전환 입법례

「사립학교법」

제50조(학교법인에의 조직변경) ①사립학교경영자중 「민법」에 의한 재단법인은 그 조직을 변경하여 학교법인이 될 수 있다.

「협동조합기본법」

제60조의2(법인등의 조직변경) ① 「상법」에 따라 설립된 유한책임회사, 주식회사, 유한회사 및 그 밖에 다른 법령에 따라 설립된 영리법인(이하 "법인등"이라 한다)은 소속 구성원 전원의 동의에 따른 총회의 결의(총회가 구성되지 아니한 경우에는 소속 구성원 전원의 동의를 말한다. 이하 이 조와 제105조의2에서 같다)로 이 법에 따른 협동조합으로 그 조직을 변경할 수 있다. 이 경우 기존의 법인등과 조직이 변경된 협동조합은 권리·의무 관계에서는 같은 법인으로 본다.

다만, 제정·공포 당시 「사회복지사업법」의 부칙(법률 제2191호, 1970.1.1.) 제2항에서는 동 법률 시행 당시 「민법」 제32조에 따라 설립허가 된 재단법인 중 사회사업을 목적으로 하는 재단법인을 「사회복지사업법」에 따른 사회복지법인으로 간주하는 규정이 있었습니다, 따라서 당시 해당 규정에 따라서 「민법」을 근거로 설립된 법인이 사회복지법인으로 인정될 수 있는 여지는 있습니다.

관련 법령 조문

「사회복지사업법」 부칙 (법률 제2191호, 1970.1.1.)

② **(경과조치)** 이 법 시행당시 민법 제32조의 규정에 의하여 설립허가된 사회사업을 목적으로 하는 재단법인과 사단법인한국사회복지연합회는 이 법에 의하여 설립된 법인으로 본다.

동 부칙 조문의 경우 특별한 전환 절차에 관한 규정은 없고, 다만, 사회복지사업을 수행하기 위해 설립된 법인이면 사회복지법인으로 보는 것으로만 규정되어 있습니다. 실제 당시 보건사회부에 전환을 요청하는 경우에 한해서 사회복지법인으로 전환한 사례가 있었던 것으로 보아, 사회사업을 목적으로 하는 「민법」상 모든 재단법인이 당연히 사회복지법인으로 전환된 것은 아니라고 추정됩니다. 따라서 만일 당시에 전환을 요청하지 않았거나, 사회복지법인으로서 새롭게 허가증을 교부받지 못하였다면 당시 부칙만을 들어서 사회복지법인이라고 주장할 수는 없다고 할 것입니다. 이러한 전환은 당시 「사회복지사업법」의 부칙에 근거를 두고 있는 것이므로, 이론적으로는 해당 「사회복지사업법」이 전부개정되어 해당 부칙의 효력이 소멸하기 전인 1993년 6월 8일까지만 전환이 가능하였을 것입니다.

참조 판례 법률 전부개정 시 개정 전 부칙 규정은 소멸

o **사건번호** : [대법원 2002.7.26, 선고, 2001두11168, 판결]

o 법률의 개정시에 종전 법률 부칙의 경과규정을 개정하거나 삭제하는 명시적인 조치가 없다면 개정 법률에 다시 경과규정을 두지 않았다고 하여도 부칙의 경과규정이 당연히 실효되는 것은 아니지만,

- **개정 법률이 전문 개정인 경우**에는 기존 법률을 폐지하고 새로운 법률을 제정하는 것과 마찬가지여서 종전의 본칙은 물론 **부칙 규정도 모두 소멸하는 것으로 보아야 할 것**이므로 **특별한 사정이 없는 한** 종전의 법률 부칙의 경과규정도 모두 실효된다고 보아야 한다.

4. 사회복지법인을 이종법인으로 전환할 수 있는지 여부

이종법인이 사회복지법인으로 전환되는 것이 불가능한 것과 마찬가지로 사회복지법인이 이종법인으로 전환되는 것도 법령상 근거가 없다면 불가능합니다. 실무상

으로는 사회복지법인이 그 모든 재산을 출연하는 등의 방법을 통해 이종법인을 설립하고, 그 이후에 종전의 사회복지법인을 해산하는 것과 같은 편법을 통해 전환과 유사한 효과를 낼 수는 있으나 이러한 경우 적지 않은 위법의 소지가 발생될 수 있음에 유의해야 합니다.

해석례	전환은 별도의 법률상 근거가 있는 경우만 인정 가능
o **해석근거** : 「민법 일부개정법률안」(2011.6.22. 제출, 의안번호 1812312) 3·4쪽	
o "현재는 비영리법인의 경우 **해산 · 청산 후 신설이라는 우회적 방법을 통해서만 조직을 변경할 수 있어** 법인 운영의 자유를 저해하는 문제가 있음."이라고 명시	

우선 사회복지법인이 이종법인 설립을 위해 재산을 출연할 경우 그 출연행위가 권리능력의 범위 내의 행위인지에 대한 문제 제기가 있을 수 있습니다. 사회복지법인은 사회복지사업을 수행하기 위해서 바쳐진 재산을 바탕으로 설립된 법인으로서, 이미 살펴본 바와 같이 사회복지사업 수행에 한해서만 그 권리능력이 인정됩니다. 그런데 이종법인을 설립하는 행위 자체는 사회복지사업의 수행과는 무관한 행위로서 사회복지법인의 권리능력을 넘어서는 행위[13]라고 할 것입니다. 또한 출연행위 자체는 사회복지법인의 지출이므로, 「사회복지법인 및 사회복지시설 재무·회계 규칙」 중 법인회계 상 세출로 처리해야 하지만, 현행 재무회계규칙에는 출연행위와 관련된 세출 항목이 없으므로 출연행위 자체가 「사회복지법인 및 사회복지시설 재무·회계 규칙」을 위반하는 위법행위가 되기도 합니다.

한편 재산의 처리와 관련한 위법의 문제도 있습니다. 사회복지법인은 해산할 경우 「사회복지사업법」 제27조에 따라서 그 잔여재산을 반드시 국가나 지자체에 귀속시켜야 합니다. 그러나 사회복지법인이 이종법인을 설립하는 출연행위가 가능하다고 한다면, 새로운 법인 설립에 재산을 출연하는 방법을 통해 잔여재산을 발생시키지 않음으로써 국가나 지자체에 귀속시키지는 것을 회피하는 편법이 자행될 우려가 적지 않습니다. 이는 잔여재산의 국가나 지자체 귀속이라는 법률의 취지와는 완전히 어긋나는 결과를 초래하게 되는 것입니다. 그 밖에도 사회복지사업에 전념할 의도로 사회복지법인을 설립하고 그 재산을 출연한 자의 의도와 무관하게, 그 출연재산을 달리 활용하여 사회복지법인이 아닌 전혀 다른 새로운

13) 사회복지사업을 하는 이종법인의 설립하는 경우라고 하더라도, 이종법인 설립행위 자체가 사회복지법인의 권리능력을 넘어서는 행위임. 논리적으로 볼 때도 해당 사회복지법인이 그 스스로 사회복지사업을 수행하면 되므로 굳이 사회복지사업을 하는 이종법인을 설립할 이유도 없음.

법인을 만들 수 있는 여지가 생기게 되어, 자칫 사회복지법인 제도의 근간 자체를 뒤흔들 수 있는 매우 부적절한 상황이 발생할 우려도 적지 않습니다. 요컨대 법률의 해석이나 취지 등 모든 면을 종합하여 볼 때 기왕에 설립된 사회복지법인은 이종법인으로 전환할 수 없다고 할 것입니다.

유용한 TIP **관련 업무 처리 방법(공무원)**

o 사회복지법인이 타 종류의 법인으로 전환하는 것과 관련하여서는 그 법률적 근거가 없으므로 만일 관련 신청이 있다면 해당 공무원이 이에 대해서 특별한 행정행위를 할 이유나 권한도 없기 때문에 이러한 신청을 반드시 반려하여야 할 것입니다.

o 재산출연을 통해 이종법인을 설립하고자 하는 민원으로서 출연을 위해 기본재산 처분허가를 신청하는 경우가 있다면 이러한 신청도 반려해야 할 것입니다.

- 만일 기본재산 처분허가가 필요 없는 보통재산을 출연하여 임의로 이종법인을 설립한 것을 확인하였다면, 이는 「사회복지법인 및 사회복지시설 재무·회계 규칙」의 위반이므로 시정명령과 원상 복구 등의 행정처분 등을 실시해야 합니다.
- 나아가 법인의 재산을 반대 급부 없이 사용한 것이 되므로, 「형법」상 배임이나 횡령의 죄에도 해당될 가능성이 적지 않으므로 수사의뢰나 고발 절차를 진행해야 할 것입니다.

[준용][14) 「민법」 제34조(법인의 권리능력)

> **제34조(법인의 권리능력)** 법인은 법률의 규정에 좇아 정관으로 정한 목적의 범위내에서 권리와 의무의 주체가 된다.

1. 원칙

「민법」 제34조에서는 모든 법인은 "법률의 규정에 좇아 정관으로 정한 목적의 범위 내에서 권리와 의무의 주체가 된다."고 규정하고 있습니다. 자연인(自然人) 즉 사람에 대해서는 「민법」 제3조에서 "사람은 생존한 동안 권리와 의무의 주체가 된다"라고만 규정하고 있을 뿐이고, 그 범위는 따로 정하고 있지 않는 것과는 대조적인 조문입니다. 자연인은 달리 정하지 않아도 태어나면서부터 누구나, 당연히, 차별 없이 권리와 의무의 주체가 되는 것이므로 별도로 권리능력의 범위를 정하지 않는 것입니다. 「민법」 제3조의 제목이 "자연인의 권리능력"이 아니라 "권리능력의 존속기간"인 것도 자연인은 당연히 권리능력이 있고, 자연인이 살아 있는 동안에는 당연히 존속하고 있다는 것을 정하고 있는 것입니다.

반면 법인의 경우는 특정한 목적을 실현하기 위해서 인공적으로 만들어지는 것으로서, 법률의 근거가 있는 경우에만 성립이 가능한 주체입니다. 따라서 그 설립 근거 법률과 그 법인이 추구하는 목적 또는 목적사업의 범위에 내에서만 권리를 주장하거나 의무를 부담할 수 있는 주체가 될 수 있는 것입니다.

2. 제한

2.1. 권리·의무의 성질에 따른 제한

「민법」 제34조에서는 명시하고 있지 않지만, 법인이 법률에 근거하여 인위적으로 만들어진 주체이기 때문에 사람(자연인)만이 가질 수 있는 권리나 부담하는 의무의 주체는 될 수가 없습니다. 예컨대 친권(親權)과 같은 권리는 생명을 가지고 생식능력이 있는 이 있는 존재임을 전제로 하는 것이라, 법인은 그 주체가 될 수 없습니다. 하지만 그 밖에 다른 권리는 자연인과 마찬가지로 인정이 됩니다.

---

14) 「사회복지사업법」 제32조에 따라 준용되는 「민법」 또는 「공익법인의 설립 · 운영에 관한 법률」과 관련된 사항을 의미. 이하 동일.

2.2. 법률에 따른 제한

법률에 따른 법인의 권리능력 제한은 말 그대로 개별 법률에서 법인의 권리능력을 직접 제한하거나, 자연인에게만 권리능력이 있는 것으로 하여 간접적으로 제한하는 경우를 의미합니다. 직접적인 제한 사례를 들면「민법」제81조에서 해산한 법인은 청산의 목적범위 내에서만 권리능력을 가지는 것으로 규정하거나,「상법」제173조에서 회사는 다른 회사의 무한책임사원이 되지 못하는 것으로 규정하고 있는 것 등이 있습니다. 간접적인 사례로는「민법」제909조의 친권자나 제1000조의 상속인 조문을 들 수 있는데, 이들 조문은 애당초 자연인만을 대상으로 하여 그 권리를 인정하고 있어 법인에게는 권리능력을 간접적으로 제한하고 있는 사례라고 할 수 있습니다. 요컨대 법률에서 법인이 할 수 없다거나, 자연인만이 가능하도록 한 사항이 있으면 그러한 사항에 대해서는 법인의 권리능력이 없다고 할 것입니다.

2.3. 정관상 목적에 따른 제한

통상 법인의 설립목적은 정관 제1조에서 총론적인 사항을 규정한 후, 별도의 목적사업 조문을 두어 그 설립목적을 구체화시키는 것이 일반적인 방식입니다. 그런데 이 중 어떠한 조문이「민법」제34조에서 규정하고 있는 "정관으로 정한 목적의 범위"인지에 대해서는 학설과 판례가 다양하게 나눠지고 있어 간단히 요약하기는 상당히 어렵습니다. 하지만,「민법」제34조가 법인이 권리나 의무의 주체가 될 수 있는 근거 조문이고, 이에 따라서 법인이 스스로의 목적 달성을 위해 단독으로 또는 상대방을 두고 합법적인 법률행위를 할 수 있는 것이므로 이를 정관에 명확히 규정하는 것이 필요합니다. 정관상 총칙부분은 해당 법인이 추구하는 철학이나 가치를 추상적이고 관념적으로 규정하고 있는 부분이므로, 반드시 명확성을 띠고 있을 필요는 없을 것이나, 그 목적사업을 규정하는 조문에서는 상당히 구체적이고 실질적인 사항이 담길 수 있도록 해야 합니다. 이와 관련한 구체적인 사항은 정관과 관련하여 해설하고 있는 부분을 참고하시기 바랍니다.

3. 법인의 행위능력

행위능력(行爲能力)이란 유효한 법률행위를 단독으로 할 수 있는 능력을 의미합니다. 법인에게 권리능력이 있다면, 그 권리능력의 범위 내에서 행위능력을 당연히 가진다고 할 수 있습니다. 다만 법인은 추상적이고 관념적인 존재이므로 스스로 그 행위를 할 수 없기 때문에 어떤 식으로 행위를 해야만 그 행위능력을 발현시킬 수 있는가 하는 것이 문제입니다. 「민법」 제59조에서는 이사가 법인을 대표하여 행위를 하며, 이러한 이사의 행위는 그 이사가 법인을 대리(代理)하여 하는 것으로 보고 있습니다. 즉, 법인은 권리능력이 있는 한도 내에서 당연히 행위능력도 있으나 실질적인 행위는 그 기관인 이사가 그 법인의 이름으로 행하되, 그러한 행위는 모두 다 법인에게 귀속되는 것입니다.

[준용] 「민법」 제35조(법인의 불법행위능력)

제35조(법인의 불법행위능력) ①법인은 이사 기타 대표자가 그 직무에 관하여 타인에게 가한 손해를 배상할 책임이 있다. 이사 기타 대표자는 이로 인하여 자기의 손해배상책임을 면하지 못한다.

②법인의 목적범위외의 행위로 인하여 타인에게 손해를 가한 때에는 그 사항의 의결에 찬성하거나 그 의결을 집행한 사원, 이사 및 기타 대표자가 연대하여 배상하여야 한다.

1. 의의

「민법」 제35조에서는 법인의 불법행위능력에 대해서 별도로 규정하고 있습니다. 앞에서 살펴본 행위능력의 유무에 대한 판단 과정을 적용하면, 법인도 스스로 불법적인 행위를 할 수 있다는 해석이 가능합니다. 다만 본 조문의 규정을 살펴보면, 법인이 스스로 불법행위를 할 수 있다고 규정하고 있는 것이 아니라 법인의 대표자가 불법행위를 하였을 때 법인에게도 손해배상책임이 있다는 내용입니다. 법인의 이름으로 이행한 행위에 대해서 손해를 입은 사람을 기준으로 판단하면, 이 조문에 따라서 그 손해에 대한 배상을 청구할 수 있는 조문이 되기도 합니다.

2. 요건

2.1. 이사 기타 대표자의 행위

우선 이 조문은 이사 기타 대표자가 행한 행위를 대상으로 하고 있습니다. 여기서 기타 대표자는 이사 이외의 자 중에서 법인을 대표하는 자로서 「민법」 제52조의2나 제60조의2에 따른 직무대행자, 제63조에 따른 임시이사, 제64조에 따른 특별대리인, 제82·83조에 따른 청산인 등을 들 수가 있습니다. 또한 법률에는 규정되어 있지 않으나 그 직위에 대한 명칭과는 무관하게 실질적으로 법인을 대표하는 직책에 있는 사람도 이에 해당이 됩니다.[15]

참조 판례 법인을 대표하는 직위에 있는 자의 불법행위도 법인의 행위

o **사건번호** : [대법원 1976.7.13, 선고, 75누254, 판결]

o 불법행위는 모두가 위 법인설립의 기본목적으로 하는 종교적 활동에 빙자 내지는 가장하여 이루어진 것이므로 이들의 위 행위는 위 법인의 기관으로서 그 조직적 의사의 발현이었다고 볼 일면이 부정될 수는 없다.

15) 김용덕, 「주석 민법 / 민법총칙(1)」(한국사법행정학회, 2019, 제5판), 698쪽

2.2. 직무 관련성

법인이 손해배상책임을 지기 위해서는 이사 기타 대표자가 행한 행위가 법인의 업무와 관련된 것이어야 합니다. 즉, 이사 기타 대표자가 법인의 사무와 관련하여 자신에게 주어진 직무와 관련된 불법행위를 한 경우에 법인의 손해배상책임이 발생하게 되는 것입니다. 이때 직무의 의미는 반드시 법인만을 위한 것이 아니었다고 하더라도, 행위의 외형상 법인의 대표자의 직무행위라고 인정할 수 있는 것이라면 설사 그것이 대표자 개인의 사리를 도모하기 위한 것이었거나 혹은 법령의 규정에 위배된 것이었다 하더라도 위의 직무에 관한 행위에 해당한다고 보아야 합니다.

참조 판례	「민법」 제35조 제1항 소정의 '직무에 관하여'의 의미

o **사건번호** : [대법원 2004.2.27, 선고, 2003다15280, 판결]

o 법인이 그 대표자의 불법행위로 인하여 손해배상의무를 지는 것은 그 대표자의 직무에 관한 행위로 인하여 손해가 발생한 것임을 요한다 할 것이나, 그 직무에 관한 것이라는 의미는 행위의 외형상 법인의 대표자의 직무행위라고 인정할 수 있는 것이라면 설사 그것이 대표자 개인의 사리를 도모하기 위한 것이었거나 혹은 법령의 규정에 위배된 것이었다 하더라도 위의 직무에 관한 행위에 해당한다고 보아야 한다.

2.3. 타인에게 가한 손해

법인의 불법행위와 관련하여 손해는 타인(他人)에 대한 것이어야 합니다. 법인 스스로에게 손해가 발생하였다면 이는 본 조문의 적용을 받지 않습니다. 다만 여기서 타인은 법인과 관련이 없는 제3자만을 의미하는 것은 아니고, 법인의 구성원인 사원이나 이사 등 기관도 포함이 됩니다.

3. 법인의 목적범위 외의 행위

「민법」 제35조제1항이 법인을 대표하는 이사 등이 직무에 관한 행위로서 발생된 손해에 관한 것을 규정하고 있는 반면, 같은 조 제2항은 법인의 목적범위 외의 행위에 대해서 그 손해배상 관계를 규정하고 있는 것입니다. 즉, 동 조문에 따르면 법인의 대표 등이 법인의 목적범위를 벗어난 행위를 한 경우 법인의 불법행위가 되지 않고, 따라서 법인은 그에 대한 책임을 지지 않습니다. 다만 그 행위를 하여 타인에게 손해를 끼친 행위를 찬성하거나 집행을 결의한 총회 사원, 이사나 그 밖에 대표자들이 스스로 책임을 져야 합니다.

제16조(법인의 설립허가)

제16조(법인의 설립허가) ① 사회복지법인(이하 이 장에서 "법인"이라 한다)을 설립하려는 자는 대통령령으로 정하는 바에 따라 시·도지사의 허가를 받아야 한다.

② 제1항에 따라 허가를 받은 자는 법인의 주된 사무소의 소재지에서 설립등기를 하여야 한다.

→ 「사회복지사업법 시행령」 제8조(사회복지법인의 설립허가신청 등)

→ 「사회복지사업법 시행규칙」 제7조(법인의 설립허가 신청등)

1. 사회복지법인을 설립하려는 자의 범위

법 제16조제1항에서는 사회복지법인을 "설립하려는 자"는 시·도지사의 허가를 받아 사회복지법인을 설립할 수 있는 것으로 규정하고 있습니다. 여기서 설립하려는 자(者)는 법인, 자연인, 단체를 모두 아우르는 단어[16]이므로 법인, 자연인, 단체 누구나 사회복지법인을 설립할 수 있다고 할 것입니다.[17]

⚠ 유의사항 시·도지사가 스스로 사회복지법인을 설립하는 것은 부적절

o 사회복지법인의 설립허가권자인 광역지자체가 스스로 사회복지법인을 설립할 수 있는지에 대해서는 논란의 여지가 있습니다.

- 그러나 광역지자체가 스스로 사회복지법인을 설립하는 절차를 진행할 수 있다고 할 경우 광역지자체는 법 제16조에 따라 스스로에게 사회복지법인의 설립허가를 신청하고, 이를 심사하는 상황이 발생할 뿐만 아니라 법인의 설립·운영주체와 관리·감독권자가 동일하게 되는 상황까지도 초래됩니다.
- 이 경우 허가 과정이나 향후 법인의 운영상의 투명성이 확보될 수 있을지 의문입니다.
- 시행령 제8조에 따라서 광역시도지사가 시장·군수·구청장에게 설립허가 서류를 제출하여야 하고, 이러한 서류를 제출 받은 시장·군수·구청장은 실지조사나 설립 필요성을 검토해야 하는데, 이러한 제반 절차가 제대로 이루어질지도 또한 의문입니다.
- 생각건대 광역시도지사가 사회복지사업을 수행하기 위해서 법인이 필요하다면, 굳이 바람직하지 않은 결과 초래나 논란의 여지가 있는 사회복지법인을 설립할 것이 아니라, 제3자인 보건복지부장관의 허가를 받는, 「민법」과 「공익법인의 설립 · 운영에 관한 법률」에 따른 일반법인을 설립하는 것이 가장 바람직할 것으로 판단됩니다.

16) 법제처, 「법령 입안·심사 기준」(2020), 722쪽 : 국회, 「법제이론과 실제」(증보판, 2016), 776쪽 참조

17) 법무부, 「실무자를 위한 비영리·공익법인 관리·감독 업무 편람」(2017), 325쪽 참조

2. 사회복지법인의 주무관청 : 광역시·도

[주무관청 변천 과정]

연도	복지부 권한	시·도지사 권한
1970.04.02.~1984.02.27.	설립인가	인가신청 서류접수 대행(시행령)
1984.02.28.~1991.08.13.	설립인가	인가신청 서류접수 대행(시행령) 특정 업무 위임(시행령)
1991.08.14.~1993.06.08.	설립인가 (2이상 시·도)	설립인가(해당 시·도 內)(위임사무)(시행령) 인가신청 서류접수 대행(시행령)
1993.06.09.~1999.11.10.	설립허가 (2이상 시·도)	설립허가(해당 시·도 內)(고유사무)(법률) 허가신청 서류접수 대행(시행령) 전국 법인 특정 업무 위임(시행령)
1999.11.11.~2004.07.30.	설립허가 (2이상 시·도)	설립인가(해당 시·도 內)(위임사무)(시행령) 허가신청 서류접수 대행(시행령) 전국 법인 특정 업무 위임(시행령)
2004.07.31.~2012.08.04.	-	설립허가(전부 위임)(위임사무)(시행령)
2012.08.05.~현재	-	설립허가(법률상 고유사무로 전환)

사회복지법인을 설립하고자 하는 자는 시행령 제8조에 따라 우선 법인설립 허가서를 작성하고, 여기에 법인설립과 관련된 각종 서류를 첨부하여 주된 사무소 소재지를 관장[18]하는 시장·군수·구청장에게 제출하여야 합니다. 서류를 접수한 시장·군수·구청장은 허가신청서류 등을 검토하여 법인설립이 필요한지 여부를 판단한 후 그 의견과 함께 관련 서류를 시·도지사에게 송부하게 됩니다. 허가권자가 시·도지사임에도 불구하고 시장·군수·구청장에게 먼저 제출하여 해당 서류를 검토하도록 하는 규정을 두고 있는 것은, 설립예정인 사회복지법인의 주된 사무소를 관장하는 시장·군수·구청장이 그 지역의 사회복지와 관련된 상황 등을 파악하고 있기 때문에 그 설립 필요성에 대해서도 가장 잘 판단할 수 있을 것이라는 고려가 반영된 것으로 사료됩니다.[19] 이러한 절차를 모두 거친 후 사회복지법인에 대한 최종적인 허가는 시·도지사가 하게 되므로 사회복지법인의 주무관청은 시·도가 되게 됩니다. 다만, 사회복지법인과 관련된 시·도지사의 행정권한은 「지방자치법」

18) 사회복지법인의 주무관청은 해당 사회복지법인의 설립허가를 하는 관청이고, 시행령 제8조에서는 허가서류를 주된 사무소 소재지를 관장하는 시·군·구를 거쳐 해당 시·도에 자료를 제출하도록 규정하고 있으므로, 주된 사무소 소재지 시·도가 주무관청이 되는 것임.

19) 주된 사무소 소재지가 아닌 곳에서 목적사업을 수행하는 내용이 있다면, 주된 사무소 소재지 시·군·구는 해당 시·군·구에 의견을 조회할 필요가 있음.

제104조에 따라 조례나 규칙 등으로 시장·군수·구청장에게 위임하는 경우가 있고, 따라서 시·도지사가 아닌 시장·군수·구청장이 사회복지법인 관련 업무의 일부를 수행하기도 합니다.

⚠ 유의사항 위탁한 광역시도의 책임 한계

o 법령상 사회복지법인에 대한 관리·**감독의 궁극적인 책임**은 법률에서 주무관청으로 규정하고 있는 **광역시·도지사에게 있으므로**, 비록 조례나 규칙으로 관련 사항을 위임했더라도 이는 자치규약에 불과한 것이므로 사회복지법인에서 발생하는 제반사항에 대해서 광역시도는 완전히 자유로울 수는 없습니다.

참조 판례 비영리법인 설립허가의 성질과 주무관청의 재량의 정도 등

o 사건번호 : [대법원 1996.9.10, 선고, 95누18437, 판결]

o "학술, 종교, 자선, 기예, 사교 기타 영리 아닌 사업을 목적으로 하는 사단 또는 재단은 주무관청의 허가를 얻어 이를 법인으로 할 수 있다."고 규정하여 비영리법인의 설립에 관하여 허가주의를 채용하고 있으며, 현행 법령상 비영리법인의 설립허가에 관한 구체적인 기준이 정하여져 있지 아니하므로, **비영리법인의 설립허가를 할 것인지 여부는 주무관청의 정책적 판단에 따른 재량에 맡겨져 있다.**

- 따라서 주무관청의 법인설립 불허가처분에 사실의 기초를 결여하였다든지 또는 사회관념상 현저하게 타당성을 잃었다는 등의 사유가 있지 아니하고, 주무관청이 그와 같은 결론에 이르게 된 **판단과정에 일응의 합리성이 있음을 부정할 수 없는 경우**에는, 다른 특별한 사정이 없는 한 **그 불허가처분에 재량권을 일탈·남용한 위법이 있다고 할 수 없다.**

3. 설립허가의 절대적 기준(재산의 확보)

관련 법령 조문

「공익법인의 설립 · 운영에 관한 법률」

제4조(설립허가 기준) ① 주무 관청은 「민법」 제32조에 따라 공익법인의 설립허가신청을 받으면 관계 사실을 조사하여 재단법인은 출연재산의 수입, 사단법인은 회비·기부금 등으로 조성되는 재원(財源)의 수입(이하 각 "기본재산"이라 한다)으로 목적사업을 원활히 수행할 수 있다고 인정되는 경우에만 설립허가를 한다.

사회복지법인의 설립허가 신청이 있는 경우 주무관청은 설립허가신청서와 그 첨부서류를 종합적으로 판단하여 허가 여부를 결정하게 됩니다. 「사회복지사업법」에서는 설립허가 기준을 따로 두고 있지 않기 때문에 주무관청은 「사회복지사업법」 제32조에 따라 준용되는 「공익법인의 설립 · 운영에 관한 법률」(이하 "공설법"이라 합니다.) 제4조에서 규정하고 있는 설립허가 기준을 준수여부를 확인해야 합니다.

⚠ 유의사항 재원(財源)의 종류에 따라 유의할 사항

o 공설법 제4조제1항에 따르면 주무관청은 설립허가 신청이 있는 경우 관련 사실을 조사하여 기본재산으로 목적사업을 원활하게 수행할 수 있다고 인정되는 경우에만 설립을 허가합니다.

- 이 때 △국가나 지자체에서 재량에 따라 지급하는 보조금, △후원자의 개인적인 의지에 전적으로 좌우되는 후원금, △향후 수익사업을 통해 얻어지는 수익 등을 기본재산 등으로 하여 설립허가를 신청할 경우가 있는데,
- 이러한 재산은 모두 안정적인 확보 여부가 불분명한 재산으로서 이는 공설법 제4조제1항에 따른 설립허가 기준에 명백히 위반되는 것으로서 해당 법인에 대해서는 설립허가를 하여서는 아니 됩니다.

4. 설립허가신청서 기재사항(규칙 제7조제1항 / 별지 제7호서식)

설립허가신청서에는 설립허가를 신청하는 사람, 설립될 법인의 명칭, 자산, 임직원에 대한 사항을 기재하도록 되어 있습니다. 각각의 기재사항에 대해서 자세히 살펴보면 다음과 같습니다.

4.1. 신청인(대표자) : 법인 설립허가를 신청하는 자

설립허가 신청인이 자연인인 경우는 그 자연인의 성명·주소·생년월일·전화번호를 기입하면 됩니다. 만일 사회복지법인을 설립하고자 하는 자들이 임의단체를 만든 경우라면 해당 단체의 대표(예 : 발기인 대표)의 신상 사항을 기입하면 되고, 특정 법인이 출연하여 사회복지법인을 설립하고자 한다면 “신청인(대표자)”란에 사회복지법인을 설립하고자 하는 그 특정법인의 대표권이 있는 사람의 신상 사항을 기재하면 됩니다.

4.2. 법인(설립하고자 하는 법인의 개요)

4.2.1. 법인의 명칭

설립하고자 하는 법인이 장차 사용하고자 하는 명칭을 의미합니다. 법인의 명칭은 특정 법령에서 그 사용을 제한하고 있는 것이 아니라면 자유롭게 정하여 사용할 수 있습니다. 다만 법령에 의해 제한된 명칭이 아니더라도 이미 만들어진 다른 법인과 동일·유사한 명칭을 사용할 경우 해당 법인과 거래하는 상대방에게 착오를 일으키는 등의 부작용이 우려되기 때문에, 이러한 사유로 주무관청이 해당 법인의 설립허가 신청을 반려하거나 불허가할 가능성이 높으므로 주의해야 합니다. 아울러 기존에 설립허가 된 법인과 동일한 명칭을 사용할 경우 그 설립등기의

신청이 불가능할 수도 있으므로 유의해야 합니다. 참고로 「사회복지사업법」의 소관 부처인 보건복지부가 「민법」상 소관 법인의 관리·감독을 위하여 제정하여 운용하고 있는 「보건복지부 및 질병관리청 소관 비영리법인의 설립 및 감독에 관한 규칙」(보건복지부령) 제4조제1항에 따르면, 법인 설립허가 신청 시 그 신청된 법인의 명칭이 다른 법인과 같은 명칭일 경우 설립허가를 하지 않을 수 있다는 점을 명시하고 있습니다. 따라서 사회복지법인의 설립에 있어 유사 또는 동일명칭을 사용하고자 하는 경우에 대해서 민원 등이 발생하였을 때 「사회복지사업법」 소관 부서인 보건복지부에 대해 법률 위반 여부에 대해서 판단을 요청한다면, 「민법」상 법인의 설립허가 기준 중 명칭에 관한 기준과 다르게 판단하지는 않을 것으로 사료됩니다.

관련 법령 조문

「보건복지부 및 질병관리청 소관 비영리법인의 설립 및 감독에 관한 규칙」

제4조(설립허가) ① 주무관청은 법인 설립허가 신청의 내용이 다음 각 호의 기준에 맞는 경우에만 그 설립을 허가할 수 있다.

3. 다른 법인과 같은 명칭이 아닐 것

유용한 TIP 동일·유사명칭을 확인하는 방법

- o "대한민국 법원 인터넷등기소"에 접속하여 법인등기 메뉴 중에서 "상호찾기"를 이용하면 손쉽게 동일·유사명칭의 법인이 존재하는지 알 수 있습니다.
- o 이러한 방법을 활용하면 굳이 다른 주무관청에 대해서 공문 등으로 동일·유사명칭의 법인이 있는지 여부를 확인하지 않아도 될 것입니다.

유의사항 법인 명칭과 관련하여 유의할 사항

- o 「사회복지사업법」에 따라 설립된 사회복지법인이라고 한다면 그 법인명에 "사회복지재단"이나 "복지재단"과 같은 불분명한 명칭이 사용되지 않도록 유의해야 합니다.
- o 법인명에 사회복지시설의 명칭을 사용하는 경우가 있는데, 이는 권리의 주체인 사회복지법인과 그 객체인 시설 간의 법률관계 등에 혼동을 유발할 여지가 크기 때문에 지양해야 합니다.

4.2.2. 주된 사무소의 소재지 : 주무관청의 확정

주된 사무소는 단어 그대로 해당 사회복지법인이 주로 사무를 처리하는 사무소를 의미하고, 법률적으로는 사회복지법인과 관련된 법률관계의 기준으로 삼는 일정한 장소를 의미합니다.[20] 이때 사회복지법인의 사무라고 함은 그 정관에 명시된 사업과 관련된 제반 사무를 의미하는 것이고, 따라서 주된 사무소의 소재지는 그러한 사무를

20) 김용덕, 「주석 민법 / 민법총칙(1)」(한국사법행정학회, 2019, 제5판), 709쪽 참조

처리하는 장소를 의미합니다. 법인의 사무국에서 해당 법인이 수행하는 모든 사무를 통할(統轄)하는 것이 일반적이기 때문에 통상 사회복지법인의 수뇌부인 이사가 주로 사무를 처리하는 본부가 되는 사무소를 의미하는 경우가 일반적입니다.[21]

한편 전국적으로 사회복지시설을 운영하는 사회복지법인의 경우 주된 사업대상인 사회복지시설과 법인의 사무국이 서로 다른 광역시도에 존재할 경우 어느 곳을 주된 사무소로 보아야 하는지에 대해서 논란의 여지가 있습니다.

생각건대 사업의 범위가 가장 큰 곳을 주된 사무소롤 하는 것이 언뜻 바람직한 것으로 보일 여지가 있기는 하지만 사회복지시설을 다수(多數) 운영하는 경우나, 그 규모의 차이가 크지 않거나, 규모가 수시로 변경될 수도 있는 점에 미루어 본다면 단순히 사업의 규모가 가장 큰 사업장을 중심으로 주된 사무소를 둘 경우 주된 사무소의 위치가 매우 유동적일 수밖에 없고, 이에 따라서 법률관계의 기준지로서의 역할을 이행하기 매우 어려운 상황이 예상됩니다. 따라서 사회복지법인의 경우도 사무국 소재지를 주된 사무소로 보는 것이 바람직할 것으로 사료됩니다.

⚠ 유의사항 **사회복지시설 운영만을 목적사업으로 사는 경우**

o 사회복지시설의 운영만을 주된 목적으로 하고 있는 사회복지법인이라고 한다면, 그 사회복지시설의 소재지가 주된 사무소의 소재지가 될 수도 있습니다.
- 이 경우 법인의 고유사무(이사회 운영, 법인회계 관리 등)를 수행하는 장소나 인원은 해당 사회복지시설의 물적·인적기준과는 별개로 마련되어 있어야 합니다. 즉, 사회복지시설의 유휴공간만을 활용하고, 사무국 사무를 전임(專任)할 직원을 별도로 두어야 합니다.

o 사회복지법인에서 소속 사회복지시설의 종사자에게 해당 법인 업무를 병행시키는 경우,
- 해당 사회복지시설의 설치 근거 법률에서 정하고 있는 **인력기준 위반**은 물론이고, 나아가 보조금을 재원으로 그 종사자에게 급여를 지급하고 있다면 이는 **보조금 용도위반**이 됩니다.

사회복지법인의 주된 사무소의 소재지는 그 주된 사무소가 있는 소재지의 주소를 명시하면 됩니다.[22] 이때 주된 사무소가 있는 장소의 구체적인 지번까지 적어야 합니다. 이는 주무관청이 해당 법인에 대한 관리·감독을 위해 방문하거나, 각종 공문서 등을 수발하기 위해서는 반드시 구체적인 지번이 포함된 주소가 필요하고, 법인의 등기에도 법인의 주된 사무소의 소재지를 상세 지번까지 등재하여야 하기 때문입니다.

---

21) 김용덕, 「주석 민법 / 민법총칙(1)」(한국사법행정학회, 2019, 제5판), 709쪽
22) 「민법」 제36조(법인의 주소) 법인의 주소는 그 주된 사무소의 소재지에 있는 것으로 한다.

참조 판례 법률에 따라 주된 사무소를 확정해야 하는 경우

o **사건번호** : [광주고법 2002. 12. 5., 선고, 2002누1730, 판결 : 확정]

o 유골 500구 이상 사설납골시설 관리는 「민법」상 납골시설의 설치·관리 목적의 재단법인만 가능하며, 한편 납골당 설치 목적의 법인의 설립사무는 「행정권한 위임위탁 규정」에 따라 광역시도에 위임되어 있습니다. 또한 납골당의 설치에 관한 사무는 납골당 설치 지역 광역시도지사가 수행하고 있음

o 이러한 상황을 종합하여 보면 장사법인은 실제 해당 장사법인이 시설을 설치하고자 하는 시도지사에게 허가를 받아야 합니다. 따라서 주된 사무소도 다른 법인과는 달리 실제 납골당을 설치하고자 하는 시도에 있어야 함

o 사무소가 있다는 이유만으로 납골당 설치 지역이 아닌 지역에서 받은 설립허가는 무효

참조 등기예규 「법인의 분사무소설치에 관한 사무처리지침」

o **예규번호** : 등기예규 제604호(제정 1985.10.30.)

o 법인의 사무소(분사무소 포함)의 소재지는 정관의 절대적 기재사항이고 정관에 사무소의 표시를 함에 있어서는 그 소재지의 최소 행정구역이 기재되어야 하는바, ~(이하 생략)

유용한 TIP 설립 중인 법인의 사무국 주소가 확정되지 않은 경우 처리방법

o 법인이 설립 중인 관계로 사무소 입주계약이 진행 중이거나 건설 중인 경우 등 구체적인 지번을 명확하게 기재하기 어려울 경우에는 신청서에 그 이유를 명시하되, 적어도 시·군·구 단위까지는 반드시 기재를 해야 합니다.

- 이는 사회복지법인의 설립허가 신청서류는 「사회복지사업법 시행령」 제8조제1항에 따라 주된 사무소 관할 시장·군수·구청장이 접수하여 사전 검토를 거친 후 시·도지사에게 송부되기 때문입니다.
- 주무관청은 법인 설립허가 완료 전까지 주소를 확정·보완토록 하거나, 설립허가일 이후 적절한 기간 내에 확정된 주소를 주무관청에 반드시 통보할 것을 조건으로 한 설립허가 행위를 할 수 있을 것입니다.

4.2.3. 설립 목적

사회복지법인은 사회복지사업을 수행하는 법인으로서 그 설립 목적은 당연히 사회복지사업의 수행이라고 할 수 있습니다. 하지만 동일한 사회복지사업을 수행하는 경우라고 하더라도, 출연자마다 출연한 의도나 향후 사업수행 방향 등은 각자 다를 수 있을 것입니다. 설립 신청서상의 설립 목적 항목은 바로 그러한 사항들을 기술할 수 있도록 한 것입니다. 이 항목에는 해당 출연이나 사업추진의 배경이 되는 종교적, 철학적 가치를 표명하거나, 향후 운영의 지침(指針)이 되는 사항을 담을

수 있습니다. 이러한 내용은 법인 설립 이후, 출연자가 신청한 설립 목적과 무관하게 법인을 운영할 경우 정관변경 등의 요청을 할 수 있는 근거[23]가 되는 등 각종 분쟁에 있어서 판단 기준으로 작용할 수도 있습니다. 다만, 구체적인 법인의 설립 목적은 정관에 보다 구체적으로 기록하면 되는 것이므로 설립허가 신청서에는 비교적 포괄적이고 간략하게 기술하여도 무방하다고 할 것입니다.

4.2.4. 사업의 종별(種別)

사업의 종별은 해당 사회복지법인이 수행하고자 하는 사회복지사업의 종류를 명시하면 됩니다. 사업의 종별도 설립 목적과 마찬가지로 정관에서 상세히 기재할 사항이므로 신청서에는 개략적이고 큰 범주의 사업 종류를 명시하여도 무방하다고 할 것입니다. 다만, 사업의 종별은 반드시 「사회복지사업법」 제2조제1호 각 목의 법률과 관련이 있는 사회복지사업이어야 할 것이고, 설립허가 신청서와 함께 제출하는 "정관"과 "설립 해당 연도 및 다음 연도의 사업계획서 및 예산서"에는 그 사업내용이 상당히 구체적인 수준으로 명시되어 있어야 합니다.

4.3. 자산(資産)

자산은 사회복지법인의 존립과 사업추진을 위해서 반드시 필요한 재정적 기초가 되는 것으로서, 주무관청이 설립허가 여부를 결정하는 데 가장 중요한 기준이 됩니다. 따라서 설립하려는 법인의 자산 규모를 확인하기 위해 설립허가 신청서에 이를 기재토록 하는 것입니다. 다만, 설립 신청서상에 기재하는 내용이므로 설립중인 사회복지법인 명의 재산은 있을 수 없으므로 신청서에 함께 첨부하는 재산출연증서 등을 통해 입증이 가능한 자산의 규모를 명시해야 할 것입니다. 그 밖에 재산이나 자산에 관한 사항은 관련 규정에서 별도로 설명합니다.

4.4. 임직원(任職員)

사회복지법인이 설립될 경우 해당 법인의 임원인 이사와 감사가 될 사람에 대한 구체적인 정보 및 법인 업무를 수행하기 위해 직원으로 채용될 예정인 사람의 대략적인 규모를 기재하는 란입니다. 사회복지법인 설립허가를 신청할 당시에는 법인이 설립된 것이 아니므로 임원의 임기는 당연히 설립허가가 있을 것을 전제로 하여 기재할 사항이기는 하지만, 해당 법인에 대한 설립허가 일자를 예측할 수

23) 「민법」 제46조(재단법인의 목적 기타의 변경) 재단법인의 목적을 달성할 수 없는 때에는 설립자나 이사는 주무관청의 허가를 얻어 설립의 취지를 참작하여 그 목적 기타 정관의 규정을 변경할 수 있다.

없다는 점과 「사회복지사업법」 제18조에서 임원의 임기를 법정(法定)하고 있는 점을 함께 고려하면, 신청서에 기재하는 이사의 임기는 "설립일로부터 3년", 감사의 임기는 "설립일로부터 2년"으로 기재하는 것만으로도 충분할 것으로 생각됩니다.

⚠ 유의사항	임원 임기 기재 시 유의 사항
o 사회복지법인 임원의 임기인 이사 3년과 감사 2년은 법정(法定)되어 있는 것으로서 설립허가 신청자가 임의로 3년이나 2년 보다 길게 또는 짧게 기입할 수 있는 사항은 아닙니다.	

5. 설립허가 신청 시 첨부서류

5.1. 설립취지서

설립취지서는 문언 그대로 해당 사회복지법인을 설립하려는 취지를 기재한 것으로서 법인설립허가 신청서에서 작성한 "설립 목적"의 내용을 좀 더 자세하게 기재하는 수준으로 작성하면 될 것입니다. 이러한 설립취지서는 법인 설립 목적과 마찬가지로 향후 해당 법인의 운영방향이나 출연된 재산의 사용 등을 판단하는 구체적인 기준으로도 작용할 여지가 있기 때문에 재산을 출연하는 자의 출연 의도와 「사회복지사업법」에도 모두 부합되도록 작성하되, 최대한 상세하고, 명확하게 작성하는 것이 바람직할 것으로 사료됩니다.

5.2. 정관(定款)

정관은 법인의 근간(根幹)이 되는 것으로서 한 국가의 헌법과 같은 역할을 하는 중요한 규정입니다. 사회복지법인을 설립하고자 하는 자가 「사회복지사업법」 제17조제1항에 부합되게 정관을 작성한 후 이를 법인 설립허가 신청 시에 함께 제출하면 설립허가와 동시에 심사를 받게 됩니다. 정관의 구체적인 내용 등에 대해서는 법 제17조 관련 사항에서 확인할 수 있습니다.

5.3. 재산출연증서

재산출연증서는 출연자가 사회복지법인을 설립하기 위해 필요한 재산을 출연(出捐)하겠다는 약속을 담은 증서입니다. 이 증서를 제출할 당시에는 사회복지법인이 설립 중이므로 법인 자신의 이름으로 재산을 소유할 수 없으므로 향후 법인 설립이 완료될 경우에 해당 재산을 설립된 사회복지법인의 재산으로 하겠다는 것을 약속하는 증서가 되는 것입니다. 사회복지법인의 설립허가를 담당하는 주무관청에서는 이러한 재산출연증서에 따라 재산이 정상적으로 출연될 것이라는 전제하에서 사회복지법인의 허가 여부를 결정하는 것이므로, 만일 법인의 설립이 허가되었음에도 불구하고 재산출연증서를 작성한 자가 재산을 출연하지 않은 경우 이는 「사회복지사업법」 제26조제1항제7호에 해당되어 즉시 설립허가가 취소됩니다. 따라서 출연증서를 허위나 과장되게 작성·제출하여서는 아니 됩니다. 이러한 사유에 의한 취소는 재량이 아니라 법 제26조제1항제1호나 제7호 해당되어 반드시 취소해야 하는 이른바 "필요적 취소사유"에 해당되므로, 법인 설립자가 해당 사항을 잘 인지할 수 있도록 주무관청에서는 설립허가를 함에 있어 그 허가 관련 공문에 재산출연증서의 내용과 관련된 사항(재산의 규모나 출연시한, 출연하지 않았을 경우 법인 설립허가의 효력 등)을 반드시 부관(附款)으로 첨부해야 할 것입니다.

유용한 TIP	재산 출연과 관련하여 설립허가서 공문에 첨부하는 부관(附款) 예시

① 사회복지법인의 설립등기가 완료되고, 1개월 이내에 재산출연증서에 따른 재산을 해당 사회복지법인의 재산으로 이전토록 할 것
② 재산을 이전받은 경우 2주내에 부동산 등기부 등본 등 재산 이전사실을 입증할 수 있는 서류를 첨부하여 주무관청에 알릴 것
③ 위의 절차를 실행하지 않는 경우 이는 「사회복지사업법」 제26조제1항제7호 등에 해당되어 그 설립허가가 취소됨을 유의

5.4. 재산의 소유를 증명할 수 있는 서류

재산 소유 여부는 사회복지법인의 설립허가를 신청하는 자가 증명해야 합니다. 다만 설립중인 사회복지법인은 자신의 재산을 소유할 수 있는 권리능력이 없는 존재이므로 "재산의 소유를 증명할 수 있는 서류"는 사회복지법인 명의로 작성된 서류는 아니라는 점에 유의해야 합니다. 따라서 사회복지법인 설립허가 신청자가 제출해야 하는 재산소유증명 서류는 "재산출연증서"에 기재된 재산에 관한 것으로서, 재산출연을 약속한 자가 실제 그 출연증서에 기재한 재산을 소유하고 있는지 확인하기 위해 제출토록 하는 것입니다. 만일 재산출연증서상의 재산이 부동산일 경우에는 설립허가 서류를 검토하는 공무원이 행정정보 공동이용제도를 통해 건물이나 토지 등기부 등본, 개별공시지가 등을 확인하면 되므로 별도의 서류를 제출하지 않아도 됩니다. 그 밖의 재산에 대해서는 출연예정자가 해당 재산을 소유하고 있음을 증명할 수 있는 서류 등을 함께 제출하면 됩니다.

유용한 TIP 임대차 보증금의 처리 관련

o 법인 설립 시 부동산 임대차 보증금을 재정적 기초로 제시하는 경우가 있습니다.
- 임대차 보증금은 향후 법인이 설립된 이후 사무실이나 그 밖에 사업장을 운영할 수 있는 근거가 되므로 이를 재정적 기초가 아니라고 보기는 매우 어렵습니다.
- 향후 임대차 보증금을 돌려받거나 해당 부동산에 대한 소유권 취득과 연결될 수 있다는 점을 고려하며 재정적 기초로 보아도 무방할 것으로 판단됩니다.

o 다만 임대차 보증금은 기본재산이 아닌 보통재산으로 구분하는 것이 바람직합니다.
- 왜냐하면 임대차 보증금을 기본재산으로 등재한 경우 임대차 계약 변경이나 보증금 변동 시 정관변경은 물론 기본재산 처분허가를 반드시 거쳐야 하는 등 매우 번거로운 과정이 필요하고, 이러한 과정은 임대차 관계 당사자들의 재산권 행사를 제한하는 결과를 초래할 수 있기 때문입니다.

5.5. 재산의 수익조서

재산의 수익조서는 수익용 기본재산을 갖춘 경우에만 작성하는 것인데, 수익용 기본재산에서 발생 가능한 수익이 어느 정도인지 가늠하기 위해 필요한 자료입니다. 목적사업용 기본재산의 경우는 사회복지법인의 목적사업만을 위해서 사용되는 재산으로서 해당 목적사업 수행에 적합한지 여부를 중심으로 살피면 될 것이나, 수익용 기본재산의 경우는 그 수익으로 목적사업을 원활히 수행할 수 있는지를 자세히 살펴야 하므로 수익조서를 제출토록 하는 것입니다. 이는 「사회복지사업법」 제28조에서 사회복지법인이 수익사업을 할 수 있도록 규정하면서, 수익사업의 경우 법인의 목적사업의 경비를 충당하기 위해서 필요한 경우에 한정하고, 그 수익은 법인운영이나 법인이 설치한 사회복지시설의 운영에만 사용토록 하고 있는 것과 같은 취지라고 할 수 있습니다. 만일 수익용 기본재산이 그 수익으로 사회복지법인의 목적사업 관련 경비에 충당하는 데 활용되는 것이 아니라 오히려 부담으로 작용할 경우[24]에는 아예 기본재산으로 인정하지 않는 것이 새롭게 설립되는 사회복지법인이 적절하다고 할 수 있습니다.

수익을 입증하기 위해서는 공인된 감정평가기관의 수익증명이나 수익을 증명할 수 있는 기관의 증빙서류를 제출토록 하고 있습니다. 공인(公認)된 감정평가기관에 대한 해석은 여러 가지가 있을 수 있으나, 사회복지법인 설립허가 절차가 법률에 따라 이루어지는 것이므로 관련 사항도 가급적 법률에서 정하고 있는 바를 우선으로

---

24) 수익용 기본재산에 채권·채무관계로 인한 제한물권 등이 설정되어 오히려 그 재산으로 인한 수익보다는 의무 이행에 따른 지출이 큰 경우 등을 고려할 수 있음.

해석하는 것이 바람직할 것입니다. 따라서 공인된 감정평가기관이라 함은 「감정평가 및 감정평가사에 관한 법률」에 따른 “감정평가사업자”를 의미하는 것으로 해석하는 것이 가장 적절할 것으로 판단됩니다. 수익증명은 감정평가사업자가 「감정평가에 관한 규칙」에 따른 각종 감정평가방법에 따라 적정하게 산출한 수익의 증명 서류가 해당될 것입니다. 수익을 증명할 수 있는 기관의 증빙서류도 수익 입증 서류로 가능한데, 이 경우는 이미 해당 재산을 통해 창출되고 있는 수익을 증명하는 것으로서, 이미 발생한 수익에 대해 공인회계사 등이 작성한 회계·결산 서류나 세금 납부를 증명할 수 있는 세정(稅政) 당국의 입증 서류 등이 해당된다고 할 수 있습니다. 물론, 수익용 기본재산의 수익 창출 가능 여부에 대해서 증명할 방법이 있다면 위에서 언급한 방법 이외의 절차나 방법을 통해 입증할 수도 있을 것입니다. 그러나 어떠한 경우이건 입증 자료는 공인(公認)된 감정평가기관이나 그 입증행위에 대한 신뢰도가 충분히 있는 기관에서 작성한 것이어야 할 것입니다.

5.6. 임원의 취임승낙서 및 이력서

이는 사회복지법인이 설립될 경우 임원으로 취임할 자의 취임 의사를 확인하기 위하여 받는 서류입니다. 따라서 취임승낙서와 이력서는 반드시 취임예정인 사람이 자필(自筆)로 작성하거나 해당 서류에 서명이나 인감을 기명날인함으로써 본인의 진정한 의사에 따라 임원에 취임할 예정임을 밝히는 것이 바람직합니다. 서명이나 인감을 날인하는 경우 그 진정성을 입증하기 위해 「인감증명법」에 따른 인감증명서나 「본인서명사실 확인 등에 관한 법률」에 따른 본인서명사실확인서를 함께 제출해야 합니다.

5.7. 이사 추천서

5.7.1. 설립중인 법인의 이사추천서 문제

사회복지법인은 법 제18조제2항에 따라 그 이사를 선임함에 있어 정수의 1/3은 반드시 외부기관으로부터 추천받은 자를 선임하여야 합니다. 시행규칙 제7조제2항 제8호의2에서 외부이사 추천서를 설립허가신청의 첨부서류로 정하고 있기 때문에 설립중인 사회복지법인이라고 하더라도 외부기관으로부터 추천받은 자의 비율을 반드시 준수하여야만 그 설립허가가 가능하다고 할 수 있습니다. 그런데 법 제18조 제2항에 따른 추천절차는 이미 설립이 완료된 사회복지법인[25]이 이사를 선임할

25) 법 제18조제2항의 주어인 “법인”은 제16조제1항에 따라 사회복지법인을 약칭하여 표기하는

때에 한하여 적용되는 것으로서, 이를 설립중인 사회복지법인에 대입하여 그 추천 절차를 거치도록 하는 것은 법령구조나 논리상은 물론이고, 관련 행정절차상으로도 문제의 소지가 있어 신중한 접근이 필요합니다. 이러한 문제는 제18조제2항 관련 부분에서 상세히 기술하고 있으니 참고하기 바랍니다.

5.7.2. 감사 추천서 필요성 여부

법 제18조제7항에서는 일정 요건에 해당이 되면 감사도 추천을 받도록 규정하고 있습니다. 그러나 이러한 감사를 추천하는 경우는 법인이 설립된 이후 연속된 3개 회계연도 세입결산서의 규모에 따라 그 추천 필요 여부가 결정되므로 신규로 설립하는 법인의 경우에는 해당될 여지가 없기 때문에 감사 추천서는 설립허가 신청 서류에 포함되어 있지 않습니다.

5.8. 특별관계 부존재 각서

법 제18조제3항에서 규정하고 있는 특별한 관계에 해당되는 사람일 경우 전체 이사 중 일정비율을 넘지 않는 경우에 한해서만 사회복지법인의 임원으로 취임하는 것이 가능하기 때문에 이를 확인하기 위하여 제출하는 서류입니다. 임원의 결격사유 중 범죄경력 등은 주무관청에서 직권으로 확인이 가능하지만, 법 제18조제3항에서 규정하고 있는 특별관계 여부는 주무관청에서 확인하기가 곤란한 사항이 대부분으로 임원으로 취임할 사람에게 직접 각서를 받는 것입니다. 만일 특별관계가 있음에도 불구하고 허위로 각서를 작성하여 제출하면, 해당 임원은 법 제22조제1항 제4호에 따라 해임명령이 대상이 되고, 법인은 제26조제1항제1호, 제9호, 제11호 등에 해당되어 설립허가 취소에 이를 수도 있습니다. 또한 해당 이사가 개입된 이사회는 위법한 이사회가 되므로 그 결의 또한 당연히 무효가 되는 등 법인 운영이 사실상 정지되는 결과도 초래되는 점 각별히 유의해야 합니다. 나아가 허위의 사실로써 법인설립허가를 받은 것이 되어 「형법」상 위계에 의한 공무집행방해죄 등에도 해당될 우려가 적지 않다는 점도 함께 유의해야 합니다.

5.9. 결격사유 부존재 각서

2019년 6월 12일에 개정된 「사회복지사업법 시행규칙」 제7조제2항제9호의2에서는 법인설립허가 신청 서류로서 "「사회복지사업법」 제19조제1항 각 호의 어느 하나에 해당하지 않음을 입증하는 각서 1부"가 새롭게 신설되었습니다. 이러한

것으로서 이미 설립된 사회복지법인을 의미하는 것임.

각서는 앞에서 살펴본 특별관계 부존재 각서와 동일한 취지에서 추가된 것으로 판단됩니다. 형사범죄인 결격사유나 그 밖에 행정정보공동이용 시스템 등을 활용할 경우 비교적 용이하게 확인할 수 있는 결격사유도 있으나, 종전의 해임사실 등은 현실적으로 확인이 매우 어려운 사안이었습니다. 따라서 이러한 상황을 반영하여 새로운 각서가 추가된 것으로 사료됩니다. 즉, 사회복지법인의 임원이 되고자 하는 사람이 그 스스로 결격사유에 해당되지 않음을 각서로써 밝히고, 이에 대해 사회복지법인을 관리·감독하는 공무원은 시스템 등을 통해서 확인이 가능한 사항은 확인을 하되, 그 밖의 결격사유는 해당 임원의 각서를 일단 신뢰하고 법인 설립허가를 할 수 있을 것입니다. 향후 시스템으로 검증이 되지 않는 결격사유가 있었음이 발견될 경우 해당 각서를 작성한 임원은 허가신청행위에 있어 거짓을 행하게 된 것이 되므로 추후 「형법」상 위계에 의한 공무집행방해 등의 죄목으로 처벌을 받을 수 있음을 물론이고, 그 밖에 해당 사회복지법인에 대해 손해배상 등 민사상 책임을 져야 할 수도 있을 것이라는 점이 매우 명확해지기 때문에 임원이 되고자 하는 자가 자신의 결격사유를 적극적으로 감추는 것을 예방하는 효과가 있다고 할 것입니다.

5.10. 설립연도 및 다음 연도 사업계획서 및 예산서

이는 장차 사회복지법인이 설립된 후 실제 사업 가능성을 판단하기 위해 제출토록 하는 서류입니다. 사업계획이 구체적이어야 함은 물론이고 그 실현 가능성을 담보할 수 있는 재정적 기초도 명확해야만 설립허가가 이루어질 수 있기 때문에 이러한 서류를 작성함에 있어서는 다음 몇 가지 사항을 유의해야 합니다.

우선 사업계획서는 가능한 구체적으로 작성되어야 하고, 사업수행 내용과 그에 수반되는 인력이나 재원 등도 반드시 구체적으로 명시되어야 합니다.

⚠ 유의사항 **사업계획서 작성 시 법인사무 담당자 예산 확보는 반드시 필요**

o 사업계획서상 지출항목에는 해당 사회복지법인의 사무를 담당하는 직원의 임금은 반드시 포함되어야 합니다.
- 법인은 그 기관인 이사회가 법인에 관하여 중요한 사항을 결정하기는 하지만, 그렇다고 하여 법인의 모든 사무를 결정·실행할 수 없기 때문에 반드시 법인의 사무를 직접 수행하는 사람이 필요하고, 이러한 사람에게는 법에서 정하고 있는 임금을 반드시 지급해야 하기 때문입니다.
- 만일 예산서에 사무 담당자의 임금이 포함되지 않았을 경우나 임금을 확보할 방안이 포함되지 않았을 경우에는 주무관청은 이를 보완토록 하거나 해당 허가 신청을 반려하는 것이 바람직합니다.

또한 수입과 관련하여서는 실제 조달 가능성을 중심으로 작성이 되어야 합니다. 최초 설립되는 사회복지법인의 경우 그 수입은 제3자에게 기댈 것이 아니라 법인이 확실하게 소유하게 될 재산(수익용 기본재산 및 그 밖의 자산이나 그 과실)만으로 이루어지는 것이 마땅합니다. 갓 설립한 사회복지법인의 경우 그 사업실적이 전무(全無)함에 따라 국가나 지자체 보조금을 받거나 제3자로부터 차입(借入)하는 것은 사실상 불가능하고, 후원금의 경우도 후원자의 의도에 전적으로 좌우되는 것이므로, 이러한 것들은 예산서상 수입으로 잡는 것은 바람직하지 않으며, 주무관청에서도 이러한 것을 예산서상 수입으로 잡은 신청이 있을 경우 반드시 그 보완을 요청하거나, 허가 신청을 반려하는 것이 바람직합니다.

6. 결격사유 확인

관련 법령 조문

「형의 실효 등에 관한 법률」

제6조(범죄경력조회·수사경력조회 및 회보의 제한 등) ① 수사자료표에 의한 범죄경력조회 및 수사경력조회와 그에 대한 회보는 다음 각 호의 어느 하나에 해당하는 경우에 그 전부 또는 일부에 대하여 조회 목적에 필요한 최소한의 범위에서 할 수 있다.

9. 다른 법령에서 규정하고 있는 ~ 결격사유, ~ 등을 확인하기 위하여 필요한 경우

「사회복지사업법」 관련 법령에는 임원의 결격사유와 관련하여 서류를 제출하거나, 직권으로 확인토록 규정하고 있지는 않으나 주무관청은 설립허가를 진행함에 있어서 임원으로 취임하고자 하는 자가 결격사유에 해당되는지 여부를 반드시 확인토록 하여야 합니다. 물론 법인을 설립하고자 하는 자는 자신들이 선임하고자 하는 임원 예정자가 결격사유에 해당되지 않음을 적극적으로 확인·입증해야 합니다.[26]

유의사항 **임원 취임 예정자가 확인한 개인범죄경력확인 자료 제출·활용은 불법**

o 「형의 실효 등에 관한 법률」 제10조에서는 범죄경력자료나 수사경력자료를 법령에 규정된 용도이외에 사용할 경우 형사처벌토록 규정하고 있습니다.

- 임원 취임 예정자가 스스로 확인한 개인범죄경력확인 자료는 그 자신이 확인할 목적으로만 발급된 것이므로, 이를 제3자에게 제출하면, 제출한 자신과 이를 제출받은 자 모두 다 위의 법률 제10조에 따른 범죄를 저지르게 되는 것이므로 각별한 주의가 필요합니다.

구체적인 사회복지법인 임원의 결격사유 확인과 관련한 사항은 법 제19조 임원의 결격사유에 대한 해설 부분에서 확인하기 바랍니다.

---

26) "사회복지사업법 해설(2판)"에서는 "이를 위해 임원 예정자에게 본인이 결격사유에 해당되지 않는 자라는 각서 등을 받아 두는 방법 등을 활용"할 수도 있는 것으로 서술하였으나, 「사회복지사업법 시행규칙」 서식 변경으로 "결격사유 부존재 각서"가 추가되어 입법적으로 해결됨

[준용] 「민법」 제44조(재단법인의 정관의 보충)

제44조(재단법인의 정관의 보충) 재단법인의 설립자가 그 명칭, 사무소소재지 또는 이사임면의 방법을 정하지 아니하고 사망한 때에는 이해관계인 또는 검사의 청구에 의하여 법원이 이를 정한다.

1. 의의

사회복지법인을 설립하는 도중에 재산을 출연한 설립자가 해당 법인의 명칭, 사무소 소재지, 이사임면 방법을 정하지 못하고 사망을 한 경우, 그 출연재산이 사망한 설립자의 의도에 부합되게 사용되도록 하기 위해서 이해관계인이나 검사의 청구에 의해 법원이 법인의 명칭 등을 정할 수 있습니다. 다만, 법인의 설립목적이나 출연자산 규모와 관련한 사항은 당연히 출연 시에 그 목적이나 자산의 규모가 확정이 되었다고 보기 때문에 본 조에서는 따로 규정하지 않는 것으로 사료됩니다.

2. 절차

이 건과 관련한 사건 관할법원은 「비송사건절차법」 제32조에 따라 그 설립자가 사망할 당시 그 사망자의 주소지 지방법원이 담당하게 되며, 만일 설립자의 주소가 국내에 없을 시에는 사망자의 거소지(居所地)나 법인설립 예정지의 지방법원이 관할하게 됩니다.

[준용] 「민법」 제48조(출연재산의 귀속시기)

제48조(출연재산의 귀속시기) ① 생전처분으로 재단법인을 설립하는 때에는 출연재산은 법인이 성립된 때로부터 법인의 재산이 된다.
② 유언으로 재단법인을 설립하는 때에는 출연재산은 유언의 효력이 발생한 때로부터 법인에 귀속한 것으로 본다.

1. 생전처분의 경우

살아있는 출연자가 사회복지법인을 설립하기 위해 출연한 재산이 있는 경우, 그 재산은 사회복지법인이 성립된 때부터 그 법인의 재산이 됩니다. 법인이 성립되기 전인 이른바 "성립중인 법인"은 권리능력이 없기 때문에 출연된 재산을 소유할 주체가 될 수 없고, 법인이 성립되어 권리능력이 발생하였을 때라야만 비로소 법률상 권리·의무의 주체가 되어 출연된 재산이 법인의 재산이 될 수 있게 되는 것입니다. 바로 이러한 과정 때문에 이 조문이 필요한 것입니다. 즉 법인은 성립되었으나 출연재산과 관련한 소유권 이전 등기가 늦어지는 경우라고 하더라도, 「민법」 제48조제1항에 따라 그 출연재산은 성립된 법인의 재산이라고 할 수 있는 등 설립 이후 법인의 재산확보가 용이해지기 때문입니다.

2. 유언으로 재산을 출연하는 경우

유언(遺言)을 통해 재산을 출연하는 경우는 해당 유언의 효력이 발생한 때부터 법인에 귀속된 것으로 봅니다. 이는 유언으로 재산을 출연하는 경우도 생전처분과 마찬가지로 법인이 성립되기 전이라면 그 출연 받은 재산을 소유할 수 있는 법률적 주체가 없게 되는 상황이 발생하고, 원래 재산 소유자도 사망한 상황이므로 출연재산의 귀속처가 모호하게 되는 상황도 함께 발생하게 됩니다. 「민법」에서는 이러한 법적 불안정성을 해소하기 위해서 동 조문을 마련한 것으로 생각됩니다. 유언으로 출연한 경우에는 그 유언의 효력이 발생하면, 법인 설립시기와 무관하게 그 유언이 있었던 때로 소급하여 법인에 귀속된 것으로 간주하게 됩니다. 따라서 유언으로 출연한 재산을, 법인이 설립되는 도중에 여러 가지 이유로 인해서 제3자가 소유하게 되었다고 하더라도, 법인이 설립되고 나면 그 법인은 해당 재산이 유언의 효력이 발생한 때로부터 자신의 재산임을 주장할 수 있게 되는 것입니다. 이 또한 제1항과 같이 설립 이후 법인의 재산확보가 용이해지는 효과가 있습니다.

참조 판례 유언에 의한 재단법인설립의 경우 출연재산의 귀속과 등기 등

o **사건번호** : [대법원 1993.9.14, 선고, 93다8054, 판결]

o 민법 제48조는 재단법인 성립에 있어서 재산출연자와 법인과의 관계에 있어서의 출연재산의 귀속에 관한 규정이고,
- 이 규정은 그 기능에 있어서 출연재산의 귀속에 관하여 출연자와 법인과의 관계를 상대적으로 결정함에 있어서의 기준이 되는 것에 불과하여,
- 출연재산은 출연자와 법인과의 관계에 있어서 그 출연행위에 터잡아 법인이 성립되면 그로써 출연재산은 민법의 위 조항에 의하여 법인성립시에 법인에게 귀속되어 법인의 재산이 되는 것이고,
- 출연재산이 부동산인 경우에 있어서도 위 양당사자간의 관계에 있어서는 위 요건(법인의 성립) 외에 등기를 필요로 하는 것이 아니나, 제3자에 대한 관계에 있어서는 출연행위가 법률행위이므로 출연재산의 법인에의 귀속에는 부동산의 권리에 관해서는 법인성립 외에 등기를 필요로 한다.

o 유언으로 재단법인을 설립하는 경우에도 제3자에 대한 관계에서는 출연재산이 부동산인 경우는 그 법인에의 귀속에는 법인의 설립 외에 등기를 필요로 하는 것이므로,
- 재단법인이 그와 같은 등기를 마치지 아니하였다면 유언자의 상속인의 한 사람으로부터 부동산의 지분을 취득하여 이전등기를 마친 선의의 제3자에 대하여 대항할 수 없다.

제17조(정관)

제17조(정관) ① 법인의 정관에는 다음 각 호의 사항이 포함되어야 한다.
1. 목적 / 2. 명칭 / 3. 주된 사무소의 소재지 / 4. 사업의 종류
5. 자산 및 회계에 관한 사항 / 6. 임원의 임면(任免) 등에 관한 사항
7. 회의에 관한 사항 / 8. 수익(收益)을 목적으로 하는 사업이 있는 경우 그에 관한 사항
9. 정관의 변경에 관한 사항
10. 존립시기와 해산 사유를 정한 경우에는 그 시기와 사유 및 남은 재산의 처리방법
11. 공고 및 공고방법에 관한 사항
② 법인이 정관을 변경하려는 경우에는 시·도지사의 인가를 받아야 한다. 다만, 보건복지부령으로 정하는 경미한 사항의 경우에는 그러하지 아니하다.
→ **「사회복지사업법 시행규칙」 제8조(정관의 변경)**
→ **「사회복지사업법 시행규칙」 제9조(인가를 요하지 아니하는 정관변경)**

앞에서도 언급한 바와 같이 정관은 법인의 성립·운영에 있어 가장 근간이 되는 규정으로 국가에 있어서 헌법과도 같은 역할을 하는 것입니다. 따라서 정관은 사회복지법인에 대해서 적용·준용되는 「사회복지사업법」, 「민법」, 「공익법인의 설립·운영에 관한 법률」 등 관련 법률에 위배됨이 없어야 함은 물론이고, 정관 규정들 간에도 서로 모순·충돌되는 등의 문제가 없어야 할 것입니다. 법 제17조에서는 정관의 기재사항과 그 변경의 방법에 대해서 규정하고 있는데, 이를 위반한 정관은 그 효력에 문제가 발생할 가능성이 크기 때문에, 법에서 반드시 정하도록 규정하고 있는 사항을 정관에 명시하여야 하고, 아울러 그 변경절차도 준수해야 합니다.

⚠ 유의사항 **정관상 기재사항 조문 작성 방법**

o 법 제17조제1항에서 정관의 필요적 기재사항을 명시하면서 각 호별로 그 기재사항을 달리 정하고 있으므로 실제 정관을 작성할 때에도 법 제17조제1항에서 정한 분류와 같이 <u>각각의 사항을 조문으로 분리하여 규정</u>하여야 할 것입니다.
- 특히 목적사업과 수익사업을 동일한 조문에서 정한다거나 할 경우 해당 정관의 적용이나 해석에 있어서 혼동의 여지가 매우 크기 때문에 유의해야 합니다.

1. 필요적 기재사항

법 제17조제1항에서는 사회복지법인의 정관에 기재하여야 할 11가지 사항을 정하고 있습니다. 이러한 사항은 제17조제1항 본문에서 "포함되어야 한다."라고 규정하고 있기 때문에 선택의 여지없이 무조건 정관에 기재하여야 합니다. 따라서 이러한 11가지 사항을 이른바 "필요적 기재사항"이라고 합니다. 이를 위반하여

불충분하게 기재된 정관은 무효[27]이므로 만일 그러한 정관으로 사회복지법인의 허가를 받고자 하는 경우가 있다면 담당 공무원은 반드시 그 신청을 불허하거나 반려해야 합니다. 이미 설립허가를 받아 운영되고 있는 사회복지법인이 이를 위반한 경우에는 그 정관은 당연히 무효가 되므로 주무관청은 법 제51조에 따른 관리·감독권을 행사하여 이를 바로 잡도록 하여야 합니다.

⚠ 유의사항	주무관청 지도·감독권 행사에 따른 개선명령을 거절한 경우 벌칙 대상이 됨

o 만일 법 제17조제1항에 위반되는 정관이 있어, 주무관청이 제51조에 따라 관리·감독권을 행사를 통해 개선토록 명령하였으나 이를 거절할 경우
- 이러한 행위는 "이 법 또는 이 법에 따른 명령을 위반한 경우"로서 법 제22조 및 제26조에 따라 해당 사회복지법인의 설립허가 취소 및 관련 임원이 해임명령의 대상이 될 수 있습니다.

1.1. 목적

앞에서 사회복지법인 설립허가 신청서와 관련하여 설명한 바와 같이 사회복지법인은 사회복지사업을 수행하기 위하여 설립된 법인이므로 그 목적은 당연히 사회복지사업의 수행이라고 할 수 있으며, 그러한 내용이 정관의 목적 조문에 명시되어야 합니다. 다만, 목적과 관련한 구체적인 사항이나 실현 방법은 "사업의 종류"와 관련된 조문에서 상세하게 표시하면 되므로 목적 규정에는 실제 수행하고자 하는 사회복지사업을 대략적으로 서술하면 될 것입니다. 아울러 해당 사회복지법인을 설립하게 된 경위나 설립의 배경이 된 종교적·철학적 가치를 표명하는 것도 무방합니다.

1.2. 명칭

법 제16조에 따라 법인설립허가 신청서에 기재하였던 명칭을 사용하면 됩니다.

유용한 TIP	영문(英文) 명칭 사용 시 참고 사항

o 원칙적으로 법인의 영문 명칭은 해당 법인의 설립자가 자유롭게 정할 수 있는 사항입니다.
- 다만, 이러한 영문 명칭도 등기를 하여야 하므로 그 명칭을 만들 때에는 영문 명칭의 등기 방법을 정하고 있는 「상호 및 외국인의 성명 등의 등기에 관한 예규」(대법원 등기예규 제1598호)에서 정하고 있는 바에 부합되도록 영문 명칭을 정하는 것이 관련 절차를 진행하는 데 있어 유용할 것으로 판단됩니다.

27) 김용덕, 「주석 민법 / 민법총칙(1)」(한국사법행정학회, 2019, 제5판), 722쪽 참조

1.3. 주된 사무소의 소재지

사회복지법인의 주된 사무소에 관한 사항은 법 제16조 법인의 설립허가 절차와 관련하여 설명하고 있는 부분을 참조하기 바랍니다.

1.4. 사업의 종류

1.4.1. 사업의 한계

사회복지법인은 「민법」에 따라 설립된 일반법인과 달리 「사회복지사업법」에 의해서 설립되는 특수법인으로서, 사회복지사업을 목적사업으로 수행하기 위해 설립된 법인이라는 점을 살펴본 바 있습니다. 따라서 정관상 목적사업의 종류도 반드시 사회복지사업만을 명시하여야 합니다. 사회복지사업은 법 제2조제1호 각 목의 법률과 관련이 있는 사업만을 의미하는 것으로서, 각 목의 법률과 관련이 없는 사업의 경우는 사회복지법인이 수행할 수 없는 사업임을 명심해야 합니다.[28)]

⚠ 유의사항	사회복지사업 이외의 사업을 목적사업으로 정한 경우 위법한 정관이 됨

o 사회복지사업이 아닌 사업을 목적사업으로 정관에 기재한 경우 이는 「사회복지사업법」을 위반한 정관으로서 무효일 뿐만 아니라, 법인 설립허가 취소나 임원의 해임명령 대상이 되므로 유의해야 합니다.

- 또한 사회복지사업이 아닌 사업에 대해서 사회복지법인은 권리와 의무의 주체가 될 수 없는 자가 되므로 그 사업을 사실상 수행한다고 하더라도 권리능력이 없는 자가 사업이나 계약을 수행한 것이 되어 향후 각종 법률상 제재나 민·형사상의 책임을 져야 하는 문제가 발생할 수 있습니다.

1.4.2. 사업의 명시 방법(직접 수행하는 사업의 경우)

정관에 기재되는 사회복지사업의 경우 반드시 그 사업의 근거가 되는 법률명과 구체적인 조문을 표시하는 방법으로 그 목록을 작성해야 합니다(부록2의 정관예시 참조). 예컨대 장애인과 관련된 사회복지시설을 설치·운영하는 사업을 수행하고자 한다면 "장애인 관련 사회복지사업"과 같이 모호한 표현이 아니라, "「장애인복지법」 제58조제1항제1호에 따른 장애인 거주시설의 설치·운영"으로, 사회복지시설 설치·운영 외의 사회복지사업을 영위하고자 하는 경우에는 "「장애인복지법」 제58조제1항에 따른 시설에 대한 운영 경비 지원" 등과 같이 해당 사업의 근거가 되는 법률 명칭과 그와 관련된 명확한 조문을 들어 그 사업의 내용을 명시하여야 합니다.

---

28) 다만, 수익사업의 경우는 「사회복지사업법」 제28조에 별도로 규정을 두어 허용을 하고 있기 때문에 사회복지사업이 아니더라도 사회복지법인이 예외적으로 수행할 수 있음. 다른 법률에서 사회복지법인이 수행할 수 있도록 명시한 경우에는 해당 법률에 따른 사업의 수행은 가능

1.4.3. 사업의 명시 방법(국가·지자체의 위·수탁사업의 경우)

사회복지법인은 국가나 지방자치단체가 위탁하는 사회복지사업을 수행할 수도 있기 때문에 그 정관상 사업의 종류에 이러한 위탁사업을 수행할 수 있는 근거를 명시할 수 있습니다. 이러한 위탁사업도 일반 사회복지사업과 마찬가지로 「민법」 제34조에 다른 권리능력을 온전히 가지고 수행하기 위해서는 그 사업의 근거를 명확히 하여 정관에 기재하여야 합니다. 이때 정관에는 단순히 "국가나 지방자치단체가 위탁하는 사업"과 같이 명시할 것이 아니라 "국가나 지방자치단체가 설치하는 장애인복지시설의 위탁운영" 등과 같이 구체적인 사업내용이 표시될 수 있도록 하여야 할 것입니다. 이 경우 정관상 해당 사회복지법인이 스스로 수행하고자 명시한 사업과 연결이 되는 사업의 내용을 명시하는 것이 가장 바람직할 것입니다. 예컨대 법인의 정관상 목적사업에 장애인 관련 복지사업이 명시된 경우, 위탁받을 수 있는 사업도 장애인 관련 복지사업으로 명시하는 것입니다. 정관상 직접 수행하는 사업은 노인 관련 사업인데 위탁받는 사업이 장애인 관련 사업이라면 위탁사업에 관한 전문성 여부 등에 대해서 문제가 제기될 수도 있습니다.

⚠ 유의사항	시설신고나 위·수탁 시 정관을 보는 이유
o 법인이 시설의 설치신고를 하거나 국가나 지자체가 사회복지사업을 위탁할 경우 정관을 첨부토록 하는 것은 담당 공무원이 사업을 수탁할 사회복지법인의 구체적인 수탁 능력을 검증하기에 앞서 그 정관상 해당 사업을 수탁할 수 있는지를 우선 확인하는 것입니다.	

1.5. 자산 및 회계에 관한 사항

자산 및 회계에 관한 사항이라 함은 사회복지법인의 전반적인 재산 현황, 관리 및 그 처리 방법 등을 의미하는 것입니다. 기본재산과 보통재산의 구분, 재산의 관리나 처리에 있어서 이사회 또는 사회복지법인의 사무국의 역할 등은 물론이고, 사회복지법인의 회계 중 법인회계, 시설회계, 수익사업회계의 구분과 그 처리 방법 등에 대해서 규정할 수 있습니다. 재산의 처분이나 회계의 처리와 관련하여서는 반드시 「사회복지사업법」 및 그 하위 법령인 「사회복지법인 및 사회복지시설 재무·회계 규칙」 뿐만 아니라 그 밖에 자산이나 회계 등과 관련된 다른 법령(「보조금법」, 「지방재정법」, 「지방계약법」 등)에도 반드시 부합되어야 하므로, 정관내용도 관련 법령에 어긋남이 없어야 합니다. 또 자산에 관한 사항 중 설립 당시의 자산의 종류나 상태 및 평가액을 정관의 본문이나 별지 등에 최대한 상세하고 구체적으로 명시하여야 한다는 점에 대해서도 각별히 유의해야 합니다. 아울러 법 제23조제2항에 따라 그 재산 중 기본재산은 반드시 그 목록과 가액(價額)을 정관에 기재하여야 합니다. 이때 가액은 취득당시의 시가(時價)를 명시하면 됩니다.

관련 법령 조문

「공익법인의 설립 · 운영에 관한 법률 시행령」

제24조(재산의 평가) 공익법인의 모든 재산의 평가는 취득당시의 시가에 의한다. 다만, 재평가를 실시한 재산은 재평가액으로 한다.

개인 해석 설립당시 자산을 표기하는 이유와 방법

o 설립 당시의 사회복지법인 자산을 명확히 함으로써 이후 법인의 자산의 변동과 관련한 이력(履歷)을 용이하게 파악할 수 있는 근거로 활용함으로써 설립 이후 자산의 투명한 운용 여부를 확인하는 데에 도움이 되고,

- 설립당시 자산과 관련된 사항을 자세히 기술(記述)하여야만 법 제18조에 따른 "임원과 특별한 관계에 있는 자"인 출연자가 누구인지를 명확히 알 수 있습니다.

o 설립당시의 자산 및 그 출연자는 정관의 별지를 활용하여 별도로 명시하는 방법을 사용할 수 있습니다. ※이 책 부록2 정관(예시)부분 참조

1.6. 임원의 임면(任免) 등에 관한 사항

정관에는 사회복지법인의 이사나 감사의 선임이나 해임 등에 관한 사항을 명시하여 기재하여야 합니다. 사회복지법인의 경우 「사회복지사업법」에 이미 임원의 자격요건이나 구성비율, 결격사유 등에 대해서 비교적 자세하게 규정하고 있기 때문에 동일한 사항을 정관에 기재할 필요는 없습니다. 그러나 법령에서 명시하고 있지 않는 각종 절차, 예를 들어 임원을 선임하는 구체적인 절차나 회의의 의사·의결 정족수 등 일반적인 절차는 반드시 정관에 별도로 정하여야 합니다. 임원의 임면과 관련하여 기재할 수 있는 사항은 다음과 같습니다.

1.6.1. 대표권 제한 관련 규정

이사의 대표권 제한과 관련한 사항은 「사회복지사업법」에서는 별도로 규정하고 있지는 않으나, 「사회복지사업법」 제32조에 따라 준용되는 「민법」 제41조에서는 규정하고 있는 사항이므로 이에 대한 내용도 정관 중 임원의 임면 등에 관한 사항의 하나로 반드시 추가해야 합니다. 더욱이 사회복지법인의 경우 「사회복지사업법」에서 대표이사를 둘 수 있는 것으로 정하고 있어 언뜻 대표이사가 모든 대표권을 행사할 수 있는 것으로 유추하는 경우가 있으나, 사실상 대표이사에게만 대표권이 부여된다고

하는 명문의 규정이 「사회복지사업법」이나 그 하위 법령에 명시되어 있지 않으므로, 대표이사의 권한을 명확히 하는 차원에서도 대표권 제한과 관련된 규정은 정관에 반드시 명시하는 것이 바람직합니다.

⚠ 유의사항 **"대표이사" 이외의 명칭 사용은 불가**

- o 「민법」에서는 대표권이 있는 자의 명칭에 대한 특별한 규정이 없기 때문에 통상 일반법인의 정관에 해당 법인의 대표권이 있는 자에 대해서는 대표이사라는 명칭이외에도, 대표자, 원장 등 여러 가지 표현을 사용하고 있습니다.
- \- 그러나 사회복지법인의 경우는 「사회복지사업법」 제18조 등에서 대표이사라는 명칭을 명시하고 있기 때문에 그 밖의 명칭을 사용할 수 없습니다.
- \- 해당 법인 내부에서 편의상 대표이사 이외의 명칭을 사용하는 것까지는 제한하고 있지 않으나, 대내외적으로 법령상 효력이 있는 정관, 세칙 및 각종 문서 등에는 반드시 대표이사라는 명칭을 사용해야 합니다.

1.6.2. 임원의 임기에 관한 사항

법 제18조제4항에서 이사의 임기는 3년, 감사의 임기는 2년으로 명시하여 규정하고 있습니다. 따라서 정관상 임원의 임기를 정할 때도 반드시 이사 3년, 감사 2년으로 정해야 합니다. 정관에서 법에서 정한 3년이나 2년의 기간을 늘이거나 줄이는 규정을 두게 되면 해당 정관은 위법한 정관으로서 법률상 효력이 없는 정관이 되고, 이에 따라 선임된 임원의 경우 그 자격에 대한 논란이 발생할 수도 있음에 유의해야 합니다. 또한 보궐된 임원의 임기와 관련하여 정관에 "후임자의 임기는 전임자의 임기의 잔여기간으로 한다."는 규정은 법 제18조제4항을 위반한 조문이 되는 점 유의하기 바랍니다.[29] 사회복지법인의 임원은 그 사람이 누구의 후임자인지 여부와 관련 없이 새로이 선임된 임원이라고 할 수 있고, 따라서 그 임기는 법에서 보장된 이사 3년, 감사 2년이 적용되기 때문입니다. 상세한 사항은 법 제18조제4항 관련 부분을 확인하기 바랍니다.

1.6.3. 임원의 정수

사회복지법인은 그 정관에 해당 법인의 임원인 이사나 감사의 정수(定數)를 표기하여야 합니다. 간혹 그 정관에 임원의 정수를 표기함에 있어 "7명 이상 15명 이하"와 같이 특정한 숫자가 아닌 범위로 규정하는 경우가 있습니다. 그러나 이는 특정하게

29) 1999년 4월 개정되기 이전의 「사회복지사업법」에서는 보궐임원의 임기를 전임자의 잔여임기로 규정하고 있었으나, 1999년 4월 개정으로 동 규정이 폐지되었기 때문에 현행 「사회복지사업법」의 틀 안에서는 잔여임기를 인정할 여지나 필요성은 없음.

정(定)하여진 수(數)를 의미하는 정수(定數)라는 단어의 정의에 어긋나는 것입니다. 또한 해당 법인 이사의 정원 정확하게 확정되지 않아, 이사의 정수에 비례하여 일정 규모 이상 두어야 하는 외부추천이사의 수를 확정하기가 어렵습니다. 외부추천 이사의 수가 확정되지 않게 되는 상황이 발생하면 이사회의 적법성과 관련한 문제가 발생될 것이 명약관화(明若觀火)한 점 등에 미루어보면, 정관상 임원의 정수는 반드시 특정한 숫자로 표기해야 합니다.

1.6.4. 연임 관련 조문

법 제18조제4항에서는 이사나 감사가 임기가 끝난 경우 연임을 할 수 있도록 규정하고 있습니다. 이때 "연임(連任)"은 적법한 임원 선출절차를 거친다면, 연속(連續)하여 임기(任期)를 가질 수 있다는 의미입니다. 따라서 임원의 임면과 관련한 사항은 정관에 정할 필요는 없습니다. 연임은 임원의 2회 연속으로 선출된 결과에 대해서 표현하는 용어이므로, 정관에 이미 정하여져 있는 임원의 선임 절차 규정만으로 충분하기 때문입니다. 따라서 정관에는 연임 가능여부만 명시하면 됩니다. 상세한 사항은 법 제18조제4항 관련 부분을 확인하기 바랍니다.

1.6.5. 감사의 직무(공설법 제10조)

정관 중 임원의 임면 등에 관한 사항을 명시할 때에는 반드시 감사의 직무에 대한 사항도 포함이 되어야 합니다. 다만, 「사회복지사업법」에서는 감사의 구체적인 직무를 정하고 있는 바가 없으므로, 「공익법인의 설립 · 운영에 관한 법률」 제10조를 준용하여 동 조문에 따른 감사의 직무를 정관에 반영하여야 합니다.

1.6.6. 궐위 또는 유고에 관한 사항

궐위(闕位)는 임원의 자리가 비어 있는 상태를 의미하는 용어이고, 유고(有故)는 특별한 사정(事情)이나 사고(事故)가 있는(有) 상황을 의미하는 용어입니다. 예컨대 이사에게 유고가 있다고 할 경우 이는 해당 이사에게 어떤 사정이나 사고가 발생한 것을 나타내는 것입니다. 이러한 사정이나 사고로 인해서 단순히 이사회 등에 참석할 수 없는 상황이 발생한다면 단순한 유고(有故)인 것이고, 사망에 이르거나 결격 사유에 해당되는 등의 사정이나 사고라면 유고로 인한 궐위(闕位)가 되는 것입니다.

법인의 정관에는 이사회 소집권자가 유고로 인해 소집을 할 수 없거나, 소집권자의 자리가 궐위 상태가 되었을 경우에 대해서 관련 사항을 명시하여 두는 것이 좋습니다. 「사회복지사업법」 제32조에 따라 준용되는 「공익법인의 설립 · 운영에 관한 법률」 제8조제4항에서 이사회 소집권자의 궐위나 소집 기피 상황이 발생하였을 경우

이사회 소집 절차를 규정하고 있으므로 이에 부합되는 정관 규정을 두되, 그 경우 반드시 이사회를 주재(主宰)할 자도 정관에 명시하여야 합니다.

1.7. 회의에 관한 사항

회의에 관한 사항은 사회복지법인의 각종 회의체와 그 회의체에서 다루는 의제 및 그 의결 방법 등을 의미합니다. 이러한 회의와 관련하여 특히 중요한 것은 이사회와 관련된 사항이라고 할 수 있습니다. 사회복지법인의 이사회의 운영에 관하여 「사회복지사업법」 제18조에서는 이사회의 정수 및 구성비율을, 제25조에서는 이사회의 회의록 작성 의무에 대해서만 정하고 있기 때문에, 이러한 것을 제외한 나머지 사항은 「사회복지사업법」 제32조에 따라 준용되는 「공익법인의 설립 · 운영에 관한 법률」에서 규정하고 있는 이사회 관련 조문을 준용하여 운영하여야 하므로, 이러한 사항을 잘 유념하여 정관 중 회의에 관한 사항을 정하여야 합니다. 이사회 운영과 관련하여 「공익법인의 설립 · 운영에 관한 법률」에서 정하고 있는 사항은 다음과 같고, 이러한 내용은 해당 법인의 정관에 반드시 포함되도록 하여야 합니다.

1.7.1. 이사회 구성(공설법 제6조)

이사회라는 용어만으로도 당연히 유추할 수 있는 사항이겠으나, 이를 명확히 하는 차원에서 이사회는 이사로 구성한다는 내용을 정관에 포함시켜야 합니다. 즉 이러한 조문을 마련함으로써 이사회를 구성함에 있어서 의도되었건 아니건 간에 해당 이사회에 법인 사무국의 직원 또는 출연자 등 이사가 아닌 사람이 참석하거나 직·간접적으로 관여하는 것을 미연에 방지할 수 있는 이점이 있습니다.

1.7.2. 대표이사 또는 이사장 선출(공설법 제6조)

「사회복지사업법」에서는 사회복지법인의 대표이사에 대해서 언급하고 있으나, 이사회 소집권자인 이사장에 대해서는 별도로 규정하고 있는 바가 없습니다. 이러한 「사회복지사업법」의 태도와 달리 공설법 제7조에서 이사장은 이사회의 소집권한이 있고, 이사회의 의장이 되는 것으로 규정하고 있습니다. 그런데 이러한 공설법의 내용을 사회복지법인의 이사회 운영과 관련하여 어느 수준까지 준용해야 하는지에 대해서는 여러 가지 논란의 여지가 있습니다. 이사장의 경우 이사회를 소집하고, 그 의장이 되기는 하지만 이사회 소집과 의장이 되는 것은 법인 내부 의사결정 과정과 관련된 것이므로 이러한 조문만으로 이사장이 대외적으로 해당 사회복지법인의 대표권을 가진 이사라고 유추하기는 어렵다고 할 것입니다. 따라서 이론상으로는 사회복지법인에 이사장과 대표이사가 공존할 수도 있다고 할 것입니다. 다만, 법 제25조에서 이사회 회의록 작성 사항 중에 대표이사가 작성할 필요가 있다고 인정하는 사항이 있고, 비록 사회복지법인인 사회복지협의회에 국한되는 조문이기는 하지만 시행령 제15조제3항에서 대표이사가 이사회를 소집하고 의장이 된다고 명시하고 있는 점 등을 고려한다면, 사회복지법인 이사회의 이사장은 대표이사가 겸임하는 것으로 보는 것이 「사회복지사업법」의 취지에 부합되는 것이라고 할 것입니다. 한편 「사회복지사업법」에서 대표이사의 선출과 관련한 사항이 없다는 점을 함께 고려하면, 사회복지법인의 대표이사는 이사 간 호선(互選)을 통해 선임토록 정관에 규정하면 무리가 없을 것으로 사료됩니다.

1.7.3. 이사회 의결사항(공설법 제7조)

「사회복지사업법」에는 이사회의 의결사항에 대해서 규정하고 있지 않으므로, 법인의 정관에는 「사회복지사업법」 제32조에 따라 준용되는 「공익법인의 설립·운영에 관한 법률」 제7조에 따른 이사회 의결사항을 명시하여야 합니다. 공설법 제7조제1항에서 열거하고 있는 이사회의 심의·결정사항을 사회복지법인에 적용하면 "△사회복지법인의 예산, 결산, 차입금 및 재산의 취득·처분과 관리에 관한 사항, △정관의 변경에 관한 사항, △법인의 해산에 관한 사항, △임원의 임면에 관한 사항, △수익사업에 관한 사항, △그 밖에 법령이나 정관에 따라 그 권한에 속하는 사항"이 됩니다. 이러한 심의·결정 사항 중 이사와 해당 사회복지법인의 이해관계가 상반될 경우 해당 이사는 그 사항에 관한 의결에는 참여하지 못한다는 이른바 제척(除斥) 관련 사항도 함께 규정해야 합니다.

해 석 례	이해상반관계의 범위(학교법인 사례)
o 해석번호 : [법제처 13-0087, 2013. 4. 26., 교육과학기술부]	
o 학교법인의 이사이자 이사장의 배우자인 자가 자신을 당해 학교법인이 설치·경영하는 학교의 장으로 임명하기 위한 이사회에 참석하여 의결하는 것은 「사립학교법」 제16조제2항의 "이사가 학교법인과 이해관계가 상반하는 때"에 해당한다고 할 것임 o 이해상반관계는 입법취지, 법인의 목적, 관련 조항 등을 종합적으로 고려하여 해석하여야 할 것이며, <u>통상 "임원의 이익=법인의 손해"인 명시적인 이해는 물론이고, 잠재적으로 "임원의 이익=법인의 손해"가 될 우려가 있는 경우도 포함.</u>	

1.7.4. 이사회 소집(공설법 제8조)

이사회의 소집과 관련하여서는 정관에 그 소집권자와 소집절차 등에 대해서 비교적 상세하게 명시를 해야만 법인을 운영하는 중에 갑자기 발생할 수 있는 각종 문제의 소지를 줄일 수 있습니다. 공설법 제8조의 내용을 반영하면, 대표이사 등 사회복지법인 이사회의 소집권한이 있는 사람은 적어도 이사회가 있기 7일 전에 회의의 목적을 구체적으로 밝힌 후 이를 각 이사에게 알려야 합니다. 만일 7일보다 짧은 기간에 통지하거나, 사전에 밝히지 않은 회의 안건을 상정하는 경우는 무효인 이사회가 되는 점에 유의해야 합니다. 또한 이사 과반수가 회의 목적을 제시하여 소집을 요구하거나 감사가 법인 내에서 발생한 불법·부당한 사항을 보고할 목적으로 이사회 소집을 요구할 경우 그 요구일로부터 20일 이내에 이사회를 개최해야 하도록 규정해야 합니다. 만일 이사회 소집권자가 궐위(闕位)되거나, 소집을 기피하여 7일 이상 이사회 소집이 불가능한 경우라고 한다면 재적이사 과반수의 찬동으로 주무관청의 승인을 받을 경우 이사회 소집이 가능하므로 이러한 사항도 정관에 기재하는 것이 좋습니다. 또한 이러한 경우가 발생하였을 때 소집권자가 아닌 자 중에서 이사회를 주재할 수 있는 자를 정할 수 있도록 정관에 함께 규정하는 것도 필요합니다.

유용한 TIP 재적(在籍)이사 수의 기준

o 재적(在籍)이사란 법인에 적(籍)이 있는 이사를 의미하는 것이고, 해당 법인의 이사회에서 적법하게 선임된 이사라면 당연히 재적이사라고 할 것입니다.
o 한편 어떠한 경우가 적(籍)이 있는 것인지 살펴보면,
- 법 제18조제1항에서는 이사의 정수를 7명이상으로 하도록 규정하고 있고, 제17조에서는 임원의 임면과 관련한 사항을 반드시 정관에 기재토록 하고 있으므로, 재적이사는 **법령과 정관에 따라서 적법하게 해당 법인의 이사로 선임된 모든 자**를 의미합니다.
o 다만, 그 수(數)와 관련하여서는 정관에서 정하고 있는 이사보다 많은 수를 선임할 수는 없는 것이고, 정관에서 정하고 있는 이사보다 적은 수가 있는 경우는 결원(缺員)으로서 법 제20조에 따라서 보충을 해야 하는 부적절한 상황이므로,
- **정관에서 정하고 있는 수**가 해당 법인이 합법적으로 선임할 수 있는 이사, 즉 **재적(在籍)이사의 수(數)**가 된다고 할 것입니다.[30]

1.7.5. 의사·의결정족수

이사회 의사의 결정과 관련한 의사정족수나 의결정족수는 반드시 정관에 규정하는

30) 법무부, 「실무자를 위한 비영리·공익법인 관리·감독 업무 편람」(2017), 331쪽 참조

것이 바람직합니다. 이때 모든 회의나 안건에 대해서 동일한 비율일 필요는 없고, 개별 사안이나 회의별로 각각 다른 의사정족수나 의결정족수를 정할 수 있습니다.

1.7.6. 서면결의 및 대리 출석

사회복지법인의 이사회는 필요적 상설기관[31]으로서 법인의 이사들이 함께 모여 관련 사항을 토론하고, 논의함으로써 해당 법인이 나아갈 바람직한 방향을 결정하는 곳입니다. 이에 따라 사회복지법인의 이사회는 서면결의[32]나 대리출석이 불가능하므로 정관에 관련 사항을 기재하는 일이 없어야 할 것입니다.[33]

1.8. 수익을 목적으로 하는 사업에 관한 사항

"수익을 목적으로 하는 사업에 관한 사항"은 법 제28조에 따른 수익사업을 의미합니다. 사회복지법인은 목적사업의 경비에 충당하기 위해서 필요한 경우라면 사회복지사업이 아닌 사업도 제한적으로 수행할 수 있습니다. 사회복지법인의 수익사업과 관련한 부분에서 다시 상세하게 설명하겠지만, 사회복지법인이 수익사업을 수행하기 위해서는 반드시 정관 변경의 절차를 거쳐야 함을 유의해야 합니다. 종전 「사회복지사업법」에서는 주무관청의 승인을 받은 후에 수익사업을 할 수 있는 것으로 규정하고 있었으나, 1999년 4월 30일에 개정·시행된 「사회복지사업법」에서는 승인에 관한 사항을 삭제하였고, 이에 따라 종전에는 사회복지법인이 수익사업을 수행하기 위해서는 "수익사업 승인 → 정관변경 → 사업수행"의 단계를 거쳐야 했던 것이, 현행 규정상으로는 "수익사업 관련 정관변경 → 사업수행"의 다소 완화된 절차를 통해 가능하게 되었습니다.

정관에 수익을 목적으로 하는 사업에 관한 사항을 명시해야 하는 또 다른 법리적인 이유도 있습니다. 법인의 경우 「민법」 제34조에 따라 "법률의 규정을 좇아 정관으로 정한 목적의 범위 내에서 권리와 의무의 주체"가 되므로, 그 목적사업으로 수행하여야 하는 사회복지사업이 아닌 수익사업과 관련한 권리·의무의 주체가 되기 위해서도 정관에 반드시 법인이 수행할 수 있는 수익사업에 대한 구체적인 사항이 기재되어야 하기 때문입니다.

---

31) 「민법」에서는 이사회와 관련된 규정이 없으나, 「사회복지사업법」에서는 이사회를 반드시 두는 것을 전제로 법률을 구성하고 있음.
32) 특히 서면결의에 대해서는 「사회복지사업법」 제32조에 따라 준용되는 「공익법인의 설립·운영에 관한 법률」 제9조제3항에서 금지하고 있음.
33) 구체적인 사항은 부록1 중 "이사회 의결권 대리행사 가능 여부" 부분 참조

1.9. 정관의 변경에 관한 사항

사회복지법인은 사단법인이나 재단법인 중 어떠한 형태로도 설립이 가능하지만 「사회복지사업법」에서는 총회에 관한 사항은 규정하고 있지 않은 반면, 모든 업무가 주로 이사회나 이사를 중심으로 이루어지는 것으로 기술하고 있는 점을 미루어 보면 재단법인의 형태를 전제로 하여 법령이 마련된 것으로 판단됩니다. 한편 재단법인은 「민법」 제45조제1항에 따라 원칙적으로 정관 변경이 불가능하고, 예외적으로 해당 정관에 그 변경방법이 정하여진 경우에 한해서 정관의 변경이 가능합니다.

사회복지법인도 재단법인의 성격이 상당히 강한 법인이라는 점을 고려하여 보면 정관 변경에 관한 규정을 두어야만 정관 개정이 가능하다고 할 것입니다. 「사회복지사업법」에서는 이러한 사정을 반영하여 사회복지법인의 정관에 필요적 기재사항으로 정관의 변경에 관한 사항을 두도록 명시하고 있는 것으로 판단됩니다. 다만 정관의 변경에 관한 사항이므로 정관은 무조건 변경할 수 없다거나, 특정 조문은 절대 변경할 수 없다는 조문을 두더라도 이 또한 정관의 변경과 관련된 사항이므로 정관에 기재하는 것이 가능하다고 할 수 있습니다.

⚠ 유의사항	정관의 변경에 관한 사항 관련 유의사항

- o 출연자가 출연금을 출연 목적에 부합되게 사용될 수 있도록 하는 차원에서 원시정관(原始定款)에 목적사업 조문 삭제나 추가 불가라는 취지의 조문을 둘 수도 있습니다.
- \- 주무관청의 공무원들은 정관변경 인가 요청이 있을 경우 원래 정관에 정관의 변경과 관련하여 어떠한 조문을 두고 있는지 면밀히 살펴야 합니다.
- \- 최초 정관상 개정 불가 조문을 변경하거나 삭제하는 정관변경인가 신청이 들어오면 이를 반려하거나, 출연자의 의사를 직접 확인하는 등 보다 엄격하게 심사를 진행하여야 할 것입니다.

1.10. 존립시기 및 해산사유와 남은 재산의 처리 방법

1.10.1. 존립시기

존립시기를 정한 경우에만 그 시기를 기재토록하고 있기 때문에 엄격하게 보면 필요적 기재사항은 아니라고 할 수 있습니다. 그러나 존립시기를 정한 경우라고 한다면 이와 관련된 사항은 법인의 존폐(存廢)와 직접적인 연관이 있는 사안이므로 반드시 구체적이고 확실하게 명시가 되어야 합니다.

1.10.2. 해산사유

해산사유도 존립시기와 마찬가지로 법인의 존폐와 직접적인 연관이 있는 사안이므로 이 또한 정관에 기재할 때는 반드시 구체적이고 확실하게 명시되어야 합니다.

1.10.3. 남은 재산의 처리방법

해산이 완료된 사회복지법인의 남은 재산은 법 제27조 규정에 따라 정관으로 정하는 바에 따라 국가나 지자체로 귀속됩니다. 이러한 규정을 충분히 반영하여 정관에는 법인이 청산한 후 남은 재산의 처리방법과 관련한 사항이 비교적 상세하게 명시되어야 합니다. 법인이 이사회의 결의에 따라 정상적으로 해산하는 경우라면 해당 이사회에서 잔여재산의 귀속에 대해서 사전에 상세하게 결정할 수 있을 것이나, 법인설립허가 취소 등 법인이 의도하지 않은 사유로 해산하게 되는 경우로서 이사회 개최가 사실상 불가능한 경우 잔여재산을 누구에게 귀속시킬 것인지에 대한 결정을 하는 것 또한 사실상 불가능하게 되기 때문에 정관으로 미리 이를 명확히 해야 하는 것입니다. 만일 정관에 "남은 재산은 국가나 지자체로 귀속된다."라는 정도로 단순하게 명시할 경우 막상 잔여재산이 발생하여도 누구에게 재산이 귀속시킬지 판단하기가 상당히 곤란하게 되는 상황이 발생할 우려가 있습니다. 정관에는 국가나 지자체 중에서도 구체적으로 어떠한 주체에게로 귀속되는지를 비교적 명확하게 명시하여야 합니다. 또한 법인이 해산하기 위해서는 청산(淸算)절차를 반드시 거쳐야 하는데 청산중인 법인의 경우 이사회의 기능이 사실상 정지되고, 청산인에 의해서 청산절차가 전적으로 진행되므로 남은 재산의 처리와 관련한 사항도 이사회를 대신하여 청산인이 처리한다는 취지의 조문도 명시하는 것이 바람직합니다.[34]

1.11. 공고 및 공고방법에 관한 사항

사회복지법인의 공고 및 공고방법에 관한 사항을 정관에 명시토록 한 것은 해당 법인이 제3자에게 그 법인과 관련한 사항을 알리는 방법을 명확하게 밝히도록 하기 위해서 입니다. 재무회계규칙에 따른 예·결산 공고 규정을 준수하는 방편으로 삼거나, 해당 법인의 공고에 따라 제3자와의 권리·의무관계가 형성되거나 종료될 수 있으므로, 이러한 공고방법을 명확히 하여 관련 법률관계 또한 명확히 할 수 있도록 하는 것에 그 취지가 있다고 할 것입니다. 더불어 법인이 그 정관에 정한 것과 달리

34) 「민법」 제87조에서는 청산인이 청산과 관련하여 필요한 모든 직무를 행할 수 있도록 규정하고 있는 점을 정관에 적극 반영할 필요

공고할 경우에는 이는 법인의 공고로서 인정받을 수 없기 때문에 신중하고, 명확하게 관련 내용을 명시해야 할 것입니다.

2. 임의적 기재 사항

「사회복지사업법」에서 정관의 필수적인 기재 사항으로 규정하고 있는 것은 아니지만 다음과 같은 사항을 정관에 기재하면, 법인을 좀 더 합리적이고, 투명하게 운영하는 데 많은 도움이 될 것으로 판단됩니다.

2.1. 각종 세칙 제·개정 근거

사회복지법인의 정관은 법인의 근간이 되는 규정이지만, 사실상 법인의 운영과 관련되는 모든 사항을 담기도 어렵고, 담는다고 하더라도 실무상으로 필요한 사항까지 이사회의 결의와 주무관청의 허가 절차가 필요한 정관 변경과정을 거쳐야 하는 번거로움이 있습니다. 따라서 법인 운영과 관련되는 실무적인 사항은 정관이 아닌 하위 규정에서 정하는 것이 바람직합니다. 그러나 이러한 하위 규정을 정하기 위해서는 법령과 마찬가지로 정관에 그 하위 규정을 정할 수 있는 위임 근거 규정이 반드시 필요합니다. 요컨대 법인의 인사규정, 급여규정 등 해당 법인을 운영하는 데 필요한 여러 가지 하위 규정을 제정할 수 있다는 취지의 조문이 정관에 포함되어야 합니다.

2.2. 분사무소

2.2.1. 분사무소 설치의 의의

분사무소는 법인의 주된 사무소가 아닌 장소로서 해당 사회복지법인의 업무를 수행하는 곳을 의미합니다. 이러한 분사무소는 문자 그대로 사무를 행하는 장소이므로 분사무소 자체만으로는 별도의 법인격을 가지지 못하는 점에 유의해야 합니다. 즉 분사무소는 말 그대로 그냥 사무를 행하는 장소(場所)일 뿐이고, 그 사무소의 장(長)도 사회복지법인의 이름으로 분사무소 관할 사항을 처리하는 것에 불과하므로, 분사무소 자체나 분사무소의 장이 계약의 상대방이 되는 등의 권리능력은 없습니다. 간혹 실무상으로 사회복지법인의 분사무소를 상대방으로 하여 계약을 맺는 등의 법률행위를 하는 경우가 있는데 이는 권리능력이 없는 자와 법률관계를 맺는 잘못된 행위라고 할 수 있습니다. 분사무소의 장은 해당 법인의 업무 관련 위임 규정 등에 따라 사회복지법인을 대리하여 해당 법인을 당사자로 하는 계약을 맺는 대리인에 불과하다는 것을 유의해야 합니다.

참조 등기예규	「법인의 분사무소설치에 관한 사무처리지침」
o **예규번호** : 등기예규 제604호(제정 1985.10.30.)	
o 법인의 사무소(분사무소 포함)의 소재지는 정관의 절대적 기재사항이고 정관에 사무소의 표시를 함에 있어서는 그 소재지의 최소 행정구역이 기재되어야 하는바, 최소 행정구역의 기재가 없는 경우는 물론 막연히 분사무소를 둘 수 있다고만 규정하는 것은 정관에 사무소의 소재지를 기재한 것으로 볼 수 없으므로 그러한 경우에 분사무소를 설치하기 위하여는 분사무소의 소재지가 표시되는 내용으로 정관을 변경하고 주무관청의 허가를 받아 그 등기 신청서에 허가서 또는 인증있는 등본을 첨부하여야 한다.	

2.2.2. 사회복지시설의 분사무소 표시 여부

사회복지법인이 설치하는 사회복지시설은 그 사회복지법인의 목적사업인 사회복지사업을 실천하는 장소로서 당연히 분사무소의 지위를 가진다고 할 수 있습니다. 사회복지시설의 시설장도 시설회계의 운영이나, 시설 안전점검 등 「사회복지사업법」이 정하는 범위 내에서 그 설치·운영자인 사회복지법인을 대신하여 업무를 수행할 수 있기 때문에 시설이 분사무소의 지위를 가지는 것으로 볼 수 있습니다. 사회복지시설과 관련한 분사무소 관련 규정을 둠으로써 사회복지법인이 해당 사회복지시설의 설치·운영자이며, 해당 시설이 법인의 관리 감독하에 있는 기관이라는 등 법인과 시설 간의 법률적인 관계가 명확해지는 이점도 있다고 할 것입니다. 따라서 사회복지법인이 사회복지시설을 설치하는 경우에는 원칙적으로 해당 사회복지시설을 그 법인의 분사무소로, 그 시설장을 분사무소의 장으로 하는 내용을 정관에 기재하는 것이 바람직하다고 할 수 있습니다.

2.2.3. 해외 분사무소 설치 가능 여부

앞에서 이미 살펴보았지만 사회복지법인은 「사회복지사업법」에 따른 사회복지사업과 수익사업 중 정관에 기재한 사업에 한해서만 그 권리능력이 인정됩니다. 따라서 사회복지법인이 해외에서 그 권리능력을 바탕으로 사업을 실시하는 분사무소의 설치가 가능한지도 역시 사회복지법인의 권리능력과 직결됩니다. 사회복지법인이 해외에서 사업을 수행하는 것이 불가능하다고 할 수는 없으나, 매우 신중하게 접근해야 할 문제로서 관련 사항은 부록1 중 "사회복지법인의 해외사업 수행의 적부(適否)"에서 별도로 상세하게 언급하고 있으므로 참고 바랍니다.

2.3. 임원 목록(설립 당시 임원)

법인의 임원 중 이사는 등기를 통해 그 변동사항을 확인할 수 있고, 감사는 등기사항도 아니고 대외적으로도 변동 여부가 큰 의미가 없다는 점에 착안하여 보면 굳이 정관에 현재 임원의 목록을 두어 이사나 감사의 변동사항을 명시할 필요는 없습니다. 종전 「사회복지사업법」과 같이 임원에 대해 취임승인을 받아야 한다면, 취임승인과 정관변경허가를 동시에 요청하는 방법으로 업무를 간략히 처리하면 되었지만, 현행 「사회복지사업법」은 규제완화 차원에서 임원을 자율적으로 임면토록 하고, 그 결과에 대해서 보고만 하면 충분한 것으로 개정되었기 때문에 굳이 정관에 임원의 목록을 기재하여 임원의 변동에 따른 정관변경 절차를 추가로 진행하여야만 임원의 선임이 합법적인 것으로 오인될 우려가 있는 등 개정 취지에 딱히 부합하지 않는 행위이므로 과히 권장할 사항을 아닙니다.

다만, 현재 임원의 목록과 달리 해당 사회복지법인이 설립될 당시의 임원 목록은 향후 법인의 운영이나 임원 간 발생할 수 있는 내부 분쟁 해결 등에 있어 많은 도움이 될 것으로 사료되므로 가급적 정관의 별지 형식으로 남겨두는 것이 바람직할 것으로 판단됩니다. 설립당시의 임원 목록이므로 그 이후에 임원의 변동이 발생하더라도 해당 별지 목록은 개정할 필요가 없는 대신, 설립 당시의 임원 현황을 기준으로 임원 간의 선·후임 관계 확인이 용이하여 적법한 임원 자격의 확인 등과 같은 법률관계 확정에 도움이 되기 때문입니다. 예컨대 등기에 기재된 이사의 명단과 실제 이사의 명단이 달라 법률적 다툼이 발생할 경우, 설립 당시 임원 목록이 있다면 이를 기준으로 하여 각 이사회에서 결의된 임원의 변천 과정을 추적하여 진정한 이사를 확인하는 것이 가능하게 되는 등의 이점이 있다고 할 수 있습니다.

2.4. 청산인

「민법」 제82조에서는 법인이 해산한 때에는 파산의 경우를 제하고는 이사가 청산인이 되며, 정관으로 달리 정한 경우에는 그에 따른다고 규정하고 있습니다. 만일 청산인이 될 이사도 없고, 정관에도 달리 정한 경우가 없다면, 「민법」 제83조에 따라 법원이 직권으로 선임하거나, 이해관계인이나 검사의 청구를 받아 청산인을 선임하게 됩니다. 법인이 해산에 이르면 통상 이사회가 정상적으로 운영되기 어려운 지경인 경우가 대부분이고, 설령 몇몇 잔여 이사가 있다고 하더라도, 서로 청산인이 되겠다고 하거나, 되지 않겠다고 하는 경우 그들 중 누구를 청산인으로 해야 하는지 결정하기 어려운 상황에 직면하게 될 공산이 큽니다. 「민법」에서는 이러한 경우 법원에서 청산인을 선임한다고는 규정되어 있으나, 법원이 스스로 해당 법인의 해산 상태를 인지하여 직권으로 청산인을 선임한다는 것은 기대하기 어렵고, 이해 관계인 등의 청구가 있는 경우라고 하더라도 그에 대한 여러 가지 판단 절차를 거치게 되면 시간이 지체되는 등의 우려가 있습니다. 따라서 법인의 해산 시에 일어날 수 있는 이러한 복잡한 상황을 다소나마 예방하는 차원에서 사회복지법인의 정관에는 해산 시 어떠한 자가 청산인이 될지에 대한 상세한 규정이 필요하다고 할 수 있습니다. 예를 들어 원칙적으로는 해산 결의를 한 이사회에서 청산인을 결정토록 하고, 설립허가 취소 등에 따라 해산될 경우에는 해산 당시의 이사 중 연장자(年長者) 순(順)으로 그 원(願)에 의해서 청산인이 된다는 등의 내용을 담으면 될 것입니다.

3. 정관의 변경

3.1. 변경인가의 법적 성질 등

사회복지법인은 그 정관을 변경하고자 할 때는 주무관청인 시·도지사의 인가를 받아야 합니다. 일반적인 금지를 해제하는 허가와는 달리 "인가"는 특정한 행위에 대한 법률행위의 효력을 보충해주는 것을 의미합니다.

따라서 정관변경의 신청이 있을 경우 주무관청은 그 변경 사항에 대해서 법률적 효력을 부여할 것인지 여부만을 판단할 수 있을 뿐이고, 신청 내용을 수정할 권한은 부여되지 않는다고 할 수 있습니다. 사회복지법인이 신청한 정관변경 인가 요청 내용 중 문제가 있다면, 주무관청은 이에 대해서 인가 거부 처분을 할 수 있을 뿐이고, 이를 수정한 후 그 수정 내용으로 인가하는 처분을 할 수 없습니다. 수정하여 인가를 할 경우 이는 곧 정관 인가 담당 공무원이 해당 사회복지법인의 최고 의결 기관인 이사회보다 상위에 있는 것과 같은 효과를 초래하게 되고, 이에 따라 정관 변경 내용과 관련한 해당 사회복지법인의 의사를 왜곡하게 되는 결과까지 빚어질 우려가 있기 때문입니다. 즉 주무관청은 정관 변경과 관련한 인가신청이 있는 경우, 반드시 그 신청의 당·부당만을 판단하여 인가 여부를 결정해야 할 것입니다. 잘못된 신청이 있는 경우는 인가를 거부하고, 필요하다면 법인이 스스로 자료를 보완하거나 수정하여 제출하도록 지도조치를 하는 선에 그쳐야 할 것입니다. 특히 정관 변경 내용이 이미 법령에 따라 적법하게 확정된 사실관계를 반영하기 위한 것[35]이라고

35) 임원 목록의 갱신, 부동산 취득에 따른 기본재산 목록의 갱신 등

한다면, 이에 대해서 주무관청이 인가를 거부하는 것은 바람직하지 않을 뿐만 아니라, 자칫 행정소송이나 직권 남용에 따른 징계 등의 소지도 다분하다는 점에 유의해야 합니다. 다만, 단순한 오탈자나 인용 문구의 오류 등 정관의 실질적인 내용에 전혀 영향을 미치지 않는 사항에 대해서는 상당히 제한적인 범위 내에서 수정이 가능하다고 할 수는 있을 것으로 사료됩니다.36)

참조 판례	정관변경 인가의 법적 성질
o **사건번호** : [대법원 2002.9.24, 선고, 2000두5661, 판결]	
o 사회복지법인의 정관변경을 허가할 것인지의 여부는 **주무관청의 정책적 판단에 따른 재량에 맡겨져 있다고 할 것**	
o **사건번호** : [대법원 1985.8.20, 선고, 84누509, 판결]	
o 비영리재단법인의 설립이나 정관변경에 관하여 허가주의를 채용하고 있는 제도 아래에서는 **비영리재단법인의 설립이나 정관변경에 관한 주무관청의 허가**는 그 본질상 **주무관청의 자유재량에 속하는 행위**로서 그 허가여부에 대하여 다툴 수 없는 법리이므로 **비영리재단법인의 정관변경을 불허가한 처분은 행정소송의 대상이 되는 행정처분이 아니다.**	
o **사건번호** : [대법원 1996.5.16, 선고, 95누4810, 전원합의체 판결]	
o 민법 제45조와 제46조에서 말하는 재단법인의 정관변경 "허가"는 법률상의 표현이 허가로 되어 있기는 하나, **그 성질에 있어 법률행위의 효력을 보충해 주는 것**이지 **일반적 금지를 해제하는 것이 아니므로**, 그 법적 성격은 인가라고 보아야 한다.	

3.2. 변경 절차

사회복지법인이 정관을 개정하기 위해서는 우선 이사회를 거쳐야 하고, 그에 따라 확정된 정관 개정안을 작성한 후, 개정과 관련된 자료와 함께 주무관청에 정관변경 인가를 신청해야 합니다. 사업의 변경이 있는 경우는 그 사업의 변동에 따른 계획서, 예산서, 사업 수행의 가능성을 담보할 수 있는 재산 소유 증명 서류 등을 반드시 함께 제출해야 합니다. 또한 해당 재산이 어느 정도의 가치가 있는지를 입증할 수 있는 평가조서와 수익조서도 함께 제출해야 합니다.

36) 국회에서 의결하여 정부에 송부된 법률의 경우도 단순 오탈자가 있는 경우에는 국회에 재의결을 요구하지 않고, 그 문구를 직접 수정한 후 공포

3.3. 변경인가가 필요 없는 사항

시행규칙 제9조에서는 법 제17조제2항 각 호에 따른 정관의 필요적 기재사항 중 공고 및 공고방법에 관한 사항은 인가 없이 변경이 가능한 것으로 규정하고 있습니다.

⚠ 유의사항	임의적 기재사항도 정관에 기재된 이상 변경인가를 통해서만 개정 가능

o 법 제17조제2항 각 호에서 정하고 있지 않은 사항 중 정관에 기재된 이른바 임의적 기재사항의 경우, 법령에 따라서 반드시 기재할 사항은 아니었지만 법인이 스스로 정관에 기재한 사항으로서, 이미 정관의 내용이 되어버린 것이므로 그러한 사항은 법 제17조제2항 단서 및 시행규칙 제8조제2항에서 정하고 있는 경미한 사항에 해당되는 것이 아니라면 당연히 정관변경 인가의 대상이 됩니다.

3.4. 부관(附款)의 허용 여부

사회복지법인의 정관변경에 대한 인가여부를 판단하는 기준이 「사회복지사업법」에 정해져 있지 않기 때문에 정관변경의 인가 여부는 주무관청의 정책적인 판단에 따른 재량에 맡겨져 있다고 할 것입니다. 따라서 주무관청은 정관변경인가를 함에 있어서 비례의 원칙 및 평등의 원칙에 적합하고, 행정처분의 본질적 효력을 해치지 않는 한도 내에서 부관을 붙일 수 있다고 할 것입니다.[37)]

참조 판례	사회복지법인의 정관변경허가 시 부관 가능

o 사건번호 : [대법원 2002.9.24, 선고, 2000두5661, 판결]

o 사회복지법인의 정관변경을 허가할 것인지의 여부는 주무관청의 정책적 판단에 따른 재량에 맡겨져 있다고 할 것이고, 주무관청이 정관변경허가를 함에 있어서는 비례의 원칙 및 평등의 원칙에 적합하고 행정처분의 본질적 효력을 해하지 않는 한도 내에서 부관을 붙일 수 있다.

37) 2021.3.23.에 공포·시행된 「행정기본법」 제17조에서도 부관을 붙일 수 있는 것으로 명시

제18조(임원)

제18조(임원) ① 법인은 대표이사를 포함한 이사 7명 이상과 감사 2명 이상을 두어야 한다.

② 법인은 제1항에 따른 이사 정수의 3분의 1(소수점 이하는 버린다) 이상을 다음 각 호의 어느 하나에 해당하는 기관이 3배수로 추천한 사람 중에서 선임하여야 한다.

1. 「사회보장급여의 이용·제공 및 수급권자 발굴에 관한 법률」 제40조제1항에 따른 시·도사회보장위원회
2. 「사회보장급여의 이용·제공 및 수급권자 발굴에 관한 법률」 제41조제1항에 따른 지역사회보장협의체

→ 「사회복지사업법 시행령」 제8조의2(이사 추천의 절차)

③ 이사회의 구성에 있어서 대통령령으로 정하는 특별한 관계에 있는 사람이 이사 현원(現員)의 5분의 1을 초과할 수 없다.

→ 「사회복지사업법 시행령」 제9조(특별한 관계에 있는 자의 범위)

④ 이사의 임기는 3년으로 하고 감사의 임기는 2년으로 하며, 각각 연임할 수 있다.

⑤ 외국인인 이사는 이사 현원의 2분의 1 미만이어야 한다.

⑥ 법인은 임원을 임면하는 경우에는 보건복지부령으로 정하는 바에 따라 지체 없이 시·도지사에게 보고하여야 한다.

→ 「사회복지사업법 시행규칙」 제10조(임원의 임면보고)

⑦ 감사는 이사와 제3항에 따른 특별한 관계에 있는 사람이 아니어야 하며, 감사 중 1명은 법률 또는 회계에 관한 지식이 있는 사람 중에서 선임하여야 한다. 다만, 대통령령으로 정하는 일정 규모 이상의 법인은 시·도지사의 추천을 받아 「주식회사의 외부감사에 관한 법률」 제2조제7호에 따른 감사인에 속한 사람을 감사로 선임하여야 한다.

→ 「사회복지사업법 시행령」 제10조(감사인 선임 대상 사회복지법인의 규모)

⑧ 제2항 각 호의 기관은 제2항에 따라 이사를 추천하기 위하여 매년 다음 각 호의 어느 하나에 해당하는 사람으로 이사 후보군을 구성하여 공고하여야 한다. 다만, 사회복지법인의 대표자, 사회복지사업을 하는 비영리법인 또는 단체의 대표자, 「사회보장급여의 이용·제공 및 수급권자 발굴에 관한 법률」 제41조에 따른 지역사회보장협의체의 대표자는 제외한다.

1. 사회복지 또는 보건의료에 관한 학식과 경험이 풍부한 사람
2. 사회복지를 필요로 하는 사람의 이익 등을 대표하는 사람
3. 「비영리민간단체 지원법」 제2조에 따른 비영리민간단체에서 추천한 사람
4. 「사회복지공동모금회법」 제14조에 따른 사회복지공동모금지회에서 추천한 사람

1. 임원의 정수(定數)

1.1. 이사의 정수

2012년에 개정되기 전의 「사회복지사업법」에서는 사회복지법인의 이사 정수를 5명 이상으로 규정하고 있었으나, 2012년 개정 이후부터는 사회복지법인 운영의 투명성 등을 확보하기 위해 임원의 자격 요건을 강화하는 차원에서 그 정수를 확대하여 현행과 같이 7명 이상으로 규정하고 있습니다. 따라서 앞에서 정관 기재사항 중 이사의 정수 부분에서 이미 살펴본 바와 같이 사회복지법인의 이사는 반드시 그 정관에 7명 이상인 수로 정하고, 그 정해진 수만큼 선임하여야 합니다. 이사의 수를 특정한 수로 정하지 않고 "7명 이상 15명 이하" 등과 같이 그 범위만으로 정관에 표현하는 경우 해당 법인의 이사 정수는 없는 것과 마찬가지가 됩니다. 이러한 내용을 고집하게 되면 해당 정관에 대해서 법 제18조제2항과 같이 이사의 정수를 기준으로 하는 법령 조문을 적용할 경우에는 행정청은 부득이 15명을 기준으로 법령을 해석·적용할 소지가 크고, 법인 이사회 운영이나 등기 업무 처리 등에 있어서도 상당한 논란이 발생될 것으로 사료되므로 사회복지법인은 반드시 7명 이상의 이사를 두되, 그 정관에 7 이상의 특정한 수로써 그 정수를 표시해야 합니다.

1.2. 감사의 정수

사회복지법인의 감사의 정수는 「사회복지사업법」이 제정될 당시부터 2명 이상으로 규정되어 왔습니다. 감사의 정수도 이사와 마찬가지로 정관에 표기할 때 일정한 범위가 아닌 특정한 수로 정하여야 합니다.

1.3. 정수 미달의 효과

1.3.1. 이사 정수 미달의 효과

사회복지법인에 있어서 이사의 정수가 특히 중요한 이유는 바로 법률에 "7명 이상 두어야 한다."라고 명시하고 있기 때문에, 이를 위반하면 해당 사회복지법인의 이사회는 위법한 이사회가 되고, 따라서 그 결의도 무효가 되므로 사실상 이사회의 역할을 할 수 없게 되는 결과를 초래하기 때문입니다. 예컨대 정관상 이사의 정수가 8명인 사회복지법인에서 2명이 사임을 하게 되면, 이 법인의 이사는 6명이 되므로 이는 「사회복지사업법」 제18조제1항에 위배되는 상황이 되어 해당 이사회는 위법한 이사회가 됩니다. 다른 예로 정관상 이사의 정수가 8명인 사회복지법인에서 1명이

사임을 할 경우, 이때는 사임한 이사가 어떠한 자격을 가졌던 사람인지에 따라 해당 사회복지법인 이사회의 합법 여부가 결정됩니다. 이사 1명이 사임한 경우라면 남은 이사만으로도 "7명 이상"이라는 법 제18조제1항의 기준은 충족할 수 있습니다. 그러나 해당 이사의 사임으로 인해 해당 법인의 이사 구성이 다른 조문인 법 제18조제2항, 제3항, 제5항의 규정에 위반되는 상황[38]이 발생한다면, 이 또한 위법한 이사회가 됩니다.

유용한 TIP 이사 해임 시 위법상황을 방지하는 방법

o 이사의 정수가 7명인 사회복지법인에서 특정 이사를 해임하는 경우 그 해임의 효력은 **결의와 동시에 효력이 발생**하므로, **해임 결의와 동시에 해당 법인의 이사 정수는 7명 미만이 되는 상황이 초래**되고, 이에 따라 해당 법인의 이사회는 법 제18조제1항을 위반한 위법한 이사회가 되어 해임된 이사의 **후임 이사 선임이 불가능**하게 됩니다. 이 경우 임시 이사를 통해 법인 이사회를 정상화할 수밖에 없는 상황이 발생하게 됩니다.

- 따라서 사회복지법인이 특정 이사를 해임할 경우 미리 그 후임자를 선정한 후 **해임안과 선임안을 동시에 상정**하여야만 이사의 정수가 7명 미만이 되는 위법 상황을 막을 수 있을 것입니다.

만일 사회복지법인의 이사 정원에 결원(缺員)이 발생하여 그 정수가 7명 미만인 경우에는 해당 법인의 이사회의 결의가 모두 무효가 되므로, 새로운 이사를 선임할 수 있는 결의도 불가능하게 되는 문제가 발생하게 되며, 이러한 상황은 「사회복지사업법」 제22조의3에 따른 임시이사 선임을 통해 해결해야 합니다. 아울러 사회복지법인이 그 정관에 이사의 정수를 7명 미만으로 기재하거나, 임시이사의 선임 요청 없이 7명 미만인 상태로 유지하면 이는 법 제26조제1항제8호에 해당되어 법인의 설립허가 취소사유가 됨을 유의해야 합니다.

해 석 례 7명 미만인 경우 해당 이사회는 위법한 이사회

o **해석번호** : [법제처 14-0104, 2014.6.27, 민원인]

o 구 「사회복지사업법」(2012. 1. 26. 법률 제11239호로 개정되기 전의 것) 제18조제1항에 따른 이사 정수를 충족하고 있던 사회복지법인이 같은 법의 개정으로 인하여 현행 「사회복지사업법」 제18조제1항 및 제2항에 따른 **이사 정수를 갖추지 못한 상태**에서 이사회 의결을 한 경우 **그 의결은 유효하다고 볼 수 없다**고 할 것입니다.

38) 사임한 이사가 외부추천이사이거나, 내국인 이사로서 그 사임에 따라 외부추천이사 비율이나 외국인 비율에 부합되지 않게 되는 경우가 있을 수 있음.

1.3.2. 감사 정수 미달의 효과

감사 정수에 미달이 있는 경우에도 이사의 미달과 마찬가지로 법 제26조제1항제8호에 해당되어 법인의 설립허가 취소사유가 됨을 유의해야 합니다. 또한 이사회 회의록에는 공설법 제10조제1항제2호에 따라 감사의 날인이 필요하므로 적법한 감사가 없는 경우에는 회의록 작성이 불가능하게 되고, 이에 따라 이사회 회의록이 반드시 필요한 각종 허가나 등기 신청 행위 역시 불가능해집니다.

2. 외부추천이사

2.1. 도입취지

사회복지법인의 이사 중 일부를 외부기관에서 추천받아 선임하는 이른바 "외부추천이사제도"는 2012년 1월에 개정된 「사회복지사업법」에 처음으로 도입된 것입니다. 이러한 외부추천이사제도는 앞에서 살펴본 임원 정수의 확대와 마찬가지로 장애인 학생에 대한 성폭력사건인 "도가니 사건"이 계기가 되어 도입된 것으로서 외부기관으로부터 종전의 이사진과는 관련성이 적은 사람을 추천받아 이사로 선임함으로써 기존 이사가 아닌 제3자의 객관적인 의견도 사회복지법인의 운영에 반영되도록 하여 사회복지법인의 투명성 확보, 대표자의 전횡 및 인권침해 방지 등의 효과를 실현하고자 도입한 제도입니다.

2.2. 비율 계산

외부추천이사는 사회복지법인 정관상 이사 정수를 기준으로 하여 그 정수의 3분의 1이상을 선임하여야 합니다. 이 경우 이사 정수를 3으로 나눈 후 소수점 이하는 버린 수 이상을 선임하여야 합니다.

사례 예시	외부추천이사 비율계산 사례

[정수가 각각 7명 또는 8명인 경우]

o 7 또는 8을 3으로 나누면 그 몫은 2.xxx가 됩니다,

- 이 때 소수점 이하를 버리면 2가 되고, 법 제18조제2항에서는 소수점 이하를 버린 수 "이상"의 외부추천이사를 두도록 하고 있고, "이상"은 그 수와 같거나 보다 큰 수를 의미하는 것이므로, 이 경우 2명 이상의 외부추천이사를 두면 됩니다.

[정수가 각각 9명, 10명, 11명인 경우] ⇒ 3명 이상

외부추천이사 비율을 계산함에 있어서 유의해야 할 점은 그 모수(母數)인데, 특별한 관계에 있는 이사나 외국인 이사의 비율은 현재 임명되어 있는 이사의 수인

현원(現員)을 기준으로 하고 있는 반면, 외부추천이사는 현재 임명되어 있는 이사가 아닌 이사를 임명할 수 있는 최대 한계인 그 정관상 "정수"를 기준으로 하고 있다는 것입니다. 만일 사회복지법인이 그 정관에 이사의 정수를 정하여진 숫자로 표기하여야 함에도 불구하고, "7명 이상 15명 이하"와 같이 표기한 경우라고 한다면 그 법인의 외부추천이사 수는 그 이사 정원의 최대 수인 15명을 기준으로 하여 5명 이상이 되어야 합니다.

2.3. 비율 위반 시 효과

법에서 외부추천이사는 그 비율에 부합되도록 "선임하여야 한다."라고 명시하고 있고, 제정 취지 측면에서도 법인 운영의 투명화 제고 등을 위해 도입된 제도라는 점을 고려하여 보면, 사회복지법인의 외부추천이사의 비율이 이사 정수의 3분의 1에 미치지 못한다면, 해당 이사회는 법 제18조제2항을 위반하는 위법한 이사회가 되고, 이에 따라 해당 이사회는 적법·유효한 결의를 할 수 없게 됩니다. 아울러 이러한 상황은 「사회복지사업법」 제26조제1항제9호에 따른 법인 설립허가 취소 사유에도 해당이 됩니다. 이러한 비율 위반의 효과는 사회복지법인이 외부추천이사를 제대로 선임하지 않은 경우뿐만 아니라, 외부추천이사가 사임하거나, 해임되었거나 혹은 사망 등으로 인해 궐위(闕位)되어 버린 경우에도 동일하게 적용이 됩니다. 외부추천이사의 사임 등으로 인한 결과가 「사회복지사업법」 제18조제1항에 따른 정수 위반이나, 같은 조 제2항에서 규정하고 있는 외부추천이사 비율을 위반하게 되는 것으로 나타난다면 이는 「사회복지사업법」을 위반한 위법한 이사회가 되기 때문입니다. 이러한 엄격한 해석이 필요한 이유는, 외부추천이사의 도입취지 중 하나가 기존 이사와 관련이 없는 사람을 이사로 선임하여 기존의 이사진을 적절하게 견제함으로써 사회복지법인의 운영에 있어 그 투명성을 제고하고자 하는 것에 있는 것이지만, 사실상 외부추천이사는 전체 이사의 3분의 1에 해당하는 소수자에 불과하여 다수를 차지하고 있는 기존의 이사들이 자신들과 의견이 대립되는 경우 외부추천이사를 쉽게 해임할 수도 있는 등 이사회 내에서의 견제를 통한 운영 투명성 제고라는 입법 취지를 달성하기는 쉽지 않기 때문에, 그 비율만이라도 정확하게 지킬 수 있도록 하여 법인이 그 이사회를 외부추천이사 없이 임의로 운영하는 것을 방지해야 하기 때문입니다.

외부추천이사는 통상 전체 이사회 구성에 있어 소수에 불과하므로 자신의 의견을 관철시키기가 어려울 경우 사임이라는 방법을 동원하여 그 사회복지법인의 이사회 구성비율이 「사회복지사업법」 제18조제2항에 부합되지 못하게 되는 상황을 유발하고, 그 결과 잔여 이사만으로는 이사회 운영이 불가능하게 되는 효과를 발생시킴으로써 주무관청의 개입을 유도할 수 있습니다. 왜냐하면 외부추천이사의 비율이 맞지 않는 경우 사회복지법인은 이러한 상황을 해결하기 위해서 후임 외부추천이사를 선임하여야 하지만, 이미 해당 법인의 이사회는 외부추천이사 비율이 맞지 않는 위법한 이사회가 되므로 후임 외부추천이사 선임행위가 불가능하게 되고, 이에 따라 부득이하게 「사회복지사업법」 제22조의3에 따른 임시이사 선임을 통해서 이사회를 정상화시킨 후 외부추천이사를 선임할 수밖에 없기 때문입니다. 결국 외부추천이사의 사임이 주무관청의 개입을 유도할 수도 있게 되는 것입니다. 물론 외부추천이사가 그 지위를 남용하는 것은 바람직하지 않으나, 소수인 외부추천이사가 다수 이사의 전횡이 있다고 판단하는 경우 스스로 사임을 하고, 그 결과 주무관청이 임시이사 선임 절차를 진행하게 함으로써 법인의 운영의 공정성을 제고할 수 있다면, 이 또한 기존 이사의 견제라는 외부추천이사 제도의 제정취지에는 부합되는 것이라고 할 수 있습니다. 다수결을 통해 외부추천이사를 해임하는 경우도 위와 동일한 상황과 결과가 발생하게 되므로, 외부추천이사가 기존 이사와 다른 견해를 가지고 있다고 하더라도 손쉽게 해임을 하는 것이 어렵게 되어, 외부추천이사 제도 도입 취지를 잘 살릴 수 있다고 할 것입니다.

⚠ 유의사항 | 외부추천이사 해임 시 유의사항

o 외부추천이사가 그 업무를 게을리하는 등 위법한 행위를 계속할 경우 사회복지법인은 당연히 그 권리로서 외부추천이사를 해임할 수 있습니다.
- 그런데 외부추천이사 해임의 결과 정수가 7명 미만이 되거나, 외부추천이사의 비율에 위반이 있는 경우 해당 이사회는 위법한 이사회가 되어, 결국 임시이사를 통한 정상화 절차를 진행하여야 하는 사태가 발생하게 됩니다.
- 이러한 사태를 예방하기 위해서는 주무관청 및 추천기관과 미리 협의를 한 후, 외부추천이사 후보를 추천받은 후, 특정 외부추천이사의 해임안과 후임 외부추천이사의 선임안을 동시에 상정함으로써 이사의 정수가 7명 미만이 되거나, 외부추천이사 비율에 위배되는 위법 상황을 막을 수 있을 것입니다.

외부추천이사의 사임이나 해임이 아니라 사망 등 불가피한 사정으로 인한 궐위(闕位)가 발생한 경우, 이는 사회복지법인이나 기존 이사회에 운영상 문제 등과는 아무런 관련이 없는 상황이기는 하지만 이 경우에도 궐위의 결과가 「사회복지사업법」 제18조제1항 또는 제2항에서 규정하고 있는 바를 충족시키지 못하게 되는 상황으로 이어지면, 당연히 해당 이사회도 위법인 이사회가 되므로, 임시이사 선임을 통해 그 상황을 타개하는 방법밖에 없습니다.

유용한 TIP 외부추천이사의 궐위에 따른 이사회 기능 정지 예방 방법

o 외부추천이사 궐위에 따라 이사회의 기능이 일시정지가 되는 것은 사회복지법인이 통상 정수의 3분의1 이상을 충족하는 최소한의 외부추천이사만을 선임하고 있기 때문에 흔히 나타나는 현상입니다.

- 만일 8명이 정원이 사회복지법인에서 **외부추천이사를 최소 기준인 2명보다 1명 더 많은** 3명을 선임하고 있는 경우라고 한다면, 외부추천이사 1명이 사임하거나 불의의 사고 등으로 인해 궐위가 되더라도, 이 법인의 이사회는 「사회복지사업법」 제18조 제1항·제2항을 모두 충족하는 이사회가 되므로 이사회 운영이 불가능한 상황에 이르지는 않게 됩니다.

유의사항 학교법인의 공익이사 수 위반과의 차이점

o 학교법인의 공익이사의 이율과 관련된 판례([대법원 2014.1.17., 자, 2013마1801, 결정])에서는 공익이사의 비율이 어긋난 이사회도 그 구성이 위법하지 않다는 입장입니다.

- 학교법인의 경우도 공익이사 비율에 위반이 있을 경우 임시이사를 선임하는 방법을 활용할 여지가 있으나, 학교법인의 임시이사는 사회복지법인의 임시이사와 달리 후임이사를 선임할 수 있는 권한이 없기 때문([대법원 2013.6.13. 선고, 2012다40332 판결])에 부득이하게 해당 이사회가 유효한 것으로 볼 수밖에 없는 사정이 있다고 할 것입니다.
- 따라서 해당 판례를 사회복지법인의 경우에 대해 직접 적용하는 것은 적절치 않습니다.

2.4. 추천절차

2.4.1. 추천기관

사회복지법인이 그 이사회를 구성함에 있어 외부추천이사가 필요할 경우 그 선임사유가 발생한 날부터 15일 이내에 「사회보장급여의 이용·제공 및 수급권자 발굴에 관한 법률」 제40조의 시·도사회보장위원회 또는 같은 법 제41조에 따른 지역사회보장협의체(이하 "추천기관")에 대해 서면으로 추천을 요청해야 합니다.

2.4.2. 추천요청 사유 및 시기

시행령 제8조의2제1항에서 규정하고 있는 "선임사유"는 외부추천이사가 사임하거나, 임기가 만료되는 등 외부추천이사에 결원이 발생하여 그 후임자를 선임해야 할 경우를 의미합니다. 이러한 선임사유가 발생하면 앞에서 언급한 기관에 대해서 15일 이내에 추천을 요청할 수 있습니다. 다만, 임기만료가 그 원인인 경우는 미리 예측이 가능하므로 임기만료 3개월 전부터 추천을 요청할 수 있습니다. 이사의

임기만료가 선임사유인 경우에는 임기만료 3개월 전부터 추천을 요청할 수 있도록 한 것은 외부추천이사의 임기만료에 따라 해당 법인의 이사회가 위법한 이사회로 전락되지 않도록 하기 위한 입법적 고려라고 할 수 있습니다. 이러한 입법적 고려에도 불구하고, 임기만료 3개월 전에 추천요청을 하지 않아, 후임자 없이 그 임기가 만료됨으로써 위법인 이사회가 되는 경우는 해당 법인이 그로 인해 발생하는 모든 책임을 져야 하며, 법 제22조의3에 따른 임시이사의 선임으로써 해당 상황을 수습하여야 합니다.

⚠ 유의사항	선임사유 발생 후 15일 이내에 요청을 할 수 없는 경우
o 외부추천이사의 사임 등의 사유가 발생함으로 인해 해당 사회복지법인의 이사회 구성이 법 제18조제1항이나 제2항 등에서 정하고 있는 **법정기준에 위반될 경우 해당 이사회는 위법한 이사회**가 되어, **추천을 받는다고 하더라도 합법적인 선임은 할 수 없게 됩니다.** - 따라서 15일 이내에 요청을 할 수 있는 경우는 요청받은 후보 중에서 외부추천이사를 **선임할 수 있는 합법적인 상태의 이사회가 있는 경우에 한정**된다고 할 것입니다. ⇒ 만일 이사회 구성의 위법으로 인해 15일 이내에 요청이 불가능하다면 이러한 상황은 **법 제22조의3에 따른 임시이사의 선임으로써 해소**해야 합니다.	

2.4.3. 추천요청 절차 및 내용

외부추천이사 후보를 요청하는 주체는 당연히 사회복지법인입니다. 그런데 이러한 요청행위를 함에 있어서 해당 사회복지법인의 이사회를 거쳐야 하는지 여부가 문제가 됩니다. 생각건대 「사회복지사업법 시행령」 제8조의2에서는 사회복지법인이 관련 서류를 첨부하여 추천요청하는 것으로 규정하고 있으나 관련 첨부서류들은 법인의 이사회를 거치지 않아도 되는 문서들로 이루어져 있습니다. 또한 이사회는 추천을 받은 후보 중에서 실제로 선임하는 행위를 함으로써 자신의 권한을 충분히 활용할 수 있다는 점 등을 두루 고려하면, 「사회복지사업법」과 그 하위규정만으로는 추천요청 행위가 반드시 이사회를 거쳐야 한다고 보기는 어렵습니다.[39)]

외부추천이사 후보를 요청할 경우 해당 사회복지법인의 설립 취지, 목적사업의 내용, 외부추천이사가 갖추어야 할 사항 등의 자료를 추천기관에 함께 제출하여야 합니다. 이러한 자료를 제출토록 하는 것은 비록 사회복지법인과 아무런 관련이 없는 제3자인 추천기관이 외부추천이사 후보를 추천하더라도, 해당 사회복지법인이 실행하는 사업이나 설립 취지 등을 최대한 고려하여 후보를 추천하도록 하기 위해서

39) 보건복지부, 「2023 사회복지법인 관리안내」, 34쪽 참조

입니다. 예컨대 특정 종교의 이념을 바탕으로 사회복지사업을 수행하는 사회복지 법인에 다른 종파나 종교를 가지고 있는 사람이 이사가 되는 것은 해당 사회복지 법인의 입장에서는 과히 권장할만한 상황은 아니므로, 이러한 불편한 상황을 미리 막기 위해서 해당 사회복지법인과 관련한 기본적인 자료를 함께 제출하는 것입니다. 다만, 요청을 할 때 성별을 한정하여 요청하거나, 학연, 지연 등 정실(情實)에 얽매일 수 있는 조건을 들어 후보 추천을 요청하는 것은 차별 논란 등의 여러 가지 이유로 바람직하지 않다는 점 유의해야 합니다.

⚠ 유의사항	후보군 중에서 특정인을 한정하여 요청하는 것은 부적절

o 「사회복지사업법」에서는 사회복지법인이 일반적인 조건만을 정하여 추천을 요청토록 하고 있고, 외부추천이사가 법인의 이사회의 공공성이나 객관성을 제고하기 위한 제도라는 점을 고려하여 보면, 후보군 중에서 특정인을 지정하여 요청하는 것을 적절하지 않습니다.
- 만일 추천기관이 특정인을 지정한 추천요청서를 받았다면, 이러한 요청서 중 특정인을 지정한 내용은 무시하고 기타 첨부서류만을 참고하여 추천하면 될 것입니다.

2.4.4. 후보 추천

외부추천이사 후보 추천을 요청받은 기관에서는 특별한 사정이 없다면 추천 요청을 받은 날로부터 30일 이내에 후보를 추천해야 합니다. 만일 30일 이상의 시간이 필요한 특별한 사정이 있다고 한다면, 추천기관은 반드시 이를 해당 사회 복지법인에 사전에 알려야 합니다. 이사 후보를 추천받지 못한 상황에서 기존의 외부추천이사의 임기가 만료될 경우에는 해당 사회복지법인의 이사회는 법 제18조 제2항에 위배되는 불법 이사회가 되어 결의가 불가능한 상태로 빠지고, 이에 따라 임시이사 선임을 통한 법인 정상화 과정을 거쳐야 하는 문제가 발생하기 때문에 후보 추천기관에서는 기존 외부추천이사의 임기만료도 철저하게 고려하여 추천 일정을 진행해야 합니다. 또한 필요한 경우 이사의 추천을 요청한 법인으로부터 추가로 의견을 들을 수도 있습니다.

외부추천이사 후보는 아무나 될 수 있는 것이 아니라 반드시 법 제18조제8항에서 규정하고 있는 사람만이 될 수 있고, 추천기관은 이러한 자격이 있는 사람을 이사 후보군으로 구성하여 공고하여야 합니다. 종전에는 후보군에 대한 관리를 추천기관의 자율 또는 임의적인 판단에 의존하였으나, 2017년 10월 24일 개정된 「사회복지사업법」에서는 아예 관련 이사 후보군을 공고토록 규정하고 있습니다. 이는 외부추천이사 후보군에 대한 충분한 사전검증을 통해 사회복지법인 운영의 공익성이나 투명성을 높이기 위해 새롭게 포함된 사항입니다.[40]

유의사항 외부추천이사 후보군이 될 수 없는 사람

o △사회복지법인의 대표자, △사회복지사업을 하는 비영리법인 또는 단체의 대표자, △지역사회보장협의체의 대표자는 후보군에 포함될 수 없습니다.
- 위와 같은 사람은 사회복지법인의 기존 이사진과 유·무형의 연관관계가 있을 가능성이 높고, 사회복지사업을 수행하는 자의 입장에 경도(傾倒)될 우려도 있는 등의 상황을 충분히 고려하여 외부추천이사 후보에서 제외한 것으로 사료됩니다.

유의사항 외부추천이사 후보 추천 배수와 관련한 유의 사항

o 만일 후보추천 요청일이 2018년 4월 24일 이전이지만, <u>실제 추천이 4월 25일 이후라면 반드시 3배수를 추천</u>해야 합니다.
- 왜냐하면 사회복지법인은 추천의 배수를 지정·선택하여 추천을 요청할 수 없고, 추천기관은 추천 <u>당시 법률의 규정에 부합되도록 추천</u>하여야 하기 때문입니다.

개인 해석 후보군에 속하지 않는 사람을 추천하는 경우

o 「사회복지사업법」에서 외부추천이사 후보군(候補群)을 공고토록 한 것은 해당 후보에 대해서 철저한 사전검증을 하기 위한 것입니다.
- 「사회복지사업법」의 이사가 될 수 있는 외형적 자격을 충분히 갖춘 사람일지라도 추천기관이 미처 걸러내지 못한 문제가 있는 사람일 가능성도 있고, 따라서 이러한 문제 여부를 명단 공고를 통해서 검증하는데 그 취지가 있는 것입니다.

o 한편 이러한 취지에도 불구하고, 「사회복지사업법」에서는 후보군에 속한 사람에 한해서 추천해야 한다는 별도의 규정을 두고 있지는 않습니다.
- 법령의 취지를 충분히 반영한다면 사전검증을 거친 사람을 추천해야 하겠지만, 그렇다고 하여 반드시 후보군에 속한 사람만 추천하라는 강제조항은 없는 상황이므로 이러한 상황에 대해서는 다음과 같이 처리하는 것이 바람직할 것으로 판단됩니다.
- 만일 후보군에 속하지 않는 사람을 추천하였다면, 이러한 추천행위에 대해서 추천기관은 우선 그 추천행위가 이루어질 수밖에 없었던 사유를 명확히 하여야 할 것입니다.
- 다음으로 후보군으로 공고한 것 이상으로 철저한 검증이 이루어졌음도 입증해야 할 것입니다.
- 또한 추천된 사람이 해당 사회복지법인과 이해관계가 없다는 점도 객관적으로 입증해야 할 것입니다.
- 이러한 사유 등이 명확히 입증되지 않는다면 추천기관의 감사 등의 문제로 이어질 수 있을 것입니다.

40) 「국회 보건복지위원회 검토보고서(2007141)」, 4쪽 및 「국회 보건복지위원회 심사보고서(2007141)」, 18쪽 참조.

외부추천이사 후보로 추천될 수 있는 사람의 요건을 살펴보면 다음과 같습니다.

2.4.4.1. 사회복지 또는 보건의료에 관한 학식과 경험이 풍부한 사람

사회복지 또는 보건의료에 관한 학식과 경험이 풍부한 경우를 계량(計量)하기는 쉽지 않다고 할 수 있습니다. 따라서 추천기관이 여러 가지 측면을 종합적으로 고려하여 사회복지 분야 등에 학식과 경험이 풍부하다고 인정한다면, 원칙적으로 그 후보는 학식과 경험이 풍부한 사람으로 간주하고, 만일 추천기관의 이러한 판단에 이의가 있는 경우라면, 이의를 제기하는 사람이 추천기관의 판단이 잘못되었다는 근거를 제시하고, 입증하는 방식으로 본 자격요건에 관한 사무를 운영·처리하는 것이 바람직할 것으로 판단됩니다. 개인적인 견해로는 관련 분야의 학위나 자격이 있는 사람으로서, 그 학위나 자격과 관련된 업무를 적정기간 수행한 경우라고 한다면 학식이 풍부한 것으로 인정할 수 있을 것입니다. 전문적인 학위나 자격의 유무와는 별개로 사회복지 등 관련 분야의 업(業)에 일정기간 이상 종사(從事)한 경우라고 한다면 경험이 풍부한 것으로 인정할 수 있을 것으로 사료됩니다. 다만, 이러한 학위나 자격, 업무수행기간 등을 추천기관이 미리 내규 등을 통해 정해 놓는다면 후보추천과 관련한 투명성, 통일성, 예측 가능성을 충분히 확보하는 데 도움이 될 수 있을 것으로 판단됩니다.

2.4.4.2. 사회복지를 필요로 하는 사람의 이익 등을 대표하는 사람

"사회복지를 필요로 하는 사람"이란 사회복지의 정의만큼이나 불확정적이고 광범위한 개념이라고 할 수 있습니다. 대한민국 국민이면 누구나 사회복지가 필요치 않다고 하기는 어려우므로 사실상 사회복지를 필요로 하는 사람은 국민 누구나가 될 수 있을 것입니다. 그러나 이 건이 사회복지의 일반적인 개념이나 정의와 관련된 것이 아니라 사회복지법인의 외부추천이사 후보의 자격에 관한 사안이라는 점에 주안점을 둔다면, 사회복지법인에 의해서 실현되는 사회복지가 필요한 경우로 한정할 수 있다고 할 수 있을 것입니다. 즉 사회복지법인은 앞에서 이미 사회복지법인의 권리능력 부분에서 살펴본 바와 같이 「사회복지사업법」 제2조제1호에 따른 사회복지사업의 수행에 있어서만 권리·의무의 주체가 될 수 있기 때문에, 그러한 사회복지법인의 의사결정 주체인 외부추천이사도 사회복지사업에 대한 식견이 있는 사람이 되는 것이 바람직하다고 할 수 있을 것입니다. 따라서 외부추천이사의 후보 자격인 "사회복지를 필요로 하는 사람의 이익 등을 대표하는 사람"을 "「사회복지사업법」 제2조제1호에 따른 사회복지사업 수혜자의 이익 등을 대표하는 사람" 으로 한정하여 보더라도 사회복지법인 제도적 측면이나, 원활한 운영의 측면 및 법률의 취지에서도 두루 부합되는 것으로 판단됩니다.

다음으로 "이익 등을 대표하는 사람"에 관한 것을 살펴보면, 이익이 아니라 굳이 "이익 등"이라는 표현을 사용한 것은 반드시 이익만을 대표하는 것이 아니라 이익이 아닌 부분도 대표할 수 있는 가능성[41]을 열어두기 위한 것으로 판단됩니다. 즉 이익이 아닌 것 중 어떠한 것을 대표할 수 있는지 당장은 알 수 없으나, 추후 입법자가 예측치 못한 상황이 발생하더라도 적용이 가능토록 하기 위한 표현이라고 이해하고, 현재로서는 이익을 대표하는 사람으로 한정하더라도 큰 문제는 없을 것으로 사료됩니다.

2.4.4.3. 기타 외부기관 추천자

「비영리민간단체 지원법」 제2조에 따른 비영리민간단체 또는 「사회복지공동모금회법」 제14조에 따른 사회복지공동모금지회의 경우 공익과 사회복지증진을 위한 활동을 하는 법정(法定) 법인이거나 법률에 의해 등록된 단체로서, 이러한 단체가 추천하는 사람을 사회복지법인에 외부추천이사 후보로 추천할 수가 있습니다. 이러한 공익단체 등으로부터 추천받는 사람에 대해서는 추천기관이 별도의 검증 절차를 거칠 필요는 없으나, 만일 이사 결격사유 등에 해당된다면 외부추천이사로서 선임이 될 수 없는 문제가 발생하게 되므로, 추천기관은 공익단체 등에 대해서 외부추천이사 후보를 추천할 경우 「사회복지사업법」에 따른 결격사유 등에 해당되지 않는 사람을 추천해 줄 것을 반드시 요청해야 할 것입니다.

2.4.5. 결격사유 확인

추천기관은 외부추천이사 후보자의 동의를 받아 해당 후보자가 법 제19조의 임원의 결격사유에 해당하는지 여부에 대해 시장·군수·구청장이나 관계기관에 확인해 줄 것을 요청할 수 있습니다. 이러한 요청을 받은 경우 시장·군수·구청장 등은 특별한 사유가 없다면 결격사유 여부에 대해 확인해 주어야 합니다.

41) 예컨대 사회복지를 필요로 하는 사람과 관련된 제반 사항을 관리하는 시스템이 개발·운영되는 경우, 이러한 시스템이 사회복지를 필요로 하는 사람의 이익과 직접적인 관련 있다고 보기는 어렵지만, 그렇다고 하여 사회복지를 필요로 하는 사람과 완전히 무관하다고도 할 수 없음. 따라서 사회복지를 필요로 하는 사람을 관리하는 시스템을 개발·운영하는 사람으로서 관련 업계에서 영향력이 있는 사람이라면 외부추천이사 후보로도 가능할 것임.

2.4.6. 후보군 관리

후보군의 경우 해당 지자체에 주소를 두고 있는 사람에만 한정하고 있지 않기 때문에 지역사회보장협의회 간에 후보군을 공유하는 등의 방법을 통해 보다 많은 수의 후보군을 확보할 수 있습니다. 또한, 활동에 지장이 없고, 특별한 관계에 있는 자의 범위에 해당되지 않는다면 1명의 외부추천이사가 2개 이상의 사회복지법인의 외부추천이사로 활동할 수도 있기 때문에 현재 특정 법인의 외부추천이사로 활동하고 있는 사람도 그 사회복지법인의 대표이사 직위를 가지고 있지만 않다면 타 사회복지법인의 외부추천이사 후보가 되는 것도 가능합니다. 물론 특정 법인의 일반 이사인 경우라도 그 활동에 지장이 없고, 특별한 관계에 있는 자의 범위에 해당되지 않는다면 타 사회복지법인의 외부추천이사로 활동할 수 있으므로 외부추천이사 후보군에 포함하여 관리하여도 무방할 것입니다.

2.5. 추천거부 등 효과

후보로 추천된 사람에 대해서 사회복지법인이 이사 선임을 거부하거나, 법령에도 없는 사전면접 등의 절차를 통해 후보자가 스스로 그만두게 하는 등의 문제가 있을 수 있는데, 이러한 사안은 다음과 같은 사유로 불법이 되므로 유의해야 합니다.

우선 이사 선임 거부의 경우를 살펴보면, 법 제18조제2항에서는 추천기관이 "3배수로 추천한 사람 중에서 선임하여야 한다."라고 명시함으로써 사회복지법인은 추천받은 사람 중에 반드시 이사를 선임해야 하는 것으로 규정하고 있습니다. 따라서 사회복지법인은 추천된 사람 중에서 선임하는 것을 거부할 수 없다고 할 것입니다. 만일 추천기관의 추천행위가 위·불법행위나 형평에 어긋나는 것이라고 판단된다면, 행정소송 등의 절차를 통해 구제받으면 되므로, 일단 추천기관이 합법적이고, 정상적인 절차를 통해서 후보를 추천하였다면 이를 임의로 거부할 수 있는 권한이나 권리는 없다고 할 것입니다. 만일 추천된 이사의 선임을 거부한다면, 이는 법 제26조제1항제11호에 해당되므로 법인의 설립허가 취소사유에 해당됩니다. 또한 선임 거부의 결정을 내린 이사는 법 제22조제1항제11호에 해당되어 해임명령의 대상이 됩니다. 또한 추천된 후보자의 선임거부로 인해 선임절차가 지연되어 전임 외부추천이사의 임기가 만료됨으로써 발생하는 이사회 공백 등 위법 상항은 법 제26조제1항제8호, 제9호에 해당되어 역시 법인 설립허가 취소 사유가 됩니다.

사회복지법인이 추천 후보에 대해 선임을 거부할 경우 추천기관은 이러한 사실을 주무관청에 통보하고, 주무관청은 법 제51조에 따른 지도·감독권을 행사하여 선임

거부 상황에 대해 해당 법인으로 하여금 명백하게 소명토록 하여야 할 것입니다. 만일 이러한 주무관청의 지도·감독권 행사에 대해서 협조하지 않거나, 허위·거짓으로 대응할 경우 이는 법 제54조제7호에 해당하게 되어 1년 이하의 징역 또는 1천만원 이하의 벌금에 해당되는 범죄 행위가 되므로 주무관청은 수사당국에 대해서 고발이나 수사의뢰를 하여야 합니다. 요컨대 추천기관에서 추천한 자를 선임하지 않을 경우 사회복지법인은 설립허가가 취소되고, 이사는 해임명령의 대상이 되며, 최악의 경우 해당 법인의 관련 임직원은 형사범이 될 수 있다는 점에 유의해야 합니다.

다음으로 면접 등의 불필요한 절차를 두어 후보가 스스로 그만두게 하는 상황을 살펴보면, 사회복지법인이 이러한 행위를 할 경우 외형적으로는 법인이 그 선임을 거부하는 것이 아니라 후보자가 스스로 외부추천이사가 되기를 거부 또는 포기하는 것으로서 「사회복지사업법」의 특정 조문을 적용하기가 어렵습니다. 이 경우 앞에서 살펴본 바와 같이 법 제51조에 따라 주무관청이 지도·감독권을 행사하는 방법이 있으나, 이러한 절차를 거친다고 하더라도 해당 법인의 부적절한 행위를 적절하게 규제하기는 상당히 어렵다고 할 수 있습니다. 따라서 추천기관은 추천하고자 하는 후보에게 사전에 사회복지법인 외부추천이사제도의 취지를 충분히 알리고, 해당 법인이 면접 등 법령에 명시되지 않는 불필요한 절차를 진행하고자 할 때에는 이에 응하지 않도록 요청하여야 할 것입니다. 그럼에도 불구하고 법령에 없는 절차를 진행하여 후보를 사퇴시키는 등의 행위를 일삼는 법인에 대해서는 보조금 등의 지원 시에 반드시 불이익한 처분을 하는 등의 방법으로 규제할 수 있을 것입니다.

요컨대 외부추천이사제도는 기존의 이사와는 차별화되고, 독립된 사람을 이사로 선임함으로써 사회복지법인의 사유화나 특정 이사에 의한 독점을 방지하고자 하는 데 제도의 취지가 있는 것이므로, 사회복지법인의 기존 이사 성향에 부합되지 않는다고 하여 선임하지 않거나 선임을 방해하는 것은 위법한 행위로서 엄중한 결과가 따른다는 점을 명심해야 할 것입니다.

2.6. 설립 중인 법인의 추천 절차

시행규칙 제7조제2항제8호의2에서는 사회복지법인 설립허가 신청 시에 추천기관으로부터 받은 이사 추천서를 함께 제출토록 규정하고 있습니다. 그러나 외부추천이사와 관련된 「사회복지사업법」의 규정을 살펴보면 추천 요청이 가능한 자를 모두 "법인"으로 명시하고 있고, 이 "법인"이라는 단어는 법 제16조제1항에 따라 사회복지법인을 의미하는 것이므로, 이른바 설립중인 법인은 사회복지법인으로서의 법인격을 가지지 못한 상태이므로 외부추천이사의 추천 요청이 불가능합니다.[42] 또한 설립 중인 법인이 추천요청을 한다고 하여도, 사회복지법인을 설립하고자 하는 자는 법 제18조에 따른 추천요청을 할 수 있는 자가 아니므로 이사 추천서를 요청할 권한이 과연 있는지에 대한 문제가 있고, 추천서를 받는다고 하여도 설립 중인 법인이 받은 추천이 과연 법 제18조에서 규정하고 있는 추천이라고 할 수 있는지에 대해서 법률상 효력 여부가 문제될 우려가 상당히 크다고 할 수 있습니다. 또한 추천기관의 입장에서도 사회복지법인이 아닌 자가 추천을 요청하는 경우에 사회복지법인으로 설립허가의 여부가 불투명한 상황에서 그 행정력을 동원하여 추천을 할 의무나 이유가 없기 때문에 추천서를 작성하여 줄 것이라고 예측하기는 상당히 어렵다고 할 것입니다. 따라서 과연 사회복지법인의 설립허가 신청서에 첨부하는 서류로서 "법 제18조제2항 각 호의 어느 하나에 해당하는 기관으로부터 받은 이사 추천서"라는 것을 그대로 두는 것이 적절한지에 대해서는 많은 고민이 필요하다고 할 것입니다. 하지만 이러한 논리적인 문제가 있다고 하여 설립 중인 법인에 대해서 외부이사를 추천하지 않을 수는 없는 상황이므로, 입법적으로 해결하기 전까지는 법인을 설립하고자 하는 자, 추천기관, 주무관청 등 3자가 최대한 현행 법령의 테두리 내에 외부추천이사를 선임할 수 있도록 제도를 운영하여야 할 것입니다. 이러한 제도 운영의 예시로 다음과 같은 절차를 통해 설립허가 신청 중인 사회복지법인의 외부추천이사 관련 업무를 진행한다면 현행 법령을 최대한 부합되는 업무처리가 될 것으로 사료됩니다.

2.6.1. 추천기관의 업무 처리

설립 중인 사회복지법인이 추천 요청을 하는 경우, 이는 법 제18조제2항의 추천요청 주체라고 볼 수 없으나, 추천기관에서 추천하는 이사가 없는 경우 사회복지법인의 성립이 어려울 뿐만 아니라 성립한다고 하여도, 그 즉시 이사회 구성의 하자가 발생하게 되어 실질적인 업무를 수행할 수 없게 되는 상황이 발생할 수 있음을 고려한다면, 추천 요청이 있을 때는 반드시 추천을 하는 것이 바람직합니다.

다만, 추천서에 해당 추천은 주무관청이 사회복지법인 허가를 하는 경우에 한해서 유효한 추천이므로 해당 법인이 설립허가를 받은 경우에 한해서 유효하다고 하는 조건을 붙여야 합니다.

42) 사회복지법인을 설립하는 경우도 당연히 외부추천이사의 비율에 부합되어야 함에도 불구하고, 설립중인 법인이 추천을 받을 수 있는 절차가 전무한 것은 입법의 불비(不備)로 사료

유용한 TIP	추천서에 첨부할 조건 예시
"이 추천서에 따른 추천은 주무관청의 사회복지법인 설립허가가 있을 경우에 한하여 유효하며, 이 경우 우리 기관이 「사회복지사업법」 제18조제2항에 따라 해당 이사를 추천한 것으로 봄"	

2.6.2. 주무관청의 업무처리

만일 추천기관이 작성한 추천서가 있는 경우라면 통상의 설립허가 심사절차를 진행하면 되겠지만, 추천기관에서 법률 조문을 들어 그 추천을 거부할 경우에는 추천서 없이 일단 사회복지법인 설립허가 심사를 진행한 후, 설립허가 시에 추천서와 관련된 허가조건을 첨부하는 방향으로 업무를 처리할 수 있을 것입니다. 설립허가를 받은 후 법인설립 등기 전까지는 「민법」 제49조제1항에 따라 설립등기를 완료하기까지 최대 3주간의 시간이 있는데, 주무관청은 설립허가 후 등기 전까지 추천기관에서 이사를 추천받을 것을 조건으로 하여 해당 설립허가를 하는 방법으로써 설립 중인 법인의 이사 추천 문제를 해결할 수 있을 것입니다.

유용한 TIP	설립허가서에 첨부할 조건 예시
"이 통지를 받은 후 설립등기를 하기 전에 이사 추천서를 주무관청에 제출하는 것을 조건으로 법인의 설립을 허가함"	

추천기관의 입장에서는 해당법인이 설립등기를 하지 않아 정상적으로 성립된 법인은 아니지만, 주무관청의 허가는 이미 받은 상태이므로 법인격을 곧 가질 수 있다는 것이 명백하므로, 설립허가 절차를 진행하고 있는 경우보다는 그 추천행위의 위법성에 대한 부담이 줄어드는 이점이 있고, 사회복지법인의 입장에서도 그 실체는 있으나 아직은 성립된 법인이 아니므로 이사회를 통한 이사 선출[43]이 아니라 발기인 등이 최초 이사를 합법적으로 선임할 수 있다는 이점도 있다고 할 것입니다.

43) 위 사례에 해당하는 사회복지법인의 경우 조건부 설립허가인 상황이므로 그 이사회가 완전히 성립되어 있다고 보기 어렵고, 만일 성립된 것으로 보더라도 그 이사회는 법 제18조제2항에 부합되지 않는 하자있는 이사회가 되므로 어떠한 경우라도 이사 선임의 권한이 없음. 따라서 발기인이나 설립자가 이사를 선임토록 하고자 하는 의도도 있음.

3. 특별한 관계에 있는 자

3.1. 취지

「사회복지사업법」 제18조제3항에서는 사회복지법인의 이사회를 구성함에 있어서 특별한 관계에 있는 자의 비율을, 이사의 현원(現員)을 기준으로 하여, 5분의 1을 초과하지 못하도록 규정하고 있습니다. 이는 출연자 등 특별한 관계에 있는 자들이 특정한 비율을 초과할 경우 사회복지법인이 수행하는 업무의 투명성, 공익성, 민주성 등을 확보하기 어렵다는 취지에서 도입된 조문입니다.

3.2. 비율 및 위반 시 효과

사회복지법인은 그 이사회를 구성할 때 반드시 특별한 관계에 있는 사람(이하 "특별관계인"이라 합니다)의 총수가 이사 현원(現員)의 5분의 1을 초과하여서는 아니 됩니다. 특별관계인의 비율을 지키지 못한 경우 해당 이사회는 위법한 이사회가 되고, 따라서 그 이사회의 결의 또한 전부 무효가 되게 됩니다.

사례 예시 특별관계인 계산 사례

o <u>정수가 10명 미만인 사회복지법인</u>의 경우 특별관계인은 <u>1명만 존재 가능</u>합니다.
- 정수 9명인 사회복지법인의 경우 그 최대 현원 9명의 5분의1은 1.8명이고, 따라서 해당 법인의 특별관계인 수는 1.8명을 초과할 수 없기 때문에, 1명만 가능한 것입니다.
- <u>10명부터 14명 중에서 정수를 선택한 법인</u>의 경우는 <u>2명까지만 가능</u>하게 됩니다.

특별관계인의 비율은 정원이나 이사회에 참석 이사를 기준으로 하는 것이 아니라 현재 해당 사회복지법인의 현원(現員)을 기준으로 한 비율이기 때문에, 해당 특별관계인이 이사회에 참석하지 않는다고 하여 그 이사회의 회의가 효력을 가지는 것은 아닙니다. 이러한 상황은 법 제22조제1항제4호에 해당되어 특별한 관계에 있는 이사는 해임명령의 대상이 됩니다.

⚠ 유의사항 "현원(現員)"의 의미와 유의할 사항

o 정수(定數)는 해당 법인 정관에서 정한 이사의 수로서 해당 사회복지법인이 선임할 수 있는 이사의 최댓값을 의미하는 것이고, 현원(現員)은 그러한 정수 범위 내의 이사 중에서 현재 이사의 지위를 가지고 있는 사람을 의미하는 것입니다.
- 따라서 항상 "정수≥현원"이라는 식이 성립하는 것입니다.

o 특별관계인이나 외국인 비율은 정수가 아니라 현원을 기준으로 하게 되므로 특정 이사의 사임·퇴임 등으로 이사의 현원 수가 줄면, 자칫 불법 이사회가 될 수 있음에 유의해야 합니다.

해 석 례	어떤 이사에 대해서 해임명령을 내려야 하는지?
o 해석번호 : [법제처 15-0858, 2016.1.28., 민원인]	
o 현재 재임 중인 출연자가 있고, 출연자의 6촌 이내의 혈족이 선임되었다면, 출연자와 그 출연자의 6촌 이내 혈족 모두 특별관계인이 되므로 두 사람 모두 해임명령의 대상이 됩니다. - 선임된 시기의 선후나, 잔여임기의 장단 등은 해임명령 시에 고려할 사항이 아니고, 오직 특별관계인인지 아닌지 여부만 판단한 후 특별관계인 비율이 위반될 경우 모든 특별관계인에 대해서 해임명령을 내려야 합니다.	

3.3. 특별한 관계에 있는 자의 범위

3.3.1. 출연자

출연자는 사회복지법인에 자신의 재산을 내어준(出捐) 자로서 출연 이후에는 해당 사회복지법인에 대해서 법령상 특별한 지위를 가지지는 않지만, 재산을 출연함으로써 사회복지법인의 존립이나 재정적(財政的) 기반을 마련하여 주었다는 것을 이유로, 해당 출연재산에 대해서 어떠한 권한이 있는 것처럼 행동을 할 가능성이 적지 않습니다. 이러한 경우 자칫 법인 운영의 투명성 등이 저해될 우려가 크기 때문에 출연자를 특별관계인으로 규정하여 이사회 참여를 제한하고 있는 것입니다.

참조 판례	출연자와 출연한 법인과의 관계
o 사건번호 : [대법원 1994.8.26, 선고, 93누19146, 판결]	
o 재단법인의 출연자는 출연에 의하여 재산을 재단법인에 귀속시킨 사실이 있을 뿐 그것만으로 법인과의 사이에 무슨 관계를 유지하는 지위에 있게 되는 것이 아님	

출연자는 자신의 재산을 사회복지법인에 내어놓은 자로서 행위능력이나 권리능력이 있는 자연인과 법인을 모두 포함한다고 할 수 있습니다. 자연인이나 법인 모두 자신의 재산을 내어놓아 사회복지법인을 만들 수도 있고, 이미 만들어진 사회복지법인에 대해서 재산을 출연할 수도 있기 때문입니다. 출연이 가능한 법인에는 사회복지법인, 「민법」에 의한 일반법인, 그 밖에 특수법인, 비영리법인 등 그 종류와는 무관하게 법률에 따라 법인으로서 설립허가를 받은 법인이면 모두 포함됩니다.[44] 따라서 출연자와 관련하여 판단할 때 혈족이나 인척관계를 설명하는 부분 이외의

44) 사회복지법인을 포함한 재단법인의 경우 유의할 점은 출연행위가 해당 법인의 권리능력 범위 내의 행위여야 함. 특히 사회복지법인의 출연행위는 원칙적으로 불가(상세한 사항은 부록1 중 "사회복지법인의 분할(분리) 가능 여부" 참고)

사항에 대해서는 법인이나 자연인 모두 출연자에 해당됩니다. 다만, 이러한 출연자의 범위를 정함에 있어 어느 정도의 재산을 출연하여야 출연자로 볼 수 있는지는 법률상 명확한 정의 규정이 없는 관계로 다음과 같이 나누어 고민하여 볼 수 있습니다.[45]

3.3.1.1. 1설 : 설립 시 출연한 자만 출연자로 보는 경우

「사회복지사업법」에서는 출연(出捐)이나 출연자(出捐者)에 대해서 명확하게 정의를 하고 있지 않습니다. 다만, 법 제26조제1항제7호에서 "법인 설립 후 기본재산을 출연하지 아니한 때"라는 표현을 사용하고 있고, 시행규칙 제7조제2항제3호에서는 법인 설립허가 신청 서류로 "재산출연증서"를 규정하고 있습니다. 또한 「사회복지사업법」 제32조에 따라 준용되는 「민법」에서도 비록 "출연자"라는 용어는 사용하고 있지 않으나, 재단법인의 설립과 관련한 제43조와 제48조에서 "출연"이라는 용어를 사용하고 있고, 「사회복지사업법」 제32조에 따라 준용되는 「공익법인의 설립·운영에 관한 법률」 제4조제1항에서도 설립허가기준을 정하면서 "출연재산"이라는 사용하고 있는 점 등으로 볼 때에는 출연이라는 행위가 법인의 설립과 관련된 경우에 한해서 사용하는 것으로 볼 여지가 크다고 할 수 있습니다.

하지만, 설립 시 출연한 자만 출연자로 본다면 사회복지법인 설립 이후에 해당 법인에 많은 재산을 출연한 후 그 법인에 대해서 영향력을 미치고자 하는 자가 있을 경우 이러한 자는 특별관계인으로 볼 수 없다는 문제가 발생하게 됩니다. 특별관계인을 두는 이유가 특별한 관계에 있는 자가 해당 사회복지법인의 이사회를 통제하거나 사실상 지배하는 것을 방지하고자 하는 데 그 제도의 취지가 있으므로 사후에 상당한 규모의 재산 출연행위를 한 자를 특별관계인에서 배제할 경우 특별관계인 배제 제도의 취지가 심각하게 훼손될 우려가 있다고 할 것입니다.

3.3.1.2. 2설 : 법인 설립과 무관하게 출연행위를 한 자를 출연자로 보는 경우

제1설에서 언급한 법령의 조문 외에도 시행령 제25조제4항에서는 "정부가 설립·운영비용의 일부를 출연한"이라는 표현을 사용하고 있고, 「공익법인의 설립·운영에 관한 법률」 제15조에서는 공익법인에 출연한 재산에 대해서 조세특례를 받을 수 있다는 점을 규정하면서 반드시 설립과 관련한 출연만으로 한정하고 있지는 않은 부분도 있다는 점을 미루어 보면 출연이라는 용어가 반드시 법인이 설립되는 경우에 한정해서 사용되고 있는 것만은 아니라고 할 수도 있습니다.[46] 또한 법인이 설립된

45) 사회복지법인과 관련하여 「사회복지사업법」 제32조에 따라 준용되는 「민법」이나 「공익법인의 설립·운영에 관한 법률」에서도 출연자나 출연에 대해서 따로 정의하고 있지 않음.

이후에 설립 시 출연된 재산보다 많은 규모의 재산을 출연하는 경우도 배제하기 어렵고, 법인 설립 이후에 해당 사회복지법인에 재산을 내어놓은 자가 해당 사회복지법인의 이사가 되어 이사회 운영에 영향을 미칠 우려가 없다고 보기도 어렵기 때문에 법인 설립 이후에 출연행위를 한 자도 출연자로 보아 특별관계인 관련 조문으로 규제를 하는 것이 타당하다고 할 수 있습니다.

다만, 2설의 경우 출연행위를 한 자 모두를 출연자로 보기 때문에 사실상 법인의 운영과 관련하여 영향을 줄 수 없는 수준의 재산을 출연하거나 기부한 경우도 모두 포함되게 되어, 특별관계인의 범위가 너무 광범위해지는 문제가 있습니다.

3.3.1.3. 3설 : 일정 규모 이상 또는 기본재산에 출연한 자만 출연자로 보는 경우

제1설과 제2설을 절충하여 일정 규모 이상의 재산을 출연하거나, 기본재산에 출연한 경우에 한해서 출연자로 볼 여지도 있습니다. 그러나 재산 출연 규모의 기준에 대해서는 법령으로 정하기가 쉽지 않고, 출연한 재산을 기본재산으로 할지의 여부는 전적으로 해당 사회복지법인에서 정하는 것[47]이므로 이를 기준으로 출연자 여부를 정하는 것도 딱히 바람직한 것은 아니라고 판단이 됩니다.

3.3.1.4. 소결(小結)

위와 같은 여러 설을 고려하여 볼 때, 출연자(出捐者)에 대한 법률적 정의가 없으므로 그 단어의 사전적인 의미, 여러 가지 법령에서 출연이라는 용어를 사용하고 있는 상황과 「사회복지사업법」에서 특별관계인 제한 규정을 두고 있는 취지를 종합적으로 고려하여 판단하는 것이 가장 바람직한 해석이라고 할 수 있을 것입니다. 즉 출연자는 단어 그대로 재산을 출연(出捐)한 자를 의미하는 것으로서, 출연의 사전적 의미가 “어떤 사람이 자기의 의사에 따라 돈을 내거나 의무를 부담함으로써 재산상의 손실을 입고 남의 재산을 증가시키는 일”이라는 점을 고려하고, 금전을 출연한 자의 전횡을 방지하고자 하는 법률의 취지도 함께 고려한다면 사회복지법인을 설립할 때나 설립한 후에 해당 사회복지법인의 재산으로 할 목적으로 자신의 재산을 내어놓은 자는, 그 금액의 많고 적음을 떠나서 모두 다 출연자라고 할 것입니다. 따라서 제2설과 같이 출연자로 보는 것이 바람직할 것으로 사료됩니다.

---

46) 사회복지법인과 유사한 학교법인에 대해서 규정하고 있는 「사립학교법」 제10조에서는 출연자의 개념을 학교법인의 설립 시에 출연한 자에 한정하여 언급하면서, 학교법인 설립 후에 출연한 자는 같은 법 제10조의3에서 별도로 규정하고 있음. 즉 학교법인은 설립 시 출연한 자는 출연자라고 하지만, 설립이후에 출연한 자는 출연자라는 표현을 사용하고 있지 않음.

47) 부동산은 사회복지법인의 의지와 무관하게 「사회복지사업법」에 따라 당연히 기본재산이 됨.

3.3.2. 출연자 또는 이사와 특정 관계가 있는 자

출연자 또는 이사와 다음에서 열거하는 관계가 있는 자는 특별관계인이 됩니다.

3.3.2.1. 6촌 이내의 혈족

혈족(血族)은 단어 그대로 생물학적인 피(血)로써 맺어진 사람의 무리(族)로서, 「민법」 제768조에서는 혈족을 "자기의 직계존속과 직계비속을 직계혈족이라 하고 자기의 형제자매와 형제자매의 직계비속, 직계존속의 형제자매 및 그 형제자매의 직계비속을 방계혈족이라 한다."라고 정의하고 있습니다. 따라서 출연자나 이사를 기준으로 하여 직계·방계혈족으로서 그 촌수가 「민법」 제770조에 따른 촌수의 계산상 6촌 이내라면 특별관계인이 됩니다.

3.3.2.2. 4촌 이내 인척

인척(姻戚)은 단어 그대로 혼인(婚姻)에 의해서 겨레붙이(戚)가 되는 사람으로서, 「민법」 제769조에서는 "혈족의 배우자, 배우자의 혈족, 배우자의 혈족의 배우자"를 인척으로 정의하고 있습니다. 따라서 출연자나 이사를 기준으로 하여 「민법」 제771조에 따른 촌수의 계산상 4촌 이내가 되면 특별관계인이 됩니다. 인척의 경우 혈족과 다르게 이혼(離婚)으로 인해 "인척이었던 자"[48]가 발생할 수도 있는데, 「사회복지사업법」에서 특별관계인을 인척으로만 한정하였기 때문에 "인척이었던 자"는 특별관계인에 해당이 되지 않는 것으로 볼 수 있습니다.

3.3.2.3. 배우자(사실혼 관계에 있는 사람 포함)

배우자(配偶者)는 법률에 따라 혼인관계가 형성된 사람을 의미합니다. 사실혼(事實婚) 관계는 비록 법률에 따른 혼인신고가 되어 있지는 않으나 당사자 사이에 주관적으로 혼인의 의사가 있고, 객관적으로도 부부공동생활을 인정할 만한 혼인생활의 실체가 있으면 일단 성립되는 관계를 의미합니다. 이러한 관계를 유지하고 있는 경우를 사실상 혼인관계가 있는 것으로 보는 것입니다.

참조 판례	사실상 혼인 관계에 있는 사람이란?

o 사건번호 : [대법원 2009. 12. 24. 선고 2009다64161 판결]

o 사실혼은 당사자 사이에 <u>주관적으로 혼인의 의사</u>가 있고, <u>객관적으로도 사회관념상 가족질서적인 면에서 부부공동생활을 인정할 만한 혼인생활의 실체</u>가 있으면 일단 성립

- 법률혼 관계가 있는 사람이 사실혼 관계도 유지하고 있는 경우, 그 중혼적(重婚的) 사실혼 관계에 있는 자도 사실상 혼인 관계에 있는 사람임.

---

48) 혈족은 생물학적인 사실관계로 이루어진 관계이므로 "혈족이었던 자"는 없음.

⚠ 유의사항 사실혼 관계의 확인 방법

o 사실혼 관계는 사전에 확인하기 어렵습니다.
- 따라서 관련 업무를 처리할 때에는 「사회복지사업법 시행규칙」 제10조와 별지 10호에 따른 특별관계부존재각서(첨부서류 4)에 사실혼 관계가 없음을 반드시 밝히도록 하고,
- 향후 문제가 되면 해당 이사가 포함된 이사회의 무효, 법인 설립허가 취소 또는 위계에 의한 공무집행방해 등으로 처분될 수 있다는 점도 명확히 하여야 합니다.

3.3.2.4. 친생자(親生子)로서 다른 사람에게 친양자(親養子)로 입양된 사람 및 그 배우자와 직계비속

원래 출연자나 이사의 친생자였으나 「민법」 제908조의2에 따라 현재 다른 사람에게 친양자로 입양된 사람과 그 입양된 사람의 배우자 및 직계비속은 모두 특별관계인에 해당이 됩니다. 다른 사람의 친양자가 된 경우에는 가족관계등록부 등에 양부모의 친생자로 등록이 되어 그 친부모와는 법률상 아무런 관계가 존재하지 않는 것이 되지만, 사회복지법인의 운영과 관련하여서는 출연자 등이 친생자에게 사실상 영향을 미칠 수 있다는 점을 고려하여 특별관계인의 범위에 친양자와 그 배우자 및 직계비속을 포함시키는 것으로 사료됩니다.

3.3.3. 출연자 또는 이사의 사용인 그 밖에 고용관계에 있는 자

「사회복지사업법 시행령」 제9조제3호에서는 출연자 또는 이사(출연자 또는 이사가 출자에 의하여 사실상 지배하는 법인 포함)의 사용인도 특별관계인으로 규정하고는 있으나, 사용인에 대한 명확한 정의 규정을 두고 있지는 않습니다. 사용인(使用人)은 단어 그대로의 의미는 쓰임(用)을 당하는(使) 사람(人)으로서 통상 고용관계에 있는 사람을 의미합니다. 판례에서는 사용인에 대해서 정식 고용계약이 체결되어 근무하는 자뿐만 아니라 사용주의 업무를 직접 또는 간접으로 수행하면서 통제·감독하에 있는 자도 포함하는 것으로 판시하여 그 범위를 넓게 보고 있습니다.

사실상 지배하는 법인

「사회복지사업법 시행령」 제9조제2항

1. 법인의 발행주식총액 또는 출자총액의 100분의 30 이상을 출자자 1인과 그와 제1항 제2호 · 제4호 및 사용인 그 밖에 고용관계에 있는 자(이하 이 항에서 "지배주주"라 한다)가 소유하고 있는 경우
2. 법인의 발행주식총액 또는 출자총액의 100분의 50 이상을 제1호의 법인과 그의 지배주주가 소유하고 있는 경우
3. 법인의 발행주식총액 또는 출자총액의 100분의 50 이상을 제1호의 법인과 그의 지배주주 및 제2호의 법인이 소유하고 있는 경우

참조 판례	사용인의 정의 및 범위
o **사건번호** : [대법원 2004.3.12, 선고, 2002도2298, 판결]	
o "법인의 사용인"에는 법인과 정식 고용계약이 체결되어 근무하는 자뿐만 아니라 그 법인의 업무를 직접 또는 간접으로 수행하면서 법인의 통제·감독 하에 있는 자도 포함된다.	

참조 판례	출자자의 정의 및 범위
o **사건번호** : [대법원 1994.8.26, 선고, 93누19146, 판결]	
o 출자자라 함은 법인과의 거래 당시에 당해 법인에 출자지분을 가지고 있는 주주나 사원 등과 같이 법인과의 사이에 법률상 일정한 관계를 유지하고 있는 자를 가리키는 것으로 해석되어야 할 것	

특별관계인의 임원 취임을 제한하고자 하는 취지가, 특정한 자가 독단적으로 사회복지법인을 운영함으로써 발생할 수 있는 법인의 사유화 문제 등을 미연에 방지하고, 사회복지법인 이사회의 민주성 및 투명성을 확보함으로써 사회복지법인의 공익성을 제고하기 위해서라는 점을 고려한다면, 출연자나 이사와 고용계약관계에 있는 자뿐만 아니라, 출연자나 이사의 통제·감독 하에서 그 출연자나 이사의 업무를 직·간접적으로 수행하는 자의 경우도 그 의사 결정에 있어서 출연자나 이사의 영향력을 배제하기는 어렵다고 할 것이므로 특별관계인으로서 사용인은 판례와 같이 보는 것이 바람직할 것으로 사료됩니다. 다만, 출연자나 이사의 통제·감독 하에 있는지 여부에 대해서는 일도양단(一刀兩斷)적으로 잘라 말하기는 어렵고, 실제 사례가 발생할 경우 그 사례별로 개별 판단해야 할 사안으로 판단됩니다.

3.3.4. 출연자 또는 이사의 금전 그 밖의 재산에 의하여 생계를 유지하는 자 및 그와 생계를 함께 하는 자

"출연자 또는 이사의 금전 그 밖의 재산에 의하여 생계를 유지하는 자"는 출연자나 이사로부터 지급받은 금전이나 그 밖의 재산으로부터 발생하는 수입을 자신의 일상생활비의 주된 원천으로 하여 생활하는 사람을 의미합니다. "출연자 또는 이사와 생계를 함께 하는 자"는 어느 일방이 일상생활비를 부담하는 것이 아니라 출연자 등과 자신이 함께 일상생활비를 공통으로 부담하고 있는 사람을 의미하는 것으로서, 반드시 동거(同居)하고 있는 사람만을 의미하는 것은 아닙니다.

참조 해석 「국세기본법 기본통칙」49)

39-20…3 【 생계를 유지하는 자 】 영 제20조 제10호에서 "생계를 유지하는 자"란 당해 주주 등으로부터 지급받은 금전, 기타의 재산 및 그 지급받은 금전이나 기타 재산의 운용에 의하여 발생하는 수입을 일상생활비의 주된 원천으로 하고 있는 자를 말한다.

39-20…4 【 생계를 함께 하는 자 】 영 제20조 제10호에서 "생계를 함께하는 자"라 함은 서로 도와서 일상생활비를 공동으로 부담하고 있는 것을 말하며 반드시 동거하고 있는 것을 필요로 하지 아니한다.

3.3.5. 출연자 또는 이사가 재산을 출연한 다른 법인의 이사

출연자나 이사가 재산을 출연한 다른 법인의 이사로 있는 사람을 의미합니다.

4. 임원의 임기

4.1. 임기 규정의 의의

법 제18조제4항에서는 사회복지법인 이사의 임기는 3년, 감사의 임기는 2년으로 명시하고 있습니다. 이러한 임기 규정은 기타 법인의 설립 근거가 되는 다른 법률에서 임원의 임기를 정하고 있는 형식과는 크게 차이가 있다는 점에 우선 유의해야 합니다. 예를 들어 「민법」에서는 임원의 임기에 대해서 정하고 있는 바가 없고, 「공익법인의 설립·운영에 관한 법률」 제5조에서는 공익법인의 이사 임기는 4년을, 감사의 임기는 2년을 초과할 수 없는 것으로 규정하고 있습니다. 학교법인의 경우 「사립학교법」 제20조에 따라 그 임기를 정관으로 정하되, 이사는 5년, 감사는 3년을 초과할 수 없는 것으로 정하고 있습니다. 타 법령상 임원의 임기와 관련한 조문의 공통점은 그 임기를 특정한 기간으로 확정하는 것이 아니라, 그 임기의 최장 기간만 정하고, 구체적인 임기는 법인의 자율에 맡기고 있다는 점입니다. 이에 반해 사회복지법인은 법에 이사는 3년, 감사는 2년이라는 기간이 확정적으로 규정되어 있어, 법인이 임원의 임기를 자율적으로 판단할 여지가 전혀 없다고 할 수 있습니다. 이러한 임기규정은 「사회복지사업법」이 제정될 당시부터 있었던 조문으로서 당시 입법과정에서 어떠한 취지로 타 법인과 달리 임기를 확정적으로 규정하게 되었는지는 확인하기가 어렵습니다. 하지만, 법률에서 그 임기를 명확히 하고 있기 때문에 법률의 개정이 없이는 임의로 그 임기를 늘이거나 줄일 수 없다는 점에 유의해야 합니다. 만일 법인의 정관에서 임원의 임기를 「사회복지사업법」 제18조제4항과 달리 정하고

49) 「국세기본법」의 각 조항에 대한 세정당국 해석이나 적용기준을 통일적으로 정하여 제시하고 있는 행정규칙 성격의 규정임.

있다면, 이는 당연히 무효가 되고, 따라서 새롭게 선임된 임원의 임기는 해당 정관에서 정하고 있는 임기와 무관하게 각각 이사 3년과 감사 2년이 된다고 할 수 있습니다.

개인해석 이사 임기의 시점(始點)

o 이사의 임기는 3년이지만 그 시점(始點)은 다음과 같이 구분할 수 있습니다.

①사회복지법인 설립 당시 최초 이사인 경우 → 법인 성립일부터 3년

②특정이사의 후임(보궐이사)인 경우 → 전임자의 퇴임일부터 3년

③신규 이사로 선임된 경우 → 이사회에서 정한 날부터 3년

개인해석 대표이사의 임기

o 대표이사는 ①애당초 대표이사로 선임되는 경우, ②종전 이사가 대표권을 가지는 경우로 나누어 볼 수 있습니다.

- ①의 경우 임기는 3년이고, 도중에 대표권이 사라져 일반이사가 되더라도 처음에 설정된 임기 3년이 유지됩니다.
- ②의 경우 대표권의 유무와 무관하게 이사로 선임된 때로부터 3년

o 실무상에서 일반이사였다가 대표이사로 선임되면 임기가 새로 시작된다고 주장하는 경우가 있는데, 일반이사를 사임한 후, 새롭게 대표이사로 선임되었다면 선임된 날부터 3년의 임기가 맞지만, 일반이사 임기중 대표이사가 되는 경우는 종전 이사 임기 3년이 맞습니다.

4.2. 임기만료된 임원의 지위

4.2.1. 임기만료의 효과(사회복지법인이 아닌 경우)

사회복지법인이 아닌 법인의 경우 통상 그 임원의 임기가 만료되었다고 하더라도, 그러한 상황이 법률을 위반한 것은 아니므로, "특별한 사정"이 없는 한 임기가 만료된 이사로 하여금 종전의 직무를 수행할 수 있는 것으로 해석하기도 합니다. 이른바 긴급처리권을 인정하는 것입니다. 이를 반대 해석하면 임원이 임기가 만료되어도 정상적인 법인의 활동에 지장이 없다면 굳이 임기만료 이사의 직무수행에 관한 권한을 인정할 필요가 없다고 할 것입니다.

참조 판례	임기만료된 이사의 직무 수행권 인정 사례(「민법」상 법인에 한정된 사례)
o 사건번호 : [대법원 1998.12.23, 선고, 97다26142, 판결]	
o 민법상 법인의 이사나 감사 전원 또는 그 일부의 임기가 만료되었음에도 불구하고 ~ 임기가 만료되지 아니한 다른 이사나 감사만으로는 정상적인 법인의 활동을 할 수 없는 경우, 임기가 만료된 구 이사나 감사로 하여금 법인의 업무를 수행케 함이 부적당하다고 인정할 만한 특별한 사정이 없는 한, 구 이사나 감사는 후임이사나 감사가 선임될 때까지 종전의 직무를 수행할 수 있다.	

참조 판례	임기만료된 이사의 긴급처리권 인정 사례(종전 사회복지법인 관련)
o 사건번호 : [대법원 1997.6.24, 선고, 96다45122, 판결]	
o 임기만료로 퇴임한 종전의 대표이사가 임무를 수행함이 부적당하다고 인정할 만한 특별한 사정이 없는 한 후임 대표이사가 정식으로 취임할 때까지 대표이사의 직무를 계속 수행할 수 있다고 봄이 타당하고, 그 직무수행의 일환으로서 이사회를 소집할 권한도 가진다.	
[개인주석] * 이 판례 결정 당시 「사회복지사업법」에서는 총 이사의 1/3이상이 결원이 된 경우만 임시이사 선임이 가능하였음. 따라서 총 이사의 1/3 미만의 결원이 있었던 경우에는 임시이사 선임이 불가능하였기 때문에 긴급처리권을 인정할 여지가 있었음. ⇒ 현행은 단 1명이라도 결원이 있으면 임시이사 선임이 가능하므로 참조할 이유가 없음	

4.2.2. 임기만료의 효과(사회복지법인의 경우)

사회복지법인 임원의 임기는 다른 종류 법인의 임원 임기와 달리 「사회복지사업법」에 법정(法定)되어 있기 때문에 법률에서 정한 임기가 만료되면, 임원으로서의 지위도 당연히 상실된다고 할 수 있습니다.[50] 임원의 임기만료 전에 해당 임원의 후임을 사전에 미리 선임하면 되지만, 부득이한 사유로 인해서 임원의 임기가 만료된 경우로서, 임기만료된 이사를 제외하고도 법 제18조 각 항에 부합되는 합법적인 이사회의 구성이 가능하다면 즉시 그 후임자를 선임하면 될 것입니다. 반면 임기만료된 이사로 인해 이사 정수가 7명 미만이 되거나, 외부추천이사 등의 비율에 부합되지 못하는 경우가 발생하여 합법적인 이사회 개최가 불가능하다면, 이는 법 제22조의3에 따른 임시이사의 선임을 통해 이사회를 정상화시킬 수가 있습니다. 따라서 굳이 임기가 만료된 임원으로 하여금 종전의 직무를 수행할 수

50) 대통령이나 국회의원의 경우 헌법과 법률에 그 임기가 정해져 있기 때문에 임기가 만료되면 그 후임 여부와는 무관하게 당연히 그 지위가 상실되는 것과 동일한 이치임.

있도록 해석할 특별한 사정이 있다고 보기 어렵다고 할 것입니다. 참고로 유사한 법률 체계를 갖추고 있는 「사립학교법」상 학교법인의 경우는 임시이사 제도가 있음에도 불구하고 임기만료 이사의 긴급처리권을 인정하고 있는데 이는 학교법인의 임시이사는 정식이사를 선임할 수 있는 권한이 없기 때문에, 이른바 "특별한 사정"이 있다고 본 것으로 생각됩니다.

참조 등기선례 「사회복지법인의 퇴임한 이사의 직무수행권」

o **선례번호** : 법인등기선례 제201709-1호(제정 2017.9.19.)

2. 사회복지법인의 이사 전부 또는 일부가 임기만료되었음에도 후임 이사의 선임이 없거나 또는 후임 이사의 선임이 있었다고 하더라도 그 선임결의가 무효이어서 임기가 만료되지 아니한 다른 이사들 인원수만으로는 정상적인 법인의 활동을 할 수 없는 경우, 임기가 만료된 전임 이사로 하여금 법인의 업무를 수행하게 함이 부적당하다고 인정할 만한 특별한 사정이 없는 한, 전임 이사는 후임 이사가 선임될 때까지 종전의 직무를 수행할 수 있으나, 임시이사가 선임되면 그러한 직무수행권이 소멸되므로 법인은 전임 이사에 대한 퇴임등기를 따로 신청할 수 있다. (2017. 9. 19. 사법등기심의관-3108 질의회답)

[개인주석]

* 동 선례는 법인등기선례로서 퇴임한 사회복지법인 이사의 직무수행권 유무를 결정하는 것이 아니라, 그들의 퇴임등기 신청이 가능하다는 것에 중점을 두고 있음.
- 또한 사회복지법인은 임시이사로써 관련 상황을 해소할 수 있으므로 특별한 사정이 있다고 볼 수 있는 사정이 매우 제한적이라고 할 것임

참조 판례 사회복지법인과 학교법인 임시이사의 권한 차이

o **사건번호** : [대법원 2013.6.13, 선고, 2012다40332, 판결]

o 사회복지법인의 임시이사는 정식이사와 동일한 권한을 가지며, 따라서 사회복지법인의 임시이사들에게 정식이사 선임에 관한 의결권한이 있음

o **사건번호** : [대법원 2007.5.17, 선고, 2006다19054, 전원합의체 판결]

o 학교법인의 임시이사는 민법상의 임시이사와는 달리 일반적인 학교법인의 운영에 관한 행위에 한하여 정식이사와 동일한 권한을 가지는 것으로 제한적으로 해석하여야 하고,
- 따라서 정식이사를 선임할 권한은 없다고 봄이 상당하다.

물론, 임시이사를 선임하여 이사회를 정상화시키는 등의 절차는 임기만료된 종전 이사의 지위를 한정적으로 인정하는 것보다는 번거로운 상황이라고 할 수는 있습니다. 그러나 앞에서 밝힌 바와 같이 법정(法定)된 임기가 만료된 자는 별도의

법령 근거가 없다면 그 직무 수행이 불가능하다는 것은 너무도 자명한 이치이므로 재론의 여지가 없습니다. 정책적면으로 보더라도 이미 임원의 임기가 명확히 정해져 있음에도 불구하고 그 임기만료 전까지 그 후임자를 선임하지 않아 위법한 상태를 야기한 사회복지법인을 고려할 필요는 없을 것입니다. 만일 이러한 상황을 인정하게 되면, 법인 이사회에서 의견이 다른 소수의 이사나 외부추천이사의 임기가 만료된 경우로서 의사정족수 등에 문제가 없다면 굳이 성급하게 신규 이사를 선임하지 않는 등의 부작용이 발생할 가능성이 적지 않게 됩니다. 이에 따라 사회복지법인의 공정성이나 민주성은 물론이고 외부추천이사 제도의 취지를 심각하게 훼손시키는 결과를 초래할 수도 있다고 할 것입니다.

요컨대 사회복지법인의 임기는 「사회복지사업법」 제18조제4항에서 정하고 있는 바와 같이 이사는 3년, 감사는 2년이고, 임기가 만료되면 임원으로서의 지위도 당연히 상실됩니다. 따라서 사회복지법인과 사회복지법인 관련 행정업무를 담당하는 공무원들은 임기만료된 임원으로 인해 해당 법인이 위법한 상황에 처하지 않도록 그 임면보고 등에 있어 각별하게 관심을 기울여야 할 것입니다.

4.2.3. 후임자의 임기 관련

「사회복지사업법」에서는 사회복지법인 임원의 임기만을 정하고 있을 뿐이고, 그 후임자의 임기에 대해서는 별도로 정하고 있지 않습니다. 다만, 종전 「사회복지사업법」(1999.4.30.에 공포되고, 1999.11.1.부터 시행된 법률 제5979호로 개정되기 전의 법률)에서는 "보궐임원의 임기는 전임자의 잔임기간으로 한다."라고 하여 그 후임자의 임기를 별도로 정하고 있었으나, 이러한 조문은 1999.11.1.부터 삭제되어 현재는 적용될 여지가 없습니다. 사회복지법인의 임원은 그 사람이 누군가의 후임자인지 여부와 관련 없이 새로이 선임된 임원이라고 할 수 있고, 따라서 그 임기는 법에서 보장된 이사 3년, 감사 2년이 적용되기 때문에 소위 "전임자의 잔임기간"이 적용될 여지가 없기 때문입니다.[51] 더구나 종전의 「사회복지사업법」에 잔임기간과 관련한 규정이 있다가 1999년 4월에 관련 조문이 삭제된 입법연혁으로 미루어 보아도 잔임기간을 적용하는 것은 법률의 취지에 반하는 사항이라고 할 수 있습니다. 사회복지법인이 임원의 임기와 관련하여 그 정관에 "후임자의 임기는 전임자의 임기의

---

51) 「민법」 등에 따라 설립되는 법인의 경우 앞에서 살펴본 바와 같이 임원의 임기가 법정(法定)된 것은 아니고, 대부분 정관으로 임기를 정할 수 있기 때문에 "전임자의 잔임기간" 등으로 임기를 정하는 것도 가능

잔여기간으로 한다."는 취지의 규정을 정하는 경우 이는 법 제18조제4항을 위반한 조문이 되는 점 유의해야 합니다.

법령 연혁

「사회복지사업법」 중 "전임자의 잔임기간" 관련 조문의 삭제

o 종전 「사회복지사업법」상 임원의 임기 조항에 "다만, 결원보충을 위하여 선임된 이사와 감사의 임기는 전임자의 잔임기간으로 한다."라는 규정이 있음.

- 이러한 단서 조항은 1999.4.30.에 「사회복지사업법」이 개정(법률 제5979호)될 때 삭제되었는데, 당시 국회 심사보고서에는 삭제 이유를 「공익법인의 설립 · 운영에 관한 법률」과의 형평성 고려로 들고 있음.
- 즉 당시 「공익법인의 설립 · 운영에 관한 법률」상에는 전임자의 잔임기간과 관련한 조문이 없었고, 이러한 상황을 「사회복지사업법」상 사회복지법인에도 동일하게 적용하기 위해서 개정한 것으로 사료됨.

참조 등기선례 사회복지법인의 보궐임원의 임기

o **선례번호** : 법인등기선례 제201709-1호(제정 2017.9.19.)

1. '보궐에 의하여 선임된 이사의 임기는 전임자의 잔여기간으로 한다'는 사회복지법인의 정관 규정은 사회복지사업법 제18조 제4항에 반하여 무효이므로, **보궐에 의하여 선임된 사회복지법인 이사의 임기는 같은 법 같은 조항에 의해 3년이며 전임자의 잔여기간이 아니다** (이 선례에 의해 상업등기선례 제2-137호는 이와 저촉되는 범위 내에서 그 내용이 변경됨). (2017. 9. 19. 사법등기심의관-3108 질의회답)

4.2.4. 연임의 의미 및 유의 사항

법 제18조제4항에서는 이사나 감사가 임기가 끝난 경우 연임을 할 수 있도록 규정하고 있습니다. 여기서 "연임(連任)"의 의미는 임원으로서 임기가 종료되더라도 몇 번이고 다시 연속(連續)하여 임명되어, 임기의 끊임이 없이 새로운 임기(任期)를 가질 수 있다는 것을 의미[52]하는 것입니다. 즉 사회복지법인의 임원은 그 임기가 끝난 후, 새롭게 선임될 경우 바로 이어서 새로운 임기를 이어갈 수 있습니다. 이러한 연임 조항을 적용함에 있어 유의할 사항은 연임이란 단어는 임원이 그 임기를 연속하여 선임될 수 있다는 의미와 그렇게 선임된 상태를 일컫는 것이라는 점입니다.

---

52) 「사립학교법」에서는 학교법인의 임원에 대해서 중임(重任)이라는 법률용어를 사용하고 있는데, 이는 연임보다도 확장된 개념으로서, 2번 이상 임원으로서의 지위를 가지되 반드시 연속하여 임명되지는 않은 경우에도 사용되는 용어임. 즉 특정 임원이 2회 이상 임기의 끊임이 없이 연속으로 임원이 되었다면, 이는 연임이기도 하고 동시에 중임인 상태가 되는 것임. 만일 임기의 끊임이 있었다면 연임은 아니라 중임의 상태에만 해당되는 것임.

사회복지법인이 특정 임원을 2회 이상 연달아서 그 임기를 계속 이어서 유지할 수 있도록 하기 위해서는 연달아 새롭게 시작되는 임기와 관련하여서도 반드시 최초에 선임하는 것과 동일한 절차를 거쳐야 합니다. 연임을 할 수 있다는 것은 이사회에서 특정 임원을 선임하였더니 그 결과로 2회 연속 임원이 된 상황이 되는 것을 의미하는 것으로, 이사회에서 임원에 대해서 연임을 결의하는 것은 아니라는 점[53] 유의해야 합니다.

특히 외부추천이사의 경우는 해당 이사가 외부추천이사로서의 지위를 가지기 위해서는 추천기관의 추천행위 따라 추천된 후 선임이 되어야 하므로, 2회 이상 연속으로 외부추천이사의 지위를 가지기 위해서는 동일한 절차가 필요합니다. 만일 기존의 외부추천이사에 대해서 추천 절차 없이, 이사회에서 연임만 결의한 경우라고 한다면 일반이사로서의 자격을 가질 수는 있겠으나 외부추천이사의 지위를 가지지 못하게 됩니다. 이는 외부추천절차를 거치지 않았기 때문입니다. 또한 결과적으로 연임된 임원이라고 하더라도 이는 임원의 임면에 해당되는 사항이므로 반드시 법 제18조제6항에 따라 시·도지사에게 임면보고를 하여야 한다는 점도 유의해야 합니다.

개 념 도 수학적으로 표현한 연임(連任) 및 중임(重任) 개념

o 집합관계로 표시한 연임과 중임

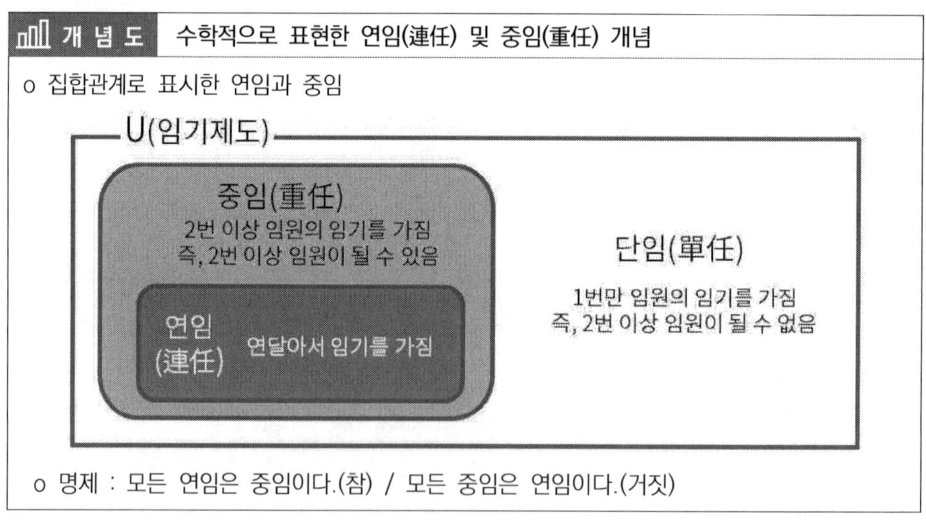

o 명제 : 모든 연임은 중임이다.(참) / 모든 중임은 연임이다.(거짓)

53) 물론 연임을 결의하였다고 하여서 해당 이사가 이사로서의 지위가 없다고 할 수만은 없음. 사회복지법인 이사의 경우 주무관청의 이사취임 승인 등의 절차가 필요 없으므로 일반이사는 그 연임의 결의가 곧 선임의 의사와 다를 바가 없기 때문임.

개인해석	연임 규정을 둔 이유

o 연임을 명시적으로 금지하는 조문을 두지 않으면, 당연히 연임이 가능함에도 불구하고 「사회복지사업법」에서는 임원의 연임규정을 명시하고 있습니다.
- 이는 「사회복지사업법」에서 사회복지법인의 임원 임기는 두었기 때문에 이러한 법정 임기가 만료되면 어떻게 되는지에 대한 규정이 있어야만 법률 체계의 완결성 보장되기 때문입니다.
- 또한 연임을 금지하거나 특정 회수 이상의 중임을 금지하는 법률이 존재하기 때문에 그러한 법률들과의 혼동을 줄이고, 해당 법률 적용의 범위를 명확히 하는 효과도 있기 때문입니다.

5. 외국인 이사의 비율

사회복지법인의 이사 중에서 대한민국의 국적을 가지지 않은 이사는 전체 이사 현원(現員)의 2분의1 미만이 되어야 합니다. 정수가 아니라 현원(現員)의 2분의 1 미만이라는 점에 유의하여 그 비율을 확인하여야 합니다. 또한 이는 현원(現員)을 기준으로 한 비율로서 이사회에 참석한 이사를 기준으로 한 비율이 아니라는 점도 함께 유의해야 합니다. 이사의 현원을 기준으로 하여 외국인이 2분의 1 이상인 경우라면 이미 그 이사회 구성 자체가 위법인 상태이므로 해당 외국인이 이사회에 참석하지 않더라도, 그 이사회는 위법한 이사회가 됩니다.

6. 임원의 임면보고

종전의 「사회복지사업법」에서는 사회복지법인의 임원은 주무관청의 승인을 받아 취임하였으나, 1999.4.30.에 개정된 「사회복지사업법」(법률 제5979호)[54]부터는 법인 스스로 임원을 임면(任免)하고 그 사실만 주무관청에 보고하도록 규정이 개정되었습니다. 동 조문에 따라 사회복지법인은 그 임원을 임면한 경우에는 지체 없이 주무관청에 대해서 임면보고를 실시하여야 하고, 만일 지체가 있거나, 보고하지 않은 경우는 법 제58조제2항에 해당되어 300만원 이하의 과태료가 부과될 수 있습니다.

54) 당시 「행정규제기본법」에 따른 규제정비계획에 따른 규제완화 차원에서 승인제도가 폐지됨.

개인해석 이사 임명에 대한 주무관청의 승인(주무관청에 대한 정관의 기속력)

o 현행 「사회복지사업법」상 사회복지법인의 이사에 대한 별도의 승인 절차가 없습니다.
- 그러나 1999.4.30. 개정되기 전의 「사회복지사업법」에 따라 사회복지법인을 설립하면서, 해당 정관에 이사 임명 시 주무관청의 승인이 필요한 것으로 규정하고 있거나,
- 승인 규정이 폐지된 이후지만 이사 임명시 주무관청의 승인이 필요하다는 정관의 제·개정을 허가받은 경우가 있습니다.

o 이러한 내용의 정관 제·개정을 허가한 주무관청은 그 규정에 기속되며, 따라서 「사회복지사업법」 규정에도 불구하고 이사에 대한 임명승인권이 발생하게 됩니다.
* 참조 판례: 대법원 1995.7.25., 선고, 95누2883, 2000.1.28, 선고, 98두16996, 판결
- 만일 이러한 정관이 있음에도 불구하고 주무관청에서 부당하게 승인하지 않으면 행정쟁송의 대상이 될 수도 있습니다.

o 공적 자금이 많이 투입되는 등의 사유로 공공·공정성 등의 제고가 필요한 경우에는 설립허가 단계에서 조건부로 주무관청 임면 승인권을 추가하는 방안도 고려가 가능하겠습니다.
- 승인 절차를 두지 말라는 명시적인 규정이 없기 때문에 승인 절차가 있다고 하여 위법·부당한 정관이라고 할 수도 없습니다. 다만 승인 절차를 삭제한 법률 취지를 충분히 고려한다면, 해당 사회복지법인에 대해서 강요할 수는 없다는 점에 유의해야 합니다.

6.1. 임면보고 대상

법 제18조제6항과 시행규칙 제10조의 조문의 내용에 따르면, 임면보고는 임원을 선임하거나 해임한 때에만 보고를 하는 것으로 해석할 수 있습니다. 따라서 임원의 사임이 있는 경우에는 그와 관련한 사항은 임면보고를 하지 않아도 됩니다. 이 경우 사임한 임원을 대체하기 위해서 선임된 임원에 대한 임면보고 시에 임원 선임의 이유로서 해당 사항을 명확히 밝히기만 하면 충분할 것으로 사료됩니다. 다만, 이사의 사임으로 인해 정수에 미달되게 되거나, 외부추천이사의 사임으로 법 제18조에 따른 이사회 구성비율을 맞출 수 없게 되는 경우에는 법 제18조에 따른 임면보고의 대상은 아니지만 해당 이사의 사임 상황을 주무관청에 즉시 보고하는 것이 바람직합니다. 그래야만 해당 사회복지법인에 발생한 이사의 결원 등의 상황에 대해서 주무관청이 신속히 인지함으로써 임시이사 선임 등의 방법을 통해 해당 법인의 정상화를 도모할 수 있기 때문입니다. 아울러 임원의 연임을 결의한 경우[55]에 해당 연임 결의는 임원의 선임과 동일한 사안이므로 당연히 임면보고를 해야 합니다.

55) 앞에서 이미 언급한 바와 같이 외부추천이사나 외부추천감사에 대한 연임 결의는 불가

6.2. 임면보고의 법적 성질 및 처리 절차

종전 「사회복지사업법」에 따를 경우 임원은 주무관청에서 승인을 받아 취임하였기 때문에 주무관청에서 승인과 관련된 각종 심사 과정 중에서 해당 임원의 자격 기준 등에 대해서 면밀히 검토하는 것이 가능하였습니다. 그러나 임원에 대한 취임승인제도가 폐지되고, 단순 임면보고로 변경된 현행 제도의 틀 안에서는 주무관청이 해당 임면보고의 처리와 관련하여서 어느 정도까지 권한을 행사할 수 있는지 논란의 여지가 있습니다. 생각건대 임원의 승인제도에서 임면보고로 변경한 취지가 규제의 완화에 있고, 「사회복지사업법」상으로도 임면보고와 관련하여 주무관청에 권한이나 의무를 부과하고 있지 않는 점을 고려한다면 주무관청이 해당 임면보고에 대해서 특별히 조치할 수 있는 사항을 없을 것으로 판단됩니다. 다만, 임면보고 시에 함께 제출하는 서류 중 외부추천 여부나 특별관계인에 해당되지 않음을 입증하는 서류가 있기 때문에 동 서류의 진정성 여부에 대해서 확인하는 것은 주무관청의 당연한 의무이자 권한이라고 할 것입니다. 또한 임원은 결격사유가 있는 경우에 임원의 자격이 당연히 자격이 상실되므로, 임면보고된 임원이 결격사유가 있는지 여부에 대해서도 검토를 할 수는 있을 것으로 판단됩니다. 또한 현행 「사회복지사업법」상 임원의 선임과 관련하여 실질 심사를 할 수 있는 절차가 없기 때문에 그 결격사유에 대해서 합리적인 의심이 있는 경우에 법 제51조에 따른 지도·감독권을 행사하여 해당 사회복지법인에 대해서 결격사유 조회를 하도록 할 수는 있을 것으로 사료됩니다.

요컨대 임원의 임면보고와 관련한 사항은 해당 법인이 그 내용의 진정성에 대해서는 전적으로 책임을 지되, 임면보고를 받은 주무관청은 보고 관련 서류의 형식적 진정성에 대해서 우선 검토하고, 만일 합리적 의심이 있을 경우에 한해서 해당 법인으로 하여금 그 의심 사항에 대해서 소명토록 하거나 직접 확인할 수 있을 것입니다.

유용한 TIP 임면보고 된 임원의 서약서 제출 사항 신설(2019.6.12.) 관련 사무처리

o 2019년 6월 12일에 개정된 「사회복지사업법 시행규칙」 별지 제10호서식 "법인임원 임면보고서"에 "「사회복지사업법」 제19조제1항 각 호의 어느 하나에 해당하지 않음을 입증하는 각서 1부"가 새로운 첨부서류로 추가되었습니다.
- 형사범죄인 결격사유의 경우 비교적 용이하게 결격사유를 확인할 수 있었으나, 그 밖의 사유에 대해서는 확인이 매우 어려운 것이 현실이었고, 이러한 상황을 반영하여 새로운 각서가 추가된 것으로 사료됩니다.

o 각서 여부와 관련 없이 범죄경력조회나 그 밖의 행정정보공동이용 등을 통해서 확인할 수 있는 사항은 확인하되,
- 시스템을 통해서 확인하기 어려운 사항은 해당 임원이 각서로써 스스로 책임을 지는 형태가 되어, 향후 시스템으로 확인이 어려운 부분에 대한 결격사유가 있었음이 밝혀지고, 이로 인해 이사의 자격이 소급하여 소멸하게 되는 경우 해당 사회복지법인에게 발생하는 각종 문제에 대해서 해당 임원의 책임이 매우 커지게 되는 것입니다.

7. 감사의 선임

7.1. 일반자격

사회복지법인의 감사는 반드시 2명 이상이 선임되어야 하며, 이사와 법 제18조 제3항에 따른 특별한 관계에 있는 사람이 아니어야 합니다. 또한 감사 2명 중 1명은 "법률 또는 회계에 관한 지식이 있는 사람"으로 선임하여야 합니다. 여기서 "법률 또는 회계에 관한 지식이 있는 사람"의 경우 특별하게 법령으로 그 자격을 제한하거나 규정하고 있지는 않으므로, 감사를 선임한 법인이 그 사람이 법률 또는 회계에 관한 지식이 있다는 것을 입증할 수 있을 정도면 충분할 것으로 사료됩니다. 이러한 입증의 방법으로는 관련 학위나 자격증의 유무나, 관련 업무의 수행 경력 등을 예상할 수 있습니다.

7.2. 외부추천감사(감사인)

외부추천감사 제도는 외부추천이사 제도와 동일하게 사회복지법인 재무 및 운영의 투명성을 극대화하기 위해서 도입된 제도입니다. 사회복지법인이 감사를 선임할 당시를 기준으로 법인의 그 직전 3회계연도의 세입결산서에 따른 세입의 평균이 30억원 이상인 경우 반드시 시·도지사의 추천을 받아, 「주식회사의 외부감사에 관한 법률」 제2조제7호에 따른 감사인에 속하는 사람을 감사로 선임하여야 합니다.

7.2.1. 추천 대상

외부추천감사로 추천될 수 있는 자는 「주식회사의 외부감사에 관한 법률」 제2조제7호에 따른 감사인에 속한 사람으로 한정됩니다. 「주식회사의 외부감사에 관한 법률」 제2조제7호에 따른 감사인은 공인회계사로 이루어진 회계법인이나 공인회계사 3명 이상으로 구성된 감사반[56]을 의미하는 것으로서, 외부추천감사인은 회계법인이나 감사반의 구성원인 공인회계사를 의미합니다.

7.2.2. 외부추천감사가 필요한 법인의 규모

외부추천감사를 선임하여야 할 사회복지법인은 해당 법인의 3회계연도[57] 세입결산서에 따른 세입의 평균이 30억원 이상인 법인에 한정됩니다. 재무회계규칙 제6조제2항에 따라 사회복지법인의 회계는 법인회계, 시설회계, 수익사업회계로 이루어져 있다는 점을 고려하면, 사회복지법인 세입결산서 상의 세입은 그 사회복지법인의 회계에 속하는 법인회계, 시설회계, 수익사업회계의 세입을 모두 망라하는 세입을 의미합니다.

⚠ 유의사항	30억은 3회계연도의 합계가 아니라 연평균임

o 외부추천감사를 임명해야 하는 기준은 직전 3회계연도의 세입 합계 30억원 이상이 아니라, 세입 평균 30억원 이상입니다.

- 평균이 30억 이상이므로, 적어도 3회계연도 합은 90억 이상은 되어야 합니다.

7.2.3. 외부추천감사의 수

법 제18조제1항에서는 사회복지법인에 반드시 감사를 2명 이상을 두도록 규정하고, 제7항에서는 그렇게 선임되는 감사의 자격 요건을 정하고 있습니다. 이 두 조문을 종합적으로 판단하면 사회복지법인은 이사와 특별한 관계가 없는 사람 중에서 감사 2명을 선임하되, 그 중 1명은 법률 또는 회계에 관한 지식이 있는 사람 중에서 선임하여야 합니다. 이러한 통상의 경우와 달리 법 제18조제7항 단서에서는 일정 규모

56) 「주식회사의 외부감사에 관한 법률 시행규칙」 제2조에 따라 공인회계사 3명 이상을 그 구성원으로 하는 등 요건을 갖추어 한국공인회계사회에 등록한 인적구성체를 의미함. 별도의 법인격은 없지만 감사와 관련된 업무를 수행할 수 있는 주체로 인정이 됨.

57) 1~3월 중에 선임해야할 경우 직전 3개연도의 세입결산 중 직전 연도의 결산이 완료되지 않는 상황이 발생할 수도 있음. 이 경우 직전 연도의 결산을 추정하여 30억 이상 여부를 판단하여야 할 것임. 이 경우 직전 연도 결산 추정치를 포함하여 30억에 이를지 여부가 다소 불분명한 경우라고 한다면 외부추천감사를 선임하는 것이 바람직. 외부추천감사를 선임하여야 하는데 하지 않은 경우는 불법인지만 선임하지 않아도 되는데 선임하는 것은 불법이 아니기 때문에 불법의 위험을 벗어날 수 있도록 처리하는 것이 바람직

이상의 사회복지법인에서는 추천을 받아 감사인에 속한 사람을 감사로 선임토록 규정하고 있는데, 이 경우 2명을 모두 추천받아서 감사로 선임해야 하는 것인지, 아니면 1명만 추천받아서 감사로 선임할 수 있는 것인지에 대한 해석의 여지가 발생하게 됩니다. 법 제18조제7항 단서가 제7항 본문 전부에 대한 것이라면, 2명 모두 외부추천감사로 선임되어야 할 것이고, 단서가 제7항 본문 중 "감사 중 1명은 법률 또는 회계에 관한 지식이 있는 사람 중에서 선임하여야 한다."에 관한 것이라고 한다면 외부추천감사는 1명만 선임하여도 된다는 해석도 가능합니다. 다만, 이러한 해석 중 단서를 제7항 본문 모두에 관한 것으로 보게 되면, 이사와 특별한 관계에 있는 사람이라고 하더라도 감사인에 속하는 공인회계사라면 감사가 될 수 있는 것으로 해석되어 오히려 법인의 투명성 제고에는 역행되는 상황이 초래될 우려가 있습니다. 따라서 동 규정은 감사 중 적어도 1명은 법률 또는 회계에 지식이 있는 사람이라고 판단되는 사람을 선임해야 하지만, 일정 규모 이상의 사회복지법인의 경우에는 법률 또는 회계에 지식이 있는지 여부를 자의적으로 판단하지 말고, 감사반에 속하는 공인회계사를 반드시 선임해야 한다는 것으로 해석하는 것이 바람직할 것으로 사료됩니다.

요컨대 일정 규모 이상의 사회복지법인은 이사와 특별한 관계가 없는 사람 2명 이상을 감사로 선임하되, 그 중 1명은 이사와 특별한 관계가 없는 공인회계사 중 「주식회사의 외부감사에 관한 법률」에 따른 감사반에 속하는 공인회계사를 선임하여야 합니다.

[준용] 「민법」 제61조·제65조 이사 관련 사항

제61조(이사의 주의의무) 이사는 선량한 관리자의 주의로 그 직무를 행하여야 한다.
제65조(이사의 임무해태) 이사가 그 임무를 해태한 때에는 그 이사는 법인에 대하여 연대하여 손해배상의 책임이 있다.

1. 선량한 관리자 주의의무

사회복지법인의 이사는 그 직무를 수행할 때에는 선량한 관리자의 주의로 그 직무를 행하여야 합니다.

참조 판례 선량한 관리자의 주의 정도

o **사건번호** : [대법원 1985.3.26, 선고, 84다카1923, 판결]

o 선량한 관리자의 주의라 함은 보통의 주의력을 가진 행위자가 구체적인 상황에서 통상 가져야 할 주의의 정도를 말하는 것

2. 손해배상책임

이사는 선량한 관리자의 주의로 그 직무를 수행해야 하며, 그 임무를 게으르게 수행[해태(懈怠)]한 때에는 자신이 이사로 있는 법인에 대해서는 이사들 간에 연대하여 손해배상의 책임을 지게 됩니다. 그러나 임무를 해태하여서 법인이 제3자에게 발생시킨 손해에 대해서는 별도의 규정이 없습니다. 이사는 법인과 관계가 있을 뿐이고, 법인과 관련이 있는 제3자에 대해서는 직접적인 법률관계가 있다고 보기 어렵기 때문에 해당 법인이 제3자에게 손해를 발생시켰다면 해당 이사는 법인이 손해배상을 함으로써 그 법인에 발생한 손해에 대해 책임을 질뿐이고, 제3자에 대해서 직접적인 손해배상 책임이 있다고 보기는 어려울 것입니다.[58]

관련 법률

「비영리법인의 임원 처벌에 관한 법률」[59]
비영리법인의 업무를 집행하는 이사, 감사 또는 그 직무를 대행하는 사람이나 사원으로서 형사소추(刑事訴追) 또는 형의 집행을 면(免)하기 위하여 합병이나 그 밖의 방법으로 비영리법인을 소멸시킨 사람은 5년 이하의 징역 또는 5천만원 이하의 벌금에 처한다.

58) 이러한 「민법」과는 달리 「상법」에서는 제399조와 제401조에서 이사의 회사에 대한 책임뿐만 아니라 제3자에 대한 책임도 규정하고 있음.
59) 1961.11.11.에 제정·시행된 법률로서, 1개 조문만으로 이루어져 있음.

[준용] 「공설법」 제6조(이사회)

제6조(이사회) ① 공익법인에 이사회를 둔다.
② 이사회는 이사로 구성한다.
③ 이사장은 정관으로 정하는 바에 따라 이사 중에서 호선(互選)한다.
④ 이사장은 이사회를 소집하며, 이사회의 의장이 된다.

「사회복지사업법」에서는 이사회와 관련하여 제18조제3항에서 이사회 구성 시 특별관계인 비율, 제22조의3제3항에서 이사회 소집 권고, 제25조에서 이사회 회의록 작성에 대해서만 따로 규정하고 있을 뿐이고, 그 밖에 일반적인 사항은 모두 「공익법인의 설립 · 운영에 관한 법률」을 준용합니다.60) 이사회는 그 명칭과 같이 당연히 이사로만 구성이 됩니다. 따라서 감사는 임원이기는 하지만 이사회의 구성원이 될 수 없습니다. 다만, 감사는 이사회에서 발언을 할 수는 있고, 이사회 회의록에 날인을 할 수 있습니다. 이는 감사의 고유사무인 이사에 대한 감시 업무를 효율적으로 수행할 수 있도록 하는 데 취지가 있는 것으로 생각됩니다.

이사장은 이사 중에서 호선(互選)을 하도록 하고 있는데, 여기서 이사장은 이사회를 소집하고, 의장이 되는 자로서 「사회복지사업법」에 따른 사회복지법인은 대표이사가 이사장의 업무를 수행하는 것으로 보는 것이 적절합니다. 다만, 「사회복지사업법」에는 이사장에 대해서 규정하고 있지 않고, 「공익법인의 설립 · 운영에 관한 법률」 제6조제3항과 제4항이 「사회복지사업법」과 충돌이 된다고 보기도 어렵기 때문에 해당 법인의 사정에 따라서 그 법인을 대표하는 자는 대표이사로 하고, 이사회의 운영은 다른 이사 중에서 선임된 이사장이 해당 업무를 수행할 수도 있을 것으로 사료됩니다.

---

60) 「민법」에는 이사회에 관한 규정이 없음.

[준용] 「공설법」 제7조(이사회의 기능)

제7조(이사회의 기능) ① 이사회는 다음 사항을 심의 결정한다.

1. 공익법인의 예산, 결산, 차입금 및 재산의 취득·처분과 관리에 관한 사항
2. 정관의 변경에 관한 사항
3. 공익법인의 해산에 관한 사항
4. 임원의 임면에 관한 사항
5. 수익사업에 관한 사항
6. 그 밖에 법령이나 정관에 따라 그 권한에 속하는 사항

② 이사장이나 이사가 공익법인과 이해관계가 상반될 때에는 그 사항에 관한 의결에 참여하지 못한다.

「사회복지사업법」에는 이사회의 기능과 관련한 사항도 명시하고 있지 않기 때문에, 이에 관한 사항도 「공익법인의 설립·운영에 관한 법률」을 준용합니다. 공설법에서는 이사회가 해당 법인의 재정, 정관변경, 해산, 임원의 임면 및 수익사업에 관한 사항과 법령이나 정관에서 이사회의 권한으로 정해 놓은 사항을 심의·결정하도록 규정하고 있기 때문에 이러한 사항은 반드시 이사회에서만 결정이 가능하다고 할 것입니다. 따라서 위와 같은 사항은 대표이사가 단독으로 결정하거나, 이사회가 아닌 그 밖에 기구에서 결정을 한다면 법률상 효력이 없는 결정이 됩니다. 이사회 의결 사항과 관련하여 이사와 사회복지법인의 이해관계가 상반될 때에는 그 사항에 관한 의결에는 해당 이사가 참여할 수는 없습니다. 이 경우 의사정족수나 의결정족수의 계산 방법은 부록1 중 "정족수 계산 시 제척사유 등에 해당하는 이사의 계산방법"을 참고하기 바랍니다.

[준용] 「공설법」 제8조(이사회의 소집)

제8조(이사회의 소집) ① 이사장은 필요하다고 인정할 때에는 이사회를 소집할 수 있다.

② 이사장은 다음 각 호의 어느 하나에 해당하는 소집요구가 있을 때에는 그 소집요구일부터 20일 이내에 이사회를 소집하여야 한다.

1. 재적이사의 과반수가 회의의 목적을 제시하여 소집을 요구할 때
2. 제10조제1항제5호에 따라 감사가 소집을 요구할 때

③ 이사회를 소집할 때에는 적어도 회의 7일 전에 회의의 목적을 구체적으로 밝혀 각 이사에게 알려야 한다. 다만, 이사 전원이 모이고 또 그 전원이 이사회의 소집을 요구할 때에는 그러하지 아니하다.

④ 이사회를 소집하여야 할 경우에 그 소집권자가 궐위(闕位)되거나 이사회 소집을 기피하여 7일 이상 이사회 소집이 불가능한 경우에는 재적이사 과반수의 찬동으로 감독청의 승인을 받아 이사회를 소집할 수 있다. 이 경우 정관으로 정하는 이사가 이사회를 주재한다.

1. 소집권자

이사회는 원칙적으로 이사장61)만이 소집할 수 있습니다. 만일 이사장이 궐위되거나 이사장이 이사회의 소집을 기피하는 경우 등 특별한 경우에 한해서 예외적으로 이사장이 아닌 재적이사 과반수가 감독청의 승인을 받아 이사회를 소집할 수 있습니다. 이때 개최되는 이사회는 정관으로 정하는 이사가 이사회를 주재하게 됩니다. 만일 정관으로 이사회를 주재할 자를 정하지 않았다면, 해당 이사회에서 호선(互選)을 통해 임시로 이사회를 주재할 이사를 선임할 수 있습니다.

2. 소집사유

소집 사유는 ①이사장이 스스로 소집을 할 필요가 있다고 판단한 경우, ②재적이사 과반수가 회의의 목적을 제시하여 그 소집을 요구한 경우, ③감사가 그 감사결과 불법·부당한 사항을 발견하여 이사회에 보고하기 위해 그 소집을 요구하는 경우로 나눌 수 있습니다. ②·③의 경우에는 그 요구일로부터 20일 이내에 이사회를 소집하여야 합니다.

---

61) 사회복지법인의 경우 정관에 대표이사와 이사장을 분리하지 않은 경우라고 한다면 대표이사가 소집권자가 됨에 유의

3. 소집방법

3.1. 원칙

이사회를 소집할 때에는 적어도 회의 7일전에 그 목적을 구체적으로 밝혀 각 이사에게 알려야 합니다. 이는 이사들이 사전에 회의의 목적 사항을 알 수 있게 함으로써 이사회 참석 여부를 결정하거나 적정한 심의권 행사를 위하여 필요한 준비를 할 수 있도록 하는 데 취지가 있습니다.

참조 판례	특정 이사에게 통보를 누락한 경우 이사회 결의는 무효
o **사건번호** : [대법원 1994.9.23, 선고, 94다35084, 판결]	
o 사회복지법인의 이사회가 특정 이사에게 적법한 소집통지를 하지 아니하여 그 이사가 출석하지 아니한 채 개최되었다면 그 이사회결의는 무효이다.	

유의할 점은 제8조제4항에 따라 소집을 할 때에도 소집의 기본 원칙은 지켜야 한다는 것입니다. 이는 제4항은 이사회 소집 절차에 대한 예외가 아니라 소집권자에 대한 예외이므로, 그 소집의 절차는 일반적인 이사회와 마찬가지로 진행을 해야 하기 때문입니다. 따라서 제4항에 따라서 주무관청의 승인을 받은 경우 그 승인 사실과 함께 이사회 개최에 찬동하지 않은 다른 이사들에게도 이사회 소집 통지를 하여야 합니다. 이때 통지 방법은 제3항에서 규정하고 있는 절차를 따라야 할 것입니다. 만약 제4항에 따른 이사회 소집 승인 시에 주무관청이 그 소집일자나 안건에 대해서도 승인하였다고 한다면 그 승인 받은 일자나 내용에 대해서만 이사회 개최가 가능합니다.

유의사항	승인하는 주무관청이 유의해야 할 사항
o 공설법 제8조제4항은 이사장이 아닌 자들에게 이사회 소집권을 주는 것으로서 소집권을 승인받은 자들은 그 권한에 기해서 이사회 소집을 하되, 공설법 등 관련 법령에 부합되도록 소집을 하여야 할 것입니다. o 이러한 과정 중에서 승인을 하는 주무관청은 소집권자의 궐위나 소집 기피라는 객관적 사실에 부합되는지 여부만을 판단하면 될 것이고, 그 소집 일시나 내용에 대해서는 직접적으로 관여를 하지 않는 것이 바람직할 것으로 판단됩니다. - 승인을 요청하지도 않은 소집일자나 이사회 의사안건 등에 대해서 승인을 하거나, 특정 일자나 안건을 제안할 경우 자칫 법인의 자율적인 운영에 관여하게 되는 우(愚)를 범할 우려가 있기 때문입니다.	

이사회 개최일을 함께 승인받을 때 유의할 점은 소집일자가 승인받은 후 7일 이전에 통지가 가능한 날짜여야 한다는 점입니다. 소집을 승인받은 날로부터 7일 이전에 소집일자가 정해진 경우에는 자칫 위법인 이사회의 소집이 될 수도 있기 때문입니다. 예컨대 이사회 개최에 찬동하지 않아서 그 승인 사실을 모르는 이사에 대해서는 여전히 적어도 7일 전에는 통지를 하여야만 그 출석권과 의결권 행사에 방해를 받지 않는 정상적인 이사회 개최 절차가 되기 때문입니다.

3.2. 예외

위와 같은 원칙에도 불구하고 어떠한 사유에서건 이사 전원이 모이고, 그 전원이 모두 특정 안건의 논의·심의 등을 위해 이사회의 소집을 요구할 때에는 이러한 취지가 충분히 실현될 수 있으므로 굳이 7일전에 통지를 할 필요는 없습니다. 다만, 전원이 모인 경우라고 하더라도, 상정이 합의되지 않은 것을 심사하는 것은 위법이며, 소집통지에 따라 전원이 다 모였다고 하더라도 소집통지 시에 함께 명시하지 않은 안건을 전원의 동의 없이 상정하는 것도 위법이라는 점에는 유의해야 합니다.

참조 판례	전원 출석한 경우라도 사전 통지 없는 안건의 상정은 불법
o 사건번호 : [대법원 2008.7.10, 선고, 2007다78159, 판결]	
o 당해 이사가 우연히 이사회에 출석하고 있어 재적이사 전원이 출석하여 있다는 사정만으로는 회의의 목적이 구체적으로 회의 7일 전에 각 이사에게 통지되지 아니한 이사회 소집절차 위반의 하자가 치유될 수 없음	

이사회 소집통지 기간을 1일이나 2일 지연하였을 뿐이고 이사들이 이사회의 목적 사항을 충분히 숙지한 상태에서 이의 없이 이사회에 참석하여 의결에 참여한 경우 등 이사들의 출석권과 의결권의 적정한 행사가 방해받지 않았다고 볼만한 특별한 사정이 있을 경우에는 이사회 결의가 유효합니다.

참조 판례	이사회 소집통지의 취지와 1~2일 지연 시 이사회 유효 여부
o 사건번호 : [대법원 2015.11.27, 선고, 2014다44451, 판결]	
o 이사회 소집통지는 이사들이 사전에 회의의 목적 사항을 알 수 있게 함으로써 이사회 참석 여부를 결정하거나 심의권 행사를 위하여 필요한 준비를 할 수 있도록 하는 데 취지가 있음. o 이사회 소집통지 기간을 1일이나 2일 지연하였을 뿐이고 이사들이 이사회의 목적 사항을 충분히 숙지한 상태에서 이의 없이 이사회에 참석하여 의결에 참여한 경우 등 이사들의 출석권과 의결권의 적정한 행사가 방해받지 않았다고 볼 만한 특별한 사정이 있을 경우에는 이사회 결의는 유효	

개인 해석	1~2일 지연 통보된 이사회 소집통지의 대외적인 효력

o 위 대법원 판례에서는 1~2일 지연 통보된 이사회도 그 효력이 있다고 판시하고 있으나 이는 어디까지나 해당 법인의 이사들 간에 유효한 것으로 인정할 수 있다는 것이지 대외적으로도 당연히 유효하다는 것을 의미하지는 않는다는 점에 유의해야 합니다.
- 이사회 회의록 등을 바탕으로 행정처분을 하는 관청에서는 이사회 소집의 하자를 들어 해당 이사회를 인정하지 않을 수도 있고, 이러한 경우 해당 이사회 효력은 행정소송 등 별도의 절차를 통해서 인정받아야 할 수도 있습니다.

4. 조문의 구조와 관련하여 유의할 사항

공설법 제8조 조문 중 제1항은 이사회 소집권자를 정하고 있고, 이사회 소집은 소집권자가 필요하다고 판단할 경우에 한해서 이루어지는 것이 원칙임을 천명하고 있는 조문입니다. 제2항은 제1항에서 규정하고 있는 원칙의 예외로서 소집권자의 의지와 무관하게 소집권자가 이사회를 소집해야 하는 경우를 정하고 있습니다. 제2항에 따를 경우 ①△재적이사 과반수가 △회의 목적을 제시하여 △소집을 요구할 때나 ②감사가 그 고유 직무와 관련한 사항을 이사회에 보고하기 위해 소집을 요구할 때에는 소집권자는 이사회를 소집하여야 합니다. 제3항은 소집권자가 소집을 할 때 그 절차를 규정하면서, 다시 단서를 두어 그 소집절차의 예외를 규정하고 있는 것입니다. 제4항은 앞에서도 살펴본바와 같이 소집권자가 궐위(闕位)되거나 소집권자가 일정기간 소집을 기피할 경우에 한해서 이사회 소집방법을 정하고 있습니다.

즉 공설법 제8조제1항부터 제3항까지의 조문은 이사회 소집권자가 있다는 것을 전제로 규정된 것이고, 제4항은 소집권자가 없거나 소집이 불가능한 경우를 전제로 규정된 것임을 알 수 있습니다. 실무상 간혹 제8조제2항제1호를 근거로 재적이사 과반수가 소집을 요구하면 당연히 이사회를 소집하여야 하거나 당연히 개최되는 것으로 오해하는 경우가 있는데, 제2항제1호나 제2호가 이사회를 직접 소집이나 자동 개최와 관련된 조건이 아니라 소집권자에게 이사회 소집을 "요구"할 수 있는 조건이므로 당연 소집이나 개최와는 무관하다는 점 염두에 두어야 합니다. 또한 이사회 소집권자가 있음에도 불구하고 소집을 기피하는 경우에 제4항에 따라 주무관청의 승인을 받아 이사회를 개최하기 위해서는, 우선 제8조제1항제1호에 따라서 소집권자인 이사장에서 우선 소집을 요구하여야 하고, 이후 그러한 요구를 소집권자인 이사장이 기피하였다는 사실이 반드시 전제되어야 합니다.

[준용] 「공설법」 제9조(의결정족수 등)

제9조(의결정족수 등) ① 이사회의 의사(議事)는 정관에 특별한 규정이 없으면 재적이사 과반수의 찬성으로 의결한다.
② 이사는 평등한 의결권을 가진다.
③ 이사회의 의사는 서면결의에 의하여 처리할 수 없다.

1. 원칙

이사회의 의사(議事)와 관련된 정족수는 정관으로 정하는 바대로 하되, 정관에 특별한 규정이 없는 경우에는 재적(在籍)이사 과반수의 찬성으로 의결하게 됩니다.

유용한 TIP 과반수(過半數)의 의미와 적절한 용례(用例)

o 과반수는 반수(半數)를 넘는 수(數)라는 의미입니다. 즉 반수(半數)보다는 항상 큰 수입니다.
- 예컨대 10명의 과반수는 10명의 반수인 5명을 넘는 6명을 의미합니다.
- 따라서 이사회에서 찬성과 반대가 같은 수가 된 경우 이는 찬성이 반수를 넘지 못한 것이 되므로, 즉 과반수가 되지 못하므로 부결이 되는 것입니다.

o 실무상 "과반수이상"이라는 표현을 사용하는 경우가 있는데 이는 과반수를 반수(半數)로 착각하는 데서 비롯된 표현으로서 그 사용을 지양해야 합니다.
- 앞에서 언급한 바와 같이 과반수라는 단어 안에 이미 반수를 넘어서는 수라는 의미가 담겨 있기 때문에 과반수이상이라고 표현할 이유가 없기 때문입니다.

2. 의결권 평등

이사는 누구나 평등한 의결권을 가집니다. 따라서 출연자라고 하여 더 많은 의결권을 가지는 것으로 정관을 규정한다고 하더라도 이는 「사회복지사업법」 제32조에 따라 준용되는 「공익법인의 설립·운영에 관한 법률」을 위반하는 것으로서 효력이 없습니다.62)

3. 서면결의 금지

사회복지법인의 이사회를 법률에 따라 반드시 두어야 하는 이른바 필요적 상설기관으로 둔 것은 단지 다수결에 의한 결의를 하는 데 주된 목적이 있는 것이 아니라, 복수의 이사가 한자리에 모여 의견을 교환하고 숙의(熟議)함으로써 적정하고 신중하게 권한의 행사를 하도록 하는 데 제도적 의의가 있기 때문에 서면결의를 금지하고 있는 것으로 판단됩니다.

---

62) 「민법」상 사단법인 사원의 결의권은 「민법」 제73조제1항에 따라 원칙적으로 평등하지만, 같은 조 제3항에서 정관으로 달리 정할 수 있도록 예외를 허용하고 있음.

[준용] 「공설법」 제10조(감사의 직무)

제10조(감사의 직무) ① 감사는 다음 각 호의 직무를 수행한다.
1. 공익법인의 업무와 재산상황을 감사하는 일 및 이사에 대하여 감사에 필요한 자료의 제출 또는 의견을 요구하고 이사회에서 발언하는 일
2. 이사회의 회의록에 기명날인하는 일
3. 공익법인의 업무와 재산상황에 대하여 이사에게 의견을 진술하는 일
4. 공익법인의 업무와 재산상황을 감사한 결과 불법 또는 부당한 점이 있음을 발견한 때에 이를 이사회에 보고하는 일
5. 제4호의 보고를 하기 위하여 필요하면 이사회의 소집을 요구하는 일

② 감사는 공익법인의 업무와 재산상황을 감사한 결과 불법 또는 부당한 점이 있음을 발견한 때에는 지체 없이 주무 관청에 보고하여야 한다.

③ 감사는 이사가 공익법인의 목적범위 외의 행위를 하거나 그 밖에 이 법 또는 이 법에 따른 명령이나 정관을 위반하는 행위를 하여 공익법인에 현저한 손해를 발생하게 할 우려가 있을 때에는 그 이사에 대하여 직무집행을 유지(留止)할 것을 법원에 청구할 수 있다.

1. 일반직무

감사는 사회복지법인 업무와 재산상황을 감사하고, 이사에 대해서 감사에 필요한 자료의 제출이나 의견을 요구하고, 이사회에서 발언하는 업무를 주로 수행하게 됩니다. 이사회 회의록에 대해서 기명날인도 하게 되는데, 이는 이사회 회의록이 정당하게 작성되었는지, 이사회 발언 내용이 제대로 회의록에 반영되었는지 등을 검토하게 함으로써 이사를 견제하라는 취지에서 이루어지는 것입니다. 또한 법인 업무와 재산상황에 대해서 이사에게 의견을 진술할 수 있고, 감사 결과 불법·부당한 점이 있으면 이를 이사회에 보고할 수 있고, 이를 위해 이사회의 소집을 요구할 수도 있습니다.

2. 보고의무

감사가 사회복지법인의 업무와 재산상황을 감사한 결과 불법 또는 부당한 점이 있음을 발견하였을 때는 지체 없이 주무관청에 이를 보고하여야 합니다.

3. 유지(留止)청구

이사가 사회복지법인의 목적범위 외의 행위를 하거나 「사회복지사업법」 및 「사회복지사업법」에 따른 명령 또는 정관을 위반하는 행위를 하여 해당 법인에 현저(顯著)한 손해를 발생할 우려가 있을 때 감사는 법원에 대해 해당 이사의 직무집행을 만류(挽留)하고 저지(沮止)해달라는 청구를 할 수 있습니다.

제18조의2(임원선임 관련 금품 등 수수 금지)

제18조의2(임원선임 관련 금품 등 수수 금지) 누구든지 임원의 선임과 관련하여 금품, 향응 또는 그 밖의 재산상 이익을 주고받거나 주고받을 것을 약속하여서는 아니 된다.

1. 도입 이유

이사 등 법인의 임원은 그 법인과 신뢰를 기초로 한 위임 유사관계로 볼 수 있습니다. 따라서 사회복지법인의 임원은 자신의 양심이나 법령에 어긋나지 않게 위임관계에 있는 자로서 해당 법인의 운영과 관련하여 성실하게 임해야 할 의무가 있다고 할 것입니다. 「사회복지사업법」에서는 이러한 신뢰를 기초로 한 관계에 더하여 임원의 자격이나 결격사유를 별도로 두어 부적절한 자를 임원 선임에서 배제함으로써 보다 적절한 사람이 해당 사회복지법인의 업무를 처리·운영하고, 법인의 이익을 보다 더 잘 대변할 수 있도록 하고 있습니다. 그런데 사회복지법인의 임원선임과 관련하여 금품을 수수하는 등의 경우가 발생한다면, 임원으로 선임되기 위해서 금품을 제공한 사람이 과연 그 양심에 따라서, 법인의 설립목적이나 이익에 부합되도록 법인을 운영할지는 의문입니다. 누구나 그러하듯이 자신이 제공한 금품과 관련한 손실을 메우기 위해서 부적절한 처신을 하리라는 것은 명약관화(明若觀火)한 사실입니다.

참조 판례	법인과 그 임원과의 관계

o **사건번호** : [대법원 2013.11.28, 선고, 2011다41741, 판결]

o **법인과 이사의 법률관계는 신뢰를 기초로 한 위임 유사의 관계**로 볼 수 있는데,
- 민법 제689조 제1항에서는 위임계약은 각 당사자가 언제든지 해지할 수 있다고 규정하고 있으므로, 법인은 원칙적으로 이사의 임기만료 전에도 이사를 해임할 수 있지만,
- 이러한 민법의 규정은 임의규정에 불과하므로 법인이 자치법규인 정관으로 이사의 해임사유 및 절차 등에 관하여 별도의 규정을 두는 것도 가능하다.

그러나 이러한 부적절한 상황이 예상됨에도 불구하고, 종래 이러한 임원선임과 관련된 금품 등의 수수에 대한 판례들에서는 해당 행위를 처벌할 수 있는 법률적 근거가 없기 때문에, 즉 죄형법정주의 원칙에 어긋나기 때문에 처벌이 불가능하다는 결론 일색이었습니다. 하지만 최근에는 임원의 선임 등과 관련하여 금품을 수수하는 것은 해당 사회복지법인 운영의 공공성을 심각하게 해칠 수 있는 사안으로 보고 이를 처벌하고자 하는 입법적인 결단이 있었고, 그 결과 「사회복지사업법」에서는 관련 사항을 범죄로서 규정하게 된 것입니다.[63]

종전 판례 사회복지법인 운영권 양도는 처벌 근거가 없어서 무죄

o **사건번호** : [대법원 2013.12.26., 선고, 2010도16681, 판결]

o 사회복지법인 운영권의 유상 양도를 금지·처벌하는 입법자의 결단이 없는 이상 사회복지법인 운영권의 양도 및 그 양도대금의 수수 등으로 인하여 향후 사회복지법인의 기본재산에 악영향을 미칠 수 있다거나 사회복지법인의 건전한 운영에 지장을 초래할 경우가 있다는 추상적 위험성만으로 운영권 양도계약에 따른 양도대금 수수행위를 형사처벌하는 것은 죄형법정주의나 형벌법규 명확성의 원칙에 반하는 것이어서 허용될 수 없다.

2. 적용대상

법 제18조의2에서 언급하고 있는 것은 "임원"의 선임과 관련한 것이므로, 사회복지법인의 임원인 대표이사, 이사 및 감사에 대한 선임 모두에 해당이 되는 것입니다. 선임과 관련하여 금품, 향응 그 밖의 재산상의 이익을 실제 주고받거나 주고받을 것을 약속만 한 경우에도 본 조문이 적용됩니다. 재산상 이익의 규모에 대해서는 여러 가지 의견이 있을 수 있을 것이나, 선임을 전제로 주고받거나 주고받고자 약속한 것이라고 한다면 그 규모는 크게 중요치 않다고 할 것입니다. 다만, 실제 처벌을 할 수 있는 규모인지 여부에 대해서는 「형법」상 뇌물죄 등에 대해서 적용하는 정도의 법리와 유사하게 적용될 것으로 사료됩니다.

3. 적용시점

법 제18조의2를 위반할 경우 이는 법 제54조제1호의2에 해당되어, 1년 이하의 징역 또는 1천만원 이하의 벌금에 처해지게 됩니다. 다만, 이러한 조문은 2018년 4월 25일부터 시행되는 관계로 그 처벌 대상도 2018년 4월 25일 이후에 발생한 사안만이 해당되는 점의 유의할 필요가 있습니다.

행위 시 법률 적용 근거

「헌법」 제13조 ①모든 국민은 행위시의 법률에 의하여 범죄를 구성하지 아니하는 행위로 소추되지 아니하며, 동일한 범죄에 대하여 거듭 처벌받지 아니한다.

「형법」 제1조(범죄의 성립과 처벌) ①범죄의 성립과 처벌은 행위 시의 법률에 의한다.

63) 「국회 보건복지위원회 검토보고서(2007455)」, 5쪽 및 「국회 보건복지위원회 심사보고서(2007455)」, 2쪽 참조

제19조(임원의 결격사유)

제19조(임원의 결격사유) ① 다음 각 호의 어느 하나에 해당하는 사람은 임원이 될 수 없다.

1. 미성년자

1의2. 피성년후견인 또는 피한정후견인

1의3. 파산선고를 받고 복권되지 아니한 사람

1의4. 법원의 판결에 따라 자격이 상실되거나 정지된 사람

1의5. 금고 이상의 실형을 선고받고 그 집행이 끝나거나(집행이 끝난 것으로 보는 경우를 포함한다) 집행이 면제된 날부터 3년이 지나지 아니한 사람

1의6. 금고 이상의 형의 집행유예를 선고받고 그 유예기간 중에 있는 사람

1의7. 제1호의5 및 제1호의6에도 불구하고 사회복지사업 또는 그 직무와 관련하여 「아동복지법」 제71조, 「보조금 관리에 관한 법률」 제40조부터 제42조까지, 「지방재정법」 제97조, 「영유아보육법」 제54조제2항제1호, 「장애아동 복지지원법」 제39조제1항제1호 또는 「형법」 제28장 · 제40장(제360조는 제외한다)의 죄를 범하거나 이 법을 위반하여 다음 각 목의 어느 하나에 해당하는 사람

가. 100만원 이상의 벌금형을 선고받고 그 형이 확정된 후 5년이 지나지 아니한 사람

나. 형의 집행유예를 선고받고 그 형이 확정된 후 7년이 지나지 아니한 사람

다. 징역형을 선고받고 그 집행이 끝나거나(집행이 끝난 것으로 보는 경우를 포함한다) 집행이 면제된 날부터 7년이 지나지 아니한 사람

1의8. 제1호의5부터 제1호의7까지의 규정에도 불구하고 「성폭력범죄의 처벌 등에 관한 특례법」 제2조의 성폭력범죄(「성폭력범죄의 처벌 등에 관한 특례법」 제2조제1항제1호는 제외한다) 또는 「아동 · 청소년의 성보호에 관한 법률」 제2조제2호의 아동 · 청소년대상 성범죄를 저지른 사람으로서 형 또는 치료감호를 선고받고 확정된 후 그 형 또는 치료감호의 전부 또는 일부의 집행이 끝나거나(집행이 끝난 것으로 보는 경우를 포함한다) 집행이 유예 · 면제된 날부터 10년이 지나지 아니한 사람

1의9. 제1호의5부터 제1호의8까지의 규정에도 불구하고 「아동복지법」 제3조제7호의2에 따른 아동학대관련범죄를 저지른 사람으로서 다음 각 목의 어느 하나에 해당하는 사람

가. 금고 이상의 실형을 선고받고 그 집행이 끝나거나(집행이 끝난 것으로 보는 경우를 포함한다) 집행이 면제된 날부터 10년이 지나지 아니한 사람

나. 금고 이상의 형의 집행유예를 선고받고 그 집행유예가 확정된 날부터 10년이 지나지 아니한 사람

다. 벌금형을 선고받고 그 형이 확정된 날부터 5년이 지나지 아니한 사람

2. 제22조에 따른 해임명령에 따라 해임된 날부터 5년이 지나지 아니한 사람

2의2. 제26조에 따라 설립허가가 취소된 사회복지법인의 임원이었던 사람(그 허가의 취소사유 발생에 관하여 직접적인 또는 이에 상응하는 책임이 있는 자로서 대통령령으로 정하는 사람으로 한정한다)으로서 그 설립허가가 취소된 날부터 5년이 지나지 아니한 사람

2의3. 제40조에 따라 시설의 장에서 해임된 사람으로서 해임된 날부터 5년이 지나지 아니한 사람

> 2의4. 제40조에 따라 폐쇄명령을 받고 3년이 지나지 아니한 사람
> 3. 사회복지분야의 6급 이상 공무원으로 재직하다 퇴직한 지 3년이 경과하지 아니한 사람 중에서 퇴직 전 5년 동안 소속하였던 기초자치단체가 관할하는 법인의 임원이 되고자 하는 사람
> ② 임원이 제1항 각 호의 어느 하나에 해당하게 되었을 때에는 그 자격을 상실한다.
> → 「사회복지사업법 시행령」 제10조의2(임원의 결격사유)

1. 결격사유의 의의

사회복지법인은 공공성이 매우 강한 사회복지사업 수행을 목적으로 설립된 법인이므로 그 운영에 있어서도 공공성에 부합되는 투명성과 공정성 등이 엄격하게 요구된다고 할 수 있습니다. 따라서 사회복지법인 운영에 있어서 가장 큰 책임을 지고 있는 임원도 투명성과 공익성에 어긋나는 사람이 선임되어서는 아니 될 것입니다. 이러한 취지를 반영하기 위해 「사회복지사업법」에서는 법인의 임원이 될 수 없는 사람을 정하여 열거하고 있습니다.

해 석 례	결격사유의 의의

o **해석번호** : [법제처 12-0442, 2012. 9. 12.]

o 결격사유는 임용 · 고용 · 위임관계 등에서 해당 법률관계의 당사자가 될 수 없는 사유, 국가가 창설하여 운영하는 각종 자격제도에서 그러한 자격을 취득할 수 없거나 그러한 자격을 기초로 업무를 개시할 수 없는 사유 등으로 사용되는 개념으로, 특정 직업 또는 사업의 요건으로 결격사유를 두는 취지는 고도의 전문기술 또는 윤리성이 요구되는 직이나 사업영역에 종사하는 자의 자질을 일정 수준 이상으로 유지함으로써 일반 국민을 불완전한 서비스로부터 보호하기 위한 것

2. 결격사유의 효과

2.1. 결격사유에 해당하는 사람을 임원으로 선임한 경우

법 제19조제1항에서는 결격사유에 해당되는 사람은 임원이 될 수 없다고 규정하고 있기 때문에 법인이 결격사유에 해당하는 사람을 임원으로 선임하더라도, 그 사람은 법률상이건 사실상이건 사회복지법인의 임원이라고 할 수는 없습니다. 만일 결격사유에 해당되는 사람을 임원으로 선임하고, 법 제18조제6항에 따라서 임원의 선임보고를 완료한 경우로서, 그 선임보고를 받은 주무관청이 해당 임원이 결격사유에 해당되는 사람임을 인지하지 못하여 해당 사회복지법인에 대해서 별도의 조치를 취하지 않았다고 하더라도 선임보고가 된 사람이 임원이 될 수

있는 것은 아닙니다. 애당초 결격사유가 있는 자를 임원으로 선임한 행위 자체가 무효이고, 선임보고 절차의 완료가 해당 임원의 선임에 효력을 부여하는 것은 아니기 때문입니다. 결격사유에 해당되는 사람이 임원으로 선임된 경우는 그 사람은 임원이 아니기 때문에 법 제18조에서 규정하고 있는 임원의 정수나 그 밖에 이사회 구성비율, 감사의 자격 등의 조문도 충족시킬 수 없게 되는 결과를 초래하게 됩니다. 이러한 상황이 발생한 경우 이사회의 효력 등에 대해서는 앞서 살펴본 제18조 관련 사항을 참조 바랍니다.

2.2. 임원이 결격사유에 해당하게 되는 경우

정상적으로 선임되어 활동을 하던 임원이 결격사유에 해당되는 경우에는 법 제19조제2항이 적용되어, 그 자격을 상실하게 됩니다. 자격 상실의 의미는 결격사유에 해당되는 순간 그 임원으로서의 자격이 없어지게 되고, 동시에 임원이 아니게 된다는 의미입니다. 즉 결격사유에 해당하는 순간 그 사회복지법인의 이사나 감사의 일부가 사라지는 것으로 이해하면 됩니다. 이러한 자격상실이 발생하게 되면, 이는 이사의 결원 등으로 이어지게 되고, 따라서 앞에서 살펴본 제18조 위반의 효과가 발생하게 됩니다.

⚠ 유의사항 결격사유에 해당되는 자에 대해서는 해임명령이 필요 없음

o 신규로 선임된 임원이 결격사유가 있는 경우나 임원으로 있던 자가 도중에 결격사유에 해당된 것을 확인한 주무관청은 「사회복지사업법」 제22조에 따른 <u>해임명령을 내릴 필요가 없습니다.</u>
- 결격사유에 해당된 때에 법률에 따라서 당연히 자격을 상실하게 되므로, <u>해임명령의 대상이 되는 임원 자체가 없기 때문</u>입니다.
- 즉, 법 제22조에 따른 해임명령은 적어도 임원이 될 수 있는 자가 부적절한 절차에 따라 선임되거나 부적절한 행위를 한 경우와 관련된 것이므로, 결격사유에 해당되어 애당초 임원이 될 수 없거나 아니게 된 사람에 대해서는 적용할 수도, 적용할 필요도 없습니다.
  * 등기변경이나 신규 임원선임 및 위법 행위 등에 해당 책임을 묻는 행정처분 등은 가능

o 참고로 「사회복지사업법」에는 제35조와 제35조의2에서 각각 시설의 장과 종사자의 결격사유를 정하고 있습니다. 그러나 이러한 조문들에는 제19조제2항의 당연 자격상실과 같은 조문이 없습니다. 즉 시설의 장이나 종사자는 업무를 수행하던 중에 결격사유에 해당하게 되더라도 당연히 퇴직하거나 해임되지는 않습니다.
- 이러한 경우 「근로기준법」 등 노동관계법령에 따라 결격사유에 해당됨을 사유로 하여 고용관계를 종료하는 절차를 반드시 거쳐야 합니다.
- 그러나 이와 달리 임원의 경우 일단 법인과 고용관계에 있는 것도 아니고, 법률에서 그 자격을 당연히 상실하는 것으로 규정하고 있기 때문에 노동관계법에 따른 절차를 거칠 필요도 없고, 해임 등의 결의도 필요 없이 당연히 그 지위를 상실한다는 차이가 있습니다.

3. 결격사유의 종류

종전 「사회복지사업법」에서는 사회복지위원회 위원의 결격사유인 제7조를 사회복지법인 임원의 결격사유로 차용하였으나, 2017년 10월 24일에 공포된 개정 법률[64]에서 제7조가 삭제된 관계로 제19조에서 직접 관련 결격사유를 열거하게 되었습니다. 각 호의 내용을 살펴보면 다음과 같습니다.

3.1. 미성년자

미성년자의 기준은 여러 가지 법률에 따라 조금씩 달리 정하고 있습니다. 「사회복지사업법」에서는 미성년자의 연령을 따로 정하고 있는 바가 없으나, 법 제32조에 따라 사회복지법인에 관해서는 「민법」을 준용해야 하므로, 미성년자의 기준은 「민법」을 따르면 됩니다. 따라서 사회복지법인 임원의 결격사유인 미성년자는 「민법」 제4조에 따라 19세에 이르지 못한 사람을 의미하는 것입니다. 미성년자는 「민법」 제5조에 따라 법률행위를 할 때는 법정대리인의 동의를 받아야 그 행위에 효력이 발생하게 됩니다. 따라서 미성년자가 사회복지법인의 임원이 되는 경우 그 미성년자가 이사나 감사로서 행한 행위에 대해서 법정대리인의 동의가 필요하게 되므로 사실상 미성년자 본인이 아닌, 법정대리인이 임원으로서 활동하는 결과가 초래되므로 이를 결격사유에 포함한 것으로 생각됩니다.

3.2. 피성년후견인 또는 피한정후견인

피성년후견인 또는 피한정후견인은 그 법률행위를 함에 있어서 후견인 등의 동의가 필요하므로 미성년자와 같은 이유로 결격사유에 포함한 것으로 생각됩니다.

3.3. 파산선고를 받고 복권되지 아니한 사람

「채무자 회생 및 파산에 관한 법률」에 따라 파산선고를 받은 사람도 미성년자 등과 마찬가지로 그 법률행위를 함에 있어서 많은 제한이 따르게 되므로, 법인의 임원으로서 활동하는 데 지장이 있다고 보아 이를 결격사유에 포함한 것으로 생각됩니다.

64) 시행일은 2018년 4월 25일부터이고, 그 전에는 종전의 결격사유가 적용됩니다. 다만, 결격사유 중 제19조제1항제3호의 결격사유는 2017년 12월 20일부터 적용이 되고, 같은 항 제2호의2부터 제2호의4는 2018년 10월 25일부터 적용이 됩니다.

3.4. 법원의 판결에 따라 자격이 상실되거나 정지된 사람

자격의 상실이나 정지에 해당하는 경우는 우선 「형법」 제43조나 제44조에 따라 자격상실이나 자격정지의 형을 선고에 의한 것이 대표적이라고 할 수 있을 것이나, 이러한 「형법」상의 자격상실·정지형의 선고이외에도 법원이 다른 법률에 따라 특정한 자격의 상실이나 정지를 선고한 경우 등 그 판결의 형태는 다양하게 존재할 수 있습니다. 임원의 결격사유는 "법원의 판결"에 따라 자격이 상실되거나 정지된 경우이므로 자격상실이나 자격정지의 법률적 근거, 그 정도, 상실·정지된 자격의 종류 등과는 무관하게 법원이 판결로 자격의 상실이나 정지를 결정한 경우라면 모두 결격사유에 해당이 됩니다. 다만, 이 경우 자격의 상실이나 정지가 반드시 법원의 판결에 따라 이루어져야 하는 것으로서 행정청의 처분에 따라 자격이 상실되거나 정지된 사람은 해당되지 않는다는 점 유의해야 합니다.

3.5. 금고 이상 실형의 집행이 종료되거나 집행이 면제된 사람

관련 법령 조문

「형법」
제41조(형의 종류) 형의 종류는 다음과 같다.
1.사형 / 2.징역 / 3.금고 / 4.자격상실 / 5.자격정지 / 6.벌금 / 7.구류 / 8.과료 / 9.몰수
제50조(형의 경중) ① 형의 경중은 제41조 기재의 순서에 의한다.

금고 이상의 형은 「형법」 제41조 및 제50조에 따르면 금고형, 징역형, 사형을 의미합니다. 사형의 경우는 그 형의 특성상 집행면제인 경우만 해당이 됩니다. 이 경우는 실형을 선고받고 그 집행이 이루어지거나 면제된 경우이므로 선고유예나, 집행유예 등 실제로 형이 집행되지 않은 경우는 이 조문에 해당되지 않습니다.[65) 또한 금고 이상 실형을 선고받게 된 죄의 종류와는 무관하게 그 결과가 금고 이상의 실형인 모든 경우가 해당이 됩니다. 예컨대 사회복지사업과 관련이 없는 범죄의 결과로 발생한 실형 선고인 경우도 당연히 이 결격사유에 포함되는 것입니다. 집행이 끝나거나 끝난 것으로 보는 경우는 선고된 실형의 기간을 모두 종료되는 경우나 가석방 이후 그 가석방 기간이 종료되는 경우 등이 있습니다. 형의 집행이 면제되는 경우는 사면 등을 통해서 잔여 형기가 진행되지 않는 경우를 의미합니다. 형의 집행이 면제되는 경우는 형 자체가 면제되는 것이 아니라 그 집행이 면제되는 것인 점에 우선 유의해야 합니다.

---

65) 법제처, 「법령 입안·심사 기준」(2022), 197쪽 참조

⚠ 유의사항	형의 집행면제 vs 형의 면제

o 형의 집행이 면제된 경우라고 함은 이미 형을 선고받고 그 집행이 이루어지고 있는 도중에 형의 시효 완성, 사면 등에 따라 그 형의 집행을 더 이상 받지 않는 경우를 의미합니다.

- 이에 반해 형의 면제는 유죄를 선고하는 것이기는 하지만, 그 형을 선고하지 않아 애당초 집행할 형이 없는 경우를 의미합니다.
- 법 제19조제1항에서 규정하고 있는 사항은 형의 집행이 면제된 것을 기준으로 하기 때문에 애당초 형의 면제를 선고 받은 경우는 해당이 되지 않습니다.

3.6. 금고 이상의 형의 집행유예를 선고받고 유예기간 중인 사람

금고 이상의 형을 선고받고, 그 집행의 유예를 선고받아 그 유예기간이 끝나지 않은 사람은 사회복지법인의 임원이 될 수 없습니다. 앞에서 살펴본 실형의 경우와 마찬가지로 금고 이상의 형에 대한 집행유예이며, 그 죄책은 굳이 사회복지사업과 관련되는 것일 필요는 없습니다. 예컨대 법원에서 금고 이상의 형에 대해서 집행유예를 선고받고, 그 유예기간에 있는 사람이라면 그 범죄의 종류와 무관하게 무조건 사회복지법인의 임원이 될 수 없습니다.

유용한 TIP	집행유예 효력 개시 시점

o 집행유예 효력 개시 시점에 대해서는 「형사소송법」에 별도의 규정이 없습니다.

※ 「형사소송법」에 제459조의2(집행유예기간의 기산점) 신설 움직임도 있었음(19대 국회)

- 통상 집행유예의 효력은 판결 선고 시에 "이 판결 확정일부터"와 같이 판결문에 그 시점을 명시하고, 그에 따라 시점이 확정되는 경우가 대부분입니다.
- 즉, 집행유예는 집행유예가 선고된 마지막 판결이 확정된 날부터 효력이 개시됩니다.

※ 1·2심은 항소나 상고를 제기할 수 있는 기간이 만료되면, 해당 판결이 확정되어 집행유예가 개시되고, 3심은 상소제도가 없으므로 선고가 확정되는 날부터 개시됨

3.7. 사회복지사업 또는 직무와 관련된 특정범죄를 저지르거나 또는 「사회복지사업법」을 위반하여 범죄를 저지른 사람

앞에서 살펴본 금고 이상의 실형이나 집행유예와 관련된 경우에는 그 죄책이 무엇이건 간에 해당 실형이나 집행유예 기간 중에는 임원이 될 수 없고, 그 기간이 종료되는 경우에는 결격사유가 소멸하게 됩니다. 그러나 사회복지사업과 관련되거나, 그 직무와 관련된 범죄로서 특정 분야에 대한 범죄(이하 "특정범죄")를 저지르거나, 「사회복지사업법」을 위반한 범죄를 저지른 경우[66][67]에는 실형이나 집행유예 기간이 종료되더라도 좀 더 긴 기간 동안 결격사유에 해당되도록 하여

더욱 강하게 규제하고 있습니다. 이는 사회복지사업이나 직무와 관련하여 범죄를 저지르거나, 「사회복지사업법」을 위반한 범죄를 저지른 사람인 경우 사회복지사업을 목적으로 하는 사회복지법인의 임원으로 선임하는 데 있어 좀 더 엄격하게 규제해야 한다는 취지에서 비롯된 것으로 사료됩니다.

⚠ 유의사항 **제1항제1호의7에서 규정하고 있는 "불구하고"의 의미**

- o 「사회복지사업법」 제19조제1항제1호의7에서 "제1호의5 및 제1호의6에도 불구하고"라는 표현은 어떠한 범죄의 결과가 제1호의5 등에 해당되면 그 조문상 결격사유만을 적용받아야 함에도 "불구하고", 그 범죄가 특정범죄라면 그 보다 더 강한 제1호의7을 적용한다는 의미입니다.

[사례]

- o 통상 벌금형은 제1호의5나 제1호의6에 해당되지 않아서 결격사유가 되지 않음에도 "불구하고" 만일 특정범죄에 대한 벌금형이라면 제1호의7가 적용된다는 의미입니다.
- o 일반적인 범죄의 결과 집행유예를 받은 경우 그 유예기간이 종료되면 제1호의5나 제1호의6이 적용되어 결격사유가 해제되어야 함에도 "불구하고" 사회복지사업이나 직무와 연관이 있는 범죄의 결과에 따른 집행유예라면 제1호의7에 따라서 집행유예가 끝나고 7년이 지나야만 결격사유에서 해제된다는 의미입니다.

3.7.1. 결격사유 대상 범죄

3.7.1.1. 사회복지사업 관련 특정범죄

이 결격사유를 적용하기 위해서는 특정범죄가 △사회복지사업 또는 △그 직무와 관련하여 저질러진 것이어야 합니다. 우선 "사회복지사업 관련 범죄"라고 함은 「사회복지사업법」 제2조제1호에서 정하고 있는 사회복지사업을 수행하는 중이거나 사회복지사업과 관련이 있는 행위를 함에 있어 발생한 특정범죄를 의미합니다.

3.7.1.2. 직무 관련 특정범죄

"그 직무와 관련된 범죄"는 특정범죄가 직무와 관련이 있는 경우의 범죄를 의미합니다. 여기서 직무는 사회복지사업과 관련된 직무일 필요는 없다고 할 것입니다.

---

66) 「사회복지사업법」 제19조제1항제1호의7가 매우 복잡하기는 하지만, 문장구조상 "①사회복지사업 또는 그 직무와 관련하여 「아동복지법」 제71조, 「보조금 관리에 관한 법률」 제40조부터 제42조까지 또는 「형법」 제28장 · 제40장(제360조는 제외한다)의 죄를 범하거나 ②이 법을 위반하여"로 나누어 읽을 수 있음.

67) "사회복지사업 또는 그 직무와 관련하여"가 "이 법을 위반하여"에도 해당된다는 의견도 있을 수 있음. 그러나 「아동복지법」 등 다른 법률에 규정된 범죄의 경우에는 사회복지사업이나 직무와 관련 없이도 발생하는 경우도 있지만, 「사회복지사업법」에서 정하고 있는 범죄는 사회복지사업과 무관하게 위반할 수는 없기 때문에 어느 쪽으로 해석을 하더라도 「사회복지사업법」을 위반한 경우는 무조건 결격사유에 포함됨.

만일 사회복지사업과 관련된 직무로 한정한다면, 이는 이미 앞에서 규정하고 있는 "사회복지사업과 관련한 특정범죄"에 포함되는 것으로서 굳이 따로 명시할 실익이 없기 때문입니다. 오히려 자신이 관리자 등으로서 책임지고 수행해야 하는 업무, 즉 직무(職務)를 수행함에 있어서 특정범죄를 저지른 경우라면 그 직무의 내용이 무엇이건 간에 다른 직무도 성실히 이행하기 어려운 사람이라고 볼 수 있을 것이라는 점이 반영되었다고 이해하는 것이 적절한 해석이라고 판단됩니다. 요컨대 사회복지사업과 관련된 특정범죄인 경우는 그 직무 관련 여부와 무관하게 결격사유에 해당이 되고, 사회복지사업과 무관한 경우라고 하더라도 그 직무를 수행함에 있어서 해당 직무에 대한 책임을 저버리고 특정범죄를 저지른 경우에는 결격사유에 해당이 된다고 할 것입니다.

참조 판례 관련성 있는 직무의 범위

o **사건번호** : [대법원 2017.3.9, 선고, 2014도144, 판결]

o 금융지주회사법 제48조의3 제1항의 '금융지주회사의 임·직원은 직무와 관련하여'와 구 은행법(2010. 5. 17. 법률 제10303호로 개정되기 전의 것) 제21조의 '금융기관의 임원 및 직원은 직무와 관련하여'는
- '금융지주회사 또는 금융기관 임·직원이 그 지위에 수반하여 취급하는 일체의 사무와 관련하여'를 뜻하며, 그 권한에 속하는 직무행위뿐 아니라 그와 밀접한 관계가 있는 사무 및 그와 관련하여 사실상 처리하고 있는 사무도 직무에 포함된다.

해 석 례 "그 직무"는 사회복지사업과 관련 있는 직무에 한정됨

o **해석번호** : [19-0491/19-0679, 2019. 12. 30., 보건복지부]

o 「사회복지사업법」 제19조제1항제1호의7 각 목 외의 부분의 "그 직무"에 사회복지사업과 관련 없는 직무까지 포함되는 것은 아닙니다.
o 해당 규정의 "사회복지사업 또는 그 직무"에서 "그"는 앞에서 이미 이야기하였거나 듣는 이가 생각하고 있는 대상을 가리키는 지시관형사로서 바로 앞에 규정된 사회복지사업을 가리키는 것으로 보는 것이 문언의 체계에 부합하는 해석입니다.
o 그리고 결격사유에 해당하는 사람은 헌법상 보장되는 기본권인 직업선택의 자유나 경제활동의 자유 등 사회활동을 하는 데에 제한을 받게 된다는 점을 고려하면 「사회복지사업법」 제19조제1항제1호의7은 엄격하게 해석할 필요가 있는데, "그 직무"의 범위가 사회복지사업과 관련된 직무로 한정되지 않는다면 모든 분야의 직무로 확대되어 결격사유의 범위가 지나치게 넓어지게 되므로 타당하지 않습니다.
o 더욱이 「사회복지사업법」 제19조제1항제1호의7에서는 위법행위의 종류와 무관하게 결격사유를 규정하고 있는 같은 항 제1호의5 및 제1호의6과 달리 "사회복지사업 또는 그 직무와 관련하여" 죄를 범한 경우로 한정하고 있는데, "그 직무"를 사회복지사업과 관련된 직무로

한정하지 않는다면 위법행위의 범위를 제한하여 규정한 취지가 몰각될 수 있다는 점도 이 사안을 해석할 때 고려해야 합니다.

[개인해석]

o 우선 지시관형사라고 한 부분을 살펴보면, 법제처 해석대로라면 해당 규정은 "사회복지사업 또는 사회복지사업 직무"라고 읽어야 하는데,

- 이는 우선 비문(非文)이 되는 문제가 있음. 만일 "사회복지사업 관련 직무"라고 고쳐서 읽는다고 하더라도 "사회복지사업"안에는 이미 "사회복지사업 관련 직무'가 포함되어 있다는 점에서 무의미한 중복 문구가 되는 문제가 발생함

- 즉 "사회복지사업 관련"이라고만 하더라도, 이미 사회복지사업과 관련되기만 한다면 그것이 직무이거나 아니거나 상관없이 모두 포함되는 것인데, 굳이 "그 직무"라는 표현을 사용하는 것이 문언의 체계에 부합되지 않는 것임

o 다음으로 법제처 해석은 이 조문이 "임원"의 결격사유에 관한 것이라는 간과하고 있다는 점을 지적할 수 있음

- 어떠한 종류의 법인이든지 그 법인의 임원은 해당 법인의 업무를 대리하는 지위로서 해당 직무를 성실히 수행해야 하므로, 종전에 직무를 성실하게 수행하지 않아 범죄에 이르게 된 사람의 경우 법인의 임원으로서 제대로 업무를 수행하기 어렵다는 취지가 담겨 있는 것으로 해석하는 것이 "임원의 결격사유"에 대한 해석으로서 더 적절하다고 할 것임

3.7.1.3. 결격사유에 해당하는 「사회복지사업법」 위반범죄

「사회복지사업법」에서는 제53조, 제54조, 제55조, 제56조에서 각각 범죄 유형과 벌칙을 정하고 있습니다. 따라서 "이 법을 위반하여"는 "「사회복지사업법」 제53조, 제54조, 제55조, 제56조를 위반하여"라고 읽을 수 있을 것입니다. 다만 이 건 관련 결격사유를 적용함에 있어서 제56조에 따른 양벌규정에 따라 처벌을 받은 경우까지 포함해야 하는지 여부에 대해서는 논란의 여지가 있습니다. 이에 대해서는 부록1 알아두면 유용한 사례를 참고하시기 바랍니다.

3.7.1.4. 결격사유에 해당하는 그 밖의 범죄

이 결격사유와 관련된 특정 분야의 범죄는 「아동복지법」 제71조, 「보조금 관리에 관한 법률」 제40조부터 제42조까지, 「지방재정법」 제97조, 「영유아보육법」 제54조 제2항제1호, 「장애아동 복지지원법」 제39조제1항제1호, 「형법」 제28장과 제40장(제360조 제외) 또는 「사회복지사업법」에서 규정하고 있는 범죄(이하 "특정범죄")가 대상입니다. 이러한 특정범죄는 사회적 약자인 아동에 관한 것이거나 공적 자금인 보조금의 사용에 관한 것, 또는 형법상 유기·학대와 관련된 범죄나, 횡령·배임[68]과 관련된 것입니다.

사례 예시 특정범죄의 종류

① 「사회복지사업법」 제53조·제54조·제55조·제56조에 해당하는 범죄
② 「아동복지법」 제71조에 해당하는 범죄
③ 「보조금 관리에 관한 법률」 제40조·제41조·제42조에 해당하는 범죄
④ 「지방재정법」 제97조에 해당하는 범죄
⑤ 「영유아보육법」 제54조제2항제1호에 해당하는 범죄
⑥ 「장애아동 복지지원법」 제39조제1항제1호에 해당하는 범죄
⑦ 「형법」 제28장(유기와 학대의 죄)에 해당하는 범죄

제271조(유기, 존속유기), 제272조(영아유기) / 제273조(학대, 존속학대) / 제274조(아동혹사) / 제275조(유기등 치사상)

⑧ 「형법」 제40장(횡령과 배임의 죄)에 해당하는 범죄

제355조(횡령, 배임) / 제356조(업무상의 횡령과 배임) / 제357조(배임수증재)
제358조(자격정지의 병과) / 제359조(미수범)
제361조 [제328조(친족간의 범행과 고소) 제346조(동력) 준용] / ~~제360조(점유이탈물횡령)~~

유의사항 「지방재정법」, 「영유아보육법」, 「장애아동 복지지원법」 관련 사항 추가 이유

o 종전 「사회복지사업법」에서는 없었던 내용으로 2020.12.29.부터 새롭게 적용되는 규정입니다.
o 먼저 「지방재정법」이 추가된 이유를 살펴보면, 종전 「사회복지사업법」에서는 「보조금 관리에 관한 법률」에 따른 국가 교부 보조금의 부정사용만을 결격사유로 규정하고 있었기 때문에, 지자체가 국고보조금과 무관하게 「지방재정법」에 의해서만 교부한 보조금의 부정사용 등은 임원의 결격사유로 인정이 되지 않았던 상황을 개선한 것입니다.
- 보조금의 부정사용 등은 해당 보조금이 그 교부 주체가 국가이건 지방자치단체이건 간에 동일하게 취급하는 것이 정의에 부합되기 때문입니다.
o 「영유아보육법」·「장애아동 복지지원법」은 「사회복지사업법」 제2조제1호에 따라 사회복지와 관련된 법률인데, 해당 법률에서는 다른 사회복지 관련 법률과는 달리 보조금의 부정사용에 대해서 「보조금 관리에 관한 법률」이나 「지방재정법」을 별도로 언급하지 않고, 독자적으로 처벌규정을 두고 있습니다.
- 따라서 개정 이전의 「사회복지사업법」상으로는 「영유아보육법」이나 「장애아동 복지지원법」을 위반하여 보조금을 부정하게 사용한 후 처벌을 받은 경우에 대해서는 결격사유가 되지 않는 문제점이 있었습니다.
- 이러한 문제를 해결하기 위해서 2020.12.29.에 개정된 「사회복지사업법」에서는 「영유아보육법」과 「장애아동 복지지원법」상 보조금 부정사용 등으로 처벌받은 경우도 결격사유로 추가하게 된 것입니다.

68) 「형법」 제360조인 점유이탈물횡령죄가 제외된 이유에 대해서는 국회논의 과정 등의 자료를 살펴보았으나 명확하게 언급하고 있는 것을 확인하기 어려움. 사회복지사업의 운영에 있어 특별한 문제를 야기할 우려가 덜한 것으로 보아 결격사유에서 제외한 것으로만 추측

3.7.2. 결격사유에 해당되기 위한 처벌 정도 등

특정범죄 및 「사회복지사업법」 위반범죄가 결격사유에 해당되기 위해서는 다음과 같은 수준의 형벌에 처해져야 됩니다.

3.7.2.1. 100만원 이상의 벌금형을 선고받고 그 형이 확정된 후 5년이 지나지 아니한 사람

앞에서 이미 언급한 결격사유 중에는 벌금형과 관련된 사항이 없었으나, 본 결격사유에 이르러서는 벌금형이 포함되게 됩니다. 특정범죄를 범해서 100만원 이상의 벌금형을 선고받고, 그 형이 확정된 경우에는 결격사유에 해당이 되어 그 확정일로부터 5년간은 사회복지법인의 임원이 될 수 없습니다. 이때 벌금형을 선고받고 확정된 날은 1심이나 2심에서 소송이 종료된 경우에는 형의 선고를 받고, 상소를 하지 않아 그 형이 확정된 날을 의미하고, 3심인 경우에는 그 선고일[69]이 벌금형이 확정된 날이라고 보면 됩니다.

3.7.2.2. 형의 집행유예를 선고받고 그 형이 확정된 후 7년이 지나지 아니한 사람

제1호의6에 따른 결격사유의 경우 금고 이상의 형의 집행유예 기간 중인 사람만 결격사유에 해당되는 것으로 규정하고 있지만, 특정범죄를 저지른 경우에는 집행유예의 형이 확정된 후 7년이 지난 경우에만 임원이 될 수 있습니다. 이 결격사유를 적용할 때는 유의해야 할 사항이 있습니다. 적용 대상기간이 집행유예 기간이 종료된 후 7년이 아니라 집행유예를 선고받고 그 형이 확정된 후 7년 동안이라는 점입니다. 앞에서 살펴본 벌금형의 확정과 마찬가지로 집행유예도 선고일과 확정일이 결정되므로 일단 집행유예의 형이 확정된 날부터 기산하여 7년이 지나지 아니한 경우에 결격사유가 됩니다. 따라서 법원에서 선고한 집행유예 기간이 길고 짧은 것과는 무관하게 그 선고 확정일이 가장 중요한 포인트가 됩니다. 「형법」 제62조에서는 집행유예 기간을 최소 1년에서 최대 5년으로 정하고 있는 점을 고려해 보면, 집행유예 1년을 선고받은 경우에는 그 유예기간이 종료되더라도 향후 6년간은 여전히 임원이 될 수 없고, 이에 반해 집행유예 5년을 선고받은 경우에는 그 유예기간이 종료되면 향후 2년간은 임원이 될 수 없게 됩니다. 언뜻 집행유예 기간이 짧은 경우에 대해서 불공평하다는 생각이 들 수도 있겠으나, 특정범죄를 저지르고 집행유예를 선고받은 경우에는 실형이 집행되는 것이 아니므로 굳이 그 길고 짧음을

69) 대법원의 최종 선고에 대해서는 상소제도를 통해 다툴 수 없기 때문에 선고한 날 즉시 그 형이 확정되는 것임.

구분할 필요 없이 적어도 그 선고일로부터 7년간은 스스로 반성하는 시간을 가진 후라야 임원이 될 자격을 다시 가질 수 있다고 보는 취지가 녹아 있는 것으로 사료됩니다.

개인 해석 벌금형의 집행유예와 결격사유 관련

o 종래의 「형법」에서는 벌금형에 대해서는 집행유예를 명시하고 있지 않았으나, 2018.1.7.에 시행된 「형법」 제62조에서는 500만원 이하의 벌금형에 대해서는 집행유예가 가능토록 개정되었습니다.

- 개정사유에 "징역형에 대해 인정되는 집행유예가 징역형보다 상대적으로 가벼운 형벌인 벌금형에는 인정되지 않아 합리적이지 않고, 벌금 납부능력이 부족한 서민의 경우 벌금형을 선고받아 벌금을 납부하지 못할 시 노역장 유치되는 것을 우려하여 징역형의 집행유예 판결을 구하는 예가 빈번히 나타나는 등 형벌의 부조화 현상을 방지하고 서민의 경제적 어려움을 덜어주기 위해 벌금형에 대한 집행유예를 도입"하는 것으로 명시하고 있습니다.

o 이러한 「형법」의 개정규정을 「사회복지사업법」 제19조제1항제1호의7 가목과 나목에 그대로 적용하면 다음과 같은 문제의 소지가 있습니다.

- 먼저 100만원 미만의 벌금형이 확정된 경우는 결격사유에 해당되지 않지만, 집행유예를 받으면 나목에 따라 7년간 결격사유에 해당이 됩니다.
- 만일 100만원 이상 500만원 미만의 벌금형이 확정되면 5년간 결격사유에 해당되지만, 집행유예를 받으면 7년간 결격사유에 해당이 됩니다.

벌금 규모	관련 결격사유(제19조제1항제1호의7)	
	가목(벌금형 확정)	나목(벌금형 집행유예)
100만원 미만	미해당	7년간 결격기간
100만원~500만원	5년간 결격기간	7년간 결격기간
500만원 초과	5년간 결격기간	집행유예 대상 아님

- 이러한 상황은 벌금형을 받은 사람의 부담을 줄이기 위해서 벌금형의 집행유예 제도가 도입되었음에도 불구하고, 「사회복지사업법」을 적용할 경우 오히려 결격기간이 연장되는 것이 아닌가 하는 문제의 제기가 가능한 상황이 됩니다.

○ 그러나 생각건대 제1호의7이나 제1호의8에서는 형(刑)이라고만 명시하고는 있으나, 특별히 그 내용을 한정하고 있지 않으므로 굳이 벌금형을 제외할 필요는 없다는 점과 결격사유는 경제적인 부담 감소와는 큰 관련이 없는 점 등을 고려하면 벌금형의 집행유예 시 결격기간이 연장되는 것에 대해서 반드시 나쁘다고 볼 수는 없을 것으로 판단됩니다.

- 다만 결격사유가 아닌 100만원 미만의 벌금형에 대해서 집행유예를 받은 경우 결격사유가 되는 부분에 대해서는 논란이 여지가 있을 수는 있으나, 이는 「사회복지사업법」의 개정으로 해결해야 할 문제라고 사료됩니다.

3.7.2.3. 징역형을 선고받고 그 집행이 종료되거나 면제된 날부터 7년이 지나지 아니한 사람

이 결격사유 중 집행의 종료나 면제 등에 대해서는 제1호의6 관련 결격사유에 대한 해설을 참조하기 바랍니다. 다만, 특정범죄와 관련하여서는 제1호의6과 달리 형 집행 종료 등으로부터 7년이 지나야 된다는 점에서 차이가 있다는 것에 유의해야 합니다. 또한 제1호의6 관련 결격사유는 금고 이상의 실형으로 규정하고 있는 데 반해 이 건 사유는 징역형만을 언급하고 있는 점에서도 차이가 있습니다.[70]

3.8. 특정성범죄를 저지른 사람

앞에서 살펴본 형벌과 관련한 여러 가지 결격사유에 해당되는 사람 중에서도 「성폭력범죄의 처벌 등에 관한 특례법」 제2조의 성폭력범죄 또는 「아동·청소년의 성보호에 관한 법률」 제2조제2호의 아동·청소년대상 성범죄(이하 "특정성범죄")를 저지른 사람인 경우에는 주로 사회적 약자를 대상으로 하여 이루어지고 있는 사회복지사업을 수행하는 사회복지법인의 임원으로서는 용납하기 어렵다고 보아, 다른 결격사유보다 더 엄격하게 그 결격의 요건을 정하고 있습니다. 범죄의 결과가 앞에서 언급한 결격사유에 해당되는 형을 받은 것이라 하더라도, 해당 범죄가 앞에서 언급한 특정성범죄라고 한다면 앞에서 언급한 결격사유가 적용되는 것이 아니라 별도로 이 건의 기준이 적용되게 됩니다. 이에 따라 특정성범죄를 저지른 경우에는 형 또는 치료감호를 선고받고 확정된 후 앞에서 언급한 특정범죄와 달리 그 형 또는 치료감호의 전부 또는 일부의 집행이 끝난(집행이 끝난 것으로 보는 경우를 포함)날로부터 10년이 지나지 않았거나, 집행이 유예·면제된 날부터 10년이 지나지 않은 경우에는 임원이 될 수 없습니다.

⚠ 유의사항	제1항제1호의8에서 규정하고 있는 "불구하고"의 의미

- o 「사회복지사업법」 제19조제1항제1호의8에서도 "제1호의5부터 제1호의7까지의 규정에도 불구하고"라는 표현을 사용하고 있는데,
- \- 이 또한 앞에서 설명한 바와 같이 제1호의5부터 제1호의7까지 규정하고 있는 결격사유 요건에도 불구하고 특정성범죄를 저지른 결과 받은 형벌이라면 보다 강력하게 그 결격사유 존속 기간을 연장한다는 의미입니다.

70) 특정범죄와 관련된 형이 벌금형 또는 징역형만 규정되어 있고, 금고형은 포함되어 있지 않기 때문에 징역형만을 명시하고 있는 것으로 판단됨.

⚠ 유의사항 결격사유에 음행매개죄 포함

o 법률 제15887호(2019.6.12. 시행)로 개정되기 전의 「사회복지사업법」에서는 "「성폭력범죄의 처벌 등에 관한 특례법」 제2조제1항제1호는 제외"라는 단서가 있었습니다.
- 그러나 "사회복지서비스 전달체계로서 사회복지법인과 사회복지시설의 역할 등을 고려할 때 음행매개죄 등을 범한 자에 대하여도 다른 성폭력범죄를 범한 자와 마찬가지로 엄중하게 결격사유를 정하여 관련 법인이나 시설에서 근무할 수 없도록 해야 할 필요가 있다."는 취지에 따라 개정 「사회복지사업법」에서는 해당 단서가 삭제되었습니다.
- 이에 따라 2019.6.12. 이후에 최초로 선임되는 이사부터는 「형법」 중 제242조(음행매개), 제243조(음화반포등), 제244조(음화제조등) 및 제245조(공연음란)의 죄를 범한 경우도 결격사유에 해당됩니다.

⚠ 유의사항 사회복지사업 관련 직무 연관성 및 "형"의 범위

o 제1호의7은 "사회복지사업 또는 그 직무와 관련"되는 범죄인 경우에 대해서 적용하지만 제1호의8은 사회복지사업이나 직무 연관성과는 무관하게 요건에만 해당하면 무조건 적용이 된다는 점에 유의해야 합니다.
o 다른 결격사유와 달리 "형(刑)"이라고만 규정하고 있기 때문에 「형법」 제41조에서 규정하고 있는 모든 종류의 형이 해당되고, 실제 「성폭력처벌법」, 「청소년성보호법」에서 규정하고 있는 실형뿐만 아니라 자격상실·정지, 벌금형 등도 모두 다 포함됩니다.

⚠ 유의사항 "10년이 지나지 아니한"의 해석 범위

o 제19조제1항제1호의8에서는 "그 형 또는 치료감호의 전부 또는 일부의 집행이 끝나거나(집행이 끝난 것으로 보는 경우를 포함한다) 집행이 유예 · 면제된 날부터 10년이 지나지 아니한 사람"을 결격사유로 정하고 있습니다.
- 이 때 "10년이 지나지 아니한"은 "집행이 끝나거나" 또는 "집행이 유예·면제된" 날을 모두 포함하여 적용됩니다.
- 집행이 끝나거나 유예되거나 면제되는 것이 모두 같은 형태의 상황이므로 "집행이 끝나거나"는 "유예·면제된"과 병렬로 서술하고 있는 것으로서, 두 가지 경우 모두 다 그 날로부터 10년이 지나야만 결격사유에서 해제되는 것으로 해석하여야 하기 때문입니다.
- 수학식으로 표현하면 "(A+B)*C"와 같은 형태의 문구라는 의미입니다.

3.9. 아동학대관련 범죄를 저지른 사람

「아동복지법」 제3조제7호의2에서 규정하고 있는 아동학대관련 범죄를 저지른 사람으로서 해당 아동학대 범죄와 관련하여 ①금고 이상의 실형을 선고받고 그 집행이 끝나거나(집행이 끝난 것으로 보는 경우 포함) 집행이 면제된 날부터 10년이 지나지 아니한 경우, ②금고 이상의 형의 집행유예를 선고받고 그 집행유예가 확정된 날부터 10년이 지나지 아니한 경우, ③벌금형을 선고받고 그 형이 확정된 날부터 5년이 지나지 아니한 경우 중 어느 하나에 해당하면 사회복지시설의 임원이 될 수 없습니다.

이 결격사유 중 집행의 종료나 면제 등 용어와 관련한 사항은 제1호의6 및 제1호의7 관련 결격사유를 참조 바랍니다.

3.10. 해임명령에 따라 해임된 후 5년이 지나지 않은 사람

법 제22조에 따른 해임명령에 의해서 사회복지법인의 임원에서 해임된 경우에는 그 해임일로부터 5년 이내에는 모든 사회복지법인의 임원이 될 수가 없습니다. 이는 이사나 감사를 모두 포함한 임원의 결격사유이므로 만일 감사로 재직하다가 해임된 경우라고 하더라도 해임일로부터 5년 이내에는 이사나 감사 어느 직위건 간에 해당 직위에 취임하는 것이 불가능합니다. 물론 그 반대의 경우도 마찬가지가 됩니다.

개인 해석 해임처분 전에 사임한 임원의 처리 관련

o 주무관청의 해임명령은 있었으나, 해당 법인에서 실제 해임처분을 하기 전에 사임한 경우는 해임명령에 따라 해임된 것이 아니라 스스로 사임을 한 것으로서 결격사유에 해당된다고 보기 어렵습니다.
- 이러한 상황은 입법의 불비(不備)로 보여지는 측면도 있으나, 책임이 있는 임원이 스스로 물러나도록 압박한다는 측면에서는 나름의 의미가 있다고 볼 수도 있습니다.
- 실무상으로 해임처분을 받은 임원이 스스로 사임을 하였다가, 다시 해당 사회복지법인의 임원으로 복귀한 경우, 그 사회복지법인이 운영하는 사업에 대해서 보조금을 지급을 제한하는 등의 행정적인 조치도 가능할 것입니다.
o 향후 이러한 상황에 대해서는 입법적인 보완이 필요할 것으로 판단됩니다.

[참조 입법 사례] : 「금융회사의 지배구조에 관한 법률 시행령」 제7조제1항제2·3·5호
o 주의·경고·문책·직무정지·해임요구, 그 밖에 이에 준하는 조치를 받은 임원으로서 해당 제재를 받기 전에 퇴임하거나 퇴직한 사람은 결격사유에 해당됨
※「기업구조조정투자회사법」, 「신용협동조합법」 등에도 유사 조문이 있음

3.11. 설립허가가 취소된 사회복지법인의 임원이었던 사람[71)]

「사회복지사업법」 제26조에 따라 허가가 취소된 사회복지법인의 임원이었던 사람 중에서 그 취소와 관련하여 직접적이거나 그에 상응하는 책임이 있는 자는 해당 사회복지법인의 허가가 취소된 날로부터 5년이 지나지 않으면 다른 사회복지법인의 임원이 될 수 없습니다. 이는 종전 사회복지법인의 임원으로 있으면서, 해당 사회복지법인을 설립허가 취소에 이르게 한 사람이라면, 새로운 사회복지법인의 임원으로서도 적절치 않다고 보고, 또한 사회복지법인이 설립허가가 취소된 경우,

71) 2018년 10월 25일 이후에 최초로 선임되는 임원부터 적용됨

즉시 다른 사회복지법인을 연이어 설립하여 그 임원으로 취임하여 다시금 사회복지법인을 운영할 수 있다면, 종전 사회복지법인의 설립허가 취소의 효력을 무력화시키는 것과 다름이 없기 때문에 이를 방지하고자 2017년에 신설된 조문입니다.

3.11.1. 허가취소사유 발생에 직접 또는 상응하는 책임이 있는 사람

이 결격사유의 대상이 되는 임원은 △설립허가가 취소된 사회복지법인의 임원이었고, △그 허가 취소사유의 발생과 관련하여 직접 또는 상응하는 책임이 있는 사람입니다. 허가취소 당시에 임원으로서, 허가취소에 대해서 책임이 있는 사람을 의미합니다. 이 중 허가취소 사유 발생과 관련하여 직접 또는 상응하는 책임이 있는 경우라고 하는 것은 상당히 주관적인 기준이 적용될 수 있기 때문에 법률에서는 대통령령으로 책임이 있는 사람을 정하도록 위임하고 있는 것으로 사료됩니다.

3.11.1.1. 대표이사

대표이사는 사회복지법인의 사무 전반에 대해서 해당 사회복지법인을 대표하는 최고 관리자로서 법인과 관련하여 발생하는 모든 권리·의무 관계의 중심에 있는 사람이므로, 법인의 설립허가 취소에 대해서는 당연히 가장 큰 책임이 있다고 할 것입니다. 대통령령에서는 이러한 상황을 감안하여, 대표이사의 경우 그 직위에 있었다는 사실만으로 법인 설립허가 취소와 관련하여 매우 큰 책임이 있는 것으로 보아 허가취소 당시의 대표이사였던 사람을 다른 사회복지법인 임원의 결격사유로 보고 있는 것으로 사료됩니다.

입 법 례

o **「농림수산식품투자조합 결성 및 운용에 관한 법률」**
제13조제1항제3호바목 ⇒ 같은 법 시행령 제13조제3항제1호

3.11.1.2. 감사

사회복지법인의 감사는 「사회복지사업법」 제32조에 따라 준용되는 「공익법인의 설립 · 운영에 관한 법률」 제10조에 따라 법인의 업무 및 재산상황의 감사, 불법·부당한 사항의 보고 및 시정을 위한 직무를 수행해야 하는 의무가 있는 사람입니다. 따라서 감사는 법인 사무 전반을 감시·감독하여 법인이 투명하고 공정하게 운영될 수 있도록 노력함으로써 법인의 설립허가 취소와 관련된 사유가 발생 되지 않도록 하여야 하는 책임이 있는 사람으로서, 법인설립허가 취소에 매우 큰 책임이 있기 때문에 감사였었다는 이유만으로 결격사유에 해당되는 것으로 사료됩니다.

다만 감사가 법인의 설립허가 취소의 원인이 된 행위 등에 대해서 「사회복지사업법」 제32조에 따라 준용되는 「공익법인의 설립 · 운영에 관한 법률」 제10조 제2항에 따라서 주무관청에 보고를 한 경우나 같은 조 제3항에 따라서 법원에 이사의 직무집행을 유지(留止)할 것을 법원에 청구한 경우는 감사로서의 직무를 성실히 이행하였다는 것이 명확하므로 결격사유에서는 제외하고 있습니다.

입 법 례

o 「**금융회사의 지배구조에 관한 법률**」 제5조제1항제6호 ⇒ 같은 법 시행령 제7조제1항제1호
o 「**기업구조조정투자회사법**」 제4조제2항제5호 ⇒ 같은 법 시행령 제5조제2항제1호
o 「**신용협동조합법**」 제28조제1항제8호 ⇒ 같은 법 시행령 제15조제2항제1호

3.11.1.3. 취소사유 발생 관련 이사회에서 찬성한 이사

사회복지법인의 설립허가가 취소의 원인이 되는 사유가 이사회의 결의에 의해 결정된 경우 그 이사회에 참석하여 취소의 원인 되는 사항에 찬성한 이사는 법인 설립허가 취소에 책임이 있다고 할 것입니다. 법 제26조에서 열거하고 있는 사회복지법인의 설립허가 취소사유 중 이사회의 결의와 관련이 되는 사항은 모두 다 위·불법한 행위뿐이고, 따라서 이사회 결의에 따라 행한 행위로써 법인설립허가가 취소되었다면, 해당 이사회에서 그 결의에 찬성한 임원들은 당연히 법인설립허가 취소에 책임이 있는 자라고 할 수 있을 것입니다. 나아가 해당 의결에 대해서 이의를 제기하지 않은 경우도 동 결격사유에 포함됩니다. 이는 사회복지법인의 이사는 단순한 거수기(擧手機)가 아니라 특정 사안 하나하나에 매우 신중을 기해 판단함으로써 법인의 건전한 운영에 책임을 다해야 한다는 입법 취지가 엿보이는 조문이라고 할 수 있습니다.

유의사항 허가취소 확정 전에 사임·퇴임한 임원의 처리 방법

o 동 결격사유는 법인설립허가 취소에 직접 또는 상응하는 책임이 있는 사람이므로, 주무관청의 법인설립허가 관련 절차가 개시된 이후에 임원으로 있었던 사람은 당연히 해당이 되며,
- 만일 법인설립허가 관련 절차가 개시되기 전에 사임·퇴임한 임원이라고 하더라도, 해당 허가취소에 직접·상응하는 책임이 있는 임원이라고 한다면 본 결격사유에 해당됩니다.

3.11.2. 설립허가가 취소된 날의 기산점

주무관청이 법인설립허가를 취소하면 해당 취소처분은 그 즉시 효력이 발생됩니다. 이러한 법인설립허가 취소처분은 이른바 공정력이 있으므로 「행정소송법」이나 「행정심판법」에 따라 일정 기간 내에 해당 취소행위의 유무효를 다투는 행정

쟁송을 개시하거나, 소제기와 별개로 집행정지가처분 등을 통해서 해당 처분의 집행을 잠시 정지시킬 수만 있을 뿐이지 소송 등에서 허가취소 처분은 취소되기 전까지는 그대로 유효한 행정행위이기 때문입니다.

참조 판례 행정행위의 공정력

o **사건번호** : [대법원 1994. 11. 11., 선고, 94다28000, 판결]

o 행정처분이 아무리 위법하다고 하여도 그 하자가 중대하고 명백하여 당연무효라고 보아야 할 사유가 있는 경우를 제외하고는 아무도 그 하자를 이유로 무단히 그 효과를 부정하지 못하는 것으로,

- 이러한 행정행위의 공정력은 판결의 기판력과 같은 효력은 아니지만 그 공정력의 객관적 범위에 속하는 행정행위의 하자가 취소사유에 불과한 때에는 그 처분이 취소되지 않는 한 처분의 효력을 부정하여 그로 인한 이득을 법률상 원인 없는 이득이라고 말할 수 없는 것이다.

유의사항 허가취소일과 혼동하지 말아야 하는 경우

o 해산등기나 청산종결등기의 경우 법인의 설립허가취소를 원인으로 하여 법인이 해산된 이후에 이루어지는 법률절차입니다.

- 따라서 해산등기일이나 청산종결등기일의 경우는 당연히 허가취소일 이후가 될 것이므로 이를 허가취소일과 혼동하여 결격사유에 해당하는 기간을 잘못 산정하여서는 아니 됩니다.

3.12. 시설장에서 해임된 사람[72)]

「사회복지사업법」 "제40조에 따라 시설의 장에서 해임된 사람"은 그 해임일로부터 5년이 지나지 않으면, 사회복지법인의 임원이 될 수가 없습니다. 사회복지시설에서 해임된 시설장은 사회복지사업을 수행하는 사회복지법인의 임원으로서 자격을 제한할 필요가 있다고 보아 2017년도에 신설된 조문입니다.

3.12.1. "해임된"의 의미

현행 「사회복지사업법」 제40조에는 시설장의 해임(解任)과 관련된 구체적인 표현이나 문구가 없습니다. 따라서 해임의 의미는 법률의 해석으로서 그 의미를 명확히 할 수밖에 없고, 이러한 법률의 해석에 있어서는 사용된 문언의 통상적인 의미에 충실하게 해석하는 것을 원칙으로 하고, 나아가 법률의 입법 취지와 목적, 그 제·개정 연혁 등을 충분히 고려해야 합니다.[73)]

72) 2018년 10월 25일 이후에 최초로 선임되는 임원부터 적용됨
73) 대법원 2010.12.23., 선고, 2010다81254, 판결 참조

이러한 법률해석 원칙에 따라 우선 이 건 관련 법률 개정안[74]과 그 검토보고서[75]를 살펴보면 시설의 폐쇄나 그 밖의 사유로 인해서 시설의 장에서 해임(解任)된 사람을 5년 동안 시설의 장이 될 수 없도록 하는 데에 입법 취지와 목적이 있음을 확인할 수 있습니다. 한편 "해임"이라는 용어 자체의 의미를 살펴보면 일정한 지위 또는 임무 등에 취임하고 있는 사람에 대해서 그 지위를 물러나게 하거나 임무를 그만두게 하는 것을 의미함을 알 수 있습니다.

해 석 례	"해임"의 의미
o **해석번호** : [법제처 11-0572, 2011.10.27., 민원인]	
o "해임"이란 일정한 지위 또는 임무 등에 취임하고 있는 자에 대하여 그 지위를 물러나게 하거나 임무를 그만두게 하는 것(법제처 한국법제연구원 법률용어사례집 참조)	

따라서 이 건 관련 조문에서 규정하고 있는, "제40조에 따라 시설의 장에서 해임된"이라는 문언의 의미는 「사회복지사업법」 제40조에서 규정하고 있는 행정처분에 따라서 시설의 장이라는 지위에서 물러나게 된 것으로 해석할 수 있을 것입니다. 이때 「사회복지사업법」 제40조의 위임을 받아 행정처분의 구체적인 유형을 정하고 있는 같은 법 시행규칙 별표 4 중 시설의 장이라는 지위에서 물러나게 되는 원인이 되는 행정처분에는 △시설장 교체명령, △시설폐쇄명령이 있을 것입니다.

요컨대 이러한 입법취지와 용어의 정의, 법령의 구조 등을 종합적으로 살펴보면 「사회복지사업법」 제19조제1항제2호의3에서 규정하고 있는 "제40조에 따라 시설의 장에서 해임된 사람"이란 「사회복지사업법 시행규칙」 별표 4에서 정하고 있는 행정처분 중 "시설장 교체명령" "시설폐쇄명령"에 따라 시설장의 지위를 상실한 사람을 의미한다고 할 것입니다.[76]

3.12.2. 해임된 날의 기산점

해임된 날은 주무관청 등이 시설장 교체나 시설폐쇄 명령을 한 날이 아니라, 해당 명령에 따라서 시설의 설치·운영자가 실제 시설장을 교체하였거나, 폐쇄 등으로 인해 시설장의 지위가 상실된 날을 의미합니다.

74) 「사회복지사업법 일부개정법률안」(윤소하의원, 2007835)

75) 「국회 보건복지위원회 검토보고서(2007835)」 참조

76) 이 때 해임을 하더라도 근로계약 관계가 반드시 종료되는 것은 아니므로 시설장의 지위에서 물러난 사람은 그 근로계약관계의 종료 여부와 무관하게 모두 해임된 것임.

3.13. 시설폐쇄명령에 따라 시설을 폐쇄한 사람

「사회복지사업법」 제40조에 따라 시설의 폐쇄명령을 받은 사람은 3년간 새로운 시설을 설치·운영할 수 없습니다. 폐쇄명령을 받은 사람, 폐쇄명령을 받은 날의 시점 등에 대해서는 다음과 같이 나누어 생각해 볼 수 있습니다.

3.13.1. 폐쇄명령을 받은 사람

「사회복지사업법」에 제40조에 따른 폐쇄명령은 시설을 폐쇄하라는 명령이고, 이러한 명령은 논리 구조상 해당 시설을 설치한 사람에게 내려지는 명령이라고 할 것입니다. 따라서 폐쇄명령을 받은 사람이란 폐쇄의 대상이 되는 시설에 대해서 설치·운영신고를 하고, 그 신고증에 "운영자"로 명시된 사람을 의미합니다.

⚠ 유의사항	폐쇄명령 처분 시 유의할 사항

o 시설폐쇄 명령을 시설장에 대해서 내리는 경우 이는 자칫 잘못된 행정처분으로 무효가 될 수도 있습니다.
- 만일 시설 운영자와 시설장이 우연하게도 동일한 사람이라고 한다면 시설장에 대한 폐쇄 명령이라고는 하지만, 시설 운영자에 대한 것이기도 하므로 유효한 처분이라고 할 것이나,
- 시설을 설치·운영하는 사람에게 고용된 시설장에 대해서 폐쇄명령을 한 경우라고 한다면, 폐쇄의 권한이 없는 자에게 명령한 것이 되므로 그 효력이 없는 처분이 되는 것이 됩니다.
- 요컨대 사회복지시설에 대해 **폐쇄명령을 받은 사람**이라고 함은 해당 사회복지시설을 폐쇄할 권한이나 권리가 있는, **해당 시설의 설치·운영자**라고 해야 할 것입니다.

3.13.2. 폐쇄명령의 기산점

"폐쇄명령을 받고 3년이 지나지 아니한" 경우에는 사회복지법인의 임원이 될 수 없는데, 이 경우 3년의 기산점을 언제로 해야 할 지에 대해서 여러 가지 의견이 있을 수 있습니다. 우선 법문을 그대로 해석하면 폐쇄명령이 있거나 그 폐쇄명령서에 기재된 폐쇄일을 기준으로 기산된다는 의견이 있을 수 있습니다. 그러나 이러한 견해에 따른다면 해당 시설의 설치·운영자가 고의로 폐쇄를 지연시키고 있었던 기간도 결격사유를 벗어날 수 있는 3년의 기간에 포함되는 부조리함 발생하게 됩니다. 극단적인 예로 폐쇄명령을 이행하지 않고 3년을 버티면, 결격사유가 사라지게 되는 경우도 발생할 수 있습니다. 그렇다고 하여 실제로 폐쇄한 날을 기준으로 한다면, 법문의 내용과는 다른 시점이 되어 버리는 문제가 발생하게 됩니다. 만일 실제로 폐쇄한 날을 기준으로 하고자 한다면, "폐쇄명령을 받고, 폐쇄한 지 3년이 지나지 아니한"으로 명시하였어야 할 것이기 때문입니다. 다만, 실무상으로 보았을 때 이

조문은 이른바 침익적 행정행위를 하는 근거가 되는 조문이므로 가급적 법문 그대로의 해석인 폐쇄명령을 한 날(또는 그러한 명령이 도달하거나, 명령서에 명시된 폐쇄일)을 기준점으로 하는 것이 바람직할 것으로 판단됩니다.

유용한 TIP	폐쇄명령의 이행을 담보하기 위한 방안

o 폐쇄명령 처분 시에 정당한 이유 없이 폐쇄명령을 이행하지 않으면 법 제54조제5호에 해당되어 1년 이하의 징역 또는 1천만원 이하의 벌금에 처해지는 범죄행위가 된다는 점을 반드시 명확하게 밝히고,

- 실제 명령이후에도 폐쇄 여부를 지속적으로 관찰하면서, 필요한 경우 형사고발을 한다면, 폐쇄를 고의로 지연하는 부작용을 방지하는 예방적 효과를 볼 수 있을 것으로 판단됩니다.

3.14. 전직 6급 이상 공무원이었던 사람[77)]

사회복지분야의 6급 이상 공무원으로 재직하다 퇴직한 지 3년이 경과하지 아니한 사람은 그 사람이 퇴직 전 5년 동안 소속하였던 기초자치단체가 관할하는 사회복지법인의 임원이 될 수 없습니다.[78)] 이러한 결격사유를 둔 이유는 사회복지사업과 관련한 행정업무를 추진하던 공무원이 퇴직 후 종전 자신이 권한을 가지고 있던 지위에 기대어 관련 지자체에 부당한 압력이나 개입을 하지 못하도록 하고, 또한 지자체와의 유착을 방지하기 위해서 도입된 것입니다.[79)] 특히 기초자치단체 근무 경력으로 한정한 것은 사회복지사업과 관련하여서는 그 업무 특성상 기초자치단체가 가장 큰 영향을 미칠 수 있는 지위에 있다는 점을 고려한 것으로 판단됩니다. 이에 대해서 보건복지부에서 발간한 「사회복지시설 관리안내」에서는 "사회복지시설의 1차 감독기관인 시군구와 그 지도감독을 받는 기초지자체 관할 사회복지시설 간 업무 유착 가능성을 차단하기 위해 이른바 "도가니 사건"을 계기로 개정한 조항으로 공무원이 퇴직 후 재취업을 위한 사회복지시설에 특혜를 부여하거나, 시설에 재취업 후 전 소속기관에 부당한 영향력을 행사하는 등의 부작용 등을 예방하고, 지방자치단체의 사회복지시설 지도감독권이 손상되지 않도록 하기 위한 것임"이라고 그 취지를 밝히고 있습니다.[80)] 이러한 취지는 사회복지법인의 임원에 대해서도 동일

77) 2017년 12월 19일까지 퇴임하는 공무원은 종전과 같이 퇴직한 지 2년이 지나지 아니한 경우로서, 퇴직일 기준으로 3년간 근무하였던 경력에 대해서 결격사유가 적용됨

78) 종전 규정에 비해서 요건이 강화된 것은 「공직자윤리법」 제17조 등에서 "퇴직일부터 3년간 퇴직 전 5년" 동안 근무한 경우 취업제한을 하는 것과 균형을 맞추기 위해서임[민경욱 의원 발의안(의안번호 2005432) 제안이유 및 주요내용 참조]

79) 「국회 보건복지위원회 검토보고서(1813769), 94쪽 참조

80) 보건복지부, 「2023 사회복지시설 관리안내」, 20쪽

하게 적용이 되는 사항이라고 할 것입니다.

공무원 경력이 있는 사람이 이 건 결격사유에 해당되는지 여부는 다음과 같은 과정을 통해 확인할 수 있습니다.

3.14.1. 퇴직 후 3년 경과 여부 및 기초자치단체 근무 여부

가장 먼저 확인할 사항은 공무원이었던 자가 임원으로 선임될 시기를 기준으로 보아 그 사람이 퇴직한지 3년이 경과하였는지 여부를 확인하고, 3년이 지났다면 이 건 결격사유 해당 여부를 더 이상 확인할 필요 없이 임원으로 선임될 수 있습니다. 만일 퇴직한 지 3년이 지나지 아니하였다면 퇴직일을 기준으로 5년 전까지 경력을 대상으로 기초자치단체에서 근무하였었는지 여부를 확인하고, 근무한 경력이 없다면 이 역시 다른 요건을 살펴볼 필요도 없이 결격사유와는 무관한 경력이 됩니다. 만일 퇴직일 기준으로 5년 내에 기초자치단체 근무 경력이 있다면, 그 경력이 본인이 임원으로 취임하고자 하는 법인의 주된 사무소 소재지를 관할하는 기초자치단체에서의 경력인지 여부만 확인하면 됩니다.

3.14.2. 사회복지분야 6급 이상 재직 여부

3.14.2.1. 재직기간의 범위

위에서 설명한 경력에 모두 해당이 된다면, 그 다음으로 퇴직 시점에 사회복지분야 6급 이상 공무원으로 재직하였는지를 확인합니다. 그런데 이 경우는 법령의 규정이 다소 모호한 부분이 있어 다음의 2가지 경우로 해석이 가능합니다. 우선 ①사회복지분야 6급 이상으로 근무하던 중에 그 직급·직위에서 퇴직하는 경우로만 보아 좁게 해석하는 방법과 ②그 퇴직 시점과는 무관하게 퇴직 전 공무원으로 근무하였던 전체 경력 중에 사회복지분야 6급 이상으로 근무한 경력이 있는 경우로 넓게 해석하는 방법으로 나누어 볼 수 있습니다. 전자로 해석할 경우에는 사회복지분야 6급 이상으로 계속 근무하다가 퇴직 시점에 공로연수나 부처 이동 등의 방법으로 아주 짧은 기간만 사회복지분야가 아닌 곳에 잠시 근무할 경우에는 동 결격사유의 적용이 되지 않을 가능성이 높아집니다. 이 경우 사회복지사업을 담당하던 전직 공무원의 영향력 최소화라는 취지와는 배치되는 결과를 초래하게 됩니다. 반면 후자로 해석하면 퇴직 시점을 기준으로 상당히 오래 전에 사회복지분야 6급 이상으로 재직하여 사실상 그 영향력이 있다고 보기 어려움에도 불구하고 퇴직 후 임원 취임에 불이익을 받게 되는 상황이 발생할 수도 있습니다. 따라서 그 기산

시점은 이 건 결격사유를 둔 취지와 유사한 취지의 「공직자윤리법」의 입법태도 및 공무원 출신의 직업선택 자유를 침해하지 않아야 한다는 점을 종합적으로 고려하여 판단할 필요가 있습니다.

참조 법령	「공직자윤리법」상 유사 규정

제17조(퇴직공직자의 취업제한) ① 등록의무자(이하 이 장에서 "취업심사대상자"라 한다)는 퇴직일부터 3년간 퇴직 전 5년 동안 소속하였던 부서 또는 기관의 업무와 밀접한 관련성이 있는 다음 각 호의 어느 하나에 해당하는 기관(이하 "취업제한기관"이라 한다)에 취업할 수 없다. 다만, 관할 공직자윤리위원회의 승인을 받은 때에는 그러하지 아니하다.

3.14.2.2. 사회복지분야의 범위

공무원으로서 사회복지분야에 근무한 경력을 어느 정도까지 인정해야 하는가 하는 것도 그리 간단하게 판단할 수 있는 사항이 아니라고 할 수 있습니다. 사회복지의 개념 자체가 너무나 광범위하여 사회복지분야에서의 근무경력을 어떠한 범위까지로 해야 할지 상당히 모호하다고 할 수 있습니다. 다만, 이 건 결격사유는 「사회복지사업법」에 따른 사회복지법인 임원의 결격사유에 대해서 적용하는 것이므로 그 범위도 「사회복지사업법」에서 정의하고 있는 사회복지사업이나 사회복지서비스로 좁혀서 판단하더라도 규정의 취지에 크게 어긋나지는 않을 것으로 사료됩니다. 따라서 사회복지분야는 「사회복지사업법」 제2조제1호부터 제7호까지의 정의와 관련된 업무를 수행한 경우로 한정하는 것이 타당할 것으로 판단됩니다.

3.14.3. 소결(小結)

결격사유라는 것은 국민의 기본권을 제한하는 사안이므로 그 범위를 명확하게 규정하는 것이 원칙이지만, 만일 그 범위가 모호하다면 기본권 침해의 소지를 최소화할 수 있는 방향으로 해석해야 할 것이고, 다만, 이러한 해석을 함에 있어서 결격사유로 규정한 취지도 충분히 고려하여 그 해석을 하는 것이 가장 바람직한 태도라고 할 수 있을 것입니다. 따라서 이러한 관점으로 이 건 결격사유를 해석한다면, 공무원으로 퇴직한지 3년이 지나지 않은 사람으로서 ①퇴직 시점을 기준으로 ②5년 내에 ③사회복지분야 ④6급 이상으로 소속되어 있었던 ⑤기초지자체가 관할하는 사회복지법인의 임원이 될 수 없다고 해석하는 것이 가장 적절할 것으로 판단됩니다.

⚠ 유의사항 종전 규정의 적용

o "퇴직 후 3년 이내 퇴직일 기준 5년"의 기준은 2017년 12월 20일부터 새롭게 적용되는 것으로서, 2017년 12월 19일 이전에 공무원으로 퇴직한 사람은 종전의 규정인 "퇴직 후 2년 이내 퇴직일 기준 3년"의 기준이 적용됩니다.

- 이러한 내용은 「사회복지사업법 일부개정법률」(법률 제14884호) 부칙 제2조에서 다음과 같이 적용례를 두고 있기 때문에 퇴직일에 따라 각각 달리 그 규정이 적용됩니다.

> **제2조(임원의 결격사유 등에 관한 적용례)** 제19조제1항제3호의 개정규정 및 제35조제2항 제3호의 개정규정은 이 법 시행 후 최초로 퇴직하는 공무원부터 적용한다.

3.15. 다른 법률에 따른 결격사유

「지방자치법」 제35조제5항에 따라 지방의회의원은 사회복지법인의 임원이 될 수 없다는 해석이 있습니다.[81] 이는 「사회복지사업법」에서 열거하고 있는 결격사유가 아니더라도 다른 법률에 따라 결격사유가 인정될 수도 있음을 보여주는 사례라고 할 수 있습니다.

개인 해석 지방의회의원의 사회복지법인 임원 결격사유와 관련한 해석의 문제점

o 이 해석은 「지방자치법」 제35조제5항에서 지방의회의원은 공공단체의 관리인이 될 수 없다고 명시한 것을 근거로 한 것입니다.

- 이 해석에서는 사회복지법인이 지자체의 보조금을 교부받기 때문에 공공단체로 보았고, 사회복지법인의 임원은 관리인의 지위가 있다고 보았기 때문에 지방의회의원이 임원이 될 수 없다고 한 것입니다.

o 그런데 「지방자치법」에는 "공공단체"의 정의나 범위에 대한 규정이 전무(全無)하고, 또한 이사를 "관리인"이라고 볼 수 있는 근거 또한 찾아볼 수 없는 상황에서 임원으로 취임할 수 있는 권리를 제한하는 것이 되므로 매우 부적절한 해석으로 판단되며,

- 또한 지방의회의원이 「지방자치법」을 위반한 것이 된다고 하더라도 이는 「사회복지사업법」상 당연자격 상실이나 해임명령 대상이 아니고, 또한 「지방자치법」에서도 별도의 제재 조항을 두고 있지 않기 때문에 실효성도 없다고 할 수 있습니다.

o 필요하다면 「사회복지사업법」에 조문을 추가하여 해당 사회복지법인에 보조금을 지급하는 지자체 소속 지방의회의원 경력을 일정기간 동안 결격사유로 추가하는 것이 바람직할 것으로 판단됩니다.

81) 보건복지부, 「2023 사회복지법인 관리안내」, 48쪽 참조

4. 결격사유의 확인

4.1. 이유

사회복지법인의 임원이 법 제19조에서 열거하고 있는 결격사유에 해당할 경우 해당 임원의 지위가 당연히 상실되기 때문에 임원 선임에 앞서 반드시 그 결격사유 해당 여부를 확인해야 합니다. 결격사유를 확인하지 않고 임원을 선임하고, 그 임원이 우연히 결격사유에 해당되지 않는다면 다행이지만 만에 하나 결격사유에 해당하는 사람이라고 한다면, 앞에서 살펴본 바와 같이 선임된 사람은 임원으로서의 지위를 가질 수 없게 되고, 그러한 사람이 임원으로서 행한 모든 행위 및 그 행위와 관련된 모든 사안들이 무효 또는 불법이 될 수 있기 때문에 임원으로 선임하고자 하는 자에 대해서는 반드시 그 결격사유를 확인하여야 합니다.

4.2. 주체

결격사유에 해당하는지 여부를 확인할 수 있는 주체는 △임원으로 선임되고자 하는 사람 자신, △임원으로 선임하는 사회복지법인, △임면보고를 받은 주무관청이 됩니다. 사회복지법인이나 주무관청은 해당 법인의 임원이 「사회복지사업법」을 준수하는 합법적 임원의 지위를 가질 수 있는 자인지를 확인해야 하기 때문입니다.

4.3. 시기 및 주기

최초로 임원을 선임하는 경우에는 그 선임절차를 진행하기 전인 임원 예정자일 때 해당 사회복지법인에서 결격사유를 조회해야 합니다. 주무관청은 법 제18조제6항에 따라 해당 법인의 임면보고를 받고, 필요한 경우에 결격사유 조회를 할 수 있을 것입니다.

임원으로 선임된 이후에도 해당 임원이 결격사유에 해당될 수 있으므로 해당 사회복지법이나 주무관청은 수시로 결격사유를 조회할 수 있다고 할 수 있습니다. 그러나 결격사유와 관련된 사항이 매우 민감한 개인정보라는 점, 해당 사무를 처리해야 하는 시스템 담당 부서의 인적·물적 비용이 발생한다는 점 등을 두루 고려하여 보면 결격사유의 확인으로 얻을 수 있는 편익(便益)이 개인정보보호 및 관련 비용에 비해서 매우 큰 경우에 한정해서 결격사유 해당 여부를 조회하는 것이 바람직할 것으로 판단됩니다.

4.4. 방법

결격사유 조회와 관련한 구체적인 내용은 행정안전부에서 발간하는 “결격사유 조회 업무처리요령” 및 “민원행정 및 제도개선 기본지침”을 통해서 확인이 가능합니다. 이러한 사항을 두루 고려하면 결격사유의 종류별로 다음과 같이 업무를 처리하면 적절할 것으로 판단됩니다.

4.4.1. 범죄 관련 사항

관련 법령 조문

「형의 실효 등에 관한 법률」

제6조(범죄경력조회·수사경력조회 및 회보의 제한 등) ① 수사자료표에 의한 범죄경력조회 및 수사경력조회와 그에 대한 회보는 다음 각 호의 어느 하나에 해당하는 경우에 그 전부 또는 일부에 대하여 조회 목적에 필요한 최소한의 범위에서 할 수 있다.

9. 다른 법령에서 규정하고 있는 ~ 결격사유, ~ 등을 확인하기 위하여 필요한 경우
10. 그 밖에 다른 법률에서 범죄경력조회 및 수사경력조회와 그에 대한 회보를 하도록 규정되어 있는 경우

④ 제1항에 따라 범죄경력자료 또는 수사경력자료를 회보받거나 취득한 자는 법령에 규정된 용도 외에는 이를 사용하여서는 아니 된다.

제10조(벌칙) ③ 제6조제4항을 위반하여 범죄경력자료 및 수사경력자료를 사용한 사람도 제2항과 같은 형에 처한다.

결격사유 중 범죄와 관련된 사항은 「아동복지법」, 「장애인복지법」 「노인복지법」과 같이 개별 법률에서 정하고 있는 별도의 범죄경력조회 근거에 따라서 행해지는 경우와 「사회복지사업법」과 같이 결격사유만 정해 놓은 경우 「형의 실효에 관한 법률」에 따라서 범죄경력을 조회하는 경우가 있습니다. 사회복지법인의 임원이나 사회복지시설의 시설장·종사자와 관련된 범죄경력조회는 대부분 「형의 실효에 관한 법률」에 따라서 이루어지게 됩니다. 임원을 선임하고자 하는 사회복지법인은 전과기록(前科記錄)을 관리하고 있는 경찰청에 대해서 임원 취임예정자의 범죄경력을 조회할 수 있고, 주무관청은 행정정보공동이용 시스템을 통해서 범죄경력의 확인이 가능합니다.

⚠ 유의사항 **임원 취임 예정자의 개인범죄경력확인 자료 제출은 불법!**

o 「형의 실효 등에 관한 법률」 제6조 및 제10조에서는 범죄경력자료나 수사경력자료를 법령에 규정된 용도이외에 사용할 경우 형사처벌토록 규정하고 있습니다.
- 임원 취임 예정자가 스스로 확인한 개인범죄경력확인 자료는 그 자신이 확인할 목적으로만 발급된 것이므로, 이를 제3자에게 제출하면, 제출한 자신과 이를 제출받은 자 모두 다 위의 법률 제10조에 따른 범죄를 저지르게 되는 것이므로 각별한 주의가 필요합니다.
- 사회복지법인에서 확인한 경우에도 해당 확인 자료를 주무관청에 제출한 경우에도 위와 같은 논리로 불법의 위험이 있는 점에 유의해야 합니다.

⇒ 범죄경력자료는 조회한 자나 기관만이 조회 대상자가 법령상 결격사유에 해당되는지 여부를 확인할 목적으로만 사용·활용할 수 있는 것이고, 이를 제3자에게 제출하면 처벌을 받을 수 있습니다.

4.4.2. 후견인, 파산 관련 사항

관련 법령 조문

「후견등기에 관한 법률」

제15조(등기사항증명서의 발급 등) ① 다음 각 호에 규정된 자는 후견등기관에게 사용 목적을 지정하여 후견등기부에 기록되어 있는 사항의 전부 또는 일부를 증명하는 서면(기록이 없는 경우에는 그러한 취지를 증명하는 서면을 포함하며, 이하 "등기사항증명서"라 한다)의 발급을 청구할 수 있다.

8. 국가 또는 지방자치단체(그 직무수행을 위하여 필요한 경우로 한정한다)

10. 다른 법령의 규정에 따라 등기사항증명서를 제출할 필요가 있는 자

「채무자 회생 및 파산에 관한 법률」

제313조(파산선고의 공고 및 송달) ①법원은 파산선고를 한 때에는 즉시 다음 각호의 사항을 공고하여야 한다.

미성년자, 피성년후견인, 피한정후견인은 가족관계등록 증명서를 통해서 확인할 수 있고, 파산 후 복권 여부는 등록기준지 시·구·읍·면에서 발급하는 신원증명서나 한국신용정보원에서 발급하는 신용증명조회서를 통해서 확인이 가능합니다. 주무관청도 행정정보공동이용 시스템을 통해서 결격사유 확인이 가능합니다.

4.4.3. 해임 등 기타 관련

형사범죄나 성년피후견인 등의 결격사유는 각종 시스템을 통해서 비교적 쉽게 확인이 가능합니다. 그러나 사회복지법인의 임원이었는지 여부는 본인 스스로가 밝히지 않는다면 이를 확인하기가 쉽지 않습니다. 따라서 주무관청에서는 법 제18조 제6항에 따라 임원의 임면보고를 받을 때 그 보고서식인 「사회복지사업법 시행

규칙」 별지 제10호서식에 첨부된 "「사회복지사업법」 제19조제1항 각 호의 어느 하나에 해당하지 않음을 입증하는 각서"를 반드시 받아야 합니다.

임원이 결격사유에 해당되는 때에는 시설의 장이나 종사자와는 달리 즉시 그 지위를 상실하게 되므로, 결격사유가 있음에도 불구하고 이를 속이고 임원에 취임하게 되면, 임원이 아닌 자가 임원행세를 하게 되는 것이 되어 공무(公務)나 법인의 업무를 방해함으로써 형사 범죄를 저지르게 되는 상황이 발생하게 됩니다. 사회복지법인은 이러한 상황이 발생될 수 있다는 사실을 서약서를 통해 임원 취임예정자에게 알려 경각심을 주고, 향후 해당 법인이 관련 책임을 면하기 위해 확인을 받을 필요가 있는 것입니다.

4.5. 외국인 이사의 결격사유 확인

법률 제18조제5항에서는 외국인 이사가 이사 현원(現員)의 1/2 미만이 되어야 함을 규정하고 있는 점을 미루어 보면, 외국인이 이사가 되는 것에 자체는 금지하고 있지는 않음을 알 수 있습니다. 따라서 외국인 이사의 경우도 다른 이사와 마찬가지로 결격사유에 해당되지 않아야 합니다. 다만 외국인의 경우 대한민국 국민과 달리 전산 등을 통해서 그 결격사유 해당여부를 확인하기가 어렵습니다. 따라서 외국인 이사를 선임하기 위해서는 해당 사회복지법인이 해당 외국인이 결격사유에 해당되지 않음을 증명하는 방법만이 가능할 것입니다. 「사회복지사업법」 등 사회복지 관련 법령에서는 외국인의 결격사유 확인 방법에 대해서 명확하게 정하고 있는 바가 없기 때문에 해당 외국인이 스스로 권한 있는 문서 등을 통해 입증을 하여야 할 것입니다.

유용한 TIP 외국인 결격사유 확인이 가능한 권한 있는 문서(예시)[82)]

① 「외국공문서에 대한 인증의 요구를 폐지하는 협약」을 체결한 국가의 경우
→ 해당 국가의 정부 그 밖에 권한 있는 기관이 발행한 서류이거나 공증인이 공증한 해당 외국인의 진술서로서 해당 국가의 <u>아포스티유(Apostille) 확인서 발급 권한이 있는 기관이 그 확인서를 발급한 서류</u>

② 「외국공문서에 대한 인증의 요구를 폐지하는 협약」을 체결하지 않은 국가의 경우
→ 해당 국가의 정부 그 밖에 권한 있는 기관이 발행한 서류이거나 공증인이 공증한 해당 외국인의 진술서로서 <u>해당 국가에 주재하는 우리나라 영사가 확인한 서류</u>

82) 참조 법령 : 「재외공관 공증법」 제30조, 「외국공문서에 대한 인증의 요구를 폐지하는 협약의 이행을 위한 법무부장관 소관 업무에 관한 규칙」, 「사회서비스 이용 및 이용권 관리에 관한

4.6. 확인이 어려운 경우 처리 방안

여러 가지 방법으로도 결격사유 확인이 어렵거나, 임원취임예정자가 스스로 그 결격사유를 확인해주지 않고자 하는 경우라고 한다면 해당 사회복지법인은 굳이 위·불법의 소지가 있는 자를 임원으로 선임하지 않아야 할 것입니다. 주무관청의 입장에서도 임원의 임면보고를 받았음에도 불구하고 정확한 결격사유 확인이 어려운 임원이 있는 경우 적극적인 입증을 요구하고, 만일 이를 거절한다면 보조금 지원 등 수혜적 행정처분을 전적으로 중단해야 할 것입니다.

법률 시행규칙」 제7조, 「건설기술 진흥법 시행규칙」 제21조, 「관광진흥법 시행규칙」 제2조 등

제19조의2(벌금형의 분리 선고)

제19조의2(벌금형의 분리 선고) 「형법」 제38조에도 불구하고 제19조제1항제1호의7에 규정된 죄와 다른 죄의 경합범(競合犯)에 대하여 벌금형을 선고하는 경우에는 이를 분리 선고하여야 한다.

임원의 결격사유와 관련하여 제19조제1항제1호의7가목을 적용하면, 직무 관련 특정범죄를 저지르고 100만원 이상의 벌금형이 확정되면 그 확정일로부터 5년간은 임원으로 취임할 수 없게 됩니다. 한편 직무 관련 특정범죄와 다른 범죄를 동시에 저지른 경우 이러한 범죄행위들이 경합(競合)되는 경우가 있습니다. 경합범이 되면 「형법」 제38조에 따라 가장 무거운 죄에 해당하는 형벌의 기간이나 금액을 기준으로 처벌의 정도가 정해지게 됩니다.

예컨대 임원이 직무 관련 특정범죄를 저질렀으나 해당 특정범죄가 100만원 미만의 벌금형에 해당되는 경우에는 당연히 결격사유가 적용되지 않게 됩니다. 그런데 이 경우 해당 특정범죄가 「형법」 제38조에 따라 다른 범죄와 경합되고, 그 결과로 100만원 이상의 벌금형이 확정된 경우에는 결격사유가 적용되게 됩니다. 왜냐하면 경합의 결과 확정된 벌금의 규모나 내용을 결격사유 관련 특정범죄에 의한 것과 경합된 다른 범죄에 의한 것으로 구분할 수 없으나, 특정범죄와 관련된 벌금형인 것은 분명하기 때문입니다. 즉 동일한 직무 관련 특정범죄를 저질렀지만, 다른 범죄와 경합 상황에 따라 결격사유 해당 여부가 결정되는 경우가 발생하게 되는 것입니다.

제19조의2는 이러한 상황을 해소하기 위해 신설된 조문으로 사회복지법인의 임원과 관련되는 결격사유 중 벌금형의 규모를 정하고 있는 제19조제1항제1호의7과 관련되는 범죄에 대해서는 다른 범죄와 경합되는 경우가 발생하더라도 해당 특정범죄에 대한 벌금형은 경합되는 다른 범죄와는 분리해, 해당 특정범죄에 의한 벌금액을 명확히 알 수 있도록 규정한 것입니다.

참고로 제19조제1항제1호의9에서도 결격사유의 하나로 벌금형을 규정하고 있지만, 해당 조문의 경우 벌금형의 금액 규모와는 무관하게, 벌금형을 받은 사실만으로 결격사유로 판단하기 때문에 이 조문과는 관련이 없습니다.

헌재 결정례 경합에 따른 결격사유 적용 위헌

o **사건번호** : [헌법재판소 2013헌바208, 2014. 9. 25. 결정]

o 선거범죄와 다른 죄의 동시적 경합범의 경우 변론을 분리하지 않고 하나의 형을 선고하고, 그 선고형 전부를 선거범죄에 대한 형으로 의제하여 임원 자격의 제한 여부를 확정할 수밖에 없게 함으로써, 입법목적의 달성에 필요한 정도를 넘어서는 과도한 제한을 하여 **침해의 최소성원칙**에 위반.

o 임원 선거제도의 공정성 확보라는 공익에 비하여 임원이 되고자 하거나 이미 임원으로 당선된 사람이 그 자격을 박탈당함으로써 제한받는 사익의 정도가 더 중대하다고 할 것이므로~ **과잉금지원칙에 반하여** 임원이나 임원이 되고자 하는 사람의 **직업선택의 자유를 침해**

o 선거범죄가 경미하여 그것만으로 처벌되는 때에는 100만 원 미만의 벌금형을 선고받을 수 있음에도 불구하고 다른 범죄와 경합범으로 함께 처벌되면 100만 원 이상의 벌금형이나 징역형을 선고받을 수 있어 임원직을 상실할 수도 있게 되는바, 이 사건 법률조항은 선거범죄와 다른 죄의 경합범으로 기소, 처벌되는 사람과 별도로 기소, 처벌되는 사람 사이에 합리적 이유 없이 차별대우를 하는 결과를 초래하므로 헌법상 **평등원칙에도 위반**

第20條(임원의 보충)

> **第20條(임원의 보충)** 이사 또는 감사 중에 결원이 생겼을 때에는 2개월 이내에 보충하여야 한다.

「사회복지사업법」에서는 사회복지법인의 임원에 결원이 있을 경우 2개월 내에 보충하도록 규정하고 있습니다. 이러한 규정은 이사 7명 이상, 감사 2명 이상을 반드시 두도록 규정하고 있는 第18條第1項과 호응이 되는 것으로서, 사회복지법인의 임원 관리의 엄격성을 반영하고 있는 조문이라고 할 수 있습니다. 통상 「민법」상 법인의 경우는 임원에 결원이 있다고 하더라도 의사 정족수에 영향이 없다면 결원인 상황을 용인하거나, 보다 적극적으로는 임기만료된 임원의 긴급처리권을 인정하기도 합니다. 그러나 사회복지법인 임원의 경우는 앞에서 살펴본 바와 같이 해당 법인 운영의 투명성, 공정성 등을 이유로 법률에 따라 그 비율이나 요건이 엄격하게 정해져 있기 때문에 법률에 정한 것과 달리 운영하는 것이 금지되어 있다고 할 것입니다. 법 제20조도 이러한 상황을 명확히 하기 위해서 정수에 결원이 발생하면 반드시 보충하도록 규정하고 있는 것입니다.

1. 결원의 의미

결원(缺員)의 의미에 대해서 「사회복지사업법」에서는 구체적으로 정의하고 있는 바가 없으나 국립국어원 표준국어대사전에서는 "사람이 빠져 정원에 차지 않고 비는 것"이라고 정의하고 있습니다. 이러한 정의를 사회복지법인의 임원에 대입하면, 사회복지법인 임원의 결원이란 第18條第1項에 따라 각 법인이 법률을 좇아 정관에 정하여 놓은 임원의 정수보다 그 임원의 수가 부족하게 된 상태를 의미합니다. 예를 들어 후임 이사를 선임하지 않은 채 임기만료로 퇴임한 이사가 있는 경우나, 사임 또는 사고로 인해서 이사의 정수가 부족하게 되는 경우에 결원(缺員)이 있다고 할 것입니다.

참조 판례	결원(缺員)의 의미
o **사건번호** : [대법원 2009.11.19, 자, 2008마699, 전원합의체 결정]	
o 「민법」 第63條에서 임시이사 선임의 요건으로 정하고 있는 "이사가 없거나 결원이 있는 경우"라 함은 이사가 전혀 없거나 정관에서 정한 인원수에 부족이 있는 경우를 말함.	

2. 보충의 방법

임원의 결원이 있는 경우 해당 법인의 이사회에서 임원의 보충을 위한 선임(選任) 행위가 이루어져야 하고,[83] 또한 임원을 선임하기 위한 이사회는 당연히 「사회복지사업법」에 부합되는 이사회가 되어야 합니다. 그런데 이사의 결원이 있는 경우로서 그 이사의 결원으로 인해 해당 법인의 이사회가 법 제18조에서 정하고 있는 바를 위반하게 되어 합법적으로 구성되지 않을 수도 있게 되는데, 이러한 경우에도 임원의 보충이 가능한지 여부에 대해서는 여러 가지 의견이 있을 수도 있습니다. 결론부터 말하자면 결원으로 인해 해당 법인의 이사회가 「사회복지사업법」 제18조에 부합되지 않는 이사회가 되면, 위법한 이사회가 되어 유효한 결의를 할 수 없고, 이에 따라 그 이사회에서는 임원의 보충행위를 할 수 없다고 할 것입니다. 이 경우 이른바 긴급처리권 등을 인정할 수 있다는 의견도 있으나, 법 제20조가 제18조와 무관하게 임원을 선임할 수 있도록 한 특례를 규정한 조문이라고 볼 근거가 없고, 제18조에 부합되지 않는 이사회가 되어 해당 법인의 이사회가 스스로 그 결원을 보충하지 못한다고 하더라도, 법 제22조의3에 따른 임시이사의 선임을 통해 해결이 가능하므로, 굳이 제18조를 위반하여 구성되어 있는, 위법한 이사회의 결의에 법률적 효력이 있는 것으로 해석하거나 임기가 만료된 이사의 긴급처리권을 인정할 필요가 없다고 할 것이기 때문입니다.

3. 소결(小結)

법 제20조에 따라서 결원의 보충이 가능한 경우는 사회복지법인의 임원에 결원이 발생하였더라도 남아 있는 이사들만으로 법 제18조 각 항에서 정하고 있는 기준을 모두 충족시킬 수 있는 합법적인 이사회의 구성과 그 개최가 가능한 경우로 한정됩니다. 만일 결원의 결과 법 제18조 각 항에서 정하고 있는 사항을 충족시키지 못해 합법적인 이사회 개최가 어려운 경우라면, 제22조의3에 따라 임시이사를 선임하고, 해당 임시이사가 포함된 이사회를 통해 그 결원을 보충하여야 합니다.

83) 「사회복지사업법」에서는 이사회의 기능에 대해서 정하고 있지 않지만, 「공익법인의 설립·운영에 관한 법률」 제7조에서는 이사회의 기능을 명확히 하고 있으므로 해당 조문을 준용하여 적용해야 함.

제21조(임원의 겸직 금지)

제21조(임원의 겸직 금지) ① 이사는 법인이 설치한 사회복지시설의 장을 제외한 그 시설의 직원을 겸할 수 없다.
② 감사는 법인의 이사, 법인이 설치한 사회복지시설의 장 또는 그 직원을 겸할 수 없다.

1. 겸직 금지 범위

법 제21조에서는 시설의 설치 주체를 "법인"[84]이라고만 표현하고 있기 때문에 해당 임원이 소속되어 있는 사회복지법인만을 의미하는지, 아니면 모든 사회복지법인을 의미하는지 다소 모호한 면이 있습니다. 그런데 임원의 겸직을 금지하고 있는 이 조문의 취지가 동일한 사회복지법인 내에서 발생하는 각종 업무수행에 있어 관리자와 피관리자가 혼재되어 발생하는 문제를 방지하고, 사회복지법인의 임원이 해당 법인의 사무와 관련하여 본연의 업무에 집중토록 하기 위한 것이라는 점을 충분히 고려하면서, 또한 임원 본인이 소속되어 있는 사회복지법인이 아닌 모든 사회복지법인으로 해석할 경우 자칫 「헌법」상 직업선택의 자유 침해 등과 관련한 문제의 소지도 다분히 있다는 점도 함께 종합적으로 고려하여 본다면, 임원의 겸직 금지 대상이 되는 직위는 해당 임원이 소속되어 있는 사회복지법인과 그 사회복지법인이 설치·운영하는 사회복지시설과 관련된 직위에 한정되는 것으로 해석하는 것이 바람직하다고 할 것입니다.

2. 이사의 겸직 금지

사회복지법인의 이사는 사회복지법인이 설치한 시설의 시설장만 겸직이 가능하고, 그 밖의 직원은 겸직을 할 수가 없습니다. 조문 내용상으로는 겸직 금지지만 내용은 겸직이 가능한 예외를 두고 있는 형태의 조문이므로 유의해서 해석해야 합니다. 시설장을 겸직할 수 있도록 예외를 둔 것은 시설장은 「사회복지사업법」과 그 하위 법령에서 해당 사회복지법인이 설치한 시설의 운영과 관련하여 막중한 책임을 지고 있고, 업무 수행에 있어서도 설치·운영자인 사회복지법인과의 교감(交感)이 중요하므로 이러한 사정을 충분히 고려하여, 해당 사회복지법인의 이사가 시설장을 겸직하는 것을 허용하고 있는 것으로 이해됩니다.

---

84) 「사회복지사업법」 제16조제1항에서 "사회복지법인(이하 이 장에서 "법인"이라 한다)"이라고 약칭을 사용하고 있고, 제21조도 동일한 장인 제2장에 속하므로, 여기서 "법인"이라 함은 사회복지법인을 의미함.

이러한 시설장과는 달리 시설종사자의 경우는 법인뿐만 아니라 시설장의 지휘·감독 아래에서 시설 업무에 종사하게 되므로, 이사가 시설 종사자를 겸직할 경우에는 시설장이 그 시설을 설치·운영하는 사회복지법인의 의사 결정에 관여하는 이사의 지위를 가진 종사자를 제대로 관리·감독하기 어렵다는 점 등을 들어 금지하고 있는 것으로 사료됩니다. 다만, 사회복지법인이 직접 설치한 "시설"에서의 겸직을 금지하고 있기 때문에, 해당 사회복지법인의 임원이 다른 주체가 설치한 사회복지시설에서 그와 관련한 법령을 충분히 준수하는 경우라고 한다면, 그 시설의 종사자 등은 겸직할 수 있다고 할 것입니다.

유의사항 상임(常任) 또는 상근(常勤)이사의 시설장 겸직은 불가능

o 이사의 시설장 겸직은 법 제35조제1항에서 규정하고 있는 시설장의 상근(常勤)의무와 배치되지 않는 범위 내에서만 유효하다는 점에 유의할 필요가 있습니다.
- 법인에 상근(常勤) 또는 상임(常任)하여 해당 법인의 업무를 전적으로 수행하는 상근(상임)이사의 경우 법 제21조제1항만 놓고 본다면 시설장이 될 수 있는 여지가 있으나, 법인 사무수행으로 인해 법 제35조에 따라 시설장으로서 지켜야할 상근의무를 준수하기는 어려울 것이 명확하다고 할 것이고,
- 따라서 이러한 경우에는 제21조의 규정에도 불구하고 시설장을 겸직할 수 없습니다.

유의사항 지자체 등으로 부터 수탁 받아 운영하는 시설 등의 직원 겸직 가능 여부

o 시설의 운영을 수탁한 사회복지법인의 임원이 그 수탁 운영하는 시설의 종사자 등이 되는 것을 금지하는 것도 동 조문의 입법취지에서 벗어난다고 할 수가 없을 것입니다.
- 그러나 「사회복지사업법」 제21조에서는 사회복지법인이 "설치한" 사회복지시설에 한정하고 있기 때문에, 법 제34조에 따라서 국가나 지자체가 설치한 시설을 수탁 받아 운영만 하는 경우는 포함되지 않은 것으로 볼 여지가 있습니다.
- 따라서 사회복지시설의 위·수탁 계약을 체결하는 지자체는 동 조문의 취지가 잘 반영될 수 있도록 그 계약서에 수탁 법인 임원의 직원 겸직을 제한하는 내용을 명시할 필요가 있습니다.

참조 판례 사회복지법인 이사가 시설장을 겸직할 경우 근로자가 아니라고 본 사례

o **사건번호** : [대법원 2002. 9. 24., 선고, 2002다11618, 판결]

o 사회복지법인의 이사는 사회복지법인으로부터 사회복지시설의 운영, 인사, 회계 등 전반에 걸친 권한을 위임받아 이를 독자적으로 처리하여 온 것일 뿐 그 업무집행에 관하여 사회복지법인의 구체적인 지휘 · 감독을 받는 근로자라고 볼 수 없다

[개인주석]
* 이 판례에서 지적한 사항을 반대로 해석하면 법인과 근로계약을 맺고 실제 지휘·감독을 받는다면 근로자라고 볼 여지도 있습니다.

3. 감사의 겸직 금지

감사는 사회복지법인이나 그 법인이 설치·운영하는 시설의 업무 전반에 대해서 객관적인 입장에서 업무 전반을 감시·감독할 의무가 있기 때문에, 그 감시·감독 대상인 이사, 시설장, 종사자의 직무를 겸하는 것을 금지하고 있습니다. 자기 스스로를 감시·감독할 수는 없다는 취지가 반영된 규정이라고 할 수 있습니다.

第22조(임원의 해임명령)

제22조(임원의 해임명령) ①시·도지사는 임원이 다음 각 호의 어느 하나에 해당할 때에는 법인에 그 임원의 해임을 명할 수 있다.

1. 시·도지사의 명령을 정당한 이유 없이 이행하지 아니하였을 때
2. 회계부정이나 인권침해 등 현저한 불법행위 또는 그 밖의 부당행위 등이 발견되었을 때
3. 법인의 업무에 관하여 시·도지사에게 보고할 사항에 대하여 고의로 보고를 지연하거나 거짓으로 보고를 하였을 때
4. 제18조제2항·제3항 또는 제7항을 위반하여 선임된 사람 / 5. 제21조를 위반한 사람
6. 제22조의2에 따른 직무집행 정지명령을 이행하지 아니한 사람
7. 그 밖에 이 법 또는 이 법에 따른 명령을 위반하였을 때

② 제1항에 따른 해임명령은 시·도지사가 해당 법인에게 그 사유를 들어 시정을 요구한 날부터 15일이 경과하여도 이에 응하지 아니한 경우에 한한다. 다만, 시정을 요구하여도 시정할 수 없는 것이 명백하거나 회계부정, 횡령, 뇌물수수 등 비리의 정도가 중대한 경우에는 시정요구 없이 임원의 해임을 명할 수 있으며, 그 세부적 기준은 대통령령으로 정한다.

③ 제1항에 따라 해임명령을 받은 법인은 2개월 이내에 임원의 해임에 관한 사항을 의결하기 위한 이사회를 소집하여야 한다.

→ 「사회복지사업법 시행령」 제10조의3(시정요구 없는 임원 해임명령의 세부 기준)

1. 해임명령의 법적 성격

사회복지법인의 주무관청인 시·도는 임원이 명령을 이행하지 않는 등의 위법·부당한 행위를 저질렀을 경우 임원의 임면(任免)에 대해서 권한이 있는 사회복지법인에 대해서 해당 임원을 해임토록 명할 수 있습니다. 이러한 해임명령은 어디까지나 법인을 상대로 해당 임원을 해임하도록 명하는 것으로서, 명령 그 자체로 해임의 효력이 발생되게 하는 것은 아닙니다. 즉 시·도지사가 사회복지법인에 대해서 해임명령을 내리면 해당 사회복지법인은 해임 여부를 결정할 수 있는 이사회를 소집하여 해임명령 대상인 임원을 해임하여야만 그 임원이 해임되는 것입니다.

참조 판례 사회복지법인 이사에 대한 해임명령의 효력

o **사건번호** : [대법원 2013.6.13, 선고, 2012다40332, 판결]

o 시·도지사의 해임명령은 어디까지나 법인을 상대로 해당 임원을 <u>해임하도록 명하는 것에 불과</u>한 것이지 <u>그 자체로 해임의 효력이 발생되게 하는 것은 아님.</u>

- 해임명령만 있고 이사회의 해임결의 등 위 명령을 이행하는 법인의 후속조치가 없는 경우에는 임시이사 선임의 요건인 '임원 중에 결원이 생긴 때'에 해당한다고 볼 수 없음.

종전의 사회복지법인 임원의 경우 주무관청의 승인을 받고 취임을 하였기 때문에 문제가 발생할 경우 그 취임승인을 취소하는 절차가 있었습니다. 그러나 현행법에서는 주무관청의 승인과 무관하게 법인이 자율적으로 임원을 임면한 후 그 임면 상황을 보고하는 것으로 임원의 임면절차가 구성되어 있어, 주무관청이 임원의 임면에 개입할 여지가 거의 없습니다. 이러한 상황에서 사회복지법인의 문제가 있는 임원을 효과적으로 감독하기 위한 수단으로서 해임명령 제도를 도입하게 된 것입니다.

2. 해임명령 위반의 효과

시·도지사가 임원의 해임을 명령하였음에도 불구하고, 사회복지법인이 그 대상 임원을 해임하지 않는다면 이는 법 제26조제1항제10호의 법인 설립허가 취소사유에 해당이 됩니다. 또한 법 제22조제1항제1호 및 제7호에도 해당되어 해임명령을 이행하지 않는 것에 일조한 임원 또한 해임명령의 대상이 될 수 있습니다.

3. 해임명령 사유

시·도지사는 사회복지법인의 임원이 다음 각 호의 사유에 해당되면 해당 법인에 대해서 관련 임원을 해임토록 명령할 수 있습니다.

3.1. 시·도지사의 명령을 정당한 이유 없이 이행하지 아니하였을 때

사회복지법인의 임원은 당연히 그 설립 근거 법률인 「사회복지사업법」을 준수해야 하는 것은 물론이고, 권리·의무주체로서 여러 가지 다양한 법률도 마땅히 준수해야 합니다. 나아가 그 주무관청이 법령에 근거한 명령을 하거나, 설립허가 조건 등에 근거하여 발하는 명령도 반드시 준수해야 할 의무가 있습니다. 주무관청은 이 해임사유를 적용하여 해임명령을 내리기 전에 ①사회복지법인의 임원에 대해서 이전에 내린 명령이 적법한 근거가 있었는지, ②사회복지법인의 임원이 명령을 이행하지 않은데 정당한 사유가 있는지를 먼저 검토한 후에 해임명령 절차를 진행해야 할 것입니다. 반면 사회복지법인은 해당 임원에 대한 해임명령을 받은 경우 해당 법인이나 해당 임원은 종전의 명령을 이행할 수 없었던 정당한 이유를 제시할 수도 있고, 주무관청의 명령이 법령 등에 근거가 없는 등 부당한 명령이라면 행정심판이나 행정소송 등을 통해 그 정당성을 다툴 수도 있습니다.

3.2. 현저한 불법행위 또는 그 밖의 부당행위 등이 발견되었을 때

사회복지법인의 임원이 수행하는 각종 업무나 사업에 있어서 현저(顯著)한 불법·부당행위가 발견된 경우 해당 임원은 해임명령 대상이 됩니다. 이 요건에 해당되는 불법·부당행위는 그 예로써 들고 있는 회계부정이나 인권침해 수준 정도의 행위여야 "현저"하다고 할 수 있을 것입니다. 예컨대 단순한 회계 오류 등 즉시 시정이 가능한 사안의 경우는 이에 해당된다고 보기 어렵습니다. 그러나 불법·부당행위의 대상에 대해서는 별도로 정하고 있지 않기 때문에 사회복지법인 자체 사무에서 뿐만 아니라 해당 법인이 그 목적사업의 일환으로 운영하는 사회복지 시설이나 수익사업과 관련된 사항이 모두 포함되는 것은 물론이고, 그 밖의 사항에 대해서 불법·부당행위를 저지른 것이 발견된다면 그 임원은 해임명령의 대상이 된다고 할 수 있습니다. 즉 불법·부당행위가 있다면 그것이 사회복지사업인지 여부와 무관하게 해임명령 대상에 포함이 됩니다. 아울러 이 조문은 사회복지법인 임원의 해임명령 대상 여부에 대한 것으로서, 해임과는 별개로 불법·부당행위 그 자체는 관련 법령에 따라 별도의 벌칙이 적용된다는 점도 유의해야 합니다.

개인 해석 "발견되었을 때"로 명시한 이유

- o 해임명령의 대상 되는 다른 호가 모두 임원이 불법적인 특정행위를 하거나 의무를 이행하지 않았을 때로 명시하고 있는데 반해 불법행위 등은 "발견되었을 때"를 그 대상으로 하고 있습니다.
- \- 생각건대 다른 대상은 매우 명확하게 그 가부나 여부를 판명할 수 있는 반면, 회계부정이나 인권침해의 경우는 수사·조사 등의 절차를 거쳐서 확정이 되어야 하는 것인데,
- \- 만일 명확하게 그 여부를 가린 후에 해임명령을 내리면 자칫 다른 피해가 발생할 우려가 있기 때문에 "발견"만으로도 해임명령이 가능토록 규정한 것으로 사료됩니다.

3.3. 법인 업무에 관한 보고의무 부실이행 또는 불이행

사회복지법인은 「사회복지사업법」에 따라 예·결산 등을 보고하여야 하고, 그 설립조건이나 그 밖에 다른 법률에 따라 주무관청에 보고해야 할 의무가 발생합니다. 이러한 보고의무를 지연하거나, 거짓되게 수행하였을 경우 그 보고와 관련된 법률상 벌칙과는 무관하게 해당 사항에 포함되는 임원은 해임명령의 대상이 됩니다. 이 조문의 대상이 되는 업무는 "시·도지사에게 보고해야 할 법인 업무"인데 이는 불법·부당행위의 범위에서 살펴본 바와 마찬가지로 사회복지법인 자체 사무뿐만 아니라 사회복지법인이 그 이름으로 행하는 목적사업이나 수익사업과 관련된 업무를

모두 포함한다고 할 것입니다. 다만, 보고 지연이나 허위 보고 대상이 주무관청에 대한 것이기 때문에 주무관청이 아니라 보건복지부나 그 밖에 정부부처나 기타 지자체에 대한 허위 보고 등은 이 건 사항에 직접적으로 해당되지는 않는다고 할 것입니다.85)

3.4. 임원 비율 등을 위반하여 선임된 경우

앞에서 이미 살펴본 바와 같이 사회복지법인의 임원은 법 제18조에 그 선임의 요건이나 비율 등이 매우 엄격하게 규정되어 있습니다. 따라서 이러한 요건을 위반하여 선임된 임원의 경우는 임원으로서의 자격이 있다고 보기 어렵습니다. 그러나 현행 「사회복지사업법」은 제18조를 위반하여 선임된 임원이 결격사유에 해당되는 것으로 보고 있지는 않고, 해임명령의 대상으로만 규정하고 있으므로 마치 임원으로서의 지위는 일단 인정하고, 주무관청의 재량에 따라 해임을 명령할 수 있는 것으로 조문이 구성되어 논란의 여지가 있습니다. 이러한 조문의 구성은 입법의 불비(不備)라는 논란의 여지가 다분합니다. 왜냐하면 우선 법 제18조를 위반하여 선임된 이사의 경우 그 지위가 어떠하든지 간에 법률에서 정하고 있는 요건에 부합되지 않는 자가 되므로 그 지위가 당연히 소멸되는 것은 아니지만 그 이사가 포함되어 구성된 이사회는 법 제18조를 위반한 이사회로서 그 모든 결의는 무효가 됩니다. 따라서 사회복지법인이 법 제18조를 위반하여 선임한 이사가 있는 경우에는 해당 이사에 대해 해임명령을 내리더라도, 이미 그 이사회는 위법한 이사회가 되어 그 해임명령에 따라 해당 이사를 해임할 적법한 이사회가 존재하지 않는 상황이 되므로 사실상 해임을 하지 못하게 되는 모순이 발생하기 때문입니다.86)

종래에는 이러한 모순적 상황에 대해서 법인 스스로 제18조를 위반하여 선임된 이사의 사임을 유도하거나, 소송 등을 통해 해당 이사의 지위 부존재 판결을 받는 등의 방법을 통해 이사회를 정상화시키는 노력이 필요하고, 그에 따른 모든 불편 사항은 법인 스스로가 자초한 상황이므로 이 또한 스스로 감수하는 것이 마땅한 것으로 해석하는 방법 등으로 해결 방안을 모색하였습니다. 그러나 2019년 7월 16일

---

85) 물론 이러한 상황이 발생하면 보건복지부 등은 주무관청에 대해 해당 사회복지법인이 허위 보고 등을 한 사실이 있음을 통보하고, 시정을 요청할 수 있고, 이러한 요청을 받은 주무관청은 해당 법인에 대해 보고의무를 성실히 이행토록 명령을 내릴 수 있을 것임. 이러한 명령을 성실히 이행하지 않으면 이 또한 법 제22조제1항제1호에 해당됨.

86) 감사의 경우는 이사회의 합법적 구성에 영향을 미칠 요인이 거의 없기 때문에 이사회를 개최하여 다시 해임할 수 있음.

부터 개정·시행된 「사회복지사업법」 제22조의3에 따라 이러한 문제를 입법적으로 보완할 수 있게 되었습니다. 제18조제2·3·7항을 위반하여 선임된 이사는 법 제22조에 따라 해임명령 대상이 되고, 아울러 제22조의2에 따라 직무집행 정지명령의 대상도 됩니다. 직무집행 정지명령을 받게 되면 제22조의3에 따라 해당 이사를 대신할 수 있는 임시이사를 파견할 수 있게 되었고, 이러한 임시이사의 파견을 통해 임원 비율을 위반한 이사를 적법한 이사회 결의로써 해임하는 것이 가능하게 되었습니다.

3.5. 겸직금지 의무를 위반한 경우

임원이 자신이 임원으로 있는 사회복지법인이 설치·운영하는 시설의 종사자로 근무를 하게 되면 법 제21조에 따른 겸직금지 의무를 위반하게 되는 것이므로 해임명령 대상이 됩니다.

3.6. 직무집행 정지명령을 이행하지 않은 경우

법 제22조의2에서 규정하고 있는 직무집행 정지명령을 받은 임원이 이를 이행하지 않고 직무행위를 한 경우 해임명령의 대상이 됩니다.

3.7. 「사회복지사업법」 또는 「사회복지사업법」에 따른 명령을 위반한 경우

앞에서 열거한 사항이외에 「사회복지사업법」을 위반하거나 「사회복지사업법」에 따른 각종 명령을 위반한 경우 해임명령의 대상이 됩니다.

4. 해임명령 대상 임원

해임명령 대상을 정하고 있는 법 제22조제1항 각 호 중 제4호, 제5호, 제6호의 경우는 특정한 행위를 한 임원이 그 해임 대상이 된다고 볼 수 있으나, 그 밖에 제1호부터 제3호까지와 제7호의 경우는 특정한 "때"를 규정하고 있기 때문에 어떠한 임원이 이러한 해임명령의 대상이 되는지가 다소 모호할 수 있습니다. 각각 사유에 따른 해임명령 대상을 살펴보면 다음과 같습니다.

제1호의 경우는 "시·도지사의 명령을 이행하지 아니한 경우"이기 때문에 당초 시·도지사의 명령을 받은 자가 누구인지가 가장 중요합니다. 시·도지사가 해당 사회복지법인의 특정 임원에 대해서 명령을 한 경우라면, 정당한 이유 없이 그 명령을 이행하지 않은 것도 그 특정 임원이 될 것이므로 그 임원에 대해서 해임 명령을 할 수 있을 것입니다. 그러나 시·도지사가 사회복지법인에 대해서 명령을 한 경우라면 조금 달리 볼 수 있습니다. 대표이사나 감사가 단독으로 처리하는 사무에 대해서 명령을 한 경우와 이사회의 결의가 필요한 사무에 대해서 명령을 한 경우로 나누어 볼 수 있는데, 전자의 경우라면 대표이사나 감사가 단독으로 해임명령을 받게 되고, 후자라면 시·도지사의 명령을 이유 없이 이행하지 않는 것으로 이사회에서 그 명령을 이행하기 않는다거나 그 명령에 반대되는 사항을 결의한 이사 전원이 해임명령을 받게 될 것입니다.

제2호와 관련하여서는 회계부정이나 인권침해를 직접 저지른 임원이 있다면 그 임원이 해임명령의 대상이 되는 것은 당연합니다. 다만, 제2호 규정은 특정 임원의 행위만을 전제하고 있는 것이 아니라 불법행위 등이 "발견되었을 때"라고 규정하고 있어, 사회복지법인의 업무와 관련하여 불법행위 등이 발견된 경우 직접적인 불법행위 등을 저지르지는 않았지만 그러한 불법행위 등의 발생에 대해 책임이 있거나 관련이 있는 모든 임원이 해임명령의 대상이 된다고 할 수 있습니다.

제3호의 경우도 제2호와 유사하게 접근할 수 있습니다. 우선 법령에 의해서 보고의무가 있는 임원이 지연이나 거짓으로 보고하는 한 경우에는 당연히 해임명령의 대상이 됩니다. 더불어 그러한 보고의 지연이나 거짓된 보고에 대해 책임이 있거나 관련이 있는 임원도 해임명령의 대상이 되는 것으로 볼 수 있습니다.

제4호의 경우는 제18조제2항·제3항·제7항을 위반하여 "선임된 사람"이므로, 제4호에 따른 해임명령 대상은 잘못 선임된 그 임원만 해당됩니다. 그러나 이러한 잘못된 위법적인 선임행위를 한 이사회에서 결의를 한 임원도 제7호에 해당되어 해임명령의 대상이 되는 점 유의해야 합니다.

제5호에 따라 해임명령을 받는 임원은 겸직금지를 위반한 그 임원만 해당됩니다. 그러나 이 경우도 제4호의 경우와 마찬가지로 겸직금지 의무를 위반토록 해당 임원에게 겸직을 시킨 임원도 제7호에 따른 해임명령의 대상이 될 수 있습니다.

제6호에 해당하는 임원도 직무집행 정지명령을 받았으나 이를 위반한 임원이 해임명령의 대상이 되는 것은 명백합니다. 그러나 직무집행 정지명령을 받은 임원에 대해서 직무를 수행토록 한 임원이 있다면 이 또한 "직무집행 정지명령을 이행하지 아니한 사람"으로 볼 수 있고, 따라서 해임명령의 대상이 될 수도 있습니다.

제7호의 경우는 구체적으로 「사회복지사업법」이나 「사회복지사업법」에 따른 명령을 직접 위반한 임원은 물론이고, 법이나 명령을 위반하는 행위에 대해서 결의하거나 책임이 있거나 관련이 있는 임원도 모두 해임명령 대상에 해당됩니다.

5. 해임명령 절차

5.1. 원칙

이상과 같은 해임명령은 원칙적으로 법인에게 명확한 사유를 들어서 시정을 요구하고, 15일이 경과하여도 그러한 시정요구에 응하지 않는 경우에만 실시할 수 있습니다. 이때 시정요구에 응하는 경우라고 함은 시정을 완료한다는 것이 아니라 시정요구에 대해서 소명을 하거나 시정계획을 수립하는 등 시정요구에 대해서 특별한 반응이 있는 경우를 의미합니다. 즉 주무관청에서 시정요구를 하고, 15일 이내에 이에 대해 응하지 않으면 즉시 해임명령을 하더라도 행정절차에 하자가 없다고 할 것이고, 15일 이내에 요구에 응한 경우라면 그 응한 사항을 면밀히 검토하여 해임명령을 내릴지를 판단하고, 그 판단 여부에 따라서 언제든지 해임명령이 가능합니다. 반면 「사회복지사업법 시행령」 제10조의3에서 정하고 있는 즉시 해임명령 가능 사유에 해당되지 않음에도 불구하고, 시정요구 없이 해임명령을 하였다면, 이는 하자 있는 행정행위가 됩니다.

5.2. 즉시 해임명령이 가능한 경우

관련 조문

「사회복지사업법 시행령」

제10조의3(시정요구 없는 임원 해임명령의 세부 기준) 시·도지사가 법 제22조제2항 단서에 따라 사회복지법인에 대하여 시정요구 없이 임원의 해임을 명할 수 있는 경우는 다음 각 호의 어느 하나에 해당하는 경우로 한다.

1. 시정을 요구하여도 기한 내에 시정할 수 없는 것이 물리적으로 명백한 경우
2. 임원이 해당 사회복지법인 또는 사회복지법인이 운영하는 사회복지시설의 재산·보조금에 대하여 회계부정, 횡령 또는 절취를 하거나 그 업무와 관련하여 뇌물수수 또는 배임(背任)행위를 한 경우

법 제22조제1항 각 호의 어느 하나에 해당하는 경우에는 시정요구를 한 이후에 해임명령을 하여야 하지만, 같은 조 제2항과 영 제10조의3에 따른 사유, 즉 ①시정을 요구하여도 시정할 수 없는 것이 명백하거나, ②회계부정, 횡령, 뇌물수수 등 비리의 정도가 중대한 경우에는 시정요구 없이 임원의 해임을 명할 수 있습니다. 이는 시정 자체가 불가능한 경우나, 시정요구를 할 경우 오히려 그 기간 중에 자신이 저지른 사항을 은폐할 우려 등이 있기 때문에 시정요구 없이 해임을 명할 수 있도록 한 것입니다. 이때 영 제10조의3에서 명시하고 있는 두 가지 사유는

그 성질 면에서 차이가 있습니다. 제1호의 경우는 해임명령 사유가 무엇인지 불문하고 시정이 불가능한 상황을 언급하고 있는 반면, 제2호에서는 법 제22조제1항 각 호에서 열거하고 있는 여러 가지 사유와는 별개의 또는 심화된 사유를 언급하고 있습니다. 따라서 제1호의 사유를 적용하여 즉시 해임명령을 하는 것은 크게 문제가 없지만, 제2호의 사유를 적용할 때에는 이를 법 제22조와 분리된 별개의 해임명령 사유로 보아서는 안 된다는 점에 각별한 주의가 필요합니다.

⚠ 유의사항	시행령 제10조의3은 해임명령의 근거 조문이 아님에 유의

o 해임명령을 내림에 있어 법 제22조제1항 각 호의 사유는 들지 않고, 영 제10조의3제2호의 사유만 드는 경우가 있는데, 이러한 행위는 명백하게 하자 있는 행정행위가 됩니다.
- 영 제10조의3제2호는 해임명령의 근거가 아니라, 해임명령을 함에 있어서 "별도의 시정요구 없이 즉시 해임명령을 할 수 있는 근거"에 해당되기 때문입니다.
- 따라서 시정명령 없이 해임명령을 내릴 경우 그 명령관련 공문서에는 ①법 제22조제1항 각 호의 사유를 들고, ②이러한 명령이 시행령 제10조의3 각 호의 어느 하나에 따라서 별도의 시정명령 없이 이루어진다는 점을 함께 밝혀야 하는 것입니다.

5.2.1. 시정을 요구하여도 기한 내에 시정할 수 없는 것이 물리적으로 명백한 경우

이 사유는 법 제22조제1항 각 호의 모든 사유와 관련이 되는 사유입니다. 법 제22조제1항 각 호의 모든 사유가 기한 내 시정 여부를 판단할 수 있기 때문입니다. 이와는 달리 뒤에서 설명할 회계부정 등과 관련한 즉시 해임명령 사유의 경우는 법 제22조제1항 각 호의 해임명령 대상 중 회계부정과 관련된 경우에 한해서 적용이 된다는 것과 차이가 있습니다. 이 사유는 언뜻 해석하기에 "시정을 요구해도 그 시정이 불가능한 것이 명백한 경우"라고 쉽게 이해할 수도 있겠으나, 그 표현 문구상 여러 가지 오해의 소지가 있어 이를 구체적으로 설명할 필요가 있습니다.

5.2.1.1. "기한"의 의미

우선 제1호의 사유에서 표현하고 있는 "기한"이라는 단어가 반드시 필요한 것인지 여부나, 필요할 경우 그 구체적인 의미가 어떠한 것인지를 살펴보아야 합니다. 이 사유를 언급한 문구만으로 보았을 때는 ①(어느 정도) 기한을 정하여 시정을 요구하더라도 기한 내에는 시정할 수 없는 경우, ②시정요구에 응하는 15일 이내에 시정할 수 없는 경우, ③(어느 정도의 기한인지는 알 수 없지만) 시정요구를 하여도 시정 자체가 아예 불가능하여 기한을 정하는 것이 의미가 없는 경우 중 어떤 경우를 염두에 두고 문구를 구성하였는지 그 입법 의도를 확인하기는 어렵습니다. 그러나 이 사유가 원칙적으로 시정을 요구하고 15일이 경과하여야만 해임명령을 내릴 수 있는 일반적인 사유에 대한 예외를 두기 위한 취지에서 규정된 것이라는 점을 감안하면, 시정을 요구하더라도 15일 이내에 시정이 불가능한 경우라고 판단이 된다면 즉시 해임명령을 할 수 있는 것으로 해석하는 것이 바람직할 것으로 사료됩니다. 다만, 15일 이내에는 시정이 불가능한 경우라고 하더라도 해당 사회복지법인이 노력하면 합리적인 기간 내에 시정이 가능하다면 이에 대해서는 주무관청의 재량으로 해임명령의 시기를 조절할 수 있을 것을 판단됩니다.

5.2.1.2. "물리적으로 명백한"의 의미

시정(是正)이라 함은 잘못된 것을 바로잡는 경우인데 이러한 바로잡는 행위가 물리법칙을 따를 경우 완전히 불가능 경우를 "시정할 수 없는 것이 물리적으로 명백한 경우"라고 할 수 있습니다. 예컨대 인권침해와 같은 것은 이미 그 상황이 발생되면 과거로 돌아가서 그 상황을 바로잡는 것이 물리적으로 불가능하다 할 것이고, 허가 없이 기본재산인 건물을 철거한 경우도 이미 철거된 건물을 철거 전의 동일한 건물로 그 원상을 회복하는 것도 물리적으로 불가능하므로 이러한 상황을 "시정할 수 없는 것이 물리적으로 명백한 경우"라고 할 것입니다.

5.2.2. 회계부정 등

사회복지법인과 그 사회복지법인이 운영하는 사회복지시설은 공히 투명한 운영이 담보되어야 합니다. 그럼에도 불구하고 사회복지법인의 임원이 해당 법인이나 시설의 재산·보조금에 대해서 회계부정, 횡령, 절취를 하거나, 업무와 관련하여 뇌물수수나 배임행위를 한 것이 명확하다면 별도의 시정요구 없이 그 임원에 대해 해임명령을 내릴 수 있습니다. 따라서 법 제22조제1항 각 호의 해임명령 대상 사유가 발생하였고, 이러한 사유에 영 제10조의3제2호에서 규정하고 있는 회계부정 등이 연관되어 있다면 시정요구 없이 즉시 해임명령이 가능하다고 할 것입니다. 다만, 법 제22조제1항의 해임명령 사유 중 이 규정에 따라 즉시 해임명령이 가능한 사유는 제2호, 제3호, 제7호 정도가 될 것으로 판단됩니다. 제4호나 제5호의 사유인 법 제18조를 위반하여 선임되었거나, 법 제21조의 겸직금지 의무를 위반한 임원의 경우 해당 위반 행위가 회계부정과는 직접적인 연관성이 없기 때문에 영 제10조의3 제2호를 직접 적용하기는 어렵다고 할 것입니다.

6. 해임명령 이행을 위한 이사회 소집 의무

법률 제16247호(2019.1.15. 공포, 2019.7.16. 시행)로 개정·신설된 「사회복지사업법」 제22조제3항에서는 시·도지사의 해임명령을 받은 사회복지법인은 해당 해임명령을 받은 날부터 2개월 이내에 해임관련 의결을 하기 위해 이사회를 소집하도록 의무를 부여하고 있습니다. 이는 사회복지법인의 임원이 불법행위를 자행했음에도 불구하고, 법인의 자율성에 기대어 해당 임원을 해임하지 않고, 임원의 지위를 그대로 유지시키는 사례가 발생함에 따라 이러한 상황을 방지하는 차원에서 도입된 규정입니다.[87]

6.1. 미소집 또는 미해임 시 문제

사회복지법인이 주무관청의 임원 해임명령을 받았음에도 불구하고 법 제22조제3항을 위반하여 2개월 이내에 이사회를 소집하지 않을 수도 있습니다. 또한 신설된 제22조제3항은 해임명령을 이행하기 위한 이사회 소집만을 강제하는 조문일 뿐이고, 실제 해임을 결의할지 여부는 여전히 해당 사회복지법인의 이사회가 판단하여야 하는 것이므로 해임명령이 있었음에도 불구하고, 해당 이사회에서 해임을 결의하지 않는 경우도 발생할 수 있습니다. 이러한 경우는 모두 법 제26조제1항제10호·제11호 및 제22조제1항제1호·제7호 등에 해당되어 사회복지법인의 설립허가 취소와 관련 임원의 해임명령 대상이 됩니다.

6.2. 소집불가의 문제

해임명령의 대상은 앞에서 살펴본 바와 같이 여러 가지 사유가 있습니다. 그런데 그러한 사유는 대부분 임원이 「사회복지사업법」을 위반하거나 그 밖에 불법행위를 저지를 경우 또는 이사회 구성 자체가 「사회복지사업법」을 위반하고 있는 것을 전제로 하고 있는 경우가 대부분입니다. 이러한 경우는 제18조와 관련하여 이미 살펴본 바와 같이 해당 사회복지법인의 이사회가 위법한 이사회가 되어 합법적인 결의를 할 수 없는 이사회가 되므로 소집이 이루어지더라도 해임명령에 따른 해임결의가 불가능하다는 문제점이 있었습니다.

이러한 「사회복지사업법」 조문 간 부조화 문제는 법 제22조제3항의 신설과 더불어 제22조의3제1항제2호와 같은 조 제5항을 함께 신설하여 해결하고 있습니다. 즉 제22조의3제1항제2호에서는 임원의 해임명령을 이행해야 하는 이사회를 소집할 수 없는 것이 명백한 경우 임시이사를 선임할 수 있도록 하였고, 같은 조 제5항에서는 해임명령 대상이 되어서 직무집행이 정지된 이사는 일시적으로 이사로 보지 않고, 임시이사가 해당 이사의 지위를 대신할 수 있는 것으로 명시함으로써 해임명령을 수행해야 할 이사회의 위법성을 해소할 수 있도록 하고 있는 것입니다.

---

87) 「사회복지사업법 일부개정법률안」(윤소하의원 대표발의, 의안번호 2008256) 의안원문, 1쪽 참조

제22조의2(임원의 직무집행 정지)

제22조의2(임원의 직무집행 정지) ① 시ㆍ도지사는 제22조에 따른 해임명령을 하기 위하여 같은 조 제1항 각 호의 사실 여부에 대한 조사나 감사가 진행 중인 경우 및 해임명령 기간 중인 경우에는 해당 임원의 직무집행을 정지시킬 수 있다. 다만, 제22조제1항제4호에 해당하여 해임명령을 받은 경우에는 해당임원의 직무집행을 정지시켜야 한다.

② 시ㆍ도지사는 제1항에 따른 임원의 직무집행 정지사유가 소멸되면 즉시 직무집행 정지 명령을 해제하여야 한다.

1. 요건 등

시·도지사는 ①법 제22조에 따른 해임명령을 할 목적으로, 해임명령 사유에 대한 사실 여부에 대한 조사·감사가 진행 중인 경우 또는 ②이미 해임명령을 한 경우에 한해서 해당 임원의 직무집행을 정지시킬 수 있습니다. 임원의 직무집행 정지와 관련된 시·도지사의 권한은 해임명령과 관련된 것으로 한정이 되는 것이므로 해임명령과 무관한 일반적인 상황일 경우에는 임원의 직무집행을 정지시키는 것은 불가능합니다. 이러한 임원의 직무집행정지는 임원이 더 이상 불법·부당한 행위를 지속하지 못하게 하고, 자신이 저지른 불법·부당행위를 은폐하는 것을 방지하는 데 그 큰 목적이 있습니다. 또한 법 제18조를 위반하여 선임된 임원의 경우 해당 법인의 이사회 등이 행한 법률행위에 하자를 발생시켜 그 거래 상대방이나 제3자에게 불측의 손해를 입힐 수도 있기 때문에 이를 예방하기 위해 그 직무수행을 정지시키는 것입니다.

⚠ 유의사항 조사·감사의 주체는 해당 주무관청임

o 법 제22조의2제1항 조문의 구조상 직무집행정지의 주체는 시·도지사가 되고, 해임명령도 시·도지사가 직권으로 이행하는 것이 되며, 직무집행정지는 그러한 해임명령을 전제로 실시하는 것이므로, 조사·감사의 주체도 당연히 해당 주무관청이 됩니다.

- 이 조문은 2012.1.26.에 신설된 것으로서, 당시 국회 보건복지위원회의 심사보고서 및 검토보고서[88]에서 해당 조문의 취지를 언급하면서 "감독청이~해임명령 사유를 조사 또는 감사하는 동안"이라고 밝히고 있는 점을 고려하면, 조사·감사의 주체는 당연히 해당 주무관청이 됩니다.

o 사법당국에서 수사나 조사를 하고 있다는 이유만으로 직무집행정지명령을 내리는 것은 지양해야 합니다.

- 사법당국의 수사 사안이 해임명령대상인지 확인해보고, 해당이 된다면 즉시 해임명령을 내리거나 별도의 조사·감사를 진행한 후라야 직무집행정지명령이 가능합니다.

이러한 직무집행 정지명령에 있어서 유의할 점은 임원이 법 제22조제1항 제4호에 해당(제18조제2항 · 제3항 또는 제7항을 위반하여 선임된 경우)된 경우에는 반드시 직무집행 정지명령을 하여야 한다는 것입니다. 직무집행 정지는 법 제22조에 따른 해임명령을 전제로 하고 있는데, 해임명령의 대상 중 법 제18조제2항 · 제3항 또는 제7항을 위반하여 선임된 사람의 경우는 그 선임 자체가 위법하게 이루어진 자이므로 이러한 임원이 포함된 이사회는 앞에서 이미 살펴본 바와 같이 위법한 이사회로서 적법한 결의가 불가능하게 되어 사회복지법인 운영에 매우 엄중한 악영향을 끼치게 되므로 반드시 직무집행을 정지시키도록 하는 것입니다. 반면 그 밖의 해임명령 대상은 관련 임원의 지위에 직접적으로 영향을 주는 사안이 아니므로 여전히 주무관청의 재량에 따라서 직무집행정지 여부를 판단할 수 있습니다.

2. 효과

직무집행정지가 된 임원은 일단 그 법률적인 자격은 유지가 되지만, 임원으로서의 직무는 수행할 수 없게 됩니다. 만일 이사가 직무집행정지를 당한 경우라고 한다면, 해당 이사는 법 제18조제1항에 따른 정수에는 영향을 미치지 않지만, 직무를 수행할 수 없기 때문에 의사·의결정족수에는 포함이 되지 않는다고 할 것입니다. 이에 따라 정상적인 이사회의 운영이 불가능하게 될 우려도 있으나 이러한 문제를 해결하기 위해 2019년 7월 16일에 개정·시행된 「사회복지사업법」에서는 해임을 전제로 직무집행이 정지된 이사가 있는 경우 그 이사를 대신할 임시이사 파견이 가능토록 하였고, 또한 직무집행이 정지된 이사는 해당 이사 본인의 해임명령과 관련된 이사회와 관련하여서는 이사의 지위를 인정받지 못하도록 규정하고 있습니다.

88) 「국회 보건복지위원회 검토보고서(1813769)」, 74쪽

제22조의3(임시이사의 선임)

제22조의3(임시이사의 선임) ① 법인이 다음 각 호의 어느 하나에 해당하여 법인의 정상적인 운영이 어렵다고 판단되는 경우 시 · 도지사는 지체 없이 이해관계인의 청구 또는 직권으로 임시이사를 선임하여야 한다.

1. 제20조에 따른 기간 내에 결원된 이사를 보충하지 아니하거나 보충할 수 없는 것이 명백한 경우
2. 제22조제3항에 따른 기간 내에 임원의 해임에 관한 사항을 의결하기 위한 이사회를 소집하지 아니하거나 소집할 수 없는 것이 명백한 경우

② 임시이사는 제1항에 따른 사유가 해소될 때까지 재임한다.

③ 시 · 도지사는 임시이사가 선임되었음에도 불구하고 해당 법인이 정당한 사유 없이 이사회 소집을 기피할 경우 이사회 소집을 권고할 수 있다.

④ 제1항에 따른 임시이사의 선임 등에 필요한 사항은 보건복지부령으로 정한다.

⑤ 제1항제2호에 따라 임시이사를 선임하는 경우 제22조의2제1항 단서에 따라 직무집행이 정지된 이사는 자신의 해임명령 이행을 위한 이사회와 관련해서는 이사로 보지 않으며, 이 경우 해당 임시이사가 직무집행이 정지된 이사의 지위를 대신한다.

→ 「사회복지사업법 시행규칙」 제11조(임시이사의 선임 또는 해임 청구)

1. 제도의 취지

임시이사 제도는 「사회복지사업법」의 제정 당시부터 존재하고 있었던 조문입니다. 「민법」 제63조에서도 임시이사 제도를 두고 있으나, 이를 적용하거나 준용하지 않고 임시이사 선임권자를 법원이 아닌 주무관청으로 명시하는 등 별도의 절차를 제정하여 운용하고 있는 것입니다. 「민법」의 규정을 특수법인인 사회복지법인에 그대로 준용하기에는 운영방식 등에 있어 다소 부족한 부분이 있고, 공공성이 높은 사회복지법인의 경우 보다 신속한 정상화 절차 진행이 필요한 등의 이유로 「사회복지사업법」에서 단독으로 임시이사와 관련된 사항을 별도로 상세히 규정하게 된 것으로 생각됩니다. 따라서 사회복지법인의 임시이사와 관련하여서는 「사회복지사업법」에 별도의 규정이 있으므로 「민법」상 임시이사제도를 준용할 필요가 없습니다.

임시이사 관련 법률 비교

	「민법」	「사회복지사업법」
요건	o 이사가 없거나 결원인 경우	o 결원 또는 해임명령 불이행
	o 손해발생 우려가 있을 경우	o 법인의 정상적인 운영이 어려운 경우
요청권자	o 이해관계인, 검사	o 이해관계인
선임권자	o 법원	o 시·도지사

임시이사 관련 「사회복지사업법」 연혁

적 용 기 간	선 임 요 건
제정~1998.6.30.	o 총 **이사 1/3 이상 궐위** 시 후 **1개월 이내**에 보충하지 않은 경우
1998.7.1.~2019.7.15	o **결원**이 발생한 후 **2개월 이내** 보충하지 않은 경우
2019.7.16.~	o **결원**이 발생한 후 2개월 이내 보충하지 않거나 보충할 수 없는 것이 명백한 경우 o **해임명령** 이행을 위한 이사회를 해임명령 이후 2개월 내에 소집하지 않거나, 소집할 수 없는 경우

2. 선임 요건

2.1. 정상적 운영 불가

「민법」 제63조에서는 임시이사의 선임 사유를 "손해가 생길 염려가 있는 때"라고 규정하고 있으나, 「사회복지사업법」에서는 "정상적인 운영이 어려운 경우"로 규정하고 있습니다. 즉 「사회복지사업법」에서는 그 손해 발생 여부보다 더 적극적으로, 해당 사회복지법인이 정상적으로 운영되기 어려운 경우까지 임시이사를 선임할 수 있도록 규정하고 있는 것입니다. 이는 사회복지법인이 이사의 결원에 따라 정상적인 운영에 어려움이 발생하면 그 공공성이나 투명성 등을 저해할 우려가 적지 않고, 특히 보조금의 운영·집행에 있어서도 문제의 소지가 크다고 할 것이므로, 손해발생 여부와는 관계없이 그 염려만 있어도 임시이사를 선임토록 한 것으로 사료됩니다. 정상적인 운영이 어려운 경우에는 여러 가지 상황이 있을 수도 있겠지만 이사의 결원으로 인해 해당 사회복지법인의 이사회가 법 제18조에 부합되는 합법적인 이사회를 구성하지 못하여 그 결의 등이 불가능할 때나, 결원이 발생하더라도 정상적인 이사회는 가능하지만[89] 결원이 된 자가 대표이사거나 남은 이사들 중 일부가 이사회에 참석하지 않아 의사정족수를 충족시키기 어려운 경우 등을 들 수가 있습니다. 요컨대 사회복지법인이 이사의 결원으로 인해 그 법인의 정상적인 운영을 해할 정도에 이르기만 하면, 손해의 발생 여부와 무관하게 임시이사를 선임할 수 있습니다.

89) 정원이 8명인 이사회에서 일반 선임이사 1명이 해임되거나 사임하여 결원이 된 경우로서 남은 이사 7명만으로도 법 제18조 각 항의 요건을 모두 충족시킬 수 있다면 이 이사회는 합법적인 결의가 가능

⚠ 유의사항	내부 분쟁에 따른 임시이사 선임은 불가능

o 임시이사의 선임은 사회복지법인 이사의 결원이 발생하고, 그에 따라 해당 법인의 운영에 어려움이 발생할 것으로 판단되는 경우 또는 해임명령의 이행을 하지 않거나 불가능 경우에 한정되는 것으로서 이러한 사유와는 무관하게 이사 간의 분쟁 등으로 인하여 사회복지 법인의 비정상적인 운영상황이 발생한 경우 등에는 임시이사를 선임할 수 없습니다.

2.2. 결원 미보충 또는 보충불가

2.2.1. 보충하지 아니한 경우

법 제20조에서는 이사의 결원이 생겼을 때는 2개월 이내에 보충토록 하고 있고, 법 제22조의3제1항제1호에서는 사회복지법인이 "제20조에 따른 기간"내에 결원된 이사를 보충하지 않을 경우 임시이사를 선임토록 규정하고 있습니다. 이러한 조문을 종합적으로 해석하면 사회복지법인의 이사에 결원이 발생하고 2개월 내에 이사를 선임하지 않을 경우에 임시이사를 선임할 수 있다고 할 것입니다. 즉 결원이 있고 2개월 동안 해당 사회복지법인이 자율적으로 그 결원을 보충하는 것을 기다린 후에 이사의 충원이 이루어지지 않으면 임시이사를 선임할 수 있다고 할 것입니다.

2.2.2. 보충할 수 없는 것이 명백한 경우

법 제20조와 관련하여 이미 살펴보았지만, 만일 해당 법인의 이사회가 이사를 선임할 수 없는 위법한 이사회가 되어버린 경우에는 결원이 발생하여도 이를 보충할 수 있는 이사회는 제20조에서 규정한 2개월이 지나더라도 해당 법인의 이사회가 합법화 될 수 없고, 따라서 "제20조에 따른 기간 내"에 결원된 이사를 보충하지 못하는 것이 명백한 경우가 발생하게 됩니다. 종전의 「사회복지사업법」에서는 이러한 상황에 대해서는 다소 모호한 부분이 있어 이러한 경우에도 반드시 2개월의 기간을 기다린 후에 임시이사를 선임해야 하는가 하는 논란의 여지가 있었습니다. 하지만 2019년 7월 16일부터 개정·시행된 「사회복지사업법」에서는 "제20조에 따른 기간 내에 보충할 수 없는 것이 명백한 경우"에도 임시이사를 선임할 수 있도록 명문화함으로써 규정의 모호성이 다소나마 완화되었습니다.

개인 해석 보충할 수 없는 것이 명백한 경우

- o 보충할 수 없는 것이 명백한 경우라고 함은 여러 가지 상황이 있을 수도 있겠지만 사회복지 법인이 임시이사를 선임할 수 있는 권리를 침해할 수도 있는 요건이므로 누구라도 해당 상황에 대해서 이의를 제기할 수 없는 정도의 명백한 경우가 되어야 할 것입니다.
- \- 예컨대 남아 있는 이사만으로 의사·의결정족수를 채우지 못하는 경우는 물론 법 제18조 제1항에 따른 이사 정수를 충족시키지 못하거나, 같은 조 제2항, 제3항, 제5항에 따른 비율을 맞추지 못하여 합법적인 이사회가 불가능한 경우를 들 수 있습니다.

개인 해석 종전 제22조의3와 관련된 해석

- o 종전 법 제22조의3제1항을 **문구 그대로 엄격하게 해석**한다면, 해당 법인이 2개월 내에 합법적으로 결원을 보충시킬 수 있을 지 여부에 대해서는 고려할 필요도 없고, 고려할 수 있는 명문상 근거도 없기 때문에, 일단 결원이 발생한 이후 무조건 2개월이 지난 후라야 임시이사를 선임할 수 있는 것으로 볼 여지가 있었습니다.
- \- 이러한 해석은 결원이 발생되고, 그 결원에 따라 이사회가 위법적인 상태에 빠진 것은 해당 법인이 이사회 운영을 잘못한 것으로서 그에 따른 불이익도 법인이 당연히 감수해야 한다는 측면을 고려하면 타당한 부분이 있습니다.
- o 반면 종전 법 제22조의3제1항을 법인의 정상화에 방점을 두어 해석한다면, 2개월 내에 결원된 이사를 보충하는 것이 법령해석이나 물리적으로 불가능한 경우[90]로까지 확대하여 해석할 수도 있었습니다.
- \- 즉 2개월을 기다려도 해당 법인이 결원을 충족시킬 수 없음이 명백한 경우라고 한다면, 비록 2개월 내라고 하더라도 선임이 가능하다고 해석한 것입니다.
- \- 왜냐하면 사회복지법인이 사회복지사업을 수행하고 있고, 특히 사회복지시설을 운영하고 있는 경우, 이사의 결원으로 인해 해당 법인의 이사회가 2개월간 공백이 발생하면 자칫 그 영향이 해당 법인뿐만 아니라 그 법인이 수행하고 있는 사회복지사업이나 사회복지시설의 생활·거주·이용자들에게까지 미치는 등 공공의 이익을 해할 우려도 있기 때문에 이러한 상황을 방지하는 차원에서 2개월 내에 결원된 이사를 보충할 수 없는 경우로 확대하여 해석하였던 것입니다.
- \- 물론 이러한 해석의 태도에 대해 자칫 사회복지법인의 자율성 침해라는 우려와 해당 법인이 자율적으로 해소할 수 없는 상황까지 그 자율성을 보장할 필요는 없다는 의견이 맞서기도 하였습니다.

---

90) 예컨대 7명이 정원인 사회복지법인에서 1명이 사임을 하거나, 궐위가 된 경우라면 나머지 6명의 이사만으로는 법 제18조제1항에서 규정하고 있는 사회복지법인의 이사회의 요건을 충족시킬 수 없게 되고, 이에 따라 해당 이사회는 위법한 이사회가 되어 신규 이사의 선임이 불가능하게 되므로 설령 2개월을 기다린다고 하여도 해당 이사회에서 결원된 이사를 선임할 수 없음.

2.3. 해임명령 이행 이사회 미소집 또는 소집불가

2.3.1. 이사회를 소집하지 아니한 경우

법 제22조제1항에 따른 해임명령을 받은 후 2개월이 지났음에도 불구하고 해임명령을 이행할 이사회를 소집하지 않은 경우를 의미합니다.

2.3.2. 이사회를 소집할 수 없는 것이 명백한 경우

이 조문은 제1호에서 규정하고 있는 "보충할 수 없는 것이 명백한 경우"와 매우 유사한 경우입니다. 즉, 법 제22조제1항에 따른 해임명령을 이행할 이사회가 「사회복지사업법」 제18조 각 호에 위배된 불법 이사회인 상태이거나, 의사·의결정족수를 충족시키지 못할 것이 자명한 경우에는 2개월이라는 기간을 유예한다고 하여 해임결의를 할 이사회가 합법적으로 개최될 수가 없고, 따라서 이러한 경우에는 즉시 임시이사를 파견할 수 있습니다.

⚠ 유의사항	임시이사 파견 대상 확대

o 종전 규정에서는 사회복지법인에 결원이 발생한 경우에 한해서만 임시이사의 선임이 가능하였으나 2019년 7월 12일에 개정·시행된 「사회복지사업법」에서는 결원이 발생되었을 때뿐만 아니라 해임명령의 대상이 되어 직무집행이 정지된 이사에 대해서도 해당 이사의 지위를 한시적으로 박탈하고, 그 자리에 임시이사를 선임할 수 있도록 하였습니다.

- 직무집행이 정지된 이사의 경우는 해임명령을 이행하는 이사회에 참석하는 직무조차도 금지되어 있고, 참석할 수 있다고 하더라도 그 스스로를 해임시키는 이사회에서 의사결정을 내리는 것은 적절치 않기 때문에 이러한 점을 반영하여 직무집행이 정지된 이사가 있는 경우도 임시이사를 파견할 수 있도록 확대한 것입니다.

3. 선임 청구권자

3.1. 이해관계인

임시이사는 사회복지법인의 이사 결원이나 직무집행이 정지된 이사로 인하여 해당 사회복지법인이 정상적으로 운영되지 않는 경우에 이해관계인의 청구에 따라 선임을 하게 됩니다. 이때 임시이사의 선임과 이해관계가 있는 사람은 소극적으로는 해당 사회복지법인과 법률관계가 지속되는 사람, 적극적으로는 법인의 정상적인 운영을 통해 자신의 이익을 얻거나, 손해를 최소화시킬 수 있는 사람을 의미한다고 할 수 있습니다. 따라서 사회복지법인에 대한 채권자, 사회복지법인의 다른 이사, 직원 등이 이해관계인이 될 수 있다고 할 것입니다.

참조 판례 이해관계인의 범위

o **사건번호** : [대법원 2007.5.10, 선고, 2006다85747, 판결]

o 사회복지사업법 제20조 제2항에 따라 임시이사를 신청할 수 있는 **이해관계인**에는,
- 임시이사가 선임되는 것에 관하여 법률상의 이해관계가 있는 자로서 **그 법인의 이사, 사원, 채권자** 등이 이에 속하고,
- 위 법인의 이사에는 법인의 정당한 최후의 이사였다가 퇴임한 자이거나 비록 그 선임결의의 효력이 다투어지더라도 **신청 당시에 법인의 등기부상 이사로서 법인의 업무처리를 담당해온 자** 등은 포함한다 할 것

3.2. 시·도지사 직권 결정

이해관계인 이외에도 해당 사회복지법인의 주무관청인 시·도지사는 앞에서 살펴본 "선임 요건"에 해당된다고 판단할 경우 이해관계인의 청구가 없더라도 자신의 직권으로 임시이사 선임 여부를 결정할 수 있습니다.

4. 선임권자

임시이사의 선임과 관련하여 「민법」 제63조에서는 이해관계인이나 검사의 청구에 따라 법원이 선임토록 규정하고 있지만, 그 특별법인 「사회복지사업법」에서는 사회복지법인에 특정한 상황이 발생하였을 때 시·도지사가 직권으로 선임하거나, 이해관계인의 청구에 따라 시·도지사가 선임토록 규정하고 있습니다. 즉 사회복지법인의 임시이사는 시·도지사가 그 선임권자가 됩니다.

5. 선임 시기

법 제22조의3제1항의 문구를 분석해 보면, 우선 이사 결원 등으로 법인의 정상적인 운영이 어렵다고 시·도지사가 판단을 하고, 그 이후에 이해관계인의 청구나 직권으로 임시이사를 선임토록 규정하고 있습니다. 법문에 충실하면 시·도지사가 이사의 결원 등으로 인해 해당 법인에서 발생하고 있는 여러 가지 상황을 우선 판단하고, 직권으로 임시이사를 선임하는 것은 절차상 논란의 여지가 없다고 할 것입니다. 그러나 이해관계인의 청구로 선임하는 경우에 논리적으로는 이해관계인의 청구가 우선 있고, 그러한 청구를 검토하는 과정에서 시·도지사가 법인의 정상적 운영 가능성 여부나 그에 따른 임시이사 선임여부를 판단하는 것이 바람직함에도 불구하고, 법조문은 시·도지사의 법인 정상화 가능성 여부에 대한 판단이 우선 있은 후에 이해관계인이 청구해야만 임시이사가 선임되는 것처럼 이루어져 있습니다. 해당 조문을 달리 해석하자면, 결원에 따라 정상적 운영이 어렵다고 판단

되는 사회복지법인이 있는 경우 그 어려운 정도가 심하다면 시·도지사가 직권으로, 그렇지 않다면 법인의 자율성을 보장한다는 측면에서 시·도지사가 먼저 나서지 않고 이해관계인의 청구가 있은 후에 임시이사를 선임토록 한 것으로 볼 수 있습니다. 하지만 법인의 정상적인 운영이 어렵다고 판단된다면 이를 정상화시키는 것이 시·도지사의 당연한 의무이므로 그러한 상황을 인식하였다면 직권으로 임시이사를 선임해야지, 굳이 이해관계인의 청구를 기다리는 것은 적절한 것인지에 대해서는 의문입니다. 본 조문은 시·도지사가 직접 해당 사회복지법인의 상황을 인식한 경우라면 직권으로, 인식하지 못하고 있는 경우로서 이해관계인의 청구가 있다면 그 청구에 따라 임시이사를 선임하는 것으로 해석하는 것이 바람직하고, 향후 입법적으로 이러한 취지에 부합되도록 문구를 재구성할 필요가 있을 것으로 판단됩니다.

6. 수(數)

「사회복지사업법」에서는 선임할 수 있는 임시이사의 수에 대해서는 명확하게 언급하고 있지는 않습니다. 그러나 이사의 결원되거나 직무집행 정지된 이사의 수에 따라 임시이사를 선임하는 것이므로 원칙적으로 해당된 이사의 수만큼 임시이사를 선임할 수 있다고 할 것입니다. 그러나 임시이사를 선임하는 이유가 법인의 정상화에 있고, 그 선임의 수적 한계에 대해서 규정하고 있는 바가 없다는 점을 고려하면, 단순히 결원되거나 직무집해 정지된 이사를 보충하는 것을 넘어서 법인의 운영을 정상화시킬 수 있는데 필요한 수만큼 가감하여 선임하는 것이 가능하다고 볼 여지도 있습니다.

7. 자격

「사회복지사업법」에서는 임시이사의 선임과 관련하여 그 임시이사의 적극적인 자격이나 결격사유에 대해서는 별도로 규정하지 않고 있습니다. 다만, 법 제22조의4에서 임시이사를 해임할 수 있는 사유만을 열거하고 있습니다. 따라서 이러한 법률의 논리적인 구조를 감안한다면 시·도지사는 임시이사를 선임할 때에는 적어도 법 제22조의4제1항 각 호에서 규정하고 있는 임시이사의 해임사유에 해당되지 않는 사람을 임시이사로 선임하여야 할 것입니다. 하지만 임시이사는 말 그대로 임시로 취임하는 자이므로 법인에 미칠 영향이 크지 않다는 점에 비추어 보면 법인 정상화에 가장 적합한 자로서 그를 대신할만한 자가 없다는 등의 합리적인 사유가 명백하다면 해임사유에 해당되는 자임에도 불구하고 선임할 수 있을 것입니다.

8. 권한

임시이사는 해당 사회복지법인의 정상화를 위해서 선임된 자이므로 그 정상화에 필요한 범위 내에서 정식이사(법 제18조에 따라 선임된 이사를 의미합니다. 이하 같습니다.)와 동일한 권한을 가진다고 할 수 있습니다.

참조 판례	사회복지법인 임시이사의 권한 범위
o **사건번호** : [대법원 2013.6.13, 선고, 2012다40332, 판결]	
o 사회복지법인의 임시이사는 **정식이사와 동일한 권한을 가지며**, 따라서 사회복지법인의 임시이사들에게 **정식이사 선임에 관한 의결권한이 있음**	

정상화와 무관한 직무를 수행할 수 있다고 해석할 경우, 이는 "임시"이사가 아닌 정식이사와 다를 바 없고, 결국 시·도지사가 임시이사의 선임을 통해 해당 법인의 운영에 깊숙이 관여할 수도 있는 상황이 초래될 우려도 있기 때문에 임시이사 선임 시 반드시 정상화와 관련된 사항이 무엇인지를 확실하게 명시하여야 합니다. 정상화는 통상 결원된 이사의 선임이나 직무집행이 정지된 이사의 해임이 대부분일 것으로 사료되지만, 결원된 이사의 선임 등 이외에 정상화와 관련된 사항을 배제할 수 없고, 또한 정상화라는 것이 상당히 피상적이고, 추상적인 상황일 수도 있으므로 시·도지사는 임시이사를 선임할 때 개별 사회복지법인의 정상화와 관련된 상황을 면밀하게 파악한 후 임시이사를 선임할 때 그 권한을 보다 명확히 한정하여 선임하는 것이 바람직하다고 할 수 있습니다.

유의사항	임시이사 선임 시 부관의 한계
o 임시이사 선임도 행정행위이므로 그 임기나 그 권한에 대해서 부관을 붙일 수 있으나, 임시이사 제도나 법인의 자율성과 관련된 본질적인 부분을 침해하지 않도록 유의해야 합니다. - 예컨대 현재 남아 있는 이사 중에서 대표이사를 선임한다는 취지로 임시이사의 권한을 한정할 경우 임시이사에 의해서 신규로 선임되는 이사가 대표이사가 될 수 있는 가능성을 막는 것이 되고, 이러한 상황은 해당 법인의 자율권을 침해할 여지가 적지 않아 매우 부적절한 부관이라고 할 것입니다.	

유의사항	임시이사 선임 시 제18조 관련 비율 준수 여부
o 임시이사는 정식이사와 관련된 법 규정인 제18조가 아니라 별개의 조문인 제22조의3에 따라 선임되는 자이고, 다른 이사와 달리 법인의 정상화라는 특별한 상황에서 특수한 직무를 수행하도록 임무가 주어진 자입니다.(제22조의3은 제18조에 대한 특별법적 지위의 조문) - 따라서 임시이사를 선임할 때에는 제18조에 따른 외부추천이사, 특별관계인, 외국인 비율과 무관하게 임명할 수 있습니다.	

o 예컨대 외부추천이사의 결원을 이유로 임시이사를 선임할 경우, 그 임시이사는 결원된 외부추천이사를 선임하여 해당 사회복지법인의 운영을 정상화시키는데 목적이 있는 자이므로

- 외부추천이사를 선임하는 권한은 가지고 있으나, 외부추천이사는 아니므로 그 임시이사를 선임하는 데 있어서 외부추천이사 선임의 절차를 거칠 필요도 없고, 거칠 수 있는 법률적 근거도 없습니다.

9. 재임기간

임시이사는 별도의 임기가 있는 것이 아니라 해당 법인의 정상화를 저해하는 사유가 해소될 때까지 재임하게 됩니다. 정상화를 저해하는 사유가 해소되었는지 여부는 시·도지사가 판단할 사항으로, 당초 임시이사를 선임할 때 그 선임사유를 명확하게 하여 선임사유가 해소되는 즉시 임시이사의 임기가 종료될 수 있도록 하는 것이 바람직할 것으로 판단됩니다. 임시이사의 임기를 명시적으로 정하는 것은 자칫 해당 사회복지법인이나 임시이사로 하여금 시간에 쫓겨, 성급하고 불성실하게 법인의 정상화 절차를 이행토록 할 문제도 있고, 법 제22조의3제2항에서 규정하고 있는 "사유가 해소될 때까지 재임한다."라는 문구와도 배치될 우려가 있기 때문에 적절하지는 않은 것으로 판단됩니다. 다만, 임시이사를 선임하는 행위도 행정행위라고 할 수 있을 것이므로, 임시이사의 재임과 관련하여 적절한 조건을 붙이는 것은 가능할 것으로 사료됩니다. 예컨대 "3개월 내에 이사회를 개최하여 결원된 이사를 선임하여야 한다."와 같은 조건을 임시이사 선임 시에 함께 붙이면 임기제한의 효과를 볼 수 있을 것입니다.

10. 이사회 소집 권고

시·도지사는 임시이사를 선임한 후 해당 사회복지법인이 임시이사를 포함하여 이사회를 개최함으로써 법인의 정상화에 노력해야 함에도 불구하고, 이사회 소집을 기피할 경우 이사회 소집을 권고할 수 있습니다. 만일 권고가 있었음에도 불구하고 이사회 소집을 계속하여 기피한다면, 이는 법 제22조나 제26조에서 정하고 있는 "이 법 또는 이 법에 따른 명령을 위반한 때"에 해당되어 관련 이사는 해임명령이 대상이 될 것이고, 해당 법인은 설립허가 취소에까지 이를 수도 있는 사안이 될 수 있습니다.

제22조의4(임시이사의 해임)

제22조의4(임시이사의 해임) ① 시 · 도지사는 다음 각 호의 어느 하나에 해당하는 경우 이해관계인의 청구 또는 직권으로 임시이사를 해임할 수 있다. 이 경우 제2호부터 제4호까지의 규정에 따라 임시이사를 해임하는 때에는 지체 없이 그 후임자를 선임하여야 한다.

1. 임시이사 선임사유가 해소된 경우
2. 임시이사가 제19조제1항제1호 및 제1호의2부터 제1호의8까지의 어느 하나에 해당하는 경우
3. 임시이사가 직무를 태만히 하여 법인의 정상화가 어려운 경우
4. 임시이사가 제22조제1항 각 호의 어느 하나에 해당하는 경우

② 법인은 제1항에 따라 해임된 임시이사를 이사로 선임할 수 없다.

1. 해임사유

시·도지사는 자신이 선임한 임시이사가 직무를 태만히 하는 등의 사유에 해당되면 직권(職權)이나 이해관계인의 청구에 따라서 해당 임시이사를 해임할 수 있습니다. 이때 선임사유 해소를 이유로 해임하는 경우 외의 경우에는 반드시 지체 없이 그 후임자를 선임하여 법인의 정상화에 지장이 없도록 하여야 할 것입니다.

1.1. 선임사유 해소

임시이사를 선임한 사유가 해소되면 시·도지사는 해당 임시이사를 해임할 수 있습니다. 그런데 임시이사가 업무를 성실히 수행하여 법인을 정상화시키는 경우에도 선임사유가 해소되는 경우라고 볼 수 있고, 만일 이러한 경우까지 시·도지사가 해임을 명령하게 되면, 해당 임시이사는 법 제22조의4제2항에 따라 사회복지법인의 이사로 선임될 수 없는 문제가 발생하게 됩니다. 즉 성실히 업무를 수행하고도 불이익을 받는 경우가 발생하게 되는 것입니다. 따라서 이 규정은 임시이사의 선임사유가 해소되었음에도 불구하고 해당 임시이사가 계속 해당 사회복지법인의 이사로서의 지위를 유지한 상태로 업무를 수행하고자 하는 의도를 가질 때 이를 저지할 수단으로 규정으로 한정하여 해석하는 것이 좀 더 입법취지에 부합되는 것으로 판단됩니다. 따라서 임시이사가 성실히 그 직무를 수행하여 그 결과로 선임사유가 해소되었다면, 우선 해당 임시이사의 자발적인 사임을 요구하고, 그에 응하지 않을 경우에 한해서 선임사유 해소를 이유로 해당 임시이사를 해임하는 것이 바람직할 것입니다.

1.2. 정식이사의 결격사유에 해당될 때

임시이사가 정식이사의 결격사유인 법 제19조제1항 각 호의 어느 하나에 해당될 때 그 임시이사는 해임대상이 됩니다. 이러한 결격사유의 적용에 있어 법률상 정식이사와 다른 점은 임시이사의 경우는 결격사유에 해당되더라도 자격을 당연히 상실하지는 않는다는 것입니다. 즉 정식이사는 결격사유에 해당이 되면 법 제19조제2항에 따라 즉시 자격이 상실되지만, 임시이사의 경우는 그러한 명문 규정이 없기 때문에 반드시 해임이라는 절차를 거쳐야만 됩니다. 이는 언뜻 입법의 불비로도 비춰질 수도 있겠으나, 사회복지법인의 정상화에 필요한 지식이나 경험이 있는 사람이라면 비록 정식이사의 결격사유에 해당되는 경우라고 하더라도, 임시이사라는 지위나 권한이 법인 정상화라는 것에 한정되어 있는 임시적인 것이고, 그 재임기간도 비교적 단기이며, 쉽게 해임시킬 수 있기 때문에 임시이사의 직을 유지시킬 수도 있다는 가능성이 반영된 조문이라고 해석됩니다. 물론 시·도지사는 직권이 되었건, 이해관계인의 청구가 있었건 간에 임시이사가 정식이사의 결격사유에 해당됨에도 불구하고 해당 임시이사를 해임시키지 않는다면 반드시 합당한 이유가 있어야 할 것입니다.

1.3. 직무태만에 따라 정상화가 어려운 경우

임시이사는 법인의 정상화를 위해 임시적으로 선임된 자이므로 정상화를 위해서 자신의 노력을 다해야 할 것입니다. 그러나 임시이사가 정상화 업무를 태만히 하여 법인의 정상화가 어렵다고 판단되는 경우에는 당연히 해임사유에 해당됩니다. 이 경우 태만이라 함은 소극적으로 업무를 수행하는 것뿐만 아니라, 적극적으로 업무를 수행하더라도 법인의 일반 업무에 관여하는 등 그 본래 직무인 법인의 정상화와 무관한 사안에 치우쳐 업무를 수행하는 경우도 임시이사 본연의 업무에서 벗어난 직무태만이라고 할 것입니다.

1.4. 정식이사의 해임명령 사유에 해당될 때

임시이사가 정식이사의 해임명령 사유인 법 제22조제1항 각 호의 어느 하나에 해당될 때 해임이 가능하게 됩니다. 다만 정식이사의 경우는 해임명령의 대상이 되어 법인에서 해임절차를 진행해야 하지만, 임시이사가 동일한 사유에 해당될 때는 시·도지사가 직접 해임시킬 수 있다는 차이가 있습니다.

⚠ 유의사항	법 제22조제1항의 사유를 적용할 때 유의할 점

o 법 제22조제1항 중 제1호, 제2호, 제3호, 제5호, 제6호 및 제7호는 그대로 적용하여도 크게 문제될 여지가 없습니다.
o 그러나 제22조제1항제4호의 경우는 △제18조제2항, △제18조제3항, △제18조제7항을 위반하여 선임된 경우인데, 우선 이 중 제18조제7항은 감사에 관한 사항으로서 임시이사에 대해서 적용할 여지가 없다고 할 것입니다.
- 다음으로 제18조제2항은 외부추천이사 관련 조항으로서, 이 조항이 임시이사의 해임사유가 되기 위해서는 임시이사가 외부추천이사 비율과 외부추천절차를 거치지 않았을 경우가 전제되어야 합니다. 그러나 이미 살펴본 바와 같이 임시이사의 경우 법 제22조의3제1항에 따라 지자체장이 직권으로 선임하는 이사이므로 외부추천 절차와 무관합니다. 따라서 제4호에서 언급하고 있는 제18조제3항도 결격사유로서 작용되기 어렵다고 할 것입니다.
- 끝으로 제18조제4항의 경우 특별관계에 있는 이사의 비율에 관한 것으로서, 굳이 특별관계에 있는 사람을 임시이사로 선임할 필요도 없고, 오히려 특별관계에 있는 사람을 배제하는 것이 임시이사를 통한 법인 정상화에 더 바람직하다고도 할 수 있으므로, 해당 조문을 해임의 근거로 활용하는 것은 적절하다고 할 것입니다.
o 향후 제22조의4제1항제4호에서 "제22조제1항 각 호의 어느 하나"라고 명시할 것이 아니라 조문을 보다 상세하게 규정하는 방향으로의 개정이 필요해 보입니다.

2. 해임의 효과

2.1. 정식이사에 대한 해임명령과의 차이

정식이사의 경우는 시·도지사가 선임하거나, 선임을 승인한 것이 아니므로 시·도지사가 직접 해임을 할 수 있는 권한이 없으나, 임시이사는 시·도지사가 직접 선임한 자이므로 그 해임도 직접 할 수 있다는 점에서 차이가 있습니다.

2.2. 정식이사 피선임 제한

법 제22조의4제2항에서는 "법인은 제1항에 따라 해임된 임시이사를 이사로 선임할 수 없다"라고 규정하고 있는데, 이 경우 "법인"의 범위를 어떻게 보아야 하는가 하는 문제가 발생할 수 있습니다. 우선 여기서 언급하고 있는 "법인"은 법 제16조에 따라 사회복지법인을 의미합니다.[91] 따라서 법 제22조의4제2항은 "사회복지법인은 제1항에 따라 해임된 임시이사를 정식이사로 선임할 수 없다"라고 읽어야 합니다. 그런데 이 경우 "사회복지법인"은 모든 사회복지법인을 의미하는

---

91) 법 제16조제1항에서 사회복지법인이라는 명칭을 줄여서 제2장에서는 법인으로 약칭하여 사용하도록 규정하고 있음.

것인지, 아니면 그 자신이 임시이사로 선임되었던 사회복지법인을 의미하는 것인지 불분명합니다. 해석의 방향에 따라 특정 사회복지법인의 임시이사를 역임하다가 해임된 사람은 그 사람이 임시이사로 있었던 그 사회복지법인에만 이사로 선임될 수 없거나, 아니면 모든 사회복지법인에 이사로 선임될 수 없게 되는 상황이 발생하게 됩니다. 이 조문의 해석은 조문 제정 취지를 포함한 법률의 전 취지를 미루어 판단해야 할 것으로 판단되는데, 일단 임시이사 해임사유를 각각 살펴보면 우선 정식이사의 해임사유인 제22조제1항이나, 정식이사의 결격사유인 제19조제1항 각 호의 어느 하나에 해당되어 임시이사에서 해임되는 경우라면 그 임시이사는 애당초 정식이사의 결격사유에도 해당되기 때문에 당연히 해당 사회복지법인은 물론이고 다른 어떠한 사회복지법인의 이사로도 선임될 수 없으므로, 법 제22조의4 제1항제2호 및 제3호에 해당되어 해임된 임시이사에 대해서는 제22조의4제2항에서 규정하고 있는 법인의 범위를 논할 실익이 없다고 할 것입니다. 그렇다면 제1호와 제3호의 경우가 남는데 먼저 제1호의 경우를 살펴보면, 임시이사의 선임사유가 해소되어 해임된 경우는 선임사유가 해소되었음에도 불구하고 임시이사가 자발적으로 사임하지 않는 경우에 한해서 제한적으로 적용해야 할 것인데, 특정 법인의 임시이사직을 자발적으로 사임하지 않았다고 하여 이를 다른 사회법인의 일반이사로 선임될 수 없는 사유로 확장할 경우 부당결부(不當結付)나 과잉금지 등의 법리문제 야기 우려와 함께 동 조문의 제정 취지와도 부합되지 않는다는 문제도 발생하게 됩니다. 또한 직무태만으로 하여 임시이사에서 해임된 경우도 특정 사회복지법인의 임시이사의 업무를 태만히 하였다고 하여 모든 사회복지법인 이사로서 선임될 수 없는 것으로 볼 경우도 제1호의 확장해석과 같은 불합리성이 여전히 있다고 할 것입니다. 따라서 이러한 사유를 감안하여 본다면 제22조의4제2항에서 규정하고 있는 법인은 해임된 임시이사가 임시이사로서 선임되었던 사회복지법인으로 한정하여 해석하는 것이 합리적이라고 할 것입니다.

한편 동일한 조문 내에서 정식이사로 선임될 수 있는 법인을 해석함에 있어 각각 그 기준이나 범위를 달리한다면 이는 법률의 안정성을 해치는 것이 되므로, 모든 경우를 아우를 수 있도록 해석을 하되, 과잉되거나 부족하게 해석을 하여서는 아니 될 것입니다. 그런데 법 제22조의4제2항에서 정식이사 피선임을 제한하면서 제한 기간이나 그 밖에 조건 등을 명시하고 있지 않고, 따라서 임시이사에서 해임되면 사회복지법인의 범위는 차치하고라도 일단 영구적(永久的)으로 정식이사가 될 수 없게 되는 것으로 해석이 됩니다. 이러한 엄중한 피선임권 제한을 모든 사회복지법인에 대해서 적용하는 것은 너무나도 가혹한 것이 아닐까 싶습니다. 따라서 현행 조문의 경우 일단 임시이사로 임명되었던 그 사회복지법인의 정식이사가 될 수 없는 것으로 해석하는 것이 가장 적절할 것으로 판단됩니다.

제23조(재산)

제23조(재산 등) ① 법인은 사회복지사업의 운영에 필요한 재산을 소유하여야 한다.
② 법인의 재산은 보건복지부령으로 정하는 바에 따라 기본재산과 보통재산으로 구분하며, 기본재산은 그 목록과 가액(價額)을 정관에 적어야 한다.
③ 법인은 기본재산에 관하여 다음 각 호의 어느 하나에 해당하는 경우에는 시·도지사의 허가를 받아야 한다. 다만, 보건복지부령으로 정하는 사항에 대하여는 그러하지 아니하다.
1. 매도·증여·교환·임대·담보제공 또는 용도변경을 하려는 경우
2. 보건복지부령으로 정하는 금액 이상을 1년 이상 장기차입(長期借入)하려는 경우
④ 제1항에 따른 재산과 그 회계에 관하여 필요한 사항은 보건복지부령으로 정한다.

→ 「사회복지사업법 시행규칙」 제12조(재산의 구분 및 범위) / 제13조(기본재산의 기준) / 제14조(기본재산의 처분) / 제15조(장기차입금액의 허가)

1. 의의

모든 종류의 법인은 해당 법인의 사업 수행에 필요한 재정적 기초를 갖추고 있어야 하며, 사회복지법인의 경우도 그 목적사업인 사회복지사업의 운영에 필요한 재산을 소유하여야 합니다. 필요한 재산의 규모는 사회복지사업의 운영에 충분히 필요한 정도라고 하면 될 것입니다, 만일 운영하는 사업이 많거나 그 규모가 큰 경우에는 당연히 법인이 소유하는 재산도 그 사업의 내용이나 규모에 비례하여 소유하여야 합니다.

유용한 TIP 사회복지법인이 그 목적사업을 추가하는 경우 재산 검증

o 당초 어린이집 운영을 목적사업으로 수행하던 사회복지법인이 그 정관상 목적사업에 노인복지사업을 추가하고자 한다면,
- 기존의 어린이집 운영에 필요하였던 재산의 규모와는 다른, 노인복지사업을 수행하기 위해 필요한 수준의 재산을 추가로 갖추거나 갖출 것이 확실하여야만 정관상 목적사업에 노인복지사업 관련 사항을 추가하는 변경인가가 가능합니다.

법 제23조제1항에서는 법인이 갖추어야 할 재산의 규모에 대해서 다소 추상적이기는 하지만 "사회복지사업의 운영에 필요한 정도"로 명시하고 있는 반면, 그 구체적인 종류에 대해서는 따로 정하고 있지 않습니다. "재산을 소유"할 것만을 정하고 있어 그 소유의 형태나 재산의 종류에 대해서는 여러 가지로 해석이 가능합니다. 생각건대 법 제23조제1항의 취지가 사회복지법인은 그 목적사업인 사회복지사업을 원활히 수행하기 위해서 반드시 필요한 재정적 기초를 갖추어야 한다는 것이라는 점을 고려하면, 그 재산이라는 것이 반드시 실물(實物)로 한정할

이유는 없을 것입니다. 경제적 가치가 있어 직접 또는 그 과실(果實) 등을 활용하여 사회복지사업을 수행하는 재원을 확보할 수 있는 것이면 그것이 유체(有體)재산권이나 무체(無體)재산권인지 가릴 것 없이 법 제23조제1항에서 규정하고 있는 "운영에 필요한 재산"이라고 할 수 있습니다. 요컨대 "재산을 소유하여야 한다."의 의미는 부동산(不動産)이나 동산(動産)과 같이 형태가 있는 것뿐만 아니라 채권(債權), 저작권(著作權) 등의 무형의 재산을 소유하는 것까지 모두 포함하는 것입니다.

⚠ 유의사항 유형의 재산만을 인정하는 경우

- o 「노인복지법」에 따른 일부 노인시설의 경우 반드시 설치운영자가 소유하고 있는 부동산에만 설치가 가능한 경우가 있습니다.
- \- 이러한 노인시설을 설치·운영하고자 하는 사회복지법인이라면 해당 시설을 설치할 수 있는 유형의 재산을 소유하는 경우에 한해서만, 법 제23조제1항에서 정하고 있는 바를 준수하고 있다고 할 수 있게 되는 것입니다.

⚠ 유의사항 보조금 또는 후원금은 재정적 기초가 되는 재원으로 보기 어려움

- o 목적사업 수행에 필요한 재산을 갖출 여력이 없음에도 불구하고 향후에 보조금이나 후원금으로 경비를 충당하고자 하는 경우도 있는데,
- \- 보조금이나 후원금은 사회복지법인의 의지나 노력이 있다고 해서 당연히 얻어질 수 있는 재원이 아니므로 이는 사회복지사업의 운영에 필요한 재산을 갖추거나 갖출 수 있는지 여부를 판단하는 데 고려되는 사항이 아님에 유의해야 합니다.

유용한 TIP 주식(株式)을 재산으로 할 경우 처리 방법

- o 주식도 당연히 재산적 가치가 있는 것이므로 사회복지법인의 재산으로 등재할 수 있으나, 법인설립 등에 있어 해당 법인의 재정적 기초로서 작용할 때 고려해야 할 사항이 있습니다.
- o 상장 주식인 경우 반드시 정관에 ①액면가 또는 ②재산으로 출연할 당시의 시가(時價)를 명시하되, 액면가보다 거래가가 낮은 경우는 재산으로서 인정하지 않는 것이 바람직하며,
- \- 거래가가 액면가보다 높은 경우는 선택 가능하지만, 변동이 매우 크기 때문에 액면가로도 재정기준에 충족된다면 액면가로 하는 것이 적절합니다.
- o 비상장 주식은 알려진 시장가가 없고, 액면가도 그대로 믿기 어렵기 때문에 감정평가 필요하고, 아울러 구체적인 재산적 가치를 입증하는 차원에서 최근 3년간 배당액 등의 자료도 보완할 필요가 있습니다.
- o 이러한 사항을 고려하여 재산으로 인정하되, 일정 주기로 해당 주식의 상황을 직접 확인하거나, 자료를 제출토록 조건을 달 필요가 있습니다.

2. 재산의 분류

사회복지법인의 재산은 크게 기본재산과 보통재산으로 구분을 하게 됩니다. 기본재산(基本財産)은 문자 그대로 법인의 기본이 되는 재산으로서, 주로 재단법인의 재산에 대해서 사용하는 용어로 재단법인을 구성하고 있는 재산 그 자체를 의미하기도 합니다. 사회복지법인 정관의 변경과 관련된 사항에서 이미 살펴보았지만 「사회복지사업법」 중 사회복지법인에 관한 규정은 주로 재단법인의 형태를 염두에 두고 제정된 것으로서, 사회복지법인의 기본재산도 일반 재단법인의 그것과 마찬가지로 법인을 구성하는 재산을 의미한다고 할 수 있습니다. 이에 반해 보통재산은 법인의 재산 중 기본재산이 아닌 모든 재산을 의미하며, 기본재산이 법인 존립의 근간(根幹)이라고 한다면, 보통재산은 법인을 운영하는 데 직접 사용되는 운전자금(運轉資金) 정도의 지위를 가지는 재산이라고 할 수 있습니다. 사회복지법인의 기본재산은 법 제17조제1항제5호 및 제23조제2항에 따라 정관에 반드시 그 목록과 가액을 기재해야 합니다.

2.1. 기본재산

2.1.1. 종류

2.1.1.1. 부동산

부동산은 해당 재산이 사회복지법인 소유가 되는 시점부터 별도의 인정행위나 정관 변경인가와 무관하게, 자동적으로, 당연히, 사회복지법인의 기본재산이 됩니다. 이는 법 제23조제1항에서 기본재산의 종류와 관련하여 보건복지부령에 위임을 하였고, 그 위임을 받은 시행규칙 제12조제1항제1호에서 부동산을 기본재산으로 규정하고 있기 때문입니다.

참조 판례	법령에 따라 당연히 기본재산이 되는 경우

o **사건번호** : [대법원 1994.12.22, 선고, 94다12005, 판결]

※ 「사립학교법 시행령」 제5조와 「사회복지사업법 시행규칙」 제12조는 동일한 법령 구조임

o 사립학교법시행령 제5조 제1항 제1호의 규정에 의하면 학교법인의 소유인 부동산은 당연히 학교법인의 기본재산이 된다고 볼 것이고,

- 그 부동산이 학교법인의 정관상 기본재산으로 기재되어 있지 않고 그 부동산을 기본재산으로 편입시키기로 하는 이사회의 결의가 없었거나 그 부동산의 취득에 관한 주무관청의 인가가 없었다고 하여 기본재산이 아니라고 볼 수는 없다.

유용한 TIP 부동산 소유 시점

- o 「민법」 제186조에서는 "부동산에 관한 법률 행위로 인한 물권의 득실변경은 등기하여야 그 효력이 생긴다."라고 규정하고 있으므로 부동산의 소유권을 인정받기 위해서는 소유권 이전 등기가 필수적입니다. 한편 「부동산등기법」 제6조제2항에서는 등기접수일로부터 등기의 효력이 발생하는 것으로 규정하고 있습니다.
- \- 따라서 사회복지법인의 부동산의 소유 시점, 즉 기본재산이 되는 시점은 소유권 이전 등기 접수일로 소급하여 부동산 소유권을 취득한 것이 됩니다.
- o 만일 상속이나 경매 등 「민법」 제187조에서 규정하고 있는 사유에 따라 사회복지법인이 부동산을 취득했다면 등기와 무관하게 그 원인행위가 있는 날 또는 경매 대금을 완납한 날 등이 취득시점이 됩니다.

즉 시행규칙 제12조제1항 중 제2호와 제3호의 경우 정관으로 정하거나, 이사회 결의를 통해 기본재산이 되는 것으로 규정하고 있는 반면, 부동산의 경우는 그러한 절차 규정 없이 곧바로 기본재산으로 분류하고 있기 때문에, 부동산은 그 취득과 동시에 기본재산이 되는 것입니다. 부동산의 경우는 당연히 기본재산이 되는 관계로 법 제23조제2항에 따라서 반드시 정관에 그 목록과 가액이 기재되어야 하겠지만 이러한 정관 기재의 유무는 기본재산의 지위를 확정하는 것이 아니라 확인하는 것에 불과하다는 점을 각별히 유의해야 합니다.

사례 예시 기본재산 처분과 관련된 벌칙 적용례(미등기 전매 등)

- o 일반적인 매매에 따라 부동산을 취득한 경우에는 소유권 이전 등기의 효력이 발생한 날로부터 사회복지법인의 재산이 되며, 따라서 등기 접수일 이후에 주무관청의 허가 없이 매매를 하였다면 「사회복지사업법」 제53조에 따른 벌칙 대상이 됩니다.
- \- 만일 소유권 이전 등기 없이 해당 부동산을 전매하였다면 이는 「부동산등기 특별조치법」 제8조제1호 중 "소유권등 권리변동을 규제하는 법령의 제한을 회피할 목적"으로 같은 법 제2조제2항과 제3항에 따른 의무를 위반한 행위가 되므로, 같은 법 제8조에 다른 3년 이하의 징역이나 1억원 이하의 벌금형에 처해지게 됨을 유의해야 합니다.
- o 만일 상속이나 경매 등 「민법」 제187조에서 규정하고 있는 사유에 따라 사회복지법인이 부동산을 취득했다면 등기와 무관하게 그 원인행위가 있는 날 또는 경매 대금을 완납한 날 등이 취득시점이 되므로, 그 이후에 주무관청의 허가 없이 매매를 하였다면 「사회복지사업법」 제53조에 따른 벌칙 대상이 됩니다.

유의사항 사회복지법인의 농지 소유 가능 여부

- o 「농지법」 제6조제1항에 따라 농업경영을 하는 자만 농지소유가 가능하므로 사회복지법인은 원칙적으로 농지를 재산으로 소유할 수 없습니다. 다만 다음의 경우에 한해서 예외적 농지 소유가 가능합니다.
- \- (예외1) 「농지법」 제6조제2항제2호 및 같은 법 시행규칙 제5조(별표 2) 및 제6조에 따라 사회복지법인이 실습지로 이용하는 경우에는 취득 가능[92)]
- \- (예외2) 「농지법」(법률 제8352호, 2007.4.11.) 부칙 제4조에 따라 1996.1.1. 당시 농지를 소유하고 있던 자는 계속 소유 가능

2.1.1.2. 정관에서 기본재산으로 정한 재산

정관에서 기본재산으로 정하는 재산이라 함은 법인의 소유가 될 경우 별도의 절차 없이 이를 당연히 법인의 기본재산으로 본다는 정관 규정이 있을 경우 그 정관에 따라서 당연히 기본재산이 되는 특정한 형태의 재산을 의미합니다. 마치 시행규칙 제12조제1항제1호에서 부동산을 당연히 기본재산으로 보는 것과 동일한 구조입니다. 정관에서 당연히 기본재산으로 정하는 특정한 형태의 재산의 경우는 법률과 시행규칙의 위임을 받은 정관에 따라 당연히 기본재산이 됩니다. 다만, 부동산은 이미 시행규칙에 따라 당연히 기본재산이 되므로, 정관에 따라 당연히 기본재산이 되는 것으로 규정하지 않아도 됩니다. 정관상 기본재산 목록에만 명확히 그 내용을 명시하면 됩니다. 따라서 정관에서 기본재산으로 정한 재산이라 함은 부동산을 제외한 재산 중에서 이사회 결의 등 별도의 절차 없이 기본재산으로 정하고자 하는 재산을 명시하면 됩니다.

사례 예시	정관으로 기본재산을 정하는 경우 예시
o 사회복지법인의 정관에 5,000만원 이상의 동산은 기본재산으로 한다는 규정이 있다면 해당 법인이 5,000만원 이상의 동산을 법인 명의로 구매하는 순간 별도의 절차 없이 당연히 해당 법인의 기본재산이 되는 것입니다.	

2.1.1.3. 이사회의 결의에 따라 기본재산으로 편입된 재산

만일 부동산이나 법인의 정관에서 당연 기본재산으로 정하고 있는 재산 이외의 재산을 기본재산으로 하고자 이사회에서 결의한 경우 해당 재산은 사회복지법인의 기본재산이 됩니다. 이 경우 기본재산이 되는 시기는 이사회의 결의가 완료된 때입니다.

사례 예시	이사회에서 기본재산을 정하는 경우 예시
o 앞의 사례 예시와 같이 사회복지법인의 정관에 5,000만원 이상의 동산은 기본재산으로 한다는 규정이 있음에도 불구하고, - 5,000만원 미만의 동산 중 그 희소성이나 관리의 중요성 때문에 기본재산으로 관리해야 하는 것이 있다면, 이사회에서 별도의 결의를 하여 기본재산으로 편입할 수 있습니다.	

2.1.2. 기본재산의 구분

사회복지사업 중 사회복지시설을 설치·운영하는 사회복지법인의 경우에는 그 기본재산을 다음과 같이 목적사업용 기본재산과 수익용 기본재산으로 나누어

92) 보건복지부, 「2023 사회복지법인 관리안내」, 66쪽 참조

정관에 기재해야 합니다. 단, 사회복지시설 설치·운영과 무관한 사회복지사업을 수행하는 경우에는 이러한 구분 없이 그냥 기본재산으로만 정관에 기재하면 됩니다. 사회복지법인이 소유하고 있는 기본재산을 목적사업용과 수익용으로 나누도록 하는 것은 이를 통해 해당 법인이 목적사업을 수행하는 데 필요한 재산적 기반을 갖추고 있는지를 확인하고, 수익을 내는 것을 목적으로 하는 재산이 있는 경우 이를 따로 관리하여 사회복지법인의 본연의 지위에 어긋나지 않도록 해당 재산을 유지·관리토록 하는 등에 입법적인 목적이 있었던 것으로 생각됩니다.

2.1.2.1. 목적사업용 기본재산

사회복지법인이 시설이나 그와 관련된 물적설비를 설치하는 데 직접 사용하는 기본재산을 의미합니다. 이러한 기본재산에는 사회복지시설 관련 법령에서 규정하고 있는 사회복지시설의 물적기준을 직접 충족시키기 위한 재산과 사회복지시설의 물적기준과는 다소 무관하지만 해당 사회복지시설의 원활한 설치·운영을 위해 필요한 물적설비나 재정적 기초를 갖추는 차원에서 필요한 재산을 의미합니다.

참조 판례	목적사업용 기본재산은 원칙적으로 수익사업에 활용 불가
o **사건번호** : [대법원 2000. 6. 23., 선고, 98두11120, 판결]	
o 사회복지법인은 그가 행하는 사업에 지장이 없는 범위 안에서 정관이 정하는 바에 의하여 그 사업운영에 충당하기 위하여 수익사업을 행할 수 있으나, 사회복지시설은 그 시설을 이용하여 사회복지사업을 하는 사회복지법인의 목적용 기본재산으로 원칙적으로 그 시설은 사회복지사업 자체에 쓰여져야 하는 것이고, 그 주요 부분이나 대부분을 사회복지사업 자체가 아닌 다른 수익사업에 이용케 하는 것은 사회복지사업의 수행에 지장을 초래하게 하는 것으로 그 수익사업으로 얻게 되는 수익을 사회복지사업에 직접 또는 간접으로 쓴다고 할지라도 사회복지시설 설치·운영의 본질에 반하는 것으로 허용될 수 없다.	

2.1.2.2. 수익용 기본재산

법 제28조에서 규정하고 있는 수익사업을 수행하기 위한 기본재산과 그 과실(果實)로써 사회복지법인이 목적사업을 수행하는 데 필요한 경비를 충당키 위한 기본재산을 의미합니다. 통상 사업자등록을 하고 실시하는 수익사업에 사용되는 기본재산은 당연히 수익용 기본재산이 되며, 목적사업에 활용하지 않는 기본재산 중 단순한 임대 수익이나 이자 수익이 발생되는 기본재산이 있는 경우에는 이를 수익용 기본재산으로 구분할 수 있습니다.

개인 해석 기본재산 구분의 실익 및 실무상 처리 방법

- o 목적사업을 위해서도 사용되는 기본재산이라고 하더라도 유휴(遊休) 공간 등이 있어 이를 통해 임대수익을 내기도 하는 경우가 있을 수 있습니다.
- \- 이러한 경우에 「사회복지사업법」에서는 해당 재산을 어떠한 재산으로 구분해야 할 지에 대해서는 명확히 규정하고 있지 않아 실무상 혼동의 여지가 적지 않습니다.
- o 생각건대 목적사업용이나 수익용으로 기본재산을 나누기는 하지만, 그 처분에 있어서는 동일한 법률 절차에 따라서 허가를 받아야 하는 것이고,
- \- 만일 그 종류를 달리 정하였다고 하여도 해당 기본재산에 특별한 문제가 발생할 여지도 없다는 점 등을 미루어 보면, 굳이 기본재산을 목적사업용이나 수익용으로 구분할 실익이 있는지는 의문입니다.
- \- 따라서 실무상으로는 사회복지시설에 직접 이용하는 재산은 목적사업용으로, 나머지 재산은 그 수익여부와 무관하게 수익용으로 구분하면 될 것입니다.
- \- 사회복지시설을 설치하는 데 직접 사용하지 않은 재산의 경우, 해당 재산을 아무런 수익 없이 그냥 두는 경우가 거의 없을 것이기 때문입니다.
- \- 만일 목적사업용임에도 불구하고 유휴(遊休)공간이 있어서 이를 임대할 경우 수익이 발생한다면, 이러한 임대수익이 사업자등록 등을 통해서 처리해야 할 만한 수준이 아니라면 굳이 목적사업용 기본재산에서 수익용 기본재산으로 변경할 필요는 없을 것으로 판단됩니다.
- \- 사업자등록에 이르는 정도라고 한다면, 해당 사회복지법인의 정관에 각각 목적사업용과 수익용으로 활용되는 부분을 분리하여 명시하면 될 것입니다.

개인 해석 "수익용" 기본재산과 수익사업의 관계

- o "수익사업용"이 아닌 "수익용" 기본재산이므로 수익용 기본재산에서 수익이 난다고 하더라도 사업에 이르지 않는 경우라고 한다면 관련된 수익사항을 정관에 일일이 기재할 필요는 없을 것으로 판단됩니다.
- \- 예컨대 임대용 부동산을 수익용 기본재산으로 가지고 있는 경우 해당 부동산에서 수익이 발생하더라도, 법인 소유 건물 1채에 대해서 임대차 계약을 맺은 경우 등 부동산 임대업이라고 할 규모가 아닌 때에는 굳이 정관상 수익사업에 추가할 필요는 없을 것입니다.
- o 다만 정관 별지 기본재산 목록 중 수익용 기본재산 목록에 해당 수익의 내용을 대략적으로 기재하는 방법은 고려해 볼 여지가 있습니다. (예: 임대차, 보증금 ~원, 월세 ~원)
- \- 기본재산이므로 임대차 관련 사항은 어차피 처분허가를 받아야 되므로, 기재사항에 변동이 생기면 정관변경 허가와 동시에 받으면 됨

유용한 TIP	기본재산인 현금의 이자 사용 관련 법리

o 현금인 기본재산은 「사회복지사업법」 제23조, 규칙 제12조에 미루어보면, 정관에서 기본재산으로 정하거나 이사회에서 결의한 재산에 한정됩니다.
o **(형식론적 접근)** 정관이나 이사회 결의로써 기본재산을 정할 때 특정 금액만을 기본재산으로 정하고 정관에 이를 기재하였다면 그 과실(果實)인 이자는 기본재산이 아니고, 실제 이자를 사용한다고 해서 기본재산인 원금에 변동을 가져오는 것도 아닙니다. 따라서 정관에 원금만 기재하였다면 이자는 처분허가 없이 사용이 가능합니다.(물론 기본재산 등재 시에 이자를 포함하여 기재하였다면 처분허가 필요)
o **(실질론적 접근)** 부동산인 기본재산은 사업수행을 위해 해당 재산 자체를 직접 또는 임대하는 방법으로 활용하지만, 현금은 현금 그 자체를 활용하는 것이 아니라 그 과실(果實)만을 활용할 수밖에 없는 점 고려한다면 이자의 사용을 자유롭게 할 필요가 있다고 할 것입니다.

2.1.3. 기본재산 보유기준

2.1.3.1. 시설을 설치·운영하는 사회복지법인

시설을 설치·운영할 목적으로 설립된 사회복지법인은 아래 기준에 따라 해당 사회복지시설의 종류에 부합되는 기본재산을 갖추어야 합니다. 이는 최소기준이고 시설 근거 법령에서 별도의 기준을 정하고 있는 경우에는 그러한 기준을 모두 충족시킬 수 있는 수준의 재산을 보유해야 합니다.(시행규칙 제13조)

시설거주자 보호시설 (시설거주자 10명 이상)	일반시설 사회복지관	시설 근거 법률에 따른 시설 설치기준 중 10명 이상 시설거주자를 보호할 수 있는 설치 기준에 해당하는 기본재산
	결핵·한센병 요양시설	132제곱미터 시설면적 이상에 해당하는 목적사업용 기본재산
시설거주자 보호시설 (10명 미만)	해당 법률에 의한 시설의 설치기준에 해당하는 재산	
이용시설	해당 법인이 설치·운영하고자 하는 시설을 갖출 수 있는 재산	

2.1.3.2. 사회복지사업을 지원만 하는 사회복지법인

사회복지시설의 설치·운영을 목적으로 하지 아니하고 사회복지사업을 지원하는 것을 목적으로 하는 법인은 법인의 운영경비의 전액을 충당할 수 있는 기본재산을 갖추어야 합니다. 여기서 운영경비라 함은 해당 법인 사무국 운영뿐만 아니라 그 법인이 수행하는 지원사업에 충당할 운영경비까지 의미합니다. 사회복지법인이 설립목적이 사회복지사업의 지원이라고 한다면 그 지원사업과 관련한 재산도 당연히 갖추어야 하기 때문입니다.

2.2. 보통재산

보통재산은 사회복지법인의 재산 중 기본재산을 제외한 나머지 모든 재산을 의미합니다. 법 제17조제1항제5호에서 자산을 반드시 정관에 기재토록 하고 있기 때문에 보통재산 중에서 기본재산으로 편입할 정도는 아니지만 자산적 가치가 높은 재산으로서 그 관리의 중요성이 있는 재산이라면 이를 따로 정관에 보통재산 목록을 추가한 후 그 목록에 기재하여 관리하여야 합니다.

유용한 TIP	보통재산의 정관 기재 장점
o 보통재산임에도 불구하고 정관에 기재하면 정관 변경인가를 통해서 재산을 처분해야하므로 보다 엄격하게 관리되어 특정인의 의사에 따라 임의로 처분되지 않는 등의 장점이 있습니다.	

유의사항	기본재산으로 등재되지 않은 재산 처분 시 유의사항
o 법령에 따라 당연히 기본재산이 되는 부동산이나 정관에 따라 당연히 기본재산이 되는 재산을 정관상 기본재산 목록에 기재되어 있지 않음을 이유로 이를 보통재산으로 보아 관리·처분할 경우 처벌 대상이 됩니다.	

3. 기본재산 처분허가

3.1. 의의

사회복지법인은 다른 일반법인과 달리 그 기본재산을 "매도 · 증여 · 교환 · 임대 · 담보제공 또는 용도변경"을 하려는 경우에는 반드시 시·도지사의 허가를 받아야 합니다. 이는 사회복지법인의 특수성을 고려하여 그 근간인 기본재산의 공정하고 투명한 관리를 담보하고, "매도 · 증여 · 교환 · 임대 · 담보제공 또는 용도변경"(이하 "처분"이라 합니다)이 되어 부당하게 감소되는 것을 방지하여 재정의 적정을 기함으로써 사회복지법인의 재정적 기초를 튼튼하게 하고, 그 건전한 발달을 도모하고 사회복지법인으로 하여금 그 본래의 사업목적사업에 충실하게 하려는데 그 목적이 있습니다.

헌재 결정례	기본재산 처분허가의 합헌성
o **사건번호** : [헌법재판소 전원재판부 2004헌바10, 2005.2.3. 결정]	
o 사회복지법인의 특수성을 고려하여 그 재산의 원활한 관리 및 유지 보호와 재정의 적정을 기함으로써 사회복지법인의 건전한 발달을 도모하고 사회복지법인으로 하여금 그 본래의 사업목적사업에 충실하게 하려는데 그 목적이 있으므로 그 입법목적은 정당하고, - 법인의 기본재산을 처분함에 있어 사회복지법인이 설립자나 법인 운영자의 사익이나 자의적 경영을 방지하기 위하여 보건복지부장관의 허가를 받도록 하는 것은 그 목적을 달성하는 적절한 수단이라 하지 않을 수 없다.	

특히 사회복지법인에 대해서는 보조금 등 공적자금 교부와 같은 적극적인 형태의 지원은 물론이고, 세법이나 그 밖에 각종 법률에 따른 혜택이 부여되는 등 소극적인 형태를 띤 지원도 있기 때문에, 이러한 지원을 바탕으로 형성·유지되는 사회복지법인의 기본재산은 보다 건전하게 이용·보존되어야 하며, 따라서 그 감소나 변동이 발생하는 경우라면 그에 부합되는 공공의 통제 또한 받아야 하는 것입니다.

3.2. 처분허가 대상

기본재산과 관련한 처분허가 대상은 기본재산에 대한 ①매도, ②증여, ③교환, ④임대, ⑤담보제공, ⑥용도변경 등 6가지 법률행위로 규정하고 있습니다. 각각의 용어에 대한 일반적인 정의는 다음 표와 같습니다.

개념 정리 매도 · 증여 · 교환 · 임대 · 담보제공 또는 용도변경의 대략적인 정의

- o 매도 : 재산권을 상대방에게 이전하고, 그 대금을 지급받는 것(「민법」 제563조 등)
- o 증여 : 무상으로 재산을 상대방에게 수여하는 것(「민법」 제554조)93)
- o 교환 : 금전 이외의 재산권을 상호이전하는 것(「민법」 제596조)
- o 임대 : 차임을 지급받고 목적물을 사용·수익하게 하는 것(「민법」 제618조 임대차)
  : 무상임대의 경우는 사용대차(「민법」 제609조)
- o 담보제공 : 채무불이행 시 채무의 변제를 위한 보증행위로서, 채권자의 채권 확보를 보장하기 그 재산에 제한물권 등을 설정하는 행위
- o 용도변경 : 기본재산의 본래 용도를 변경하는 행위

그런데 사회복지법인이 그 기본재산을 감소시키는 행위로서 위 표에서 정의하고 있는 6가지 행위와 다른 법률행위를 하고자 할 경우 이를 처분허가 대상으로 봐야 하는지에 대해서 여러 가지 의견이 있을 수 있습니다. 우선 기본재산 처분허가 대상이 되는 행위는 6가지 법률행위 국한된다는 의견이 있을 수 있는데, 그 근거는 기본재산 처분허가가 사회복지법인의 재산권 행사에 대한 중대한 규제이므로 규제대상의 명확성이라는 차원에서 법 제23조제3항 각 호에서 열거하고 있는 6가지 법률행위 이외의 행위는 처분허가 대상이 될 수 없다는 의견입니다.

참조 판례 기본재산 처분허가 대상

o **사건번호** : [대법원 2015.10.15, 선고, 2015도9569, 판결]

o 보건복지부장관의 허가사항으로 정하고 있는 '사회복지법인의 기본재산 임대행위'는 차임을 지급받기로 하고 사회복지법인의 기본재산을 사용, 수익하게 하는 것을 의미하고, 차임의 지급 약정 없이 무상으로 기본재산을 사용, 수익하게 하는 경우는 이에 포함되지 않는다.
※ 이 판례와 관련한 검토는 부록1 중 "기본재산 무상임대 관련 법리 정리"를 참조 바랍니다.

---

93) 사인증여, 상속은 자연인의 사망을 전제로 한 행위이므로 사회복지법인에서는 발생할 수 없음.

다른 의견으로는 6가지 법률행위뿐만 아니라 기본재산의 변동이나 실질적인 손실 또는 감소가 우려되는 행위는 모두 다 처분행위로 보아 기본재산 처분허가를 받아야 한다는 것이 있을 수 있습니다. 이러한 의견의 근거는, 6가지의 법률행위라고는 하지만 매도, 증여, 교환의 경우는 「민법」에 비교적 그 정의가 명확하고, 담보제공도 기본재산 자체를 처분하는 것은 아니지만 「민법」 규정에 따라 채무변제를 위한 보증행위의 수단으로 기본재산을 활용하는 것이라는 점을 쉽게 알 수 있는 반면, 임대[94]나 용도변경의 경우 「민법」상에도 해당 용어에 대한 정의를 두고 있지 않기 때문에 이 두 가지 경우는 결국 법률의 제정취지 등 전반적인 사항을 고려하여 기본재산의 변동이나 손실, 감소의 원인이 되는 모든 행위를 포함하는 것으로 해석하는 것이 바람직하다는 것입니다. 특히 용도변경에 관해서 헌법재판소나 대법원은 사회복지법인 기본재산의 경우 매도·증여·교환·임대·담보제공이 아닌 방법으로 사회복지법인의 기본재산을 처분하는 행위, 즉 기본재산의 현상에 변동을 일으키는 행위 중 위와 같은 입법목적을 침해할 우려가 있는 행위라고 보고 있는 점을 고려한 해석입니다.

참조 판례	기본재산 처분 중 "용도변경"의 의미
o **사건번호** : [헌법재판소 전원재판부 2005헌바66, 2006.7.27]	
o 법률의 입법목적과 용도변경의 사전적 의미 및 다른 행위와의 관계, 그리고 이 사건 법률조항의 주된 수범자가 사회복지법인의 대표자 및 임원들인 점 등을 종합하여 보면, 처분의 제한 대상으로서 <u>'용도변경'은 '매도·증여·교환·임대·담보제공이 아닌 방법으로 사회복지법인의 기본재산을 처분하는 행위, 즉 기본재산의 현상에 변동을 일으키는 행위 중 위와 같은 입법목적을 침해할 우려가 있는 행위'</u>라고 충분히 해석이 가능하다고 할 것	
o **사건번호** : [대법원 2006.11.23, 선고, 2005도5511, 판결]	
o 처분의 제한 대상으로서 <u>'용도변경'은 '매도·증여·교환·임대·담보제공이 아닌 방법으로 사회복지법인의 기본재산을 처분하는 행위</u>, 즉 <u>기본재산의 현상에 변동을 일으키는 행위 중 위와 같은 입법목적을 침해할 우려가 있는 행위'</u>라고 충분히 해석할 수 있다고 할 것	

생각건대 기본재산 처분행위를 6가지 법률행위로 엄격하게 제한할 경우, 임대나 용도변경의 정의가 불분명하기 때문에 여전히 법률적 안정성이 해쳐지는 문제가 있고, 앞에서 살펴본 대법원의 다른 판례에서도 기본재산의 현상에 변동이 있는

94) 이 조문에서 임대는 단순히 기본재산을 빌려주는 행위라는 의미로서 「민법」 제609조에 따른 사용대차나 제618조에 따른 임대차가 모두 해당된다고 볼 수 있음.

경우라고 한다면 처분 허가를 받아야 한다는 취지와도 부합되지 않는 문제가 발생합니다. 실무상 발생하는 여러 가지 사례 중 기본재산이 정부나 지자체에 수용되어 보상을 받는 경우에 대해서 6가지 법률행위를 너무 엄격하게 해석한다면 정확하게 어떠한 행위에 포함되는지 알 수 없게 되는 문제가 발생하게 됩니다. 또한 사회복지법인 중 지원법인의 경우 사회복지사업을 지원함에 있어 금전의 지원이라는 직접적인 지원뿐만 아니라 자신이 보유한 부동산을 무상으로 임대하는 소극적인 지원도 가능할 것인데 이를 6가지 법률행위를 너무 엄격하게 해석하는 앞의 판례에 따르면 이러한 행위는 배임이 되는 것으로 해석되는 문제도 있습니다. 요컨대 어떠한 입장을 취하더라도 6가지 법률행위 중 「민법」상 의미가 분명한 4가지는 그 정의대로, 그 밖에 임대나 용도변경은 4가지 법률행위이외의 행위로 기본재산에 변동, 손실, 감소 등의 문제를 야기하는 모든 법률행위로 보는 것이 가장 적절한 해석으로 판단됩니다. 실무상 사회복지법인에서는 현재 법인이 소유하고 있는 기본재산에 변동이 발생하는 모든 상황에 대해서 기본재산처분허가를 신청하는 것이 「사회복지사업법」 위반의 소지를 줄일 수 있는 가장 적절한 방법이라고 할 것입니다. 허가를 받아야 할 대상인지가 불분명할 경우 허가를 받지 않아도 될 경우에 허가를 받은 것은 불법이 아니지만, 받아야 하는 경우 허가를 받지 않은 것은 불법이 되기 때문에 일단 허가를 받는 것이 문제의 소지를 제거할 수 있는 최선의 방법이기 때문입니다. 아울러 위와 같은 기본재산 처분허가의 법리는 처분허가 신청 당시 현재 사회복지법인 소유하고 있는 기본재산에 대한 것이므로, 사회복지법인이 새롭게 기본재산을 취득하여 전체 기본재산의 증가가 발생한 경우에는 처분허가 대상이 아니라 정관상 기본재산 목록의 변경에 따른 정관 변경인가 사항이 됩니다.

참조 등기선례 「사회복지법인의 기본재산처분 허가서의 유효기간」

o **선례번호** : 등기선례 제200807-4호(2008.07.30. 제정)

o 사회복지법인이 주무관청으로부터 기본재산의 처분허가를 받아 소유권이전등기를 신청한 경우 처분허가서의 유효기간이 명시되어 있지 않을 때에는 기본재산의 처분이 끝날 때까지 허가의 효력이 유효하게 존속한다고 하더라도

- 주무관청은 그 처분허가에 대해 철회(취소)사유가 있으면 허가를 철회(취소)할 수 있으므로 그 처분허가서의 발부일이 오래되어 증명력이 의심스러울 때에는 형식적 심사권 밖에 없는 등기관으로서는 그 처분허가가 아직 유효하다는 것을 소명하는 자료의 제출을 요구할 수 있는바, 이는 반드시 재허가서의 제출을 의미하는 것은 아니므로 그 허가가 유효하다는 내용으로 주무관청이 작성한 서면을 제출할 수 있다.

(2008. 7. 30. 부동산등기과-2061 질의회답)

유용한 TIP 기본재산 처분에 대한 조건부 허가

o 기본재산을 처분하기 위해서는 이사회 결의 등의 매우 복잡한 과정을 거쳐야 합니다. 이는 기본재산 처분의 신중을 기함으로써 법인의 재정적 안정을 도모하기 위한 불가피한 과정이라고 할 것입니다.
- 그런데 기본재산이 현금이나 부동산으로 존재하는 경우 유효적절한 수익 창출을 위해서는 투자나 임대 등 경제행위가 수반되고, 그러한 행위에는 신속성을 요하는 경우가 많습니다.
- 만일 경제행위마다 건건이 처분허가를 받는다면, 적기를 놓쳐서 제대로 된 이익을 실현하지 못하고, 이에 따라 법인의 운영상 문제가 발생할 여지도 적지 않습니다.
- 따라서 사회복지법인이 보유재산을 최적화하여 활용함으로써 적절한 수익을 낼 수 있도록 하기 위해 특정 기본재산에 대해서는 해제조건부로 조건을 붙여 그 처분을 허가하는 방안을 고려할 수 있을 것입니다.

o 예컨대 처분 가능한 현금의 비율이나, 상품의 신용등급 등을 정해서 이를 준수하는 조건으로 해당 기본재산을 비교적 자유롭게 처분할 수 있는 처분허가를 할 경우 기본재산의 규모는 유지하면서도 이율이 높은 금융상품에 가입, 채권의 매입 등을 신속하게 진행할 수 있을 것입니다.

[조건부 허가 예시]
① 현금: 기본재산 현금 중 50%(또는 특정액)는 제1금융권 예·적금 상품 가입·해지 가능
② 투자: 기본재산 현금 중 50%(또는 특정액) 내에서 신용등급 A+ 이상 채권 투자 가능
③ △3년 주기로 기본재산 처분허가를 갱신할 것, △결산 보고(또는 분기별·반기별) 시에 관련 거래 및 수익 관련 실적을 별도로 보고할 것

3.3. 허가를 받지 않아도 되는 처분행위

기본재산의 처분과 관련한 행위 중 시행규칙 제14조에서는 임대계약을 “기존 계약조건과 동일한 조건으로 갱신(更新)”하는 경우에는 시·도지사의 허가를 받을 필요가 없는 것으로 명시하고 있습니다. 이는 2019년 1월 4일에 개정된 것으로서 종전에 “갱신”하는 경우로만 표현하고 있던 것을 보다 명확히 변경한 것입니다. 이 조문에 따르면 기본재산과 관련된 임대계약에 있어서 변동이 있다면 원칙적으로는 처분허가를 받아야 하지만, 기존 계약조건과 동일한 조건으로 갱신하는 경우에 한해서는 허가를 받지 않아도 되는 것입니다. 이때 갱신의 의미에 대해서는 해당 조문이나 「사회복지사업법」 전반에서 여전히 명확하게 정의를 하거나 설명하고 있지는 않기 때문에 그 의미나 범위와 관련하여서는 여러 가지 의견이 있을 수 있습니다. 이러한 갱신의 의미나 범위에 대해서 살펴보면 다음과 같습니다.

먼저 갱신의 사전적인 의미를 살펴보면, 국립국어원 표준국어대사전에서는 갱신을 “법률관계의 존속 기간이 끝났을 때 그 기간을 연장하는 일”이라고 정의하고 있습니다. 다음으로 기본재산의 임대와 밀접한 관련이 있는 법률 중 「상가건물

임대차보호법」 제10조제3항을 보면 “갱신된 임대차는 전 임대차와 동일한 조건으로 다시 계약된 것”이라고 규정하고 있는데, 이 경우 갱신은 임대차계약의 기간 이외에는 모든 사항이 동일하다는 것으로서 사전적 의미와 동일한 의미로 사용이 되고 있는 것을 알 수 있습니다. 반면 「주택임대차보호법」 제6조제1항에서는 “계약조건을 변경하지 아니하면 갱신하지 아니한다는 뜻”을 통지할 수 있는 것으로 표현하고 있는데 이러한 조문을 반대 해석하면, 계약조건을 변경하여 갱신할 수 있다고 볼 수 있습니다. 이 경우의 갱신은 단어 그대로 계약의 조건 중에 무엇인가 새로운 것으로 변경한다는 의미로 볼 수 있습니다. 굳이 계약기간에만 한정하여 사용되는 단어는 아니라고 할 수도 있습니다. 또한 먼저 언급한 「상가건물 임대차보호법」 제10조제3항의 단서에서는 모든 조건이 동일하게 그 계약기간만 변경되는 갱신임에도 불구하고 경제 사정 등을 반영하여 차임과 보증금을 일정 범위 내에서 증감할 수 있도록 허용하고 있어, 갱신의 내용 안에 계약기간의 변경 이외의 사항도 포함될 가능성이 있음을 보여주고 있습니다.

관련 법령 조문

「상가건물 임대차보호법」

제10조(계약갱신 요구 등) ③ **갱신되는 임대차는 전 임대차와 동일한 조건으로 다시 계약된** 것으로 본다. 다만, 차임과 보증금은 제11조에 따른 범위에서 **증감할 수 있다.**

「주택임대차보호법」

제6조(계약의 갱신) ① 임대인이 임대차기간이 끝나기 6개월 전부터 1개월 전까지의 기간에 임차인에게 갱신거절(更新拒絶)의 통지를 하지 아니하거나 **계약조건을 변경하지 아니하면 갱신하지 아니한다는** 뜻의 통지를 하지 아니한 경우에는 그 기간이 끝난 때에 전 임대차와 동일한 조건으로 다시 임대차한 것으로 본다. 임차인이 임대차기간이 끝나기 1개월 전까지 통지하지 아니한 경우에도 또한 같다.

이러한 사항들을 종합하여 보면, 갱신이라는 단어가 사전적인 의미와 같이 굳이 기간의 변경에 국한되어서 사용되는 것은 아니라고 할 수 있습니다. 이러한 의미를 그대로 받아들이면 기본재산의 임대계약의 갱신이라는 것은 계약 내용의 변동과 관련된 제반 사항은 모두 다 해당되므로, 일단 최초 임대계약에 대한 기본재산 처분허가를 받기만 하면 그 이후의 변경은 허가를 받지 않아도 된다는 논리로 귀착되게 됩니다. 하지만 「사회복지사업법」에서 사회복지법인이 그 기본재산을 처분할 때 주무관청의 허가를 받도록 규정한 것은 사회복지사업의 운영에 필요한 재산이 임의로 처분되어 사회복지법인의 재정상태가 부실화되는 것을 방지하고 사회복지사업의 공정·투명·적정을 기함으로써 사회복지의 증진에 이바지함에 있는 것으로서, 이러한 취지를 고려하면 재산의 임의처분에 이르거나 재정 상태 부실화를 야기하는 수준의 임대계약의 갱신까지 모두 허가를 받지 않아도 되는 갱신으로 보는 것은 「사회복지사업법」의 취지에 어긋나는 해석이라고 할 수 있습니다.

사례 예시 계약 갱신의 예시

[임대기간의 변경]

o 원칙적으로 변경허가를 받을 필요는 없으나, 통상 임대기간(2년)을 넘어서는 장기 임대계약으로 변경하는 경우 해당 기본재산의 재산권 행사에 제한이 가해질 뿐만 아니라, 「주택임대차계약법」이나 「상가임대차계약법」 등에서 규정하고 있는 보증금의 합법적인 인상 또한 제한할 여지가 있으므로 이 경우 주무관청의 허가를 받는 것이 바람직할 것입니다.

[임대보증금의 변경]

o 「주택임대차보호법」에서는 임대차 계약이 갱신되더라도 임대인이 보증금을 일정 범위 이상 인상하는 것을 허용하고 있고, 임대 보증금의 경우 해당 기본재산에 대한 임대차 계약의 채무를 담보하기 위한 것으로서 종전보다 그 금액을 증액하는 경우, 증액된 금액 자체로만 놓고 보면 임대차계약에 있어서 보증력을 강화하는 것이 되어, 기본재산과 관련한 권한 등에 불이익이 없을 것으로 보여질 수는 있을 것이나,

- 보증금도 결국은 향후에 반환하여야 할 재원이므로 그 금액이 증액된 경우 반환 시에 오히려 부담으로 작용할 여지가 있다는 점 등에서 반드시 해당 법인에 유리할 것이라고 보기는 어렵다고 할 것이고, 보증금을 감액하는 경우라고 한다면, 해당 기본재산의 가치가 감소되는 것과 같은 외형을 가지게 되고, 보증금 감액 자체가 해당 법인의 재정 상태에 직접적인 영향을 미치는 것이라고 할 수 있습니다.
- 따라서 임대보증금이 변동되는 경우에 주무관청의 허가를 받아야 할 것입니다.

[계약 상대방 변경]

o 임대계약상 임차인을 변경하는 것은 해당 임대계약의 갱신이 아니라 기존 계약을 해지하고 새로운 계약을 체결하는 것이라 갱신이 아니므로 허가를 받아야 합니다.

생각건대 임대계약의 각종 조건을 변경하는 갱신의 경우 사회복지법인 재정의 부실화를 초래하지 않는 범위 내에서 이루어지는 경우에만 기본재산 관련 허가를 받지 않아도 된다고 할 것입니다. 즉 주무관청이 최초로 허가한 임대계약 내용 중 해당 부동산과 관련한 권리·의무관계에 영향을 미치지 않는 사항의 갱신에 한정되는 것이라고 해석하는 것이 바람직하다고 할 수 있을 것입니다. 따라서 실무상으로는 기간 갱신에 한해서만 허가를 받지 않아도 되는 것으로 사무를 처리하는 것이, 향후 발생할 수 있는 사회복지법인 기본재산 임대계약과 관련하여 발생할 우려가 있는 각종 분쟁에 적절하게 대응할 수 있는 최선의 방안이라고 사료됩니다.[95]

참조 판례 계약기간 변경을 갱신으로 본 사례

o **사건번호** : [대법원 2013.9.12, 선고, 2012도15453, 판결]

o 임대차 계약변경과 관련한 기본재산 처분허가를 불허하였고, 그 임대기간도 1년으로 하는 것으로 부관을 붙인 상황에서 단순히 임대차 계약기간만 자동 연장한 경우임
- 이에 대해 재판부는 임대기간만 연장하는 경우 재차 기본재산 처분허가를 받는다라는 내용의 부관이 있는 경우라고 하더라도 처분허가가 필요 없는 것으로 판시

해 석 례 사회복지법인의 기본재산에 관한 임대계약 갱신의 의미

o **해석번호** : [법제처 17-0694, 2018.2.14., 민원인] / [18-0078, 2018.2.14, 민원인]

o 사회복지법인이 「사회복지사업법」 제23조제3항 각 호 외의 부분 본문에 따라 시 · 도지사의 허가를 받아 임대한 기본재산을 그 임대계약 종료 후
- ① 종전의 임차인이 아닌 다른 임차인에게 다시 임대하는 경우, ② 임대료 또는 임대기간을 종전 임대계약과는 다르게 정하여 종전의 임차인에게 다시 임대하는 경우는 시행규칙 제14조제2항에 따른 "기본재산에 관한 임대계약을 갱신하는 경우"에 해당하지 않음

3.4. 기본재산 처분행위와 이사회 결의의 상관관계

기본재산 처분은 해당 법인의 재정적 기초와 관련된 사항이므로 당연히 이사회에서 충분히 토론한 후 신중하게 결정하여야 할 사항입니다. 「사회복지사업법」 제32조에 따라 준용되는 「공익법인의 설립 · 운영에 관한 법률」 제7조에서는 재산의 처분에 대해서는 반드시 이사회에서 심의·결정토록 규정하고 있습니다. 따라서 이사회의 결의 없이 기본재산을 처분하는 것은 주무관청의 기본재산 처분허가 유무와는 별개로 당연히 무효가 됩니다.

참조 판례 이사회 의결 없는 처분행위는 무효

o **사건번호** :[대법원 2002. 6. 28., 선고, 2000다20090, 판결]

o 사회복지사업법 제32조에 의하여 사회복지법인에 관하여 준용되는 공익법인의설립·운영에 관한법률 제7조에서 공익법인의 재산의 처분에 관한 사항 등을 이사회에서 심의결정한다고 한 것은 공익법인의 특수성을 고려하여 그 재산의 원활한 관리 및 유지 보호와 재정의 적정을 기함으로써 공익법인의 건전한 발달을 도모하고 공익법인으로 하여금 그 본래의 목적사업에 충실하게 하려는 데 그 목적이 있다 할 것이므로,
- 사회복지법인의 대표자가 이사회의 의결 없이 사회복지법인의 재산을 처분한 경우에 그 처분행위는 효력이 없다.

아울러 이사회 회의록 등을 위조하거나 대표이사가 단독으로 기본재산 처분허가를 받은 경우에는 별도로 처벌이 되는 점도 유의해야 합니다. 이러한 위법이나 무효인

95) 당초 보건복지부에서 「사회복지사업법 시행규칙」 제14조의 개정안을 입법예고할 당시에는 "그 기간만을 갱신"하는 경우라고 명확히 한 점도 함께 고려

상황을 미연에 방지하기 위해서는 반드시 이사회에서 기본재산 처분과 관련된 내용을 명확히 한 후 주무관청에 허가신청을 해야 할 것이고, 주무관청도 회의록에 기본재산 처분과 관련된 구체적인 심의·결정사항이 있는지를 면밀히 확인해야 합니다.

3.5. 기본재산 처분행위와 정관변경의 상관관계

기본재산은 정관의 필요적 기재 사항이므로 기본재산 처분허가가 될 경우 정관변경이 반드시 수반되어야 합니다. 따라서 사회복지법인을 운영하는 입장에서는 실무상 기본재산 처분허가 신청을 할 때 정관변경허가를 함께 요청하는 것을 적극 고려할 필요가 있습니다. 이러한 신청을 받은 주무관청은 기본재산 처분허가를 하면서 동시에 해당 처분허가의 내용대로 처분하였을 경우 변경된 기본재산을 명시한 정관에 대해서 변경허가를 내어주면 될 것입니다. 물론 정관변경허가 시에는 해당 정관변경허가는 기본재산 처분허가 내용과 동일하게 처분한 경우에 한정하고, 이후 기본재산 처분이후에 즉시 해당 사항을 보고하여야 한다는 조건을 달아야 할 것입니다. 이러한 절차에 따르면 사회복지법인 입장에서는 한 번의 이사회로 정관변경까지 가능하고, 주무관청도 1번의 심사로 2건의 행정민원이 처리되는 잇점이 있습니다. 다만 이러한 절차를 진행할 때 사회복지법인은 기본재산처분허가 및 정관변경허가 신청을 각각 다 제출해야 하며, 정관변경허가 신청서에는 기본재산 처분허가가 될 경우라고 전제를 달고서 신청을 해야 합니다. 또한 기본재산 처분허가 내용은 비교적 상세하게 기술하여야 하고, 함께 제출하는 이사회 회의록에도 기본재산 처분허가와 정관변경허가 신청을 동시에 한다는 내용이 담겨 있어야 합니다.

3.6. 처분허가 대금의 사용

기본재산을 처분한 대가는 기본재산 처분허가 시에 별도의 기재가 없다면, 당연히 기본재산이 됩니다. 만일 기본재산 처분허가 시에 그 처분대가의 사용처까지 함께 허가를 하였다면 별도의 허가 없이 기본재산 처분허가 받은 바대로 사용을 하면 되고, 만일 그 처분대가가 당초 계획과 달리 잔여분이 발생하면 그 남은 대가는 반드시 기본재산으로 환원시켜야 합니다.

참조 판례	기본재산 처분 대가의 기본재산 여부
o 사건번호 : [대법원 2006.11.23, 선고, 2005도5511, 판결]	
o 사회복지법인의 기본재산을 용도변경하는 경우 감독관청의 허가를 받도록 규정한 입법취지 및 용도변경이 용이한 현금의 특성상 인정되는 그 사용 용처의 적정성 여부에 대한 사전 심사의 필요성 등에 비추어 볼 때 - 사회복지법인의 운영이나 기본재산의 처분과 관련된 용처에 기본재산을 사용하는 경우에도 감독관청의 허가를 받아야 할 필요가 있다고 할 것	

3.7. 제출 서류

사회복지법인은 기본재산 처분허가를 받기 위해 시행규칙 제14조제1항에 따라 시·도지사에게 ①기본재산의 처분을 결의한 이사회 회의록사본, ②처분하는 기본재산의 명세서, ③처분하는 기본재산의 감정평가서(교환의 경우에는 취득하는 재산의 감정평가서를 포함하며, 개별공시지가서 확인서로 첨부서류에 대한 정보를 확인할 수 있는 경우에는 그 확인으로 첨부서류를 갈음)을 제출하여야 합니다.

먼저 이사회 회의록 사본[96]은 앞에서 살펴본 바와 같이 기본재산 허가 신청의 적법성이나, 허가 이후 처분의 적법성을 확보하기 위해서는 이사회의 의결이 필수적이므로, 이를 확인하기 위해서 제출토록 하는 것입니다. 기본재산의 명세서는 어떤 재산을 처분하는지 명확히 하기 위해서 제출하는 것입니다. 처분하는 기본재산의 감정평가서는 처분 이후 그 대가가 어느 정도인지 가늠하기 위해 받는 서류로서 가급적 시장에서 거래되는 가격에 부합될 수 있도록 작성되는 것이 바람직합니다. 물론 감정평가서는 장차 발생할 거래의 대가를 예상하기 위한 것이므로, 기본재산을 처분한 후 그 대가는 감정평가서의 금액과 일치할 필요는 없습니다. 그러나 감정평가서의 예상액보다 현저하게 낮은 대가를 받은 경우에는 주무관청이나 법인 관계자 등이 그 처분에 관여한 자에 대해서 사안에 따라 「형법」상 배임이나 횡령 등의 죄책을 물을 수 있다는 점 유의해야 합니다.

4. 기본재산에 관한 장기차입 허가

4.1. 의의

법 제23조제3항 본문에서는 “기본재산에 관하여 다음 각 호의 어느 하나에 해당하는 경우”라고 하고, 같은 항 제1호는 앞에서 살펴본 처분의 경우를, 제2호는 장기차입의 경우를 규정하고 있습니다. 이러한 규정을 문언 그대로 읽으면 “사회복지법인이 ①그 기본재산에 관하여, ②보건복지부령으로 정하는 금액 이상을, ③1년 이상 장기차입(長期借入) 하고자 할 경우에 시·도지사의 허가를 받아야 한다.”라고 할 수 있습니다. 따라서 이 세 가지 요건 중에 어느 하나라도 해당이 되지 않으면 기본재산에 대한 장기차입 허가를 받은 대상은 아니라고 할 것입니다. 예컨대 기본재산과 관련 없는 차입[97] 행위나 1년 미만인 경우, 또는 그 금액이 보건복지부령에서 정하는 금액 미만일 경우 등에는 기본재산에 관한 장기차입 허가를 받지 않아도 된다고 할 것입니다.

---

96) 이사회 회의록의 원본은 해당 사회복지법인이 보관해야 하고, 주무관청 등에 제출하는 것은 원본대조필 등이 날인된 사본(寫本)을 제출하면 충분

97) 신용대출 등 기본재산에 대한 제한물권 설정이 없이 이루어지는 차입

⚠ 유의사항	장기차입 허가 시 유의 사항

o 기본재산에 관한 장기차입이므로, 장기차입과 관련하여 제한물권 설정 등 기본재산에 대한 처분행위가 수반될 가능성이 높습니다.
- 이 경우 기본재산에 대한 처분허가도 함께 받아야 하고, 아울러 이 경우 기본재산 목록에 제한물권 사항 등도 함께 기록하여야 하므로, 정관변경 인가도 함께 받아야 합니다.

4.2. 요건

사회복지법인이 기본재산에 관하여 허가가 필요한 장기차입 금액은 "장기차입 하고자 하는 금액을 포함한 장기차입금의 총액이 기본재산 총액에서 차입당시의 부채총액을 공제한 금액의 100분의 5에 상당하는 금액이상"을 말합니다. 이를 산식으로 표현하면 다음 표와 같습니다. 신규로 장기차입을 하고자 하는 금액을 대입하여 다음의 산식과 같은 결과가 나오면 시·도지사에게 허가를 받아야 합니다.

(신규 장기차입 금액 + 기존 장기차입금액) ≥ (기본재산 총액 - 기존 부채 총액)X0.05

다만, 위의 산식에 해당되는 금액을 차입하고자 하는 경우이지만 그 차입 기간이 1년 미만인 경우에는 별도의 허가를 받을 필요는 없습니다. 또한, 장기차입과 관련하여 상환기간을 1년 미만으로 정하였으나, 차입금을 상환하지 아니한 채 변제기가 지나 결과적으로 1년 이상 차입하게 된 경우는 장기차입으로 보지 않습니다.

참조 판례	변제기 도과로 1년 이상 차입한 경우는 허가 불필요

o **사건번호** : [대법원 2014.4.10, 선고, 2013다98710,98727, 판결]

o 허가를 받아야 하는 '장기차입'에는 상환기간의 연장을 예상하고도 위 규정에 의한 허가를 잠탈하기 위하여 형식상으로만 상환기간을 1년 미만으로 정하였다거나, 합의에 의하여 상환기간을 연장한 결과 상환기간의 합계가 1년 이상이 되는 등의 특별한 사정이 없는 한
- 차입 당시에 상환기간을 1년 이상으로 정한 것만 포함되고, 차입 당시에는 상환기간을 1년 미만으로 정하였으나 차입금을 상환하지 아니한 채 변제기가 지나 결과적으로 1년 이상 차입하게 된 경우까지 포함된다고 볼 것은 아니다.

⚠ 유의사항	차입 기간을 연장할 경우

o 당초 1년 미만의 기간으로 차입을 하였다가 그 기간을 연장하여 총 차입 기간이 1년이 넘게 되면, 그 기간을 연장하는 시점에서 반드시 시·도지사의 허가를 받아야 합니다.
- 즉 사회복지법인이 그 기본재산과 관련하여 위의 산식에 따른 금액을 차입하고자 한다면, 그 행위가 최초 차입이거나 연장을 하는 경우이건 간에 그 차입 총 기간이 1년 이상이 된다면 사전에 시·도지사의 허가를 받아야 합니다.

4.3. 제출 서류

장기차입허가를 받기 위해서는 시행규칙 제15조제2항에 따라 신청서와 함께 ①이사회 회의록 사본, ②차입목적 또는 사유서, ③상환계획서를 제출해야 합니다. 이사회 회의록 사본은 기본재산 처분허가 신청과 동일한 이유로 제출하는 것이므로 앞에 설명으로 갈음합니다. 차입목적이나 사유서는 반드시 장기차입 된 재원을 어떻게 사용할 것인지에 대해서 비교적 상세하게 작성해야 합니다. 또한 상환계획서도 차입목적이나 사유서와 마찬가지로 상세하게 작성되어야 합니다.

5. 허가 없는 처분 및 차입의 효과

사회복지법인의 기본재산 처분허가는 강행규정이므로 허가 없이 처분한 행위는 법률적 효력이 없고, 따라서 그 처분행위에 따른 소유권 등 권리변경도 효력이 없습니다. 나아가 이는 「사회복지사업법」 제53조제1호에 따라 5년 이하의 징역 또는 5천만원 이하의 벌금에 처해지는 범죄행위가 됩니다.

참조 판례	허가 없는 장기차입 행위는 무효
o **사건번호** : [대법원 2014.4.10, 선고, 2013다98710,98727, 판결]	
o 사회복지법인은 기본재산에 관하여 보건복지부령이 정하는 금액 이상을 1년 이상 장기차입하고자 할 때에는 보건복지부장관의 허가를 받아야 하고, 위 규정은 강행규정으로서 이에 위반하여 <u>허가를 받지 아니한 장기차입계약은 무효이다.</u>	
o **사건번호** : [대법원 2003.9.26, 자, 2002마4353, 결정]	
o 사회복지법인의 기본재산의 매도, 담보제공 등에 관한 사회복지사업법 제23조 제3항의 규정은 <u>강행규정</u>으로서 사회복지법인이 이에 위반하여 <u>주무관청의 허가를 받지 않고 그 기본재산을 매도하더라도 효력이 없음</u>	

제24조(재산 취득 보고)

제24조(재산 취득 보고) 법인이 매수 · 기부채납(寄附採納), 후원 등의 방법으로 재산을 취득하였을 때에는 지체 없이 이를 법인의 재산으로 편입조치하여야 한다. 이 경우 법인은 그 취득 사유, 취득재산의 종류 · 수량 및 가액을 매년 시 · 도지사에게 보고하여야 한다.
→ 「사회복지사업법 시행규칙」 제16조(재산취득보고)

1. 취득 보고 대상

사회복지법인이 매수 · 기부채납, 후원 등의 방법으로 취득한 재산은 취득 보고의 대상이 됩니다. 매수(買收)는 재산을 사는 것을 의미하고, 후원(後援)은 제3자로부터 무상(無償)으로 금품이나 그 밖의 자산을 받는 것을 의미합니다. 그런데 이러한 매수나 후원과는 달리 기부채납(寄附採納)은 법령상 정의는 국가나 지자체 이외의 자가 자신이 소유하고 있는 재산의 소유권을 국가나 지자체로 이전하여 국가나 지자체가 그 재산을 취득하는 것을 의미[98] 하는 것으로서, 이를 사회복지법인에 대입하면 법인이 재산을 취득하는 것이 아니라 원래 사회복지법인의 재산이었던 것을 국가나 지자체로 이전하는 하는 것을 의미하는 것이 됩니다. 과연 이러한 기부채납이 재산 취득 보고 대상이 맞는지 의문입니다. 생각건대 법 제24조에서 사용하고 있는 기부채납(寄附採納)은 「국유재산법」 등 법령에서 사용하고 있는 일반적인 용어의 정의가 아니라, 기부(寄附)와 채납(採納)이 결합된 일반적인 용어로 해석하는 것이 본 조문을 가장 적절하게 해석하는 방법이라고 사료됩니다. 즉 제3자가 사회복지법인에 대해서 기부(寄附)한 재산을 사회복지법인이 받아들이는 채납(採納)[99] 행위를 하여 그 재산을 취득하는 것을 의미하는 것으로 해석하는 것이 적절할 것으로 생각됩니다. 한편 법 제24조 전단에서는 "매수 · 기부채납(寄附採納), 후원 등의 방법"이라고 표현하고 있기 때문에 매수, 기부채납, 후원의 방법 이외의 방법으로 재산을 취득한 경우도 보고대상이 된다고 할 수 있습니다. 또한 "취득하였을 때" 편입하고 보고를 하도록 한 것이기 때문에 새롭게 취득된 재산이 있다면 그 자산의 증감과는 무관하게 보고를 해야 합니다. 요컨대 사회복지법인이 대금을 주고 샀거나 기부 또는 후원 그 밖의 방법에 의해서 취득한 재산이 보고 대상이 되는 것으로서, 결과적으로 사회복지법인이 자신의 소유로 만든 재산은 모두 다 보고 대상이 된다고 할 것입니다.

---

98) 「국유재산법」 제2조 및 제13조, 「공유재산 및 물품 관리법」 제2조 및 제7조 참조
99) "받아들인다."라는 사전적 의미가 있음.

2. 편입조치

법인은 그 재산을 취득하였을 때는 지체 없이 그 재산을 법인의 재산으로 편입조치 하여야 합니다. 이때 재산 취득의 시점은 △부동산의 경우 그 등기가 완료된 때이고, △동산인 경우에는 차량과 같이 등록이 필요한 경우에는 등록이 완료된 때, △그 밖의 동산인 경우에는 그 재무·회계처리 규정에 따라 해당 법인의 재산으로 편입한 때라고 할 수 있습니다. 따라서 재산의 취득 완료를 위해 등기나 등록이 필요한 때에는 해당 등기나 등록 관련 법령에서 정하는 기간 내에 등기·등록을 완료하면 지체 없이 편입조치가 있었던 것으로 볼 수 있습니다. 그 밖의 동산의 경우라면 해당 동산에 대한 재무·회계 장부처리에 필요한 정당하고 합리적인 시간 내에 처리할 경우 지체 없이 편입조치를 한 것으로 볼 수 있을 것입니다.

3. 보고 시기 및 방법 등

사회복지법인은 시행규칙 제16조에 따라 매년 3월말까지 전년도에 취득한 재산에 관한 사항을 시·도지사에게 보고해야 합니다. 이러한 보고 시기나 방법과 관련하여 유의해야 할 사항이 몇 가지 있습니다. 우선 후원으로 취득한 재산 중 후원금은 법 제45조 및 그에 따라 재무회계규칙에 따른 별도의 절차를 함께 진행해야 합니다. 또한 부동산을 취득한 경우는 해당 부동산은 법인의 당연 기본재산이 되므로 재산취득 보고시기와 무관하게 지체 없이 정관변경의 인가를 받아야 하지만, 그러한 정관변경 인가를 받았다고 하여 법 제24조에 따른 보고 의무를 완료한 것이 아니기 때문에 반드시 재산 취득 보고 시기에 누락 없이 다시 한 번 더 보고해야 합니다. 한편 취득한 재산의 평가액은 「공익법인의 설립 · 운영에 관한 법률 시행령」 제24조에 따라 취득당시의 시가(時價)에 따라야 합니다. 만일 이후에 재평가를 하였다면, 당연히 재평가액을 해당 재산의 평가액으로 하면 됩니다.

개 념 도 부동산 구매 시 재산 취득 보고 등 절차 및 시기

관련 절차	근거	시기
① 정관변경 인가	법 제17조 : 정관 기본재산목록 변경	가장 근접한 이사회
② 재산 취득 보고	법 제24조 : 보고 의무 이행	취득 다음 연도 3월 말
③ 결산보고	재무회계규칙 제20조 : 고정자산 명세서	취득 다음 연도 3월 말

第25조(회의록의 작성 및 공개 등)

第25조(회의록의 작성 및 공개 등) ① 이사회는 다음 각 호의 사항을 기재한 회의록을 작성하여야 한다. 다만, 이사회 개최 당일에 회의록 작성이 어려운 사정이 있는 경우에는 안건별로 심의·의결 결과를 기록한 회의조서를 작성한 후 회의록을 작성할 수 있다.

1. 개의, 회의 중지 및 산회 일시 / 2. 안건 / 3. 의사 / 4. 출석한 임원의 성명

5. 표결수 / 6. 그 밖에 대표이사가 작성할 필요가 있다고 인정하는 사항

② 회의록 및 회의조서에는 출석임원 전원이 날인하되 그 회의록 또는 회의조서가 2매 이상인 경우에는 간인(間印)하여야 한다.

③ 제1항 단서에 따라 회의조서를 작성한 경우에는 조속한 시일 내에 회의록을 작성하여야 한다.

④ 법인은 회의록을 공개하여야 한다. 다만, 대통령령으로 정하는 사항에 대하여는 이사회의 의결로 공개하지 아니할 수 있다.

⑤ 회의록의 공개에 관한 기간·절차, 그 밖에 필요한 사항은 대통령령으로 정한다.

→ 「사회복지사업법 시행령」 제10조의4(회의록의 공개기간 등)

→ 「사회복지사업법 시행령」 제10조의5(회의록의 비공개 사항)

1. 의의

이사회는 사회복지법인의 최고의결기관으로서 그 회의 내용이나 심의·의결사항은 법인의 운영에 있어서 중요한 의미를 가지는 것이므로 이사회를 통한 의사결정은 민주적이고, 합리적으로 이루어져야 합니다. 또한 이러한 결정들은 이사가 교체되더라도 여전히 법인의 결정으로 남게 되므로 매 이사회에서 발생하는 모든 상황들은 정확하고 투명하게 기록·유지되어야 합니다. 따라서 이사회 회의록의 작성도 이사회 운영 자체만큼 중요하다고 할 수 있습니다. 「사회복지사업법」에서는 이사회 회의록과 관련한 중요성을 충분히 고려하여, 이사회 회의록 기재사항이나 그 작성 방법을 명시하고 있습니다. 만일 이사회의 회의록이 법에서 정하고 있는 바대로 작성되지 않으면, 이는 적법한 회의록이라고 볼 수 없게 될 것이고, 따라서 법인의 업무 수행 등에 있어서 지대한 악영향을 미치게 되므로 그 작성에 있어 각별하게 유의해야 할 것입니다. 실무상으로도 각종 허가·인가나 등기 등 행정절차를 진행함에 있어서도 이사회의 회의록이 그 제출서류로 포함이 되는 경우가 대부분이고, 이를 바탕으로 심사가 이루어지는 점을 감안하면 그 작성의 진정성이나 완결성은 더욱 더 중요하다고 할 것입니다.

2. 필수적 기재사항

법 제25조제1항에서는 이사회 회의록을 작성할 때 다음의 사항은 반드시 기재해야 하는 것으로 규정하고 있습니다. 이러한 사항 중 어느 하나라도 누락이 된다면 그 이사회 회의록은 「사회복지사업법」에 따른 적법한 회의록으로 인정받지 못하게 됩니다.

2.1. 개의, 회의 중지 및 산회 일시

개의(開議), 회의 중지(中止) 및 산회(散會)의 일시는 이사회 소집 및 개최의 합법성 여부를 판단하는 데 중요한 기준이 됩니다. 우선 개의 일시는 「사회복지사업법」 제32조에 따라 준용되는 「공익법인의 설립 · 운영에 관한 법률」 제8조에 따른 이사회 소집요구일로부터 법정 기간이 지난 후에 개최되었는지를 판단하는 데 매우 중요한 기준이 됩니다. 회의 중지 일시의 경우 그 속개 일시가 명백하게 정해진 뒤 중지된 회의는 정관에 정한 바에 따라 그 회기가 계속될 수 있다는 점에서 중요한 의미가 있습니다.[100)]산회는 회의의 중지와 달리 회의가 완전히 종료되었음을 의미하는 것으로서, 이후 이사회를 개최하기 위해서는 새로운 통지절차를 반드시 진행하여야 합니다.

2.2. 안건(案件)

안건은 이사회에서 의논한 사항을 의미합니다. 합법적인 이사회가 되기 위한 가장 중요한 요건 중에 하나가 이사회 소집 통지 시에 밝힌 안건과 실제 이사회에서 논의한 안건이 일치해야 한다는 것입니다. 소집 통지 시에 언급한 안건을 모두 다 논의하지 못하는 것은 문제가 없으나, 소집 통지 시에 언급하지 않은 안건을 심의하거나 의결하는 것은 불법이 되어, 해당 결의는 무효가 됩니다. 따라서 회의록에 기록된 안건은 해당 이사회의 적법성 여부를 판단하는 기준이 되므로 매우 중요한 사안이라고 할 수 있습니다.

---

100) 속개되는 일시·장소는 명확해야 하고, 이는 불참한 임원들도 그 속개 일시·장소를 명확하게 알 수 있도록 통지해야 함. 또한 속개되는 이사회에서 논의할 안건은 종전 이사회 소집 시에 통지한 안건에 한정됨.

참조 판례	이사회 소집 시 언급하지 않은 안건의 심의·의결은 불법
o **사건번호** : [대법원 2008.7.10, 선고, 2007다78159, 판결]	
o 사전에 통지되지 아니한 이사해임안건이 사회복지법인 이사회에 상정된 경우 그 해임의 대상이 된 이사가 자신을 해임하는 안건을 회의목적 사항으로 추가하고 이로써 이사회 소집절차 위반의 하자가 치유되었다는 점에 동의하지 않는 한 당해 이사가 우연히 이사회에 출석하고 있어 재적이사 전원이 출석하여 있다는 사정만으로는 회의의 목적이 구체적으로 회의 7일 전에 각 이사에게 통지되지 아니한 이사회 소집절차 위반의 하자가 치유될 수 없음	

2.3. 의사(議事)

의사는 이사회 회의가 진행되어 나가는 제반 현황을 의미합니다. 이사회 회의록에는 안건에 대해서 어떤 임원이나 관계자가 어떠한 발언을 하였고, 그에 대한 다른 임원의 반응이 어떠하였는지 등 이사회의 전반적인 진행 상황에 대한 기록이 있어야만 향후 다른 이사, 감사 및 외부에서 그 의사 결정과정이나 취지 등에 대해서 정확하게 알 수 있기 때문에 이를 회의록의 의무 기재사항으로 규정하고 있는 것입니다. 의사에 관한 사항은 자세하면 자세할수록 바람직할 것으로 사료되며, 가급적 국회 회의록이나 속기록 수준의 내용 정도는 기록이 되어야만 제대로 된 의사기록이라고 할 수 있을 것입니다.

2.4. 출석한 임원의 성명

출석한 임원의 성명을 기재토록 한 것은 우선 출석한 이사가 정관상 의사정족수 등에 부합되는지 여부를 확인하고, 출석한 이사와 그 발언의 일치나 유효성 여부를 확인하는 데 필요한 사항입니다.

유의사항	감사도 이사회 출석이 가능한 경우가 있음
o 법 제25조제2항에서는 회의록에 "**임원**"의 성명을 기재토록 하고 있습니다. - 감사도 법인의 임원이므로 만일 **이사회에 출석한 감사가 있을 경우에는 반드시 그 감사의 성명도 기재하여야 한다는 것**입니다. - 이는 감사가 이사회의 구성원은 아니지만 「사회복지사업법」 제32조에 따라 준용되는 「공익법인의 설립 · 운영에 관한 법률」 제19조제1항에서 이사회에서 발언·보고할 수 있고, - 법 제25조제3항에서 이사회 회의록에 기명날인도 가능한 것으로 규정하고 있기 때문에 관련 사항이 있다면 이사회에 참석할 수 있다는 점을 반영한 것입니다. ※ 감사는 이사회의 구성원은 아니므로 **의사·의결정족수에는 영향을 주지 않음.**	

2.5. 표결수

표결수는 해당 이사회에서 안건에 대한 심의·의결이 법령이나 정관상 의결 정족수에 부합되게 이루어졌는지 여부를 확인하기 위해서 기록하는 것으로서 동 사항이 불분명하면 해당 심의·의결이 무효일 뿐만 아니라 그 이사회 자체가 무효가 될 수도 있기 때문에 반드시 정확하게 그 표결과 관련된 수를 기재하여야 합니다.

2.6. 기타

법 제25조제1항제1호부터 제5호까지 열거하고 있는 사항 이외에도 법인의 대표이사가 작성할 필요가 있다고 인정하는 사항은 이사회 회의록에 기재할 수 있습니다.[101] 물론 이때 기재하는 사항은 대표이사가 그 필요성을 인정한 모든 사항이라고 볼 수는 없고, 다른 임원이나 제3자가 보더라도 객관적으로 필요한 사항에 한정된다고 할 것입니다. 예를 들어 이사회에 참석한 임원 중에 이사회 회의록에 날인을 거부하는 사람이 있을 경우 그 거부 사실과 이유 등에 관한 사항을 당시 참석 임원과 연명(聯名)하여 회의록에 기재할 수 있을 것입니다.

3. 작성시기

이사회 회의록은 참석 임원의 날인이 필요하다는 점을 고려하면 원칙적으로 이사회 개최 당일 작성되어야 합니다. 이사회 진행 중에 회의록이 동시에 작성되어 이사회 종료 후 정형화된 문서로 작성을 하고, 이어 당시 참석한 임원의 확인과 날인 절차를 진행함으로써 이사회 회의록이 작성되어야 합니다. 그러나 이사회의 안건이 복잡하거나 사무 장비 여건 등 여러 가지 사정이 있을 경우에는 우선 간략한 회의조서(會議調書)를 작성하고, 그 이후에 회의록을 작성할 수도 있습니다. 이때 작성되는 회의록은 시행령 제10조의4제1항에 따라 이사회 종료 후 10일 이내에 공개되어야 하므로, 그 공개시기에 부합되도록 작성되어야 할 것입니다. 요컨대 이사회 회의록은 이사회 종료 후 당일 즉시 작성이 완료되어야 하지만, 부득이한 사정으로 인해 회의조서를 우선 작성한 경우에는 이사회 회의록의 의무공개 시기를 충분히 고려하여 이사회 종료 후 적어도 8~9일 이내에는 작성이 완료되어야 할 것입니다.

---

101) 사회복지법인은 대표이사가 이사회의 의장인 이사장을 겸임하는 것으로 해석하는 근거가 됨.

4. 작성방법

4.1. 출석임원 날인(捺印)

4.1.1. 인장(印章)의 종류

이사회 회의록에는 출석한 임원, 즉 이사와 감사가 날인을 하여야 합니다. 날인(捺印)은 말 그대로 도장을 찍는 행위로서 임원 자신이 소유하고 있는 도장을 회의록에 찍음으로써 그 이사회에 참석하였다는 것을 입증하기 위해서 하는 행위입니다. 회의록에는 임원 본인이 소유하고 있는 도장이면 어떠한 도장이라도 날인 행위에 사용할 수는 있을 것입니다. 그러나 회의록이 정관 변경인가나 임원임면보고 등과 같이 대외적으로 하는 행위에 대해서 입증자료로 활용되는 경우에는 회의록의 진정성과 관련하여 그 회의록에 날인된 도장이 임원의 소유가 맞는지, 그 임원의 의사가 반영되어 날인이 된 것인지 등과 같은 문제제기나 입증요구가 있을 가능성이 적지 않습니다. 이러한 상황은 임원 개인이 소유할 수 있는 도장의 종류나 수는 무한정이고, 굳이 임원 본인이 아니라도 법인이나 제3자가 임원 명의에 도장을 임의로 제작하여 사용할 수도 있기 때문에 발생하는 것입니다. 이러한 논란의 여지를 잠재우기 위해서는 해당 회의록에 대해 「공증인법」에 따라 공증을 받아 두는 것이 가장 적절할 것으로 생각됩니다. 다만, 공증의 경우 그 비용이나 절차적인 측면에서 간단치 않고, 사회복지법인의 경우는 「공증인법 시행령」 제37조의3과 그에 따른 법무부 고시 제2010-58호에 따라 등기 시 제출하는 회의록에 공증을 받지 않아도 되기 때문에[102] 법인 스스로 공증을 받거나 주무관청에서 이를 강제하기는 매우 어렵습니다. 이런 상황들을 종합적으로 고려하여 보면 회의록의 진정성을 명확히 하기 위해서는 임원이 소유하고 있는 도장 중 국가가 그 소유를 인증하는 신고인감을 사용하는 것이 가장 바람직할 것으로 판단됩니다. 임원이 이사회 회의록에 인감을 날인하고, 그 날인한 인감이 본인의 인감임을 국가가 입증하는 서류인 「인감증명법」상 인감증명서를 첨부하면 진정성 제고차원은 물론이고 효율성 측면이나 비용의 측면 등에서 가장 적절한 방법이라고 생각됩니다.[103]

102) 부록1 중 "이사회 회의록을 공증 받아야 하는지 여부" 참조

103) 실무상으로는 임원이 최초로 취임할 때 그 인감증명서 1부를 수령한 후 이를 복사하여 사용 가능. 인감증명서의 용도란에 이사회 회의록 날인용으로 기재하면, 다른 용도로는 사용할 수 없기 때문에 특별한 문제 발생 소지는 없음.

참조 등기선례 「사회복지법인의 이사회 회의록에 기명날인하는 방법 등」

o **선례번호** : 등기선례 제5-868호(1998.06.25. 제정)

o 사회복지법인이 정관변경 또는 기본재산 처분의 승인을 얻기 위하여 주무관청에 제출하여야 하는 이사회 회의록에 반드시 인감증명법에 의한 인감을 날인하여야 하는지 여부에 관한 것은 당해 주무관청이 판단할 사항이다.

- 다만 등기신청시에 첨부하여야 할 이사회 의사록에는 의장 및 출석한 이사가 기명날인 하여야 할 것이나, 반드시 인감증명법에 의한 인감을 날인할 필요는 없다.
  (1998. 6. 25. 등기 3402-570 질의회답)

[개인주석]

o 통상 법인이 등기를 하기 위해서는 관련 문서에 대해서 「공증인법」 제66조의2에 따른 공증을 받아야 하므로 법원에서는 인감날인 여부를 굳이 확인하지 않아도, 공증 여부만으로 그 회의록의 진정성을 확보할 수 있었기 때문에 제정된 등기선례로 판단됨

- 하지만, 이 선례가 제정된 이후인 2010.2.8.에 제정 공포된 법무부고시 제2010-58호에 따라서 사회복지법인의 회의록에 공증을 받지 않아도 등기 관련 사무가 가능하게 되어 그 진정성 확인이 매우 어렵게 된 상황에서, 이사회의 진정성을 확인할 수 있는 거의 유일한 방안인 인감날인이 필요 없다는 등기선례가 계속 유지되어야 하는지는 의문임

유의사항 인감날인이 필요한 이유

o 인감날인 및 인감증명서 제출과 관련하여 그 절차가 번거롭다는 등의 의견이 제기될 가능성이 적지 않을 것으로 생각됩니다.

- 그러나 연간 개최되는 이사회가 2~3회 내외에 불과하고, 이사회 소집통보 시에 인감을 지참토록 안내한다면, 그 지참이나 날인이 힘들다고 보기는 어렵고,
- 통상 회의조서를 작성 후 담당자가 해당 임원을 방문하여 이사회 회의록에 개별적으로 날인을 받는 경우가 많으므로, 인감을 사용하는 것이 어려울 이유가 없고,
- 증명서와 관련하여서도 임원이 최초로 취임할 때 그 인감증명서 1부를 수령한 후 이를 매번 복사하여 사용하는 것이 가능하고, 인감증명서의 용도란에 이사회 회의록 날인용으로 기재하면, 다른 용도로는 사용할 수 없기 때문에 인감증명서로 인한 법률문제 발생의 소지가 없으며,
- 인감을 지참하지 않은 경우나 제작하지 않은 경우라고 하더라도 「본인서명사실 확인 등에 관한 법률」에 따른 본인서명으로 간단히 갈음할 수 있다는 점 등을 충분히 고려하고,
- 무엇보다도 회의록에 임원의 의사가 적절히 반영되었는지 여부를 명확히 확인할 수 있는 여러 가지 방안 중 가장 비용이 적으면서도 효율적이므로 법인에서 이를 마다할 이유가 없다는 점과 임원도 자신의 의사가 명확히 반영되었음을 확인할 수 있는 최선의 방안이므로 역시 이를 마다할 이유가 없다는 점 등을 모두 고려하여 보면,
- 회의록에 임원의 임감을 날인하는 것을 거부한다거나 번거롭게 생각한다면 스스로 법인 운영이 불투명하다고 선언하는 것에 다를 바 없습니다.

4.1.2. 날인의 거부

법 제25조제2항에서는 회의록이나 회의조서에는 출석임원 전원이 "날인하여야 한다."라고 규정하여 날인을 임원의 의무로 하고 있습니다. 따라서 이사회에 출석하였음에도 불구하고 날인을 하지 않는다면 해당 임원은 법 제22조제1항제7호에 해당되어 해임명령의 대상이 될 수도 있습니다. 하지만 날인의 거부 이유가 자신의 의사와 달리 결의되었다는 것과 같이 다수결의 원칙에 반하는 불합리한 이유가 아니라, 이사회에서 임원 자신이 발언한 내용과 회의록 간에 현격한 차이가 있는 등 여러 가지 합리적인 이유에서 기인한 것일 수도 있기 때문에 날인 거부 자체만으로 무조건 해당 임원을 비난하거나 해임명령 등 불이익을 주는 것은 바람직하지 않다고 할 수 있습니다.

이러한 상황을 모두 고려하여 보면, 임원이 해당 이사회 회의록에 날인을 거부할 경우, 해당 이사회 회의록에 다른 임원의 연명으로 특정 임원이 날인을 거부한 사실과 사유를 기재하여 추후 발생할 법률적인 분쟁 등에 대비하는 것이 바람직할 것으로 판단됩니다. 이러한 방식과 달리 이사가 날인을 거부할 경우 해당 이사를 불출석으로 처리하고, 그 발언내용을 모두 삭제하는 것도 생각할 수 있습니다. 그러나 이 경우 해당 이사의 불출석 처리에 따른 이사회 의사 정족수 등의 처리로 인한 이사회 유효 성립 문제가 발생할 우려가 크고, 앞에서 살펴본 바와 같이 합리적인 이유에서 날인을 거부한 경우도 있을 수 있음을 고려할 때 적절한 방식은 아닌 것으로 사료됩니다.

4.2. 출석하지 않은 감사의 날인

「사회복지사업법」 제25조제1항제4호와 제2항 규정을 놓고 보면, 이사회 회의록에는 해당 이사회에 출석한 임원이 날인하는 것으로만 해석이 됩니다. 반면 「사회복지사업법」 제32조에 따라 준용되는 「공익법인의 설립·운영에 관한 법률」 제10조제1항제2호에서는 감사의 직무로서 "이사회의 회의록에 기명날인하는 일"을 명시하고 있습니다. 「사회복지사업법」에서는 감사의 직무를 정하고 있지 않기 때문에 「공익법인의 설립·운영에 관한 법률」을 준용하여야 합니다. 따라서 감사가 이사회에 출석한 경우에는 「사회복지사업법」에 따라서 당연히 날인하여야 하고, 만일 출석하지 않았다고 하더라도 「공익법인의 설립·운영에 관한 법률」에 따라서 이사회의 회의록에 기명날인을 하여야 합니다. 즉 감사는 무조건 그 출석여부와는 무관하게 이사회 회의록에 날인을 해야 합니다.

개인 해석	출석여부와 무관하게 감사가 기명날인토록 하는 취지

o 감사의 직무는 기본적으로 법인의 업무와 재산상황을 감시하는 것입니다.
- 특히 법인의 중요한 업무나 재산관련 사항은 이사회를 통해서 결정이 되는 경우가 대부분이므로 비록 그 이사회에 참석을 하지 못하지만, 해당 이사회에서 주고받은 발언이나 결정 사항에 대해서는 사후에라도 명확히 파악을 해야만 감사로서의 직무를 원활히 수행할 수 있기 때문에 이사회 회의록에 기명날인하는 직무를 부여한 것으로 판단됩니다.

4.3. 간인(間印)

간인은 작성된 문서와 문서 사이(間)에 도장을 찍는 것(印)을 의미합니다. 이는 2장 이상인 회의록이 모두 적정하게 작성되었으며, 각 장 별로 임원들이 그 내용을 충실히 확인하여 문제가 없었다고 인정하는 절차로서의 의미와 임원의 날인 이후 해당 회의록의 위조·변조를 방지하기 위한 절차로서의 의미가 함께 담겨져 있습니다. 예를 들어 1장으로 작성된 회의록인 경우에는 회의록을 작성하고, 그 내용의 진위를 확인한 후에 해당 페이지에 날인을 하면, 향후 이를 위조하는 것이 어렵다고 할 것입니다. 그러나 2장 이상인 회의록의 경우 그 표지나 마지막 장에만 임원이 날인하게 되면, 그 이후에 날인이 되지 않은 장을 교체하는 것이 용이하여, 해당 이사회 회의록의 진정성에 큰 악영향을 미칠 수 있게 됩니다. 따라서 2장 이상인 회의록의 경우 이사회 참석 임원 개개인이 매 장마다 그 내용을 확인하고, 그 뒷장과 겹치게 한 후 각각 날인을 하여 모든 내용을 확인하였음을 표시할 뿐만 아니라 이후 회의록 교체 등이 불가능하도록 하는 것입니다. 간인하는 도장의 종류 등과 관련된 사항은 앞에서 살펴본 날인과 동일합니다.

유의사항	법인 인감을 간인하는 것은 위법은 아니지만 불필요한 행위임

o 「사회복지사업법」에서는 출석한 임원이 간인을 하도록 규정하고 있습니다.
- 이러한 규정에 더해 법인 인감을 추가로 간인을 하는 경우가 있으나, 법인 인감의 간인은 「사회복지사업법」에서 정하고 있는 바가 아니므로 반드시 필요한 사항은 아닙니다.
- 법인 사무국 등에서 해당 서류의 진정성 등을 제고하고자 하는 등의 의도로 법인 인감을 날인하는 경우가 있을 수도 있는데 이를 불법이나 위법이라고 단언하기는 어려우나
- 경우에 따라서는 회의록에 날인할 권한이 없는 자가 날인한 것이 되어 회의록의 진정성에 악영향을 미칠 수도 있는 것이므로, 법인 인감을 날인하거나 간인하는 행위는 가급적 삼가는 것이 바람직할 것으로 생각됩니다.

5. 회의조서(會議調書)

이사회 회의록을 작성함에 있어서 인력이나 장비의 부족 등의 사유로 인해 이사회 당일에 제25조제1항 각 호의 내용을 모두 포함하는 회의록 작성이 어려운 경우가 발생할 수도 있습니다. 이러한 상황이 발생하면, 우선 이사회 당일에는 각 안건별로 그 심의나 의결 결과만을 기록한 회의조서를 우선 작성하고, 이후 조속한 시일 내에 다시 회의록을 작성하여야 합니다. 이때 조속한 시일은 제3자가 판단할 때에도 지체가 없는 정도의 시일을 의미하는 것이라고 할 것이나, 시행규칙 제10조의4에서 이사회 후 10일내에 이사회 회의록을 공개토록 규정한 점을 미루어 본다면 적어도 이사회 이후 그 공개의무 기한을 위반하지 않을 정도의 시일 내에는 작성이 되어야 할 것입니다. 회의조서는 반드시 이사회 당일 작성되어야 하고, 회의록과 마찬가지로 당시 출석 임원 전원이 날인·간인하여야 합니다. 회의조서 작성 후 조속한 시일 내에 다시 작성되는 회의록의 경우도 회의 당일 작성되는 회의록과 마찬가지로 이사회 당시 출석하였던 임원들에게 회의록을 열람케 하고, 그 임원의 날인·간인을 모두 받아야 합니다. 앞에서 설명한 바와 같이 이사회 출석 여부와는 무관하게 모든 감사에게도 날인·간인을 받아야 합니다.

6. 회의록 공개

사회복지법인은 사회적 약자를 대상으로 하는 사회복지사업을 수행하고, 국가나 지자체 보조금 수령이나 그 밖에 법령에 따른 혜택이 적지 않은 법인이므로 그 공공성이 매우 강하고, 따라서 그 운영의 투명성 확보도 매우 중요한 사안이라고 할 것입니다. 「사회복지사업법」은 이러한 투명성 확보 차원에서 이사회 회의록을 공개토록 하고 있습니다.

6.1. 기간 및 방법

이사회 회의록은 이사회가 있은 날부터 10일 이내에 해당 사회복지법인의 인터넷 홈페이지와 관할 시 · 도지사가 지정하는 인터넷 홈페이지에 공개하여야 합니다. 이때 공개 개시일은 이사회 회의록이 완성된 날로부터 10일이 아니라 이사회가 있은 날부터이므로 공개 대상인 이사회 회의록도 이사회가 있은 날부터 10일 이내에 작성되어야 함을 명심해야 합니다. 일단 공개된 회의록은 3개월간 같은 홈페이지에 그 공개상태가 유지되어야 합니다. 3개월이 지나면 해당 법인은 이사회 회의록을 비공개로 전환할 수 있습니다. 다만, 해당 법인의 종사자나 그 법인이 설치·운영하는 시설의 종사자, 이용자, 거주자 또는 거주자의 보호자가 청구할 경우에는 3개월이 지난 경우라고 하더라도, 그 청구가 있은 날부터 10일 이내에 공개하여야 합니다.

6.2. 비공개 사항

사회복지법인의 이사회는 이사회 회의록 중 「공공기관의 정보공개에 관한 법률」 제9조제1항제4호부터 제8호까지의 규정과 관련된 사항에 대해서 그 의결을 통해 비공개를 결정할 수 있습니다. 이러한 비공개 사항은 회의록 공개기간이나 회의록 공개청구 시에도 공개하지 않을 수 있습니다. 다만, 청구사항 중에 공개대상과 비공개대상이 섞여 있는 경우에는 청구취지에 어긋나지 않는 범위에서 공개가 가능한 사항을 최대한 분리하여 공개해야 합니다. 또한 이사회에서 비공개 기간을 설정한 경우 그 기간이 도과되거나, 비공개 기간을 정하지는 않았지만 그 밖에 비공개 필요성이 없어진 경우에는 공개대상으로 전환해야 합니다.

제26조(설립허가 취소 등)

제26조(설립허가 취소 등) ① 시 · 도지사는 법인이 다음 각 호의 어느 하나에 해당할 때에는 기간을 정하여 시정명령을 하거나 설립허가를 취소할 수 있다. 다만, 제1호 또는 제7호에 해당할 때에는 설립허가를 취소하여야 한다.
1. 거짓이나 그 밖의 부정한 방법으로 설립허가를 받았을 때
2. 설립허가 조건을 위반하였을 때 / 3. 목적 달성이 불가능하게 되었을 때
4. 목적사업 외의 사업을 하였을 때
5. 정당한 사유 없이 설립허가를 받은 날부터 6개월 이내에 목적사업을 시작하지 아니하거나 1년 이상 사업실적이 없을 때
6. 법인이 운영하는 시설에서 반복적 또는 집단적 성폭력범죄 및 학대관련범죄가 발생한 때
6의2. 법인이 운영하는 시설에서 중대하고 반복적인 회계부정이나 불법행위가 발생한 때
7. 법인 설립 후 기본재산을 출연하지 아니한 때
8. 제18조제1항의 임원정수를 위반한 때 / 9. 제18조제2항을 위반하여 이사를 선임한 때
10. 제22조에 따른 임원의 해임명령을 이행하지 아니한 때
11. 그 밖에 이 법 또는 이 법에 따른 명령이나 정관을 위반하였을 때
② 법인이 제1항 각 호(제1호 및 제7호는 제외한다)의 어느 하나에 해당하여 설립허가를 취소하는 경우는 다른 방법으로 감독 목적을 달성할 수 없거나 시정을 명한 후 6개월 이내에 법인이 이를 이행하지 아니한 경우로 한정한다.

1. 의의

사회복지법인이 시·도지사의 허가를 받아 설립·운영하는 중, 여러 가지 범법(犯法) 사항이나 법인의 존립에 영향을 미치는 심각한 사안이 발생된 경우 허가 주체인 시·도지사는 자신이 행한 설립허가 행위를 스스로 취소할 수 있습니다.

2. 사유

취소사유에는 그 사유의 중대성에 따라 기간을 정하여 시정명령을 내리는 등 재량에 따라 취소할 수 있는 사유(임의취소사유)와 해당이 되면 재량의 여지 없이 반드시 취소를 해야 하는 사유(당연취소사유)로 나눠집니다.

2.1. 당연취소사유

2.1.1. 거짓이나 그 밖의 부정한 방법으로 설립허가를 받았을 때

사회복지법인은 「사회복지사업법」과 「민법」, 「공익법인의 설립 · 운영에 관한 법률」 등 관련 법률에 모두 부합되게 설립절차를 진행한 후, 그 결과 시·도지사의 허가를 받고 등기를 완료하여야만 설립이 완료됩니다. 그런데 이러한 설립 절차를 진행함에 있어 거짓이나 부정한 방법을 동원한 경우에는 법인설립허가 절차상

중대한 착오를 발생시켜 주무관청의 허가권과 허가의지를 심각하게 침해하는 결과를 초래하게 됩니다. 즉, 허가를 하지 않거나 해서는 안 될 상황임에도 불구하고 허가를 한 것이 되는 것입니다. 이러한 하자가 있는 경우 당연히 무효로 할 수 있음에도 불구하고 취소사유로 둔 것은 신청상 하자가 있다고 하여 주무관청의 설립허가 행위 자체가 당연히 무효라고는 할 수 없고, 또한 「민법」 제33조에 따라 사회복지법인의 설립등기가 완료되어 법인이 성립된 것으로 된 후 그 사정을 모르고 해당 사회복지법인과 거래한 제3자가 있을 경우 그에 대한 신뢰를 보호할 필요도 있으며, 나아가 그 거짓 부정한 신청이라는 사실에 대해서도 양 당사자 간에 다툼의 여지가 충분히 있기 때문인 것으로 판단됩니다. 만일 설립허가를 하였으나 그 설립등기 전이라고 한다면 시·도지사는 즉시 법원행정처에 대해서 해당 법인에 대한 설립허가를 즉시 취소 또는 철회한다는 취지의 공문을 시행하여 등기절차의 진행을 막는 조치를 취해야 할 것입니다.

2.1.2. 법인 설립 후 기본재산을 출연하지 아니한 때

사회복지법인의 기본재산은 해당 법인이 그 목적사업인 사회복지사업을 하는 재정적 기초가 됨은 물론이고, 앞에서 살펴본 바와 같이 재단법인의 성격이 강한 사회복지법인 존립의 근간과도 같습니다. 따라서 기본재산이 정상적으로 출연되지 않은 경우라고 한다면, 이는 법인이 사실상 성립하지 않은 것이나 다름없고, 성립된 것으로 보더라도 법인으로서 활동을 할 수 없는 것이 너무나도 명백하므로 그 설립허가를 당연히 취소해야 하는 것입니다. 앞에서 살펴본 거짓 그 밖에 부정한 방법으로 설립허가를 받은 경우는 이미 발생한 사안이므로 주무관청에서 거짓 등의 방법이 있었는지 여부만을 판단하면 되지만, 이 건 취소사유는 어떠한 시점까지 기본재산을 출연하지 않으면 설립허가를 취소해야 하는지에 대해서는 신중한 판단이 필요합니다. 특히 이 건 취소사유에 해당이 되면 시정명령 없이 반드시 취소를 해야 하기 때문에 기본재산의 출연시한이 매우 중요하다고 할 것입니다.

기본재산이 출연되어 법인의 소유가 되기 위해서는 해당 사회복지법인이 법률상 주체가 되어 법인 자신의 명의로 해당 재산을 소유할 수 있어야 합니다. 이러한 법률상 권리·의무의 주체가 되기 위해서는 우선 설립등기를 완료함으로써 법인으로서 성립되어야 합니다. 따라서 기본재산의 출연시한은 법인의 등기가 완료된 날부터 시작한다고 할 수 있습니다. 그러나 이러한 기본재산의 출연시한의 시점과 달리 그 종료점은 법률상으로는 명확하지 않기 때문에 설립절차 중에 해당 법인이 제출한 기본재산 출연 약정서 등을 종합적으로 고려하여 판단할 수밖에 없습니다. 실무상으로는 설립허가 절차 진행 중에 제출한 기본재산 출연 약정서상의 출연시한을 충분히 고려한 후, 시·도지사가 설립허가 시에 허가조건으로 기본재산 출연시한을 정하여 주는 것이 가장 바람직할 것으로 판단됩니다.

유용한 TIP 설립허가서 공문에 첨부하는 부관 예시

① 사회복지법인의 설립등기가 완료되고, 1개월 이내에 재산출연증서에 따른 재산을 해당 사회복지법인의 재산으로 이전할 것
② 재산을 이전받은 경우 2주내에 부동산 등기부 등본 등 재산 이전사실을 입증할 수 있는 서류를 첨부하여 주무관청에 알릴 것
③ 위의 절차를 실행하지 않는 경우 이는 「사회복지사업법」 제26조제1항제7호에 해당되어 그 설립허가가 취소됨에 유의

2.2. 임의취소사유

2.2.1. 설립허가 조건 위반

사회복지법인의 설립은 허가 절차를 거쳐야 하므로, 주무관청에서는 그 설립허가를 함에 있어서 여러 가지 조건을 붙일 수가 있고, 그러한 조건을 위반하는 경우에 사회복지법인의 허가를 취소할 수 있습니다.

2.2.2. 목적 달성 불가

사회복지법인은 사회복지사업을 수행하기 위해 설립된 법인인데 여러 가지 이유로 인해서 사회복지사업을 수행할 수 없게 된 경우에는 그 존립의 의미가 없다고 할 것이므로 설립허가가 취소될 수 있습니다. 이 건은 주로 재정적인 문제나 이사회의 미구성, 사회복지법인 직원의 부재 등 해당 사회복지법인이 법인으로서 사업을 수행하는 것이 실질적으로 불가능한 경우에 적용되는 사항입니다.

2.2.3. 목적사업 외의 사업 수행

앞에서 언급한 바와 같이 사회복지법인은 사회복지사업을 수행하기 위해서 설립되는 법인이므로 사회복지사업외의 사업을 수행할 수 있는 권리능력이 없습니다. 따라서 자신이 할 수 없는 사업을 수행한 경우라면 이는 사회복지법인으로서의 존재를 스스로 부인하는 것이 될 뿐만 아니라 「사회복지사업법」이나 「민법」의 규정을 위반한 것이 되므로 설립 허가취소의 대상이 되는 것입니다. 이 건 취소사유의 적용과 관련하여 「사회복지사업법」 제28조에 따른 수익사업은 비록 사회복지법인의

목적사업인 사회복지사업은 아니지만, 법률에 따라 허용이 된 사업이므로 정관에 기재된 수익사업을 수행하는 경우에는 이 취소사유가 적용이 되지 않는다는 점을 유의해야 합니다.

참조 판례 "목적사업 외의 사업"의 의미

o **사건번호** : [대법원 2014.1.23, 선고, 2011두25012, 판결]

o 민법 제38조는 "법인이 목적 이외의 사업을 하거나 설립허가의 조건에 위반하거나 기타 공익을 해하는 행위를 한 때에는 주무관청은 그 허가를 취소할 수 있다."고 규정하여 비영리법인에 관한 설립허가취소사유를 정하고 있다.
- 여기서 비영리법인이 '목적 이외의 사업'을 한 때란 법인의 **정관에 명시된 목적사업과 그 목적사업을 수행하는 데 직접 또는 간접으로 필요한 사업 이외의 사업**을 한 때를 말하고,
- 이때 목적사업 수행에 필요한지는 **행위자의 주관적·구체적 의사가 아닌 사업 자체의 객관적 성질에 따라 판단**하여야 한다.

2.2.4. 목적사업 미개시 등

사회복지법인이 ①설립허가를 받은 날로부터 6개월이 지날 때까지 정당한 사유 없이 목적사업을 수행하지 않는 경우나 ②특정 시점으로부터 정당한 사유 없이 1년 이상 사업실적이 없는 경우[104]에 해당 법인은 운영의 의지가 없는 것으로 보아 설립허가를 취소할 수 있습니다. 이때 사업실적은 사회복지법인이 「사회복지법인 및 사회복지시설 재무·회계 규칙」 제19조 및 제20조에 따른 결산보고서를 제출할 때 사업수입명세서나 사업비명세서에 기재될 수 있는 정도의 실적은 반드시 필요합니다.

유의사항 수익사업 실적만 있는 경우

o 사회복지법인의 수익사업은 법 제28조에 따라 목적사업의 경비에 충당하기 위해 필요한 경우에 한하여 예외적으로 수행할 수 있는 것이므로,
- 사회복지법인이 원래 수행하여야 할 목적사업의 실적은 없고, 수익사업이 실적만 있다고 한다면, 이는 본말이 전도된 상황이므로 **사회복지법인의 존재 이유인 목적사업과 관련한 실적이 없는 것**이라고 할 것이므로, 이 건 **"사업실적이 없는 때"에 해당**됩니다.
- 또한 이러한 상황은 「사회복지사업법」 제28조를 위반한 것이 되므로, 같은 법 제26조제1항제11호에 따른 취소사유인 **"이 법을 위반하였을 때"에도 해당**됩니다.

104) 법 제26조제1항제5호를 해석함에 있어서 설립허가를 받은 날부터 1년 이상 실적이 없는 경우에만 설립허가 취소 사유에 해당되는 것으로 해석할 가능성도 있지만, 이렇게 해석을 하면 설립허가 후 6개월간 목적사업을 시작하지 않은 경우와 충돌이 됨.

2.2.5. 운영 시설에서의 반복적·집단적 성폭력 범죄 발생

사회복지법인이 운영[105]하는 시설에서 "반복적" 또는 "집단적" 성폭력범죄가 발생한 때에는 사회복지법인의 설립허가를 취소할 수 있습니다. "반복적" 발생은 2회 이상 발생을 하는 경우이고, "집단적"이라 함은 성폭력범죄 연루자가 2명 이상인 경우를 의미합니다. 이 건 취소사유와 관련이 되는 "성폭력범죄"는 이 조문의 제정 취지에 미루어보면 그 형태나 내용과 무관하게 성(性)과 관련한 모든 범죄를 의미하는 것으로 보는 것이 바람직하다고 할 것입니다. 다만, 이 경우 이를 해석하는 주체마다 그 범위가 다를 수가 있어 법률의 안정성이나 예측 가능성을 저해할 우려도 있기 때문에 「성폭력범죄의 처벌 등에 관한 특례법」 제2조에서 정의하고 있는 "성폭력범죄"에 해당하는 경우에 한해서 이 건을 적용하는 것이 가장 바람직할 것으로 판단됩니다.

⚠ 유의사항	법 제26조에서 규정하고 있는 "시설"의 범위

o 법 제26조제1항제6호에서는 "시설"이라는 용어를 사용하고 있는데 이 용어가 사회복지시설에 한정되는 것인지에 대해서는 해석의 여지가 있습니다.

- 사회복지시설을 "시설"로 약칭하는 문구는 법 제34조에서 처음으로 등장하고, 따라서 제34조 이후의 조문에서 시설이라고 함은 사회복지시설이라고 할 것이지만, 그 전의 규정인 제26조에서는 이러한 약칭이 적용되기는 어렵다고 할 것입니다.

o 즉 제26조에서 시설로 표기한 것이 사회복지시설만을 의미하는 것으로 단순한 입법 표현상 오류로 보거나 사회복지시설 이외의 시설도 포함하는 것 어느 쪽으로도 볼 여지도 있습니다.

- 동 조문이 규제인 결격사유를 구성하는 조문이라는 측면에서는 사회복지시설에 한정하여 해석하는 것이 바람직할 수도 있으나,
- 「사회복지사업법」 제2조, 제4조에서도 시설이라는 용어를 사용하고 있고, 사회복지법인이 「사회복지사업법」 등에 따른 규제 대상인 사회복지시설이 아닌 시설을 운영할 여지도 충분히 있기 때문에 이러한 시설에서 성범죄가 발생한 경우에도 해당 사회복지법인의 설립허가를 취소하는 것이 법률상 취지나 정의(正義)에 부합되는 것으로 생각됩니다.
- 따라서 법 제26조제1항제6호에서 언급하고 있는 시설은 사회복지법인이 그 사업으로서 운영하는, 사회복지시설을 포함한 모든 종류의 시설을 의미하는 것으로 보는 것이 바람직할 것으로 판단됩니다.

105) "운영"하는 시설이므로 사회복지법인이 직접 설치하여 운영하는 경우뿐만 아니라 법 제34조 제4항에 따라 국가나 지자체로부터 수탁하여 운영하는 경우도 포함됨.

2.2.6. 운영 시설에서의 중대하고 반복적인 회계부정이나 불법행위 발생

사회복지법인이 운영하는 시설에서 "중대"하면서도 "반복적"인 회계부정이나 불법행위가 발생한 때에는 사회복지법인의 설립허가를 취소할 수 있습니다. 이 조문은 「사회복지사업법」 제40조제1항제4호와 밀접한 관련이 있습니다. 개정 당시 제안이유[106]에서 현행법에 따르면 회계부정이나 불법행위 등이 발견된 사회복지시설에 대해 시설의 개선, 사업의 정지, 시설의 장의 교체 또는 시설의 폐쇄를 명할 수 있으나 해당 시설을 운영하는 법인에 대해서는 별도의 관리·감독 책임을 묻지 않고 있어, 이에 (사회복지)법인이 운영하는 시설에서 반복적인 회계부정이나 불법행위가 발생한 경우 해당 법인에 대해 시정명령을 하거나 설립 허가를 취소할 수 있도록 조문이 마련된 것입니다.

우선 "반복적" 발생은 앞에서 이미 기술한 바와 같이 2회 이상 발생하는 경우입니다. "중대성" 여부는 다른 조문과 마찬가지로 다소 모호한 면이 있습니다. 당초 개정안에는 중대성과 관련된 문구가 없었으나 국회 논의 과정 중에 추가된 사안으로서 별다른 추가 이유는 찾기가 어렵습니다. 생각건대 사회복지법인의 설립허가 취소와 관련된 사안이므로 매우 신중한 접근이 필요하기 때문에 굳이 중대한 회계부정이나 불법행위로 한정한 것이 아닌가 생각됩니다.

한편 이 조문에서 규정하고 있는 회계부정나 불법행위는 시설에서 발생하는 것으로서 제안이유 등에 미루어 보면 제40조제1항제4호에서 규정하고 있는 회계부정이나 불법행위의 범위와 달리 볼 이유가 없을 것이므로 동 조문에 대한 해설을 참고하면 될 것입니다.

2.2.7. 임원 정수 위반

법 제18조제1항에 따라 사회복지법인은 반드시 7명 이상의 정수를 정하고, 그 수에 부합되는 수만큼 이사를 선임하여야 합니다. 그러나 이러한 조문을 위반하여 결원이 발생하였음에도 불구하고 이를 보충하지 아니한 채로 법인을 운영한 경우에는 설립허가 취소사유에 해당이 됩니다. 다만, 법 제20조에서는 결원이 발생한 후 2개월 내에 보충해야 되는 것으로 규정하고 있기 때문에, 법인 이사 정수에 결원이 발생하였다고 하여 곧바로 설립허가 취소를 할 것은 아니고, 2개월간 결원 보충의 기회가 지났음에도 불구하고 결원을 보충하지 않거나, 스스로 보충하는 것이

106) 「사회복지사업법 일부개정법률안」(2117542, 최종윤 의원 대표발의) 중 제안이유 참조

불가능한 경우로서 임시이사 선임을 요청하지 않은 때에 한해서 설립허가를 취소할 수 있을 것입니다.

2.2.8. 외부추천이사 선임 위반

외부추천이사도 사회복지법인의 이사 제도와 관련하여 그 공공성이나 투명성 향상이라는 측면에서 매우 중요한 지위에 있는 이사이므로, 이러한 외부추천이사의 비율을 위반하여 이사회를 운영하는 경우에는 그 운영의 공공성이나 투명성 등을 담보하기 어렵다고 할 것이므로 그 법인의 설립허가를 취소토록 하고 있는 것입니다.

2.2.9. 해임명령 미이행

사회복지법인의 이사가 법 제22조에 따라 해임명령을 받으면 해당 법인은 소송으로써 그 명령의 부당성 여부를 다투거나, 그렇지 않으면 해임명령을 이행하여야 합니다. 그러나 이러한 해임명령을 받았음에도 불구하고, 이를 이행하지 않으면 해임명령 사유에 해당하는 위법·불법적인 상태의 이사를 용인하는 것과 다름없는 것이 되므로 해당 법인의 설립허가를 취소토록 하고 있는 사항입니다.

2.2.10. 기타 위법 사항

앞에서 열거한 각종 법인 설립허가 취소사유 이외에도 「사회복지사업법」에서 법인의 의무로 규정하고 있는 사항[107]을 위반하였거나, 법 제51조 등에 따른 명령을 위반한 경우 또는 해당 법인의 정관을 스스로 위반한 경우에는 법인 설립허가 취소사유가 됩니다. 법인의 정관은 주무관청의 인가를 받아 시행하는 것으로서 법인 스스로 해당 정관을 지킬 것을 주무관청과 약속한 것이고, 법인의 목적사업 수행 등과 관련한 주요 사항이 포함되어 있는 것으로서 반드시 이를 지켜야 할 의무가 있기 때문에 정관을 위반한 경우도 법인의 설립허가 취소사유가 되는 것입니다.

---

107) 예를 들어 사회복지시설을 설치·운영하는 사회복지법인이 「사회복지사업법」 제34조의3에서 시설 운영자의 의무로 들고 있는 보험가입의무를 위반한 경우에는 「사회복지사업법」을 위반한 것이 됨.

유용한 TIP "공익을 해치는 행위를 한 경우"의 법인 설립허가 취소 관련

o 법 제32조에서는 법인과 관련해서 「사회복지사업법」에서 규정하고 있지 않는 사항에 대해서는 「민법」이나 「공익법인법」을 준용하도록 규정하고 있습니다.
- 하지만, 법인의 설립허가의 취소와 관련해서는 「사회복지사업법」에 별도의 조문이 있고, 그 내용 또한 「민법」이나 「공익법인법」에서 규정하고 있는 취소 사유를 대부분 규정하고 있기 때문에 「민법」 등을 준용한다고 보기는 어렵습니다.
- 다만 「사회복지사업법」 제26조제1항의 취소사유에 「민법」과 「공익법인법」에서 공히 법인 설립허가의 취소 사유로 규정하고 있는 "공익을 해치는 행위"만 누락이 되어 있습니다.
- 따라서 사회복지법인이 공익을 해치는 행위를 한 경우에는 해당 행위가 임원의 결격사유에 해당되면* 해당 임원을 법인에서 배제할 수 있으나 설립허가 취소는 불가능하다는 결론에 이르게 됩니다.
  * 「민법」 제38조에서 "법인이 공익을 해하는 행위를 하는 경우란, 법인의 기관이 공익을 침해하는 행위를 한 경우"를 의미 (대법원 1982. 10. 26. 선고, 81누363 판결)

o 이러한 상황은 「사회복지사업법」의 개정을 통해서 해소하는 것이 가장 바람직하지만, 법률이 개정되기 전까지는 다음의 방법으로 업무를 처리할 수 있을 것입니다.
- 공익을 해치는 행위가 발생하였을 때 시 「사회복지사업법」 제51조에 따른 지도·감독권을 행사하고, 불응할 경우 이는 제26조제1항제11호 사유에 해당되어 허가취소가 가능합니다. 다만 이 경우 침익적 행정행위의 근거로 보기에는 다소 모호하다는 문제가 있을 수 있습니다.
- 다른 방안으로는 「사회복지사업법」 제16조에 따른 설립허가 시에 제반 법률의 준수, 위법 행위 및 공익침해 행위 금지를 조건으로 붙이면, 해당 조건 위반이 곧 「사회복지사업법」 제26조제1항제2호에 해당되어 설립허가 취소가 가능합니다.

3. 절차

3.1. 당연취소의 경우

당연취소사유에 해당하여 사회복지법인의 설립허가를 취소하는 경우에는 별도의 시정명령이나 「행정절차법」 등과 관련한 절차를 이행하지 않고, 즉시 설립허가를 취소할 수 있습니다. 이는 정상적인 방법으로는 설립이 도저히 불가능한 법인이 행정청에 대해서 거짓·부정한 방법을 동원하여 설립을 진행하였거나, 언뜻 보기에는 정상적인 절차로 설립은 되었으나 사실상 법인의 존재형태 그 자체인 기본재산을 출연하지 않은 경우에 대한 것으로서 애당초 존재하면 안 되는 법인이므로 시정명령 등 사전절차 진행이 무의미하므로 즉시, 반드시 설립허가를 취소하는 것이 「사회복지사업법」의 취지나 법률적 정의(正義)에 부합되기 때문입니다.

3.2. 임의취소의 경우

임의취소사유에 해당하여 설립허가를 취소하는 경우에는 원칙적으로 시정명령을 하고 6개월이 지나도 법인이 그 시행명령을 이행하지 않은 때에 한정해서 취소를 명할 수 있습니다. 그러나 설립허가를 취소하고자 하는 법인의 운영상태 등을 종합적으로 고려해볼 때 시정명령을 하여도 그 명령을 이행할 수 없거나, 법률 위반 사항이 너무 엄중하여 시정명령보다는 즉시 설립허가를 취소하는 것이 바람직하다고 판단되는 경우라면 시정명령 없이도 설립허가를 취소할 수 있습니다.

개인 해석 「행정절차법」을 적용하지 않아도 되는 이유

- o 「행정절차법」 제3조제1항에서는 "① 처분, 신고, 행정상 입법예고, 행정예고 및 행정지도의 절차(이하 "행정절차"라 한다)에 관하여 다른 법률에 특별한 규정이 있는 경우를 제외하고는 이 법에서 정하는 바에 따른다."라고 규정하고 있습니다.
- - 한편 사회복지법인 허가의 당연취소에 대해서 규정하고 있는 「사회복지사업법」 제26조제1항에서는 당연취소의 경우 시정명령 없이 허가를 취소해야 한다고 규정하고 있고, 제2항에서는 6개월의 내에 시정명령을 이행하지 않은 경우에 취소토록 규정하고 있습니다.
- - 따라서 「사회복지사업법」 제26조제1항 및 제2항이 "다른 법률에 특별한 규정이 있는 경우"에 해당된다고 봐야 할 것이므로, 「행정절차법」과 달리 취소처분 절차를 진행하는 것이 가능할 것으로 판단됩니다.
- o 다만 시정명령은 별도의 예외가 없으므로 「행정절차법」에 따라서 처분을 해야 하고, 다른 방법으로 감독 목적을 달성할 수 없는 점은 주무관청이 입증해야 함을 유의해야 합니다.

4. 허가취소 후 행정처리

허가취소가 확정된 사회복지법인은 즉시 청산인을 선임하여 해산절차를 진행하여야 하고, 그 청산의 목적범위 내에서만 권리·의무의 주체가 될 수 있기 때문에 법인의 상대방이 이러한 사실을 명확히 알아야만 불측의 손해를 입지 않을 것입니다. 따라서 주무관청은 설립허가 취소 처분을 한 경우 가급적 해당 사항을 관보(官報) 등에 공고나 공시하고, 법원에 대해서는 해당 법인의 설립허가가 취소되었음을 알려야 할 것입니다.[108)]

주무관청의 통보를 받은 법원은 등기예규인 「주무관청의 설립허가취소에 따른 법인등기 사무처리요령」에 따라 설립허가 취소된 법인에 대해서는 해산등기나 청산인 선임등기 이외의 등기는 처리하지 않게 되어, 해산된 법인이 등기를 이용

---

108) 법인허가 취소처분의 확정시기에 대해서는 이 책 147쪽 참고

하여 불법 등을 자행할 수 있는 가능성을 사전에 예방할 수 있는 효과가 있습니다. 또한 등기부에 해당 법인이 주무관청으로부터 설립허가가 취소되었음이 함께 표시되어 설립허가취소된 법인의 상대방이나 제3자가 그 사실을 알게 되는 효과도 함께 발생하게 됩니다.

참조 등기예규 「주무관청의 설립허가취소에 따른 법인등기 사무처리요령」

o **예규번호** : 등기예규 제1506호(전부개정 2013.12.24.)

제1조(목적)

이 예규는 주무관청으로부터 사단법인이나 재단법인의 설립허가 취소 통보를 받은 경우(사단법인이나 재단법인에 관한 규정을 준용하는 경우를 포함한다) 등기관의 법인등기 사무처리절차를 정함을 목적으로 한다.

제3조(등기관의 처리)

① 주무관청으로부터 설립허가 취소 통보를 받은 경우 등기관은 전산시스템의 부전지 기능을 이용하여 설립허가취소 사실, 설립허가취소 연월일, 취소기관, 문서번호 또는 관보번호 등을 입력하여 해산된 법인임을 알 수 있도록 하여야 한다.

② 설립허가가 취소된 법인에 대하여는 인감증명서를 발급하여서는 아니된다.

제4조 (등기의 제한)

설립허가가 취소된 법인에 대하여는 해산등기 및 청산인 선임등기 이외의 등기는 수리하여서는 아니된다.

사례 예시 위 등기예규 제3조에 따른 등기부 표시 예시 (밑줄 친 부분)

* 「민법법인 및 특수법인 등기규칙」 별지 제1호 양식

등기번호	000123
등록번호	123432-0001234

2017년 12월 15일 설립허가취소
(△△광역시 문서번호 OO과 - 7894)

명　칭　사회복지법인 OOOO복지재단	.　.
	.　.
주사무소　△△광역시 OO구 XX로 123	.　.
	.　.

목　　적

第27조(남은 재산의 처리)

第27조(남은 재산의 처리) ① 해산한 법인의 남은 재산은 정관으로 정하는 바에 따라 국가 또는 지방자치단체에 귀속된다.
② 제1항에 따라 국가 또는 지방자치단체에 귀속된 재산은 사회복지사업에 사용하거나 유사한 목적을 가진 법인에 무상으로 대여하거나 무상으로 사용·수익하게 할 수 있다. 다만, 해산한 법인의 이사 본인 및 그와 대통령령으로 정하는 특별한 관계에 있는 사람이 이사로 있는 법인에 대하여는 그러하지 아니하다.
→ **「사회복지사업법 시행령」 제10조의6(이사와 특별한 관계에 있는 사람)**

1. 의의

사회복지법인이 해산하고 남은 재산은 정관에서 정한 바에 따라 국가나 지자체로 귀속이 됩니다. 잔여재산과 관련하여 「민법」에서는 단순히 정관으로 지정한 자에게 귀속되는 것으로 규정하고 있으나, 「공익법인의 설립 · 운영에 관한 법률」에서는 「사회복지사업법」과 동일하게 국가나 지자체로 귀속되는 것으로 규정하고 있습니다. 종전의 「사회복지사업법」에는 유사 목적을 가진 사회복지법인으로 귀속시키는 내용도 포함되어 있었으나, 법률 제6960호(2003.7.30. 공포, 2004.7.31. 시행)로 개정된 「사회복지사업법」에서 관련 내용이 삭제되었습니다. 입법 당시 검토보고서[109]에는 그 삭제 이유를 "①사회복지법인의 공공성을 제고하고, ②해산된 문제법인과 일정 부분 동일한 사회복지법인으로 다시 그 재산이 귀속되는 것을 방지하기 위함"이라고 명시하고 있습니다. 이러한 입법사유에 더불어 사회복지법인이 해산 과정 중에 청산을 하고도 남은 재산이 있는 경우, 그 재산은 해당 법인이 운영을 잘해서 남은 재산이라고도 할 수 있지만, △사회복지사업 자체가 운영의 합리화 등을 실현하더라도 수익을 남기기는 어려운 구조라는 점, △각종 법령에 따른 특혜나 보조금 등을 지원받음으로써 설립 시 출연된 기본재산을 사용·처분하지 않고도 법인을 운영하고, 그 결과로 재산이 남게 될 수 있다는 점 등을 종합적으로 고려하여 그 잔여재산을 다시 공공의 영역으로 되돌리는 것이 바람직하다는 취지가 바탕에 깔려 있는 조문으로 사료됩니다.

---

109) 「국회 보건복지위원회 검토보고서(160631_30)」 참조

2. 남은 재산의 범위

법 제27조제1항에서 "해산한 법인의 남은 재산"이라고 규정하고 있어 사회복지법인이 해산하면 해산 당시의 재산을 모두 다 남은 재산으로 오해할 우려가 있습니다. 그러나 해산한 사회복지법인은 당연히 청산절차를 거쳐야 하고, 이러한 청산절차 과정 중에 채권채무 등 재산과 관련된 제반 권리·의무관계를 정리해야 합니다. 따라서 해산한 법인의 남은 재산이라고 함은 법인이 해산을 하고, 그 이후에 청산절차가 완전히 끝나고 난 다음에 남아있는 재산을 의미하는 것입니다.

3. 귀속절차

잔여재산을 귀속시키는 절차는 반드시 정관으로 정해야 합니다. 정관에서는 법률 조문을 동어반복(同語反覆)할 것이 아니라 구체적인 귀속 절차나 귀속 주체를 명시하여야 합니다. 실제 사례에서 정관으로 귀속과 관련된 구체적인 사항을 정하지 않아 국가나 지자체 중 어느 곳으로 귀속시킬지도 정하지 못한 경우가 있고, 국가나 지자체 중 한 곳을 규정하기는 하였으나 국가 중 어떤 관리청으로, 지자체 중 어떤 지자체로 귀속시킬 것인지가 불명확하여 잔여재산 처리 관련 사무를 수행하는 데 상당한 어려움이 발생하는 경우도 있습니다. 따라서 그 귀속절차를 정함에 있어서 국가나 지자체 중 어떤 부처나 지자체로 귀속시킬 것인지를 구체적이고 명확하게 정해야 할 것이고, 만일 특정 부처나 지자체를 정하기 어려우면 적어도 "이 법인의 주무관청" 등의 표현이라도 사용해야 합니다. 만일 정관으로 정하지 않았다면, 청산인이 청산법인과 관련한 업무를 감독하는 법원의 허가를 받아 특정 부처나 지자체로 귀속시킬 수밖에 없을 것입니다.

참조 판례 국가·지자체에 귀속시키는 조문은 강행규정임

o **사건번호** : [대법원 2000. 12. 8. 선고 98두5279 판결]

o 민법 제80조 제1항은 해산한 법인의 재산은 정관으로 지정한 자에게 귀속한다고 규정하고 있는바, 이러한 청산절차에 관한 규정은 모두 제3자의 이해관계에 중대한 영향을 미치는 것으로서 강행규정이므로,

- 해산한 법인이 잔여재산의 귀속자에 관한 정관 규정에 반하여 잔여재산을 달리 처분할 경우 그 처분행위는 청산법인의 목적범위 외의 행위로서 특단의 사정이 없는 한 무효

[개인주석]

* 잔여재산의 귀속과 관련하여 정관을 위반한 것도 무효이므로 법률인 「사회복지사업법」을 위반한 경우는 재고의 여지 없이 무효입니다.

4. 귀속 후 사용방법

4.1. 원칙

국가나 지자체에 귀속된 잔여재산은 해당 재산을 귀속 받은 부처나 지자체가 직접 사회복지사업에 사용하거나, 해산된 법인과 유사한 목적을 가진 사회복지법인[110]에 대해 무상으로 대여하거나 무상으로 사용·수익하게 할 수 있습니다. 이때 관련 부처나 지자체는 「국유재산법」이나 「공유재산 및 물품 관리법」을 준수하여 무상 대여 등의 절차를 진행하여야 합니다.

4.2. 금지사항

국가나 지방자치단체로 귀속된 재산이라고 하더라도, 해산한 법인의 이사 본인이나 그러한 이사와의 관계가 시행령 제9조에 따른 특별한 관계에 있는 자가 이사로 있는 사회복지법인의 경우에는 무상 대여 등이 불가능합니다. 이는 해당 법인 해산의 책임이 있는 이사가 그 잔여재산을 무상 대여 등을 통해 활용토록 하는 것이 적절치 않고, 기존 법인의 재산을 그 출연자의 의도와 무관하게 활용할 목적으로 별도의 사회복지법인을 만들어서 잔여재산을 무상으로 활용하고자 하는 상황도 배제할 수 없기 때문에 해산한 법인의 이사나 그 특별관계인이 이사로 재직하고 있는 사회복지법인은 종전 법인의 잔여재산의 무상 활용을 할 수 없도록 규정하고 있습니다.[111] 여기서 이사는 법령에 특별한 규정이 없기 때문에 해산한 사회복지법인에 재직하였던 기록이 있는 모든 이사를 의미하는 것으로 해석해야 하며, 따라서 실무상으로는 해산한 법인의 등기부에 등재되어 있었던 모든 이사가 해당되는 것으로 판단하면 될 것입니다.

110) 「사회복지사업법」 第27조제2항에서는 "법인"이라는 표현을 사용하고 있으나, 제27조는 같은 법 제16조제1항에서 사회복지법인을 "법인"으로 약칭하여 사용토록 한 범위 내에 있는 조문이므로 사회복지법인만 해당이 됨

111) 「국회 보건복지위원회 검토보고서(160631_30)」 참조

第28조(수익사업)

第28조(수익사업) ① 법인은 목적사업의 경비에 충당하기 위하여 필요할 때에는 법인의 설립 목적 수행에 지장이 없는 범위에서 수익사업을 할 수 있다.
② 법인은 제1항에 따른 수익사업에서 생긴 수익을 법인 또는 법인이 설치한 사회복지 시설의 운영 외의 목적에 사용할 수 없다.
③ 제1항에 따른 수익사업에 관한 회계는 법인의 다른 회계와 구분하여 회계처리하여야 한다.

1. 의의

사회복지법인은 사회복지사업을 수행할 목적으로 설립되는 법인이고, 사회복지사업의 수행 범위 내에서만 권리능력이 있다는 점은 앞에서 살펴본 바가 있습니다. 그러나 사회복지사업의 경우 그 사업의 특성상 금전적인 이익이 크게 발생하는 사업이 아니므로, 해당 법인의 기본재산 등 자기가 기존에 보유하고 있는 각종 재원이나 그 과실(果實)만을 사용하여 사업을 수행해야 합니다. 그러나 여러 가지 경제적인 여건으로 인해 기본재산 등의 재산으로부터 발생하는 과실이 크지 않고, 사회복지사업 자체에서도 수익이 발생하기 어렵기 때문에 사회복지사업만을 수행하여서는 자력(自力)으로 지속적인 법인 운영이 어려운 상황에 직면할 가능성이 적지 않습니다. 「사회복지사업법」은 이러한 상황을 고려하여, 사회복지법인이 목적사업인 사회복지사업을 원활히 수행할 수 있는 재정적 기초를 마련할 수 있도록 별도로 수익사업을 추진할 수 있도록 허용하고 있습니다. 이러한 수익사업은 「사회복지사업법」이라는 법률에서 허용하고 있는 것이므로 아래에서 설명하는 각종 요건에 부합되는 경우라고 한다면, 사회복지법인의 권리능력 범위 내에서 수행할 수 있다고 할 수 있습니다.

2. 요건 및 한계

2.1. 실질요건

사회복지법인이 추진하고자 하는 수익사업은 ①목적사업인 사회복지사업을 수행하는 경비를 충당할 목적이 있어야 하고, ②그러한 충당을 위해서 수익사업 이외에 다른 방법이 없어야 하며, ③수익사업 수행으로 인해 목적 수행에 지장이 없어야 합니다. 이 세 가지 요건 중 하나라도 충족하지 못하면 수익사업을 수행할 수 없습니다. 주무관청은 법인이 수익사업을 수행할 목적으로 정관변경 인가 신청을 한 경우 위의 요건에 부합되는지 반드시 확인하여야 하고, 법인도 자신이 수행하고자 하는 수익사업이 위의 요건에 해당되는지 여부를 사업계획서, 수지예산서 등의 자료를 통해 상세하게 입증·해명해야 할 것입니다.

2.1.1. 경비 충당 목적

법인이 수행하는 수익사업은 사회복지사업을 수행하는 경비를 충당하기 위해서 진행되는 것이므로 반드시 수익이 발생하는 사업이어야 하고, 수익사업과 관련되는 법령 등의 위반 없이도 사회복지법인이 그 수익을 자유롭게 사용할 수 있어야 합니다. 수익사업 중 그 수익사업의 근거법령에서 수익의 발생을 인정하지 않거나, 발생되는 수익을 그 사업주가 취하지 못하도록 규정하고 있다면, 이는 「사회복지사업법」상 사회복지법인의 수익사업이 될 수가 없습니다. 또한 발생하는 수익은 단순히 해당 수익사업을 유지하는 데 필요한 수준이 아니라, 목적사업 수행에 직접적으로 도움이 되는 수준이 되어야 합니다.

참조 판례 비영리법인의 사업이 수익사업에 해당하는지 여부의 판단 기준

o **사건번호** : [서울행법 2002.8.2, 선고, 2001구16605, 판결]

o 어느 사업이 수익사업에 해당하려면 적어도 그 사업 자체가 수익성을 가진 것이거나 수익을 목적으로 영위한 것이어야 하고,

- 수입금액이 적다는 이유만으로 그 사업의 수익성을 부정할 것은 아니지만, 그렇다고 하여 대가가 수수된다는 사정만으로 바로 그 사업에 수익성이 있어서 그 사업이 수익사업에 해당한다고 단정할 것은 아니며,
- 대가가 수수된다고 하더라도, 그 대가가 객관적으로 보아 채산성(이는 '경영상, 수지나 손익을 따지거나 셈하여 이익이 나는 정도'라는 뜻이다.)을 고려함이 없이 책정된 것으로서 실비변상의 수준에 불과하고, 그리하여 당초부터 그 사업에서 이익이 생길 여지가 없다면, 그 사업은 수익성이 결여된 것으로서 수익사업에 해당하지 아니한다고 보아야 할 것이고,
- 나아가 그 사업이 영리법인이 영위하는 유사 사업과 경쟁관계에 있는지의 여부와 그 사업소득에 대한 비과세가 영리법인에 의하여 조세회피의 수단으로 악용될 여지는 없는지의 여부 등도 아울러 고려하여야 한다.

2.1.2. 수익사업이외의 대안이 없을 것

수익사업을 수행하는 경우에도 사회복지법인은 그 수익사업 수행을 위한 인적·물적 비용을 감수해야 하므로 해당 법인에게 여전히 부담이 될 수 있는 사항입니다. 따라서 사회복지법인은 원칙적으로는 목적사업만 수행할 수 있다고 볼 수 있을 것이나, 스스로 경비를 충당할 수 있는 수단이 수익사업이외에는 없는 경우에만 특별하게 수익사업을 수행할 수 있다고 할 수 있습니다. 즉 기존의 사회복지법인이 소유하고

있는 재산만으로도 사회복지사업을 수행하는 데 재정적 문제가 없다면 수익사업을 수행하는 것은 바람직하지 않을 뿐 아니라, 수행할 수도 없다고 할 것입니다.

2.1.3. 설립 목적 수행에 지장이 없을 것

「사회복지사업법」에서는 수익사업의 종류나 범위 등에 대해서는 구체적으로 명시하고 있지는 않습니다. 그러나 우선 앞에서 살펴본 바와 같이 법인의 설립 목적 수행에 지장이 없는 범위 내에서 사업을 할 수 있으므로 법인의 설립 목적 수행에 직접적인 방해가 있는 경우는 물론 수행할 수 없고, 설립 목적과 위배되는 수익사업의 경우는 수익사업으로 수행하는 것이 적절치는 않다고 할 것이며, 따라서 관련 수익사업에 대한 정관변경 인가가 불가능할 수도 있을 것입니다. 여기서 유의할 점은 이 건 기준이 "목적사업 수행"에 지장이 있는지 여부가 아니라 "설립 목적 수행"에 지장이 있는지 여부라는 점입니다. 설립 목적은 목적사업과 달리 구체화되어 있지 않는, 상당히 관념적이고, 추상적인 사항이므로 법인의 설립 취지와 유사한 개념으로 볼 수 있습니다. 예컨대 알코올 의존증과 관련된 사회복지사업을 수행하기 위해 설립된 사회복지법인이 주점운영이나 주류도매업을 그 수익사업으로 추진한다면, 주점운영이나 주류도매업 자체가 불법은 아니지만 해당 법인의 설립 목적이나 취지와는 부합되지 않음은 물론이고, 그 관련 사업을 추진함에 있어 그 진정성에 대한 문제제기 등으로 인해 사실상 사업 수행이 어려워질 우려가 크다고 할 수 있습니다.

2.2. 형식요건

2.2.1. 수익사업 승인 필요 여부

법 제28조에서는 사회복지법인이 사회복지사업을 수행할 수 있고, 이 경우 법 17조제1항제8호에 따라서 정관에 기재토록 하고 있습니다. 이러한 입법 태도는 「사회복지사업법」 제32조에 따라 준용되는 「공익법인의 설립·운영에 관한 법률」 제4조에서 주무관청의 허가를 받고 수익사업을 하도록 하고 있는 규정과는 배치(背馳)되는 면이 있습니다. 이러한 양 법률 간의 준용관계를 명확히 분석하지 않으면 사회복지법인 수익사업을 하고자 할 때에는 「공익법인의 설립 · 운영에 관한 법률」을 준용하여 주무관청의 승인을 받아야 하는 것으로 해석할 수 있는 여지도 있습니다. 하지만, 법률 제5979호(1999.4.30. 공포, 1999.11.1. 시행)로 개정되기 전의 「사회복지사업법」 제28조제2항에서는 사회복지법인이 수익사업을 하고자 할 때는 보건복지부령이 정하는 바에 따라 주무관청의 승인을 얻어야 하는 것으로 규정하고 있었으나, 당시 규제개선 차원에서 삭제가 된 점을 고려한다면, 사회복지법인은 법 제28조와 제17조에 따라서 정관 변경인가를 받은 후에 수익사업을 수행하면 되고, 별도의 승인을 받아야 할 필요는 없다고 할 것입니다.

2.2.2. 정관 변경인가

「사회복지사업법」 제17조제1항제8호에서는 "수익(收益)을 목적으로 하는 사업이 있는 경우 그에 관한 사항"을 정관에 반드시 포함토록 규정하고 있습니다. 따라서 수익사업을 수행하고자 한다면, 반드시 그 내용을 포함한 정관의 인가를 받은 후라야 관련 사업의 수행이 가능하게 됩니다. 물론 설립중인 법인은 설립허가 시에 제출한 정관에 수익사업에 관한 사항이 기재되어 있다면, 설립허가만으로도 수익사업이 가능하게 됩니다. 만일 정관에 기재 없이 수익사업을 수행하였다면 이는 「사회복지사업법」을 위반한 것이 되므로 법인 설립허가 취소나 임원의 해임명령의 대상이 됨을 유의해야 합니다.

유용한 TIP 정관상 수익사업의 명시 방법

o 정관작성 시 목적사업(사회복지사업)과 수익사업 관련 조문을 각각 분리하여 작성하여야 합니다.
- 왜냐하면 법 제17조제1항에서 정관의 필요적 기재사항을 명시하면서 제4호는 사업의 종류, 제8호는 수익사업에 관한 사항으로 각각 분리하여 규정하고 있고,
- 수익사업이라는 것이 목적사업을 수행하는 데 필요한 재원을 마련하기 위해서 부수적으로 수행하는 사업이기 때문에 이를 목적사업과 동일하게 볼 수 없기 때문입니다.
- 따라서 사회복지사업인 목적사업과 그 밖에 사업인 수익사업을 동일한 조문 내에서 규정할 이유도 없고, 자칫 혼동의 여지도 있기 때문에 반드시 분리하여 명시해야 합니다.

참조 등기선례 사회복지법인의 수익사업을 등기기록의 『목적』란에 기록할 수 있는지 여부

o **선례번호** : 등기선례 제200502-9호(2005.02.14. 제정)

2. 사회복지법인이 주무관청의 허가를 받아 목적사업 외에 별도의 수익사업을 영위할 수도 있으나, 수익사업은 법인의 설립목적을 수행하는 데 지장이 없는 범위 내에서 하는 부수적·수단적 사업일 뿐, 법인의 본래의 목적을 달성하기 위한 사업이 아니므로 이를 등기기록의 『목적』란에 기록하는 것은 타당하지 않다.

2.3. 한계

앞에서 살펴본 바와 같이 정관에 수익사업을 추가하기 위해서는 주무관청인 지자체의 정관 변경허가가 필요합니다. 이 때 변경허가는 지자체가 자신의 권한

내에 있는 사항에 한해서만 허가를 할 수 있는 권한이 있습니다. 예를 들어 중앙부처에서 허가를 받아야만 하는 수행할 수 있는 수익사업의 경우 원칙적으로 사회복지법인의 주무관청인 지자체가 해당 사회복지법인의 수익사업으로 추가하는 정관에 대해서 허가를 할 수 없다고 할 것입니다. 만일 해당 수익사업의 수행이 반드시 필요한 경우라고 한다면 지자체가 그 수익사업과 관련하여 허가권 등을 가지고 있는 중앙부처와 사전에 협의를 한 후 정관 변경허가를 할 수는 있을 것입니다. 하지만 이 경우에도 실제 수익사업을 추진하고자 추진하는 과정에서 허가 등을 받지 못한 경우에는 해당 정관에 대한 변경허가를 철회하거나 취소한다는 조건을 달 필요가 있습니다.

또한 사회복지사업을 수익사업으로 등재하여서는 아니 됩니다. 사회복지법인 자체가 사회복지사업을 주된 목적사업으로 수행하기 위해서 설립된 법인이고, 수익사업이란 목적사업의 운영을 보조하기 위해서 부득이하게 실시하는 사업이기 때문입니다.

한편 일부 사회복지법인의 경우 의료기관 운영을 사회복지법인의 수익사업으로 등재하였거나 등재하고자 하는 시도를 하는 경우가 있습니다. 그런데 의료기관을 운영하고자 하는 비영리법인의 경우 「의료법」 제33조 및 같은 법 시행령 제16조 제1항제1호가목 및 같은 항 제2호가목에 따라 의료기관 개설·운영을 그 정관상 목적사업으로 표기하여야만 하기 때문에 의료기관 운영을 수익사업으로 등재하거나 등재하고자 하는 것은 「의료법」을 위반하는 사안이 되므로, 비영리법인인 사회복지법인의 수익사업으로 의료기관 개설 관련 사항을 추가할 수 없습니다.

요컨대 사회복지법인의 수익사업은 △지자체가 권한을 가지고 있는 범위 내의 사업이거나, △자유업 중 진입장벽이 따로 존재하지 않는 사업(사업주체가 비영리법인이면 충분한 경우 등)에 한정된다고 할 수 있습니다.

3. 수익의 회계처리 및 사용용도

사회복지법인이 수익사업을 수행하는 경우에는 반드시 법인의 다른 회계와는 구분하여 그 회계를 처리해야 합니다. 즉 수익사업과 관련한 회계는 「사회복지법인 및 사회복지시설 재무·회계 규칙」에 따른 법인회계 및 시설회계와는 별개로 수익사업회계로써 처리·운영을 하여야 합니다. 이는 사회복지법인이 수익사업으로 인해 얻은 수익은 법인회계나 법인이 설치한 사회복지시설의 시설회계로 전출하여 사용해야 하므로, 그 수익의 이동 관계를 명확히 하기 위해서 별도로 수익사업회계를 두도록 하고 있는 것입니다. 법인이 수익사업을 통해 얻은 수익을 앞에서 언급한 목적 이외의 목적으로 사용할 경우에 이는 법 제54조제2호에 해당되어 1년 이하의 징역 또는 1천만원 이하의 벌금에 처해지는 범죄가 됨을 각별히 유의해야 합니다.

4. 수익사업의 시정·정지명령 가능 여부

「사회복지사업법」 제32조에 따라 준용되는 「공익법인의 설립 · 운영에 관한 법률」 제14조제3항에서는 수익을 목적사업 외의 용도로 사용하거나 해당 수익사업의 계속 수행이 공익법인의 목적에 위배된다고 인정될 때에는 해당 수익사업의 시정이나 정지를 명할 수 있도록 규정하고 있습니다. 이러한 규정을 사회복지법인에 대해서 준용할 수 있는지 여부에 대해서는 여러 가지 의견이 있을 수 있습니다. 그런데 법률 제5358호(1997.7.1. 공포, 1997.8.22. 시행)로 전부개정되기 전의 「사회복지사업법」에서는 수익사업의 정지명령에 관한 조문이 있었으나 1997년도에 전부개정이 되면서 관련 사항이 삭제되었습니다. 따라서 원래 있었던 수익사업 정지 등과 관련한 조문이 삭제되었고, 그러한 취지를 충분히 고려한다면 이와 관련된 사항을 준용할 이유는 없다고 할 것입니다. 더구나 준용하여 시정·정지명령을 내리더라도 그 명령을 거부한 경우에 대한 규제책이 없기 때문에 실효성 측면에서도 의문입니다. 사회복지법인의 수익사업은 그 정관변경 시에 신중하게 검토하는 것이 가장 바람직하고, 정관변경인가를 받아 수행하는 수익사업의 경우는 수익의 사용 용도를 면밀히 관리·감독하는 등 사후조치를 철저히 이행하는 것으로서 관리·감독의 효과를 꾀해야 할 것으로 판단됩니다.

제30조(합병)

제30조(합병) ① 법인은 시 · 도지사의 허가를 받아 이 법에 따른 다른 법인과 합병할 수 있다. 다만, 주된 사무소가 서로 다른 시 · 도에 소재한 법인 간의 합병의 경우에는 보건복지부장관의 허가를 받아야 한다.

② 제1항에 따라 법인이 합병하는 경우 합병 후 존속하는 법인이나 합병으로 설립된 법인은 합병으로 소멸된 법인의 지위를 승계한다.

→ 「사회복지사업법 시행령」 제11조(사회복지법인의 합병)

→ 「사회복지사업법 시행규칙」 제19조(법인의 합병)

1. 의의

사회복지법인은 다른 비영리법인들과 달리[112] 주무관청인 시·도지사의 허가를 받은 경우 사회복지법인 간 합병(合併)이 가능합니다. 사회복지법인이 아닌 대부분의 법인은 합병제도가 없기 때문에 법인 간 합병의 효과를 얻고자 할 때에는 특정 법인이 해산하고 다른 법인에 통합되거나, 새로운 법인을 만들기 위해 복수(複數)의 법인이 해산하는 방법[113]만이 가능합니다. 그러나 사회복지법인이 이러한 형태로 합해질 경우 해산된 법인의 권리·의무관계 승계 등 법률관계가 매우 복잡하게 되는 등 문제의 소지가 많고, 종전 사회복지법인이 운영하던 사업의 연속성이나 필요한 재정적 기초도 함께 보장하는 것이 쉽지 않기 때문에 별도로 합병이라는 제도를 도입한 것으로 사료됩니다.

⚠ 유의사항 분리(分離), 일부 합병 및 이종법인과의 합병은 불가

o 「사회복지사업법」에서는 사회복지법인의 합병에 대해서는 규정하고 있으나 그 반대의 경우인 분리에 관한 사항은 없으므로, 법인을 분리하는 것은 불가능합니다.

- 따라서 사회복지법인 일부를 분리하여 타 법인과 합병[114]하는 등의 절차도 불가능합니다.

o 사회복지법인 간의 합병만 가능하므로 사회복지법인이 아닌 다른 종류의 법인과는 합병은 허용되지 않습니다.

112) 「민법」에는 통합과 관련된 근거가 없으므로 「민법」상 재단법인의 통합(합병)은 불가능함 [법무부, 「실무자를 위한 비영리·공익법인 관리·감독 업무 편람」(2017), 322쪽 참조]

113) 합병의 형태는 ①하나의 법인이 다른 법인으로 통합되는 경우(A+B→A), ②복수의 법인이 하나의 법인이 되는 경우(A+B→C)로 나누어 볼 수 있음.

114) A법인을 A1과 A2로 임의로 나누고, 그 중 A2를 B법인과 합병하는 식의 방법은 불가

2. 절차

하나의 광역시·도내에서 합병이 이루어지는 경우 해당 시·도지사가 합병에 대해서 허가를 합니다. 그러나 주된 사무소가 각각 다른 광역시·도에 있는 경우, 즉 주무관청인 광역시·도가 다른 경우에는 보건복지부장관의 허가를 받아야 합병이 가능합니다. 복수(複數)의 법인이 합병하여 새로운 사회복지법인을 만드는 경우라고 하더라도, 신규 사회복지법인 설립절차가 아닌 합병과 관련한 절차를 거쳐 합병 허가를 받으면 별도의 사회복지법인 허가를 받을 필요는 없습니다. 복수의 법인이 합병하여 하나의 사회복지법인을 새로이 설립하고자 하면 각 법인에서 5명씩 지명하는 설립위원을 구성원으로 하는 설립위원회를 두어, 해당 위원회에서 사회복지법인 설립 사무를 공동으로 수행해야 합니다.

3. 효과

법인이 합병하는 경우 합병 후 존속하는 법인이나 합병으로 설립된 법인은 합병으로 소멸된 법인의 지위를 승계하게 됩니다.

제31조(동일명칭 사용 금지)

제31조(동일명칭 사용 금지) 이 법에 따른 사회복지법인이 아닌 자는 사회복지법인이라는 명칭을 사용하지 못한다.

사회복지법인은 그 공공성과 공익성이 강한 법인으로서 「사회복지사업법」 뿐만 아니라 다른 법령에서 따라서도 각종 혜택이나 의무가 주어지게 됩니다. 이러한 혜택이나 의무는 「사회복지사업법」에 따라서 설립된 사회복지법인이 아닌 경우에는 적용하여서는 아니 되는 것들이 대부분입니다. 따라서 사회복지법인이 아닌 법인이 사회복지법인이라는 명칭을 사용하게 되면 해당 법인에게 뿐만 아니라 그 거래 상대방에게도 불측(不測)의 손실이 발생할 가능성이 상당히 높게 됩니다. 이러한 상황을 반영하여 「사회복지사업법」에 따라 설립된 사회복지법인이 아니라면 사회복지법인이라는 명칭을 사용하지 못하도록 규정하고 있는 것입니다. 따라서 제3자의 혼동을 방지하기 위해서 사회복지법인이 아닌 법인은 그 등기부상 명칭은 물론이고, 각종 홍보자료 등 대외적으로 발간하는 모든 자료에서 해당 법인이 사회복지법인으로 오인될 수 있는 표현을 사용하면 아니 됩니다. 만일 사회복지법인이 아닌 법인이 사회복지법인이라는 명칭을 사용하면, 「민법」이나 관련 법률에 따른 처분뿐만 아니라 「사회복지사업법」 제58조제2항에 따라 300만원 이하의 과태료에 처해지게 됩니다.

⚠ 유의사항 유사명칭을 사용하는 경우 처분은 불가

- o 법 제31조는 <u>동일명칭의 사용을 금지</u>하고 있는 것이지, 유사명칭의 사용까지 금지하고 있는 것은 아닙니다.
- \- 따라서 사회복지법인과 유사한 명칭, 예컨대 <u>사회복지재단</u>과 같은 명칭을 사용한 경우, 그 명칭의 사용에 대해서는 「사회복지사업법」을 근거로는 별도의 처분을 할 수 없습니다.

第32조(다른 법률의 준용)

第32조(다른 법률의 준용) 법인에 관하여 이 법에서 규정한 사항을 제외하고는 「민법」과 「공익법인의 설립 · 운영에 관한 법률」을 준용한다.

「사회복지사업법」에서는 사회복지법인에 관한 여러 가지 사항을 규정하고 있으나, 법인의 일반적인 사항까지 규정을 하고 있지는 않습니다. 이는 법인과 관련하여 이미 「민법」이나 「공익법인의 설립 · 운영에 관한 법률」에서 상세한 내용을 규정하고 있기 때문에 이를 준용함으로써 「사회복지사업법」에서 동일한 내용을 별도로 규정하는 입법의 낭비를 방지하고, 「민법」 등 준용되는 법률과 관련된 여러 가지 해석이나 판례를 사회복지법인에도 그대로 적용할 수 있다는 등의 장점이 있기 때문입니다. 다만, 준용하는 사항은 「사회복지사업법」에서 정하고 있지 않는 것만 해당되므로 이미 「사회복지사업법」에 규정이 있거나, 「사회복지사업법」의 규정 취지와 충돌이 되거나 부합되지 않는 사항은 준용대상이 될 수 없다는 점에 유의하여야 합니다. 예컨대 법인의 등기, 이사회의 운영, 감사의 직무 등은 「사회복지사업법」에는 규정이 없는 반면, 「공익법인의 설립 · 운영에 관한 법률」에는 규정이 있으므로 이는 준용을 해야 합니다. 그러나 정관 기재 내용은 이미 「사회복지사업법」에 관련 규정이 있으므로 「사회복지사업법」만 적용되는 것입니다. 수익사업과 같은 경우는 「사회복지사업법」과 「공익법인의 설립 · 운영에 관한 법률」에 모두 규정이 있으나, 「사회복지사업법」에서는 승인과 관련된 사항이 없고, 「공익법인의 설립 · 운영에 관한 법률」 승인을 받도록 규정하고 있기 때문에 승인 관련 사항을 준용해야 할 것으로 판단할 여지도 있으나 앞에서 관련 사항을 이미 살펴본 바와 같이 종전의 「사회복지사업법」에서 승인과 관련된 사항이 삭제된 이력이 있으므로 그 취지에 미루어 보아 굳이 승인과 관련된 사항을 준용할 것은 아니라고 할 것입니다.

참조 판례 준용의 범위

o **사건번호** : [대법원 2015.8.27, 선고, 2015두41371, 판결]

o 어느 법령의 규정이 특정 사항에 관하여 다른 법령의 특정 사항에 관한 규정을 준용한다고 정하면서 준용되는 해당 조항을 특정하거나 명시하지 아니하여 포괄적·일반적으로 준용하는 형식을 취하고 있다고 하더라도, **준용규정을 둔 법령이 규율하고자 하는 사항의 성질에 반하지 않는 한도 내에서만** 다른 법령의 특정 사항에 관한 규정이 준용된다.

「민법」 중 등기와 관련하여 준용되는 중요사항

1. 설립등기

제33조(법인설립의 등기) 법인은 그 주된 사무소의 소재지에서 설립등기를 함으로써 성립한다.
제49조(법인의 등기사항) ① 법인설립의 허가가 있는 때에는 3주간내에 주된 사무소소재지에서 설립등기를 하여야 한다.

사회복지법인의 성립시기와 관련하여 「사회복지사업법」에는 별도의 규정이 없기 때문에 「사회복지사업법」 제32조에 따라 「민법」을 준용하여야 합니다. 이에 따라 사회복지법인은 「민법」 제33조에 따라 설립허가를 받은 후 설립등기를 완료하였을 때 비로소 법인으로서 자격을 가지게 됩니다. 즉 사회복지법인이라는 법률적 지위를 온전히 가지기 위해서는 주무관청의 설립허가 뿐만 아니라 설립등기까지 완료되어야 합니다. 이러한 설립등기는 법인설립허가 통지를 받은 날부터 3주내에 주된 사무소 소재지 등기소에서 등기를 완료하여야 합니다. 설립등기는 「비송사건절차법」, 「법인등의 등기사항에 관한 특례법」에 따라서 진행되고, 「비송사건절차법」이나 그 하위규정인 「민법법인 및 특수법인 등기규칙」에 따라 「상업등기법」의 규정을 준용하기도 합니다. 특히 등기의 효력과 관련하여서는 「비송사건절차법」 제66조에 따라 준용되는 「상업등기법」 제3조의 규정에 따라 등기관이 등기를 마친 경우 그 등기의 효력은 등기를 접수한 날부터 발생됨에 유의해야 합니다.

2. 법인의 등기 사항

제49조(법인의 등기사항) ②전항의 등기사항은 다음과 같다.
1. 목적 / 2. 명칭 / 3. 사무소 / 4. 설립허가의 연월일 /
5. 존립시기나 해산이유를 정한 때에는 그 시기 또는 사유 / 6. 자산의 총액
7. 출자의 방법을 정한 때에는 그 방법
8. 이사의 성명, 주소 / 9. 이사의 대표권을 제한한 때에는 그 제한

2.1. 목적 등

목적·명칭·사무소 및 존립시기 등과 관련한 사항은 「사회복지사업법」 제17조에 따라 정관의 필수기재사항을 참고하여 등기를 하면 됩니다.

2.2. 설립허가의 연월일

사회복지법인이 주무관청으로부터 허가를 받은 날을 등기하여야 합니다. 사회

복지법인이 실제로 성립한 날은 등기가 완료된 날로서, 설립허가를 받은 날은 해당 법인의 성립시기와 크게 관련이 없을 수도 있으나, 주무관청의 허가를 받은 일시는 해당 법인의 관리·운영이나 그 밖에 법률관계 형성 등의 기준이 될 수도 있는 중요한 사항으로 보아 이를 등기에 기재토록 하는 것으로 사료됩니다.

2.3. 자산의 총액

자산의 총액을 등기토록 하는 이유는 해당 법인의 재정 상태를 그 거래 상대방이 파악토록 하여 불측의 손해나 손실을 예방코자하는 데 가장 큰 목적이 있다고 할 것입니다.[115] 따라서 등기에 기재되는 자산의 총액은 원칙적으로 해당 법인의 기본재산과 보통재산을 모두 포함한 적극자산에서 채무 등의 소극자산을 제외한 순재산액을 의미한다고 할 것입니다.[116] 순재산액을 등기하도록 하면 법인이 상대방에게 재정상 신뢰를 줄 목적으로 자신의 자산을 부풀거나, 반면에 또 다른 목적으로 그 자산의 규모를 축소하고자 하는 의도를 충분히 방지할 수 있을 것입니다. 그러나 실무상으로는 이러한 규정을 담고 있는 「민법」 규정이 최초로 제정될 당시와는 달리 현재 사회복지법인은 그 사업을 수행함에 있어서 자산의 취득·매각이나 부채와 관련된 경제활동을 활발히 진행하고 있으므로, 등기하여야 할 자산의 총액을 순재산액이라는 전통적인 기준만을 고수할 경우에는 등기와 관련된 시간·비용이 적지 않을 것으로 판단됩니다. 이러한 「민법」상 자산총액 기준과 실무를 잘 조화시킬 수 있는 방안을 생각하자면 사회복지법인의 순재산액보다는 많은 금액이 자산총액으로 등기되어서는 아니 된다는 전제하에서 다음과 같은 분류에 따라 업무처리가 가능할 것으로 사료됩니다.

2.3.1. 자산 증가 시

자산이 증가한 경우에 이를 등기하지 않고, 기존의 자산총액을 그대로 두는 경우에는 법인의 상대방에게 악영향이 미칠 우려는 없다고 할 것입니다. 공공의 측면에서 자산의 총액에 따라 규제가 가해지는 경우가 있다고 하더라도, 그러한 규제는 통상 공시사항인 등기상 자산총액에 근거하여 이루어지는 것이 아니라 관련 당국의 실질 조사에 따라 도출된 결과, 즉 실질적인 재산의 가치를 근거로 이루어질 것이므로, 역시 큰 영향이 없다고 할 것입니다. 예컨대 법인세 등 세정(稅政)과 관련하여 당국에서는 등기상 자산총액이 아니라 실제 재산조사 결과에 따라 관련 처분을 행하고 있는 점을 참고하면 될 것입니다.

---

115) 법무부, 「실무자를 위한 비영리·공익 법인 관리·감독 업무 편람」(2017), 138쪽 참조
116) 법무부, 「실무자를 위한 비영리·공익 법인 관리·감독 업무 편람」(2017), 50쪽 참조

2.3.2. 자산 감소 시

자산이 감소가 된 경우로서 이를 등기하지 않으면 해당 법인의 재정적 신뢰도가 낮아졌음에도 불구하고 외부에 공시되지 않는 것이 되고 이에 따라 제3자에게 잘못된 신뢰를 심어줄 우려가 있기 때문에 이러한 상황을 방지하는 차원에서 자산이 감소되면 반드시 변경등기를 하여야 합니다.

2.3.3. 변경등기 시점

앞에서도 언급한 바와 같이 사회복지법인의 경제활동이 활발하게 이루어지기 때문에 자산의 증가나 감소 시점을 정확하게 확정하기 어려운 면이 있습니다. 이에 따라 과연 어떠한 시점에서의 자산총액을 기준으로 그 증감을 판단하고, 어느 정도 그 증감 상태가 지속되어야만 변경등기를 하여야 하는지는 실무상으로 상당히 어려운 문제가 아닐 수 없습니다. 따라서 법률을 준수하면서도 실무상 편의나 비용 문제 등을 모두 고려하여 본다면 자산변경등기는 회계연도결산이 완료되어 주무관청에 보고한 시점을 기준으로 하여 그 결산내용에 반영된 자산의 총액으로 변경등기를 실시하면 적정할 것으로 사료됩니다.

2.3.4. 자산총액 등기 대안(代案)

사회복지법인이 등기하는 자산총액의 취지가 그 재정적 안정성을 확인하는 방편이라고 한다면 굳이 현금자산 등 그 변동이 잦은 순자산을 포함하는 순재산액의 개념을 사용하기 보다는, 그 변동이 제한되어 있고 그 규모나 중요도 측면에서도 사회복지법인의 실질적인 재정적 기초가 되는 재산만을 기반으로 하여 그 자산 총액을 표시하는 방법도 고려할 수 있을 것입니다. 즉 ①사회복지법인의 기본재산, ②타인에게 담보로 제공하여 부채를 형성시킬 수 있는 재산, ③등기나 등록을 통해 그 실체를 확인할 수 있는 재산을 적극재산으로 하여, 이에 부채 등 소극재산을 제한 나머지를 자산총액으로 보게 되면 잦은 변동에 따른 등기변경을 방지할 수 있고, 해당 법인의 재정적 기초를 나타내기에도 부족함이 없을 것으로 사료됩니다. 자산(資産)이라는 개념 자체가 법인의 존립에 밑천(資)이 되는 재산(財産)이라는 측면에서도 굳이 순재산액의 개념을 사용할 필요는 없을 것으로 판단됩니다.

2.4. 출자의 방법

사회복지법인이 재단법인의 형태로 설립될 경우에는 그 설립자가 법인 설립 시에 최초로 출연한 것 이후에 그 출연하는 방법이 있다면 그 방법을 등기하고, 사단법인의 형태로 설립될 경우[117]로서 발기인이나 사원(社員)의 출자의무가 있다면 그 내용을 등기하는 것입니다. 이는 출자의 방법을 등기함으로써 법인의 상대방이 그 법인의 향후 재정적 상황을 파악할 수 있도록 하기 위한 것으로 사료됩니다.

2.5. 이사 관련 사항

2.5.1. 성명·주소

「민법」 제49조제1항에 따르면 사회복지법인의 등기에는 이사의 성명과 주소를 기재하도록 하고 있으나, 등기에 관한 특별법인 「비송사건절차법」 제62조에서는 이사의 주민등록번호도 함께 등기토록 하고 있고, 또 다른 특별법인 「법인의 등기사항에 관한 특례법」 제2조에서는 대표권이 없는 임원을 등기할 때에는 주소를 적지 않아도 되는 것으로 규정하고 있습니다. 이러한 사항을 모두 종합하여 보면, 사회복지법인은 이사의 성명과 주민등록번호를 등기하여야 하고, 특히 그 중에서 대표권이 있는 이사는 주소까지 함께 등기를 하여야 합니다.

참조 상업등기선례	「사회복지법인의 감사가 등기사항인지 여부」

o **선례번호** : 상업등기선례 2-135(2006.08.29. 제정)

1. 등기사항은 법령의 규정에 의하여 등기부에 등기할 수 있도록 정하여진 사항으로서, 등기사항이 아닌 것은 등기할 필요성이 있더라도 등기할 수 없다.
2. 사회복지법인에 관하여 사회복지사업법(이하, '법'이라 합니다)에 규정된 것을 제외하고는 민법과 「공익법인의 설립·운영에 관한 법률」을 준용하게 되는 바(법 제32조), 위 각 법률에 의할 때 사회복지법인의 감사는 등기사항이 아니다.

2.5.2. 대표권 제한

「민법」 제59조에 따르면 사회복지법인의 이사는 원칙적으로 누구나 법인을 대표할 수 있지만, 「사회복지사업법」에서는 대표이사를 두어 이러한 대표권이 대표이사에게 있는 것으로 규정하고 있습니다. 다만, 이러한 대표권의 유무를 법인의 상대방이 알 수 있도록 하고, 제3자에게 대항하기 위해서는 「민법」 제41조, 제60조에 따라 반드시 정관에 기재를 하고, 그러한 사항을 등기에도 표시하여야 합니다.

117) 「사회복지사업법」과 사회복지법인에 관해서 준용되는 「공익법인의 설립 · 운영에 관한 법률」에서는 총회 규정이 없을 뿐만 아니라, 이사회에서 정관의 변경이나 임원의 임면을 결정토록 하는 등 재단법인임을 기초로 한 규정만이 있음. 명확하게 재단법인이라고 규정하고 있지는 않기 때문에 사단법인의 형태로도 설립은 가능하지만 이사회 위주의 법규로 인해 총회가 무력화되는 등 진정한 의미의 사단법인으로 활동하기는 사실상 불가능

유용한 TIP	법인등기부에 대표권이 있는 이사를 확인하는 방법

o 이사의 이름 밑에 "대표권제한규정 이사 OOO 외에는 대표권이 없음"이라고 표기가 되어 있는 경우 해당 이사에게만 대표권이 있음
o 대표권제한규정과 관련한 표기가 없는 경우에는 주소가 명시되어 있는 이사가 대표권이 있는 이사임(근거 : 「민법」 제49조제2항제8호, 「법인의 등기사항에 관한 특례법」 제2조)

3. 분사무소[118] 설치등기

제50조(분사무소설치의 등기) ① 법인이 분사무소를 설치한 때에는 주사무소소재지에서는 3주간내에 분사무소를 설치한 것을 등기하고 그 분사무소소재지에서는 동기간내에 전조 제2항의 사항을 등기하고 다른 분사무소소재지에서는 동기간내에 그 분사무소를 설치한 것을 등기하여야 한다.
②주사무소 또는 분사무소의 소재지를 관할하는 등기소의 관할구역내에 분사무소를 설치한 때에는 전항의 기간내에 그 사무소를 설치한 것을 등기하면 된다.

사회복지법인은 주된 사무소 이외의 지역에 해당 법인의 업무를 수행할 수 있는 사무소인 분사무소를 둘 수 있고, 분사무소를 두는 경우에는 이를 등기하여야 합니다. 분사무소의 등기는 해당 법인이 분사무소와 관련된 건으로 제3자에게 대항하기 위해서 필요한 요건이 됩니다. 유의할 사항은 분사무소는 단어 그대로 주(主)사무소의 업무를 나누어(分) 수행하는 사무소에 불과하므로 별도의 법인격이 없고, 따라서 분사무소만의 명의로 법률행위를 할 수 없다는 점입니다. 분사무소 설치등기를 하기 위해서는 우선 해당 법인의 정관에 분사무소 설치 근거 및 분사무소 주소가 기재되어야 합니다. 만일 정관에 분사무소 관련 사항이 있다면, 우선 주사무소 소재지에 분사무소 설치등기를 하고, 동시에 설치하고자 하는 분사무소 소재지에 「민법」 제49조제2항의 내용을 모두 등기하여야 합니다. 만일 다른 분사무소가 있다면 그 분사무소 소재지에 다른 분사무소를 설치한 것도 등기하여야 합니다.

유의사항	분사무소나 분사무소의 장을 상대방으로 하는 법률상 계약은 부적절

o 사회복지법인에게 업무를 위탁함에 있어서 그 계약 당사자를 분사무소나 분사무소의 장으로 하는 경우가 있는데, 이 때 해당 계약은 특정 사회복지법인과 맺는 것이 아니게 됩니다.
- 분사무소장이 법인의 정관이나 규칙으로 정당하게 위임된 권한을 가지고 사회복지법인을 대리하여, 그 사회복지법인의 이름으로 법률행위를 하는 경우 이외에는 계약이 성립되지 않습니다.

118) "지점"은 「상법」과 상업등기 등에서 사용되는 용어로서, 「민법」상 분사무소와 대동소이함.

4. 기타 등기 사항

> **제51조(사무소이전의 등기)** ① 법인이 그 사무소를 이전하는 때에는 구소재지에서는 3주간내에 이전등기를 하고 신소재지에서는 동기간내에 제49조제2항에 게기한 사항을 등기하여야 한다.
> ②동일한 등기소의 관할구역내에서 사무소를 이전한 때에는 그 이전한 것을 등기하면 된다.
> **제52조(변경등기)** 제49조제2항의 사항 중에 변경이 있는 때에는 3주간내에 변경등기를 하여야 한다.
> **제52조의2(직무집행정지 등 가처분의 등기)** 이사의 직무집행을 정지하거나 직무대행자를 선임하는 가처분을 하거나 그 가처분을 변경·취소하는 경우에는 주사무소와 분사무소가 있는 곳의 등기소에서 이를 등기하여야 한다.

사무소를 이전하는 경우, 최초 등기 사항에 대해서 변경이 있는 경우 및 이사의 직무집행정지나 직무대행자 선임 등에 대한 가처분과 그 변경·취소가 있는 경우에는 등기를 하여야 합니다.

5. 등기기간의 기산

> **제53조(등기기간의 기산)** 전3조의 규정에 의하여 등기할 사항으로 관청의 허가를 요하는 것은 그 허가서가 도착한 날로부터 등기의 기간을 기산한다.

제50조, 제51조 및 제52조 등 3개 조문에서 규정하고 있는 사항은 모두 다 주무관청의 허가가 필요한 경우로서 3주의 기산점은 그 허가가 도달한 날부터 시작됩니다.

개인 해석 「민법」 제53조 규정 중 "전3조"의 의미

- o 「민법」 제53조에서 규정하고 있는 "前3條"는 현행 「민법」대로라면 제53조 앞에 있는 3개 조문인 제51조, 제52조, 제52조의2를 지칭하는 것이 되겠지만, 이 중 <u>제52조의2는 등기기간이 없는 조문</u>이므로 그 규정의 취지가 다소 모호하다고 할 수 있습니다.
- \- 입법연혁을 살펴보건대 제52조의2는 2001년 12월 29일에 신설된 조문인데, 이 조문이 신설되기 전의 「민법」 제53조도 현행과 같이 "前3條"라는 표현을 사용하고 있었고, 그 때 전3조는 제50조, 제51조, 제52조가 되고, 이는 <u>모두 등기기간이 있는 조문</u>이므로 제53조의 의미도 명확하다는 점을 보았을 때
- \- 현행 「민법」 제53조에서 규정하고 있는 "전3조"는 2001년 개정 당시 제52조의2를 신설하면서 표현을 수정하지 않은 <u>입법의 불비(不備)로 판단</u>됩니다.

6. 등기 대항력 및 공고

제54조(설립등기 이외의 등기의 효력과 등기사항의 공고) ① 설립등기 이외의 본절의 등기사항은 그 등기후가 아니면 제삼자에게 대항하지 못한다.
②등기한 사항은 법원이 지체없이 공고하여야 한다.

「비송사건절차법」 부 칙 〈법률 제5206호, 1996.12.30.〉
제2조 (등기사항공고에 관한 경과조치) ①제65조의2 내지 제65조의4의 공고에 관한 규정은 대법원규칙이 정하는 기간동안 이를 적용하지 아니한다.
②제1항의 경우에 그 기간중에는 공고한 것으로 본다.

「민법법인 및 특수법인 등기규칙」
제7조(등기공고의 유예기간) 「비송사건절차법(1996.12.30. 법률 제5206호)」 부칙 제2조에 따라 민법법인, 특수법인 및 외국법인의 등기의 공고는 2022년까지 이를 하지 아니한다.

설립등기는 법인의 성립요건으로서 제3자에 대한 대항력과는 무관하지만, 그 밖의 등기는 등기하지 않거나 등기가 완료되지 않으면 제3자에게 대항할 수 없습니다. 대항할 수 없다는 의미는 등기되지 않은 사실을 바탕으로 제3자에게 주장을 할 수 없다는 의미입니다. 물론 등기 전인 사실이라고 하더라도 법인이 주장하는 바를 제3자가 인정을 한다면 인정은 가능합니다. 법원은 「민법」 제54조제2항 및 「비송사건절차법」 제65조의2, 제65조의3 및 제65조의4에 따라 매년 1회 이상 신문이나 관련 게시판에 공고를 해야 합니다. 다만, 「비송사건절차법」 부칙(법률 제5206호, 1996.12.30.) 제2조와 그에 따른 「민법법인 및 특수법인 등기규칙」 제7조에 따라서 사회복지법인은 2022년까지 공고를 하지 않아도 공고를 한 것으로 간주하게 됩니다.

7. 등기를 게을리한 경우 벌칙

「비송사건절차법」
제247조(과태료사건의 관할) 과태료사건은 다른 법령에 특별한 규정이 있는 경우를 제외하고는 과태료를 부과받을 자의 주소지의 지방법원이 관할한다.

사회복지법인이 등기를 게을리 하면 그 임원은 500만원 이하의 과태료 처분을 받게 됩니다. 이러한 과태료 처분은 해당 법인의 주된 사무소 소재지의 지방법원이 관할하여 과태료재판의 절차를 진행·집행하게 됩니다.

참조 등기선례 「법인이 그 직원에게 등기신청행위를 위임할 수 있는 지 여부」

o **선례번호** : 제정 2000. 4. 21. [등기선례 제6-15호, 시행]

o 변호사 또는 법무사가 아닌 자도 당사자의 위임을 받아 등기신청을 대리할 수 있지만, 변호사 또는 법무사가 아닌 자는 등기신청의 대리를 업으로 할 수 없고(법무사법 제3조), 이를 위반하는 경우에는 형사처벌을 받게 되는바(같은 법 제74조),

- 법인 직원이 법인의 위임을 받아 수회에 걸쳐 반복적으로 등기신청업무를 대리하는 행위는 변호사나 법무사가 아니면서 등기신청의 대리를 업으로 하는 것이라고 볼 수 있으므로 보수의 유무에 관계없이 법무사법 제3조에 위반된다.

참조 등기선례 「법인이 그 직원에게 등기신청행위를 위임할 수 있는 지 여부」

o **선례번호** : 제정 1998. 12. 31. [등기선례 제5-24호, 시행]

o 법인이 등기권리자 또는 등기의무자인 경우에는 법인의 대표자(대표이사 또는 이사장)가 그 대표권한에 기하여 직접 법인 명의의 등기신청을 하거나 대리인에게 위임하여 신청할 수 있다.

- 그러나 법인의 대표자는 당해 법인에 관한 등기신청의 권한을 그 법인 소속 직원에게 위임하여 등기신청을 하게 할 수는 없다.
- 왜냐하면 법인의 대표자는 법인의 대표자를 대리하여 법인의 업무수행에 필요한 재판상 또는 재판 외의 모든 행위를 포괄적으로 행사할 지배인(상사법인의 경우) 또는 대리인(특수법인의 경우)을 선임하고 그를 통하여 그 권한을 행사하게 하는 경우를 제외하고는, 법률에 특별한 규정이 없는 한 그에게 주어진 대표권의 행사를 그를 보조하는 소속 직원에게 직접 위임하여 행사하게 할 수는 없을 것이기 때문이다.
- 한편, 법무사 아닌 자도 법인이나 법인 이외의 제3자로부터 등기신청의 위임을 받아 등기신청을 대리할 수는 있지만, 그러한 경우에도 계속적으로 등기신청업무를 위임받아 대리하는 것은 보수의 유무를 떠나 법무사법 제3조의 규정에 위배될 것이다.

[개인주석]

o 「민법법인 및 특수법인 등기규칙」 제6조에 따라 준용되는 「상업등기법」 제23조에서는 법인의 "대표"가 등기를 신청토록 규정되어 있기 때문에, 대표가 하지 않으려면 대리를 업으로 하는 변호사나 법무사에게 위임하는 것이 바람직합니다.

「민법」 중 해산과 관련하여 준용되는 중요사항

1. 해산·청산의 검사·감독 주체

> **제95조(해산, 청산의 검사, 감독)** 법인의 해산 및 청산은 법원이 검사, 감독한다.

법인의 해산과 청산에 관한 사무는 법원이 검사·감독하게 됩니다. 그러나 주무관청도 해산·청산신고를 받고, 특히 잔여재산의 귀속과 관련하여 밀접한 관련이 있으므로 해산이 완전히 종료될 때까지 각별한 관심을 가져야 합니다.

2. 해산사유

> **제77조(해산사유)** ① 법인은 존립기간의 만료, 법인의 목적의 달성 또는 달성의 불능 기타 정관에 정한 해산사유의 발생, 파산 또는 설립허가의 취소로 해산한다.
> ②사단법인은 사원이 없게 되거나 총회의 결의로도 해산한다.

법인 해산(解散)의 사전적인 의미는 해당 법인이 해체되어 없어진다는 의미입니다. 따라서 설립허가가 취소되는 경우, 법령이나 정관으로 정해 놓은 존립기간이 만료되는 경우, 법인의 목적을 완전히 달성한 경우, 법인의 목적 달성이 불가능한 경우, 정관으로 정하고 있는 해산사유가 발생한 경우 또는 파산(破產)하는 경우가 모두 다 법인이 해체되어 없어지는 해산사유가 됩니다.

3. 파산신청

> **제79조(파산신청)** 법인이 채무를 완제하지 못하게 된 때에는 이사는 지체없이 파산신청을 하여야 한다.

파산은 법인의 채무가 법인의 자산보다 많아 그 채무를 완전히 갚지 못하게 될 때를 파산상태라고 하고, 이러한 상황에 이르면 해당 사회복지법인은 「채무자회생법」에 따라 파산신청을 해야 합니다.

4. 청산법인(淸算法人)

> **제81조(청산법인)** 해산한 법인은 청산의 목적범위내에서만 권리가 있고 의무를 부담한다.

사회복지법인이 파산을 제외한 여러 가지 이유로 인해 해산하게 되면, 그 법인은 이른바 청산법인의 상태가 되고, 청산을 위한 목적 범위 내에서만 권리·의무가 한정됩니다. 따라서 채권·채무를 정리하는 범위 내에서만 권리능력이 있고, 그 밖에 행위를 할 경우 이는 청산법인의 권리능력을 넘어서는 행위가 되어 법률상 효력 문제가 발생하므로 유의해야 합니다.

5. 청산인(清算人)

第82條(청산인) 법인이 해산한 때에는 파산의 경우를 제하고는 이사가 청산인이 된다. 그러나 정관 또는 총회의 결의로 달리 정한 바가 있으면 그에 의한다.
第83條(법원에 의한 청산인의 선임) 전조의 규정에 의하여 청산인이 될 자가 없거나 청산인의 결원으로 인하여 손해가 생길 염려가 있는 때에는 법원은 직권 또는 이해관계인이나 검사의 청구에 의하여 청산인을 선임할 수 있다.
第84條(법원에 의한 청산인의 해임) 중요한 사유가 있는 때에는 법원은 직권 또는 이해관계인이나 검사의 청구에 의하여 청산인을 해임할 수 있다.
第87條(청산인의 직무) ① 청산인의 직무는 다음과 같다.
1. 현존사무의 종결
2. 채권의 추심 및 채무의 변제
3. 잔여재산의 인도

②청산인은 전항의 직무를 행하기 위하여 필요한 모든 행위를 할 수 있다.

사회복지법인이 해산하면 원칙적으로 이사가 청산인이 되며, 만일 정관으로 정한 자가 있으면 그 자가 청산인이 됩니다. 만일 이사나 정관상 청산인의 자격이 있는 자가 없는 경우라면 법원이 직권으로 청산인을 선임하거나 이해관계인이나 검사의 청구를 받아 청산인을 선임할 수 있습니다. 청산인의 해임도 직권 또는 청구에 의해 가능합니다. 청산인은 현재 법인의 명의로 진행되고 있던 사무를 종결하고, 법인의 채권은 받아내고[추심(推尋)], 채무는 갚아야[변제(辨濟)]하며, 그 이후에 남은 재산, 즉 잔여재산은 정관이 정하고 있는 바에 따라 국가나 지자체에 귀속시켜야 합니다. 또한 이러한 직무를 수행하기 위해 필요하다면 청산인은 종전에 이사회의 권한으로만 한정되어 있었던 행위를 포함한 모든 행위를 할 수 있습니다.[119] 파산인 경우에는 「채무자회생법」에 따른 파산관재인 등이 파산 관련 업무를 수행하게 됩니다.

119) 따라서 청산을 위한 기본재산 처분허가 신청도 가능

6. 해산등기(解散登記) 및 해산신고(解散申告)

제85조(해산등기) ① 청산인은 파산의 경우를 제하고는 그 취임후 3주간내에 해산의 사유 및 연월일, 청산인의 성명 및 주소와 청산인의 대표권을 제한한 때에는 그 제한을 주된 사무소 및 분사무소소재지에서 등기하여야 한다.
②제52조의 규정은 전항의 등기에 준용한다.
제86조(해산신고) ① 청산인은 파산의 경우를 제하고는 그 취임후 3주간내에 전조제1항의 사항을 주무관청에 신고하여야 한다.
②청산중에 취임한 청산인은 그 성명 및 주소를 신고하면 된다.

파산을 제외한 이유로 법인이 해산되는 경우 그 청산인은 취임 후 3주 이내에 해산의 △사유, △연월일, △청산인의 성명·주소, △청산인의 대표권 제한과 관련된 사항을 주된 사무소 및 분사무소 소재지에 등기하여야 합니다. 이는 해산한 법인의 상대방을 보호하기 위한 조치입니다. 청산인은 취임 후 3주 이내에 해산등기와 더불어 주무관청에 등기사항과 동일한 사항을 신고하여야 합니다. 만일 청산 과정 중에 청산인이 된 경우라면 그 성명과 주소를 신고하면 됩니다.

유용한 TIP 상업등기상 해산 간주

o 「상법」의 법인은 최후로 등기를 한 날부터 5년 이상 등기가 없으면 해산한 것으로 간주하여 해당 등기부를 폐쇄할 수 있습니다.(「상법」 제520조의2)
- 하지만 「민법」에는 관련 내용이 없어 「민법」의 적용을 받는 법인은 제3자가 직권으로 해산등기 등을 완료하거나 요청할 권한이 없습니다.

7. 청산종결등기·신고

제94조(청산종결의 등기와 신고) 청산이 종결한 때에는 청산인은 3주간내에 이를 등기하고 주무관청에 신고하여야 한다.

청산이 종결되고 나면 3주 이내에 그 청산이 종결되었다는 사실을 등기하고, 주무관청에도 신고를 하여야 합니다. 법인이 해산된 경우 “청산인 선임 → 해산등기·신고 → 청산진행 → 청산종결등기·신고”의 절차가 모두 진행되어야 비로소 해당 법인이 소멸되는 것이므로 주무관청에서는 반드시 청산종결등기를 확인해야 할 필요가 있습니다.

제33조(사회복지협의회)

제33조(사회복지협의회) ① 사회복지에 관한 다음 각 호의 업무를 수행하기 위하여 전국 단위의 한국사회복지협의회(이하 "중앙협의회"라 한다)와 시 · 도 단위의 시 · 도 사회복지협의회(이하 "시 · 도협의회"라 한다)를 두며, 필요한 경우에는 시(「제주특별자치도 설치 및 국제자유도시 조성을 위한 특별법」 제10조제2항에 따른 행정시를 포함한다. 이하 같다) · 군 · 구(자치구를 말한다. 이하 같다) 단위의 시 · 군 · 구 사회복지협의회(이하 "시 · 군 · 구협의회"라 한다)를 둘 수 있다.

1. 사회복지에 관한 조사 · 연구 및 정책 건의/
2. 사회복지 관련 기관 · 단체 간의 연계 · 협력 · 조정
3. 사회복지 소외계층 발굴 및 민간사회복지자원과의 연계 · 협력
4. 대통령령으로 정하는 사회복지사업의 조성 등

② 중앙협의회, 시 · 도협의회 및 시 · 군 · 구협의회는 이 법에 따른 사회복지법인으로 하되, 제23조제1항은 적용하지 아니한다.

③ 중앙협의회의 설립 및 운영 등에 관한 허가, 인가, 보고 등에 관하여 제16조제1항, 제17조제2항, 제18조제6항 · 제7항, 제22조, 제23조제3항, 제24조, 제26조제1항 및 제30조제1항을 적용할 때에는 "시 · 도지사"는 "보건복지부장관"으로 본다.

④ 중앙협의회, 시 · 도협의회 및 시 · 군 · 구협의회의 조직과 운영 등에 필요한 사항은 대통령령으로 정한다.

→ **「사회복지사업법 시행령」 제12조(한국사회복지협의회 등의 업무), 제13조(중앙협의회 등의 회원), 제14조(임원), 제15조(이사회), 제17조(각 협의회의 운영 경비), 제18조(상호협조)**

제33조는 사회복지협의회의 설치 근거 조문입니다. 사회복지협의회는 전국 단위의 중앙협의회와 시·도 단위의 시·도협의회, 시·군·구 단위의 시·군·구협의회가 있습니다. 각 사회복지협의회는 사회복지법인의 형태로 설립이 되지만, 사단법인의 성격이 강한 관계로 「사회복지사업법」 제23조제1항의 재산 소유 규정을 적용받지 않습니다. 시·도협의회와 시·군·구협의회는 다른 사회복지법인과 마찬가지로 시·도지사가 허가·감독권을 가지고 있으나, 중앙협의회는 보건복지부장관에게 허가·감독권이 있습니다. 또한 임원이나 이사회 관련 사항은 사회복지법인의 일반적인 규정이 아니라 제4항에 따라 위임된 시행령에서 별도로 정한 바에 따릅니다.

개인해석 **제33조의 법률 체계 개선 필요성**

o 제33조 조문의 구성을 보면 제2항에서 사회복지협의회가 사회복지법인임을 규정하고, 다만 특정 조문을 적용함에 있어서 예외를 다시 명시하고 있습니다. 그렇다면 임원이나 이사회 관련 규정들도 「사회복지사업법」에서 별도의 예외를 두고 있지 않다면 그대로 적용을 하는 것이 원칙일 것입니다.

- 그러나 현행 「사회복지사업법」 제33조에서는 제4항에 따라 시행령으로 위임한 "조직과 운영 등에 필요한 사항"을 근거로 하여 법률이 아닌 시행령 수준에서 다른 사회복지법인과 다른 형태로 임원 등 관련 규정을 정하고 있습니다.
- 사회복지협의회가 다른 사회복지법인과 달리 취급될 이유가 없음에도 불구하고 시행령으로써 달리 취급하고 있는 것은 법령 체계나 다른 사회복지법인과의 형평성에 있어 매우 심각한 문제를 유발할 수 있다고 할 것이므로 향후 개정이 필요할 것으로 판단됩니다.

o 제33조제2항에서 사회복지협의회에는 사회복지법인의 재산 규정을 적용하지 않는 것으로 하고 있고, 또한 시행령 제13조에 사회복지협의회의 회원 관련 규정을 둔 것에 미루어 보면 사회복지협의회는 사단법인의 형태임을 알 수 있습니다.

- 그러나 이러한 사단법인의 형태를 띠고 있으면서도, 「사회복지사업법」과 그 하위 규정에서는 사단법인의 최고 의결기구인 총회와 관련된 사항은 전혀 규정하고 있지 않고, 오히려 사회복지협의회 정관에서는 총회 규정을 두고 있으나, 법령의 근거가 없이 규정하고 있는 것이고, 시행령 제15조에서 이사회에서 중요사항을 심의·의결토록 한 것과도 배치되는 사항으로서 이 또한 개선의 필요가 있다고 할 것입니다.

제3장

사회복지시설

제2조(정의)

제2조(정의) 이 법에서 사용하는 용어의 뜻은 다음과 같다.
4. "사회복지시설"이란 사회복지사업을 할 목적으로 설치된 시설을 말한다.

1. 사회복지시설의 정의

사회복지시설은 "사회복지사업을 할 목적으로 설치된 시설"을 의미합니다. 여기서 사회복지사업이란 「사회복지사업법」 제2조제1호 각 목에서 규정하고 있는 법률과 관련된 각종 사업을 의미합니다. 따라서 사회복지시설은 「사회복지사업법」 제2조제1호 각 목에 따른 사회복지사업을 수행하는 시설을 의미한다고 할 수 있습니다.

유용한 TIP **자신의 시설이 사회복지시설인지 확인할 수 있는 방법**

o 보건복지부에서 발간하는 「사회복지시설 관리안내」에서 정하고 있는 사회복지시설의 분류에 해당하고, 그 사회복지시설의 설치근거 법률에 따른 시설 신고증이나 인가증 등이 있으면 사회복지시설이라고 할 수 있습니다.
- 다만, 일부 지자체에서는 조례로써 「사회복지사업법」 제2조제1호 각 목의 법률과는 무관한 시설을 사회복지시설로 규정하고 있는 경우가 있는데 이러한 시설은 「사회복지사업법」 등 법률에 따른 사회복지시설이 아님에 유의해야 합니다.

2. 사회복지시설의 범위

「사회복지사업법」(이하 "법"이라 합니다)의 정의만으로 사회복지시설의 범위를 정하면, 법 제2조제1호 각 목의 법률에 따른 사회복지사업을 하는 모든 시설이 사회복지시설이라고 할 수 있을 것입니다. 그런데 사회복지시설은 그 개별 설치 근거 법령에 따라 적절한 자격을 가진 시설장이나 시설 종사자를 두어야 하는 인적기준과 그 관련 서비스를 제공하는 데 필요한 수준의 물적기준도 준수해야 하며, 나아가 「사회복지법인 및 사회복지시설 재무·회계 규칙」 등 여러 가지 관련 법령에 따른 각종 규제 대상이 되기 때문에, 「사회복지사업법」상의 짧은 정의만으로서 그 범위를 정하기에 부족한 감이 있습니다. 자칫 규제가 필요 없는 시설까지 사회복지시설로 분류되거나, 규제가 필요한 시설임에도 불구하고 시설로 분류되지 않을 우려가 있기 때문에 사회복지시설의 범위를 정함에 있어서는 상당한 주의가 요구된다고 할 것입니다. 이러한 여러 가지 상황을 고려하여 보건복지부에서는 매년 「사회복지시설 관리안내」라는 제하의 지침을 발간하고, 그 첫머리에 각종 사회복지시설의 종류를 명시하고 있습니다. 동 지침에서는 △사회복지사업 관련 법률에서 각각 사회복지시설 또는 시설이라고 명시하여 분류하고 있는 것 중, △해당 법률의 소관 부서에서 법령에 따른 규제가 반드시 필요하다고 인정하는 것들을 모아, 이를 「사회복지사업법」 제2조 제4호에 따른 사회복지시설로 규정하고 있습니다.[120]

[사회복지시설의 종류와 근거 법률 구분 예시]

소관부처	시설종류	근거 법률
보건복지부	노인복지시설	「노인복지법」
	복합노인복지시설[121]	「농어촌주민의 보건복지증진을 위한 특별법」
	아동복지시설	「아동복지법」
	장애인복지시설	「장애인복지법」
	어린이집	「영유아보육법」
	정신건강증진시설	「정신건강증진 및 정신질환자 복지서비스 지원에 관한 법률」
	노숙인시설	「노숙인 등의 복지 및 자립지원에 관한 법률」
	사회복지관	「사회복지사업법」
	지역자활센터	「국민기초생활보장법」
	다함께돌봄센터	「아동복지법」
질병관리청	결핵·한센시설	「사회복지사업법」
여성가족부	성매매피해지원시설	「성매매방지 및 피해자 보호 등에 관한 법률」
	성폭력피해보호시설	「성폭력방지 및 피해자 보호 등에 관한 법률」
	가정폭력보호시설	「가정폭력방지 및 피해자 보호 등에 관한 법률」
	한부모가족복지시설	「한부모가족지원법」
	다문화가족지원센터	「다문화가족지원법」
	건강가정지원센터	「건강가정기본법」
	청소년복지시설	「청소년복지 지원법」

요컨대 사회복지시설의 원래 정의는 사회복지사업을 수행하는 모든 시설을 의미하지만, 관련 법령에 따라서 규제를 받는 시설은 법령에 시설로 명시하고 있는 것들 중에서 정책적인 사항을 종합적으로 고려하여, 이를 보건복지부에서 발간한 「사회복지시설 관리안내」 지침에서 사회복지시설로 분류한 것만 해당이 되는 것으로 이해하면 됩니다.

120) 보건복지부, 「2023 사회복지시설 관리안내」, 5쪽 참조
121) 별개의 시설이 아니라 「노인복지법」상 사회복지시설의 집합체임.

제34조(사회복지시설의 설치)

제34조(사회복지시설의 설치) ① 국가나 지방자치단체는 사회복지시설(이하 "시설"이라 한다)을 설치·운영할 수 있다.

② 국가 또는 지방자치단체 외의 자가 시설을 설치·운영하려는 경우에는 보건복지부령으로 정하는 바에 따라 시장·군수·구청장에게 신고하여야 한다. 다만, 다음 각 호의 어느 하나에 해당하는 자는 시설의 설치·운영 신고를 할 수 없다.

1. 제40조에 따라 폐쇄명령을 받고 3년이 지나지 아니한 자
2. 제19조제1항제1호 및 제1호의2부터 제1호의8까지의 어느 하나에 해당하는 개인 또는 그 개인이 임원인 법인

③ 시장 · 군수 · 구청장은 제2항에 따른 신고를 받은 경우 그 내용을 검토하여 이 법에 적합하면 신고를 수리하여야 한다.

④ 시설을 설치·운영하는 자는 보건복지부령으로 정하는 재무·회계에 관한 기준에 따라 시설을 투명하게 운영하여야 한다.

⑤ 제1항에 따라 국가나 지방자치단체가 설치한 시설은 필요한 경우 사회복지법인이나 비영리법인에 위탁하여 운영하게 할 수 있다.

⑥ 제5항에 따른 위탁운영의 기준·기간 및 방법 등에 관하여 필요한 사항은 보건복지부령으로 정한다.

→ 「사회복지사업법 시행규칙」 제20조(시설의 설치·운영신고등)
→ 「사회복지사업법 시행규칙」 제21조(시설의 위탁기준 및 방법)
→ 「사회복지사업법 시행규칙」 제21조의2(시설의 위탁)

1. 주무관청

국가나 지자체 이외의 자가 사회복지시설을 설치·운영하기 위해서는 해당 시설이 설치되는 지역의 시장·군수·구청장에게 신고를 해야 하므로 사회복지시설과 관련한 주무관청은 그 신고를 받은 시설 소재지의 시·군·구가 된다고 할 수 있습니다. 다만, 국가나 지자체는 신고가 아니라 자율적으로 스스로 사회복지시설을 설치하는 것이므로 주무관청을 특정하거나 주무관청이 있다고 하기는 어려우나, 「사회복지사업법」상 시설의 운영자나 시설장에게 부과하고 있는 각종 신고 등의 의무를 이행하기[122] 위해서는 역시 해당 시설이 소재하고 있는 시·군·구가 주무관청이 된다고 할 것입니다.

122) 국가나 지자체가 직접 설치한 시설로서 그 운영을 위탁하는 경우 수탁자는 시설 운영자의 지위를 가지는 것이 되므로 운영자로서의 의무를 이행해야 함.

2. 신고 의무 연혁

1970년에 「사회복지사업법」이 제정되고 1998년까지는 지자체 등으로부터 허가를 받은 후라야 시설을 설치·운영할 수 있었으나, 1998년에 규제완화 차원에서 신고만으로도 사회복지 시설의 설치·운영이 가능토록 개정되었고 이러한 신고제도는 현재까지 이어지고 있습니다.

[설치·운영 주체 관련 「사회복지사업법」 연혁]

적용연도	국가·지자체 이외에 설치·운영이 가능한 자	개설절차	주무관청
1970.04.02. ~	사회복지법인	허가	광역지자체
	기타 법인	허가	보건사회부
1983.05.21. ~	사회복지법인	허가	광역지자체
	기타 법인	허가	광역지자체
1993.06.09. ~	사회복지법인	허가	기초지자체
	기타 법인	허가	기초지자체
	비법인(특정시설[123])	허가	기초지자체
1998.07.01. ~	국가·지자체 이외의 자	신고	기초지자체
	사회복지법인·비영리법인[124]	신고	기초지자체
1999.11.01. ~ 현재	국가·지자체 이외의 자	신고	기초지자체

3. 시설 설치·운영 신고의 법적 성질

사회복지시설의 설치·운영에 대해서는 신고라는 용어를 사용하고 있음에도 불구하고 기초지자체가 그 신고내용을 확인하고, 관련 법률 부합 여부나 실제 사업 가능성 여부를 실질적으로 검토한 후 신고증을 발부하여야만 시설의 운영이 가능하기 때문에 「행정절차법」 제40조에서 규정하고 있는 "행정청에 일정한 사항을 통지함으로써 의무가 끝나는 신고"와는 다르다고 할 수 있습니다.[125]

123) 당시 시행규칙 제19조에는 비법인이 설치·운영 가능한 시설을 "영유아보육법 제6조제2호 내지 제4호의 규정에 의한 시설"로 한정

124) 당시 법 제34조제3항에는 "시설입소자의 권익을 보호하기 위하여 필요하다고 인정하는 시설"을 설치·운영할 수 있는 주체를 사회복지법인 기타 비영리법인으로 한정

개인 해석 "수리(受理)"를 요하는 신고

o 제34조제3항은 2019년 1월에 개정되어 도입된 조문으로, 시장·군수·구청장은 시설 설치 신고를 받으면 그 내용을 검토하고 적합한 경우에 해당 신고를 수리하도록 규정하고 있습니다.
- 신고의 내용이 적합하면 당연히 수리를 해야 함에도 불구하고 이러한 조문을 둔 이유에 대해서는 입법 당시 국회 검토보고서 등에 미루어 보면 다음과 같은 이유가 있는 것으로 판단됩니다.
- 우선 신고에 대한 접수거부나 처리지연 등 신고 담당 공무원의 소극적인 행태를 개선하는 차원에서 모든 신고는 일정기간이 지나면 수리된 것으로 간주하는 것을 원칙으로 하되, 다만 시설 신고와 같이 이해관계가 첨예하거나 법률관계에 대한 확인 등의 절차가 반드시 필요한 경우에는 간주 원칙을 배제하기 위해서 해당 문구를 삽입한 것으로 사료됩니다.
- 또한 시설 설치신고의 경우 "신고"라는 용어를 사용하고 있지만 「행정절차법」 제40조에서 규정하고 있는 신고의 정의와 같이 통지를 하면 그 의무가 종료되는 신고와는 전혀 다른 형태의 신고로서, 반드시 그 내용에 대한 적합성 검토의 절차가 필요한 신고라는 점을 강조하기 위한 취지로 있는 것으로 사료됩니다.

o 요컨대 「사회복지사업법」 제34조제3항 등에 신설된 "수리(受理)"에 대한 규정은 사회복지시설의 설치·운영(변경·폐지도 동일)과 관련한 신고는 단순히 통지만으로 종료되는 신고가 아니라, 행정관청의 검토가 반드시 필요한 신고라는 점을 강조하기 위해 도입된 것으로 이해하는 것이 바람직할 것입니다.

4. 설치·운영이 가능한 자의 범위

법 제34조제1항에서는 국가나 지자체가 사회복지시설을 설치·운영할 수 있다고 규정하고, 같은 조 제2항에서는 국가나 지자체 이외의 자가 사회복지시설을 설치·운영하기 위해서는 반드시 시장·군수·구청장에게 신고를 하도록 규정하고 있습니다. 이러한 조문의 내용을 미루어 보면, 국가나 지자체가 사회복지시설을 설치·운영하고자 할 때에는 별도의 신고행위가 불필요하다는 것을 알 수 있습니다. 국가나 지자체의 고유한 행정작용으로 그 스스로의 권한에 입각하여 시설을 설치·운영할 수 있는 것입니다. 이에 반해 국가나 지자체가 아닌 자는 반드시 신고 후에 사회복지시설을 설치·운영할 수 있습니다.

125) 이에 대해서 보건복지부에서 편찬한 「2023 사회복지시설 관리안내」, 10쪽에서는 "완화된 허가제"에 가까운 것으로 해설하고 있음.

⚠ 유의사항 국가·지자체가 설치한 시설의 신고증 관련 유의사항

o 실무상 국가나 지자체가 설치·운영하는 사회복지시설의 시설 신고증의 발부와 관련하여 논란이 있으나, 법 제34조만으로 본다면 국가나 지자체가 설치·운영하는 시설은 신고 없이 스스로 설치가 가능하므로 신고증 자체가 존재할 여지가 없습니다.

- 또한 해당 시설을 같은 조 제4항에 따라 위탁하여 운영하는 경우, 수탁한 사회복지법인 등이 해당 시설의 운영자의 지위를 가지기는 하지만 설치자의 지위는 없으므로 설치·운영 신고에 대해서 그 수리를 증명하는 서류인 사회복지시설 신고증을 발부받을 여지도 없다고 할 것입니다.
- 즉 국가나 지자체가 아닌 자만이 시설 설치·운영에 대해서 신고할 의무가 있기 때문에 국가나 지자체가 설치하는 사회복지시설은 시행규칙 별지 제18호 서식에 따른 "사회복지시설 신고증"을 발부받을 수도 없고, 발부받을 이유도 없다는 점 유의해야 합니다.[126]

4.1. 국가·지자체

사회복지시설은 그 운영의 측면에서 고도의 공공성이 요구되기 때문에 국가나 지방자치단체가 설치·운영하는 것을 원칙으로 규정하고 있습니다. 하지만 국가나 지자체가 사회복지시설을 설치할 경우 그 운영에는 국비나 지방비 등 국민의 세금이나 그 밖에 공적자금이 투입되어야 하므로 모든 사회복지시설을 국가나 지자체만 설치·운영하는 것이 반드시 바람직한 상황은 아니라고 할 수 있습니다. 이에 따라 「사회복지사업법」에서는 국가나 지자체가 아니더라도 적절한 자격이 되는 자가 예외적으로 사회복지시설을 설치·운영할 수 있도록 규정하고 있습니다. 특정한 사회복지시설에 대한 수요는 있으나 그 공급이 여의치 않은 경우에 한해서 국가나 지자체가 직접 사회복지시설을 설치·운영하는 것이 적절한 것으로 판단됩니다.

4.2. 국가·지자체 이외의 자

국가나 지자체 이외의 자는 시장·군수·구청장에게 신고를 한 후 시설을 설치·운영할 수 있습니다. 이때 국가나 지자체 이외의 "자(者)"라 함은 통상 법인, 자연인 및 단체를 의미합니다.[127] 각 주체별로 논점이 되는 사항을 살펴보면 다음과 같습니다.

---

126) 수탁 운영자에 대해 사업자등록증이나 고유번호증을 발급하는 세정(稅政) 당국에서 사회복지시설 신고증을 요구하는 경우가 있으나, 이러한 경우에 해당 시설을 설치·운영한 국가나 지자체가 세정 당국에 대해서 문서로써 그 설치·운영 및 위탁에 관한 사항을 통지하거나, 시설설치 근거 조례나 지자체 내부 결재문서 등을 함께 제출하는 방법도 고려 가능

127) 법제처, 「법령 입안·심사 기준」(2020), 722쪽 : 국회, 「법제이론과 실제」(증보판, 2016), 776쪽 참조

4.2.1. 법인

법인의 경우는 해당 법인이 사회복지법인이건 일반 비영리법인이건 무관하고, 심지어는 영리법인도 해당된다고 할 수 있습니다. 영리법인의 경우라고 하더라도 국가나 지자체의 보조금을 받지 않고 자신의 수익으로써 「사회복지법인 및 사회복지시설 재무·회계 규칙」을 준수하면서 사회복지시설을 운영한다면 이를 금기시하거나 바람직하지 않은 것이라고 보는 것은 적절치 않다고 생각됩니다. 다만 법인이 사회복지시설을 설치·운영하기 위해서는 그 정관 목적사업에 사회복지시설의 설치·운영 근거가 명시되어 있어야 합니다. 「민법」 제34조에 따르면 모든 법인은 법률의 규정을 좇아 정관으로 정한 목적의 범위 내에서 권리·의무의 주체가 되기 때문입니다. 사회복지시설 운영을 목적사업으로 정관에 추가하기 위해서는 다음과 같은 분류에 따라 정관변경의 절차를 거치면 될 것입니다.

4.2.1.1. 정관변경 방법 – 사회복지법인의 경우

사회복지법인은 사회복지사업 수행을 위해서 설립된 법인이므로 그 정관의 목적사업에 자신이 수행하고자 하는 사회복지시설의 근거 법률과 그 구체적인 조문을 적시하여 소관 시·도지사에게 변경 인가를 받으면 됩니다.

4.2.1.2. 정관변경 방법 – 「민법」상 법인의 경우

우선 「민법」상 법인으로서 보건복지부나 여성가족부가 주무관청인 법인은 보건복지부나 여성가족부에서 정관 변경허가를 받으면 됩니다. 하지만 보건복지부에서 허가받은 법인이 여성가족부 소관 시설을 설치·운영하기 위해서는 반드시 여성가족부에서 정관 변경허가를 받아야 합니다. 물론 그 반대의 경우도 마찬가지입니다. 이는 보건복지부나 여성가족부는 각각 해당 부처 소관 시설에 대해서만 권한을 가지기 때문입니다.

「민법」상 법인으로서 그 주무관청이 보건복지부나 여성가족부가 아닌 법인의 경우는 그 설립허가를 내어준 해당 주무관청이 사회복지시설의 설치·운영과 관련하여 권한이 없기 때문에 법인은 반드시 보건복지부나 여성가족부로부터 정관변경 허가를 받아야만 합니다. 이 경우 모두 원래 설립허가를 한 부처 이외에 보건복지부나 여성가족부도 함께 주무관청이 되게 됩니다. 즉 주무관청이 2개 이상이 되는 상황이 발생하게 되는 것입니다. 만일 「행정권한 위임 및 위탁에 관한 규정」(대통령령)에 따라 광역지자체가 중앙부처로부터 위임받은 권한을 위임받아 설립허가를 한 법인의 경우는 해당 법인이 설치·운영하고자 하는 시설(보건복지부 또는 여성가족부 소관)이 해당 광역지자체 내에 있는 것이라고 한다면 해당 광역지자체가 보건복지부나 여성가족부에서 위임받은 권한을 동시에 행사하여 특정 사회복지시설의 설치·운영과 관련한 정관 변경허가를 할 수 있습니다. 그 광역지자체가 위임받은 권한은 넘어서는 경우라고 한다면 정관변경 허가는 권한을 위임하였던 중앙부처로부터 받아야 합니다.

4.2.1.3. 정관변경 방법 – 기타 특별법상 법인의 경우

「민법」이 아니라 특별법에 의해 설립된 특수법인의 경우는, 해당 법인의 권리능력이 그 설립 근거가 되는 특별법의 규정에 한정되는 것이므로 원칙적으로는 사회복지시설의 설치·운영이 불가능하다고 할 것입니다. 물론 해당 특별법에 그 특수법인이 사회복지시설을 설치·운영할 수 있는 것으로 규정하고 있다면 당연히 가능합니다. 예컨대 「사립학교법」에 따른 학교법인은 같은 법 제2조제2호에 따르면 사립학교만을 설치·경영할 목적으로 설립되는 법인이므로 사회복지시설을 설치·운영하는 데까지 권리능력이 확장된다고 볼 수 없습니다.[128] 「의료법」에 따른 의료법인의 경우는 의료기관의 개설·운영과 해당 의료기관을 통한 부대사업만 가능하기 때문에 사회복지시설을 설치·운영하는 것이 원칙적으로 불가능하지만, 같은 법 제49조제1항제3호에 따라 의료법인이 개설하는 의료기관에서 "「노인복지법」 제31조제2호에 따른 노인의료복지시설의 설치·운영"을 부대사업으로 수행할 수 있는 것으로 규정하고 있기 때문에 해당 시설의 설치·운영은 가능합니다. 특수법인의 사회복지시설 설치·운영 가능 여부와 관련한 정관 변경 제한 문제는 사회복지법인이 「사회복지사업법」에 따라 설립되었고, 그 권리능력이 사회복지사업 수행에만 한정되어 있기 때문에 의료기관이나 학교를 설립할 수 있는 내용의 정관을 가지지 못하는 것과 마찬가지라고 할 수 있습니다.

4.2.2. 자연인

1998년 이전의 「사회복지사업법」에서는 사회복지법인과 기타 비영리법인만 사회복지시설을 설치·운영할 수 있도록 규정함으로써 개인은 원칙적으로 사회복지시설을 설치·운영할 수 없었습니다. 그러나 현행 「사회복지사업법」에서는 자연인의 사회복지시설 설치·운영에 대해서 특별한 제한을 두고 있지는 않습니다. 따라서 사회복지시설 관련 개별 법률에서 개인의 시설 설치·운영을 제한하는 경우를 제외하면 누구나 시설 설치·운영 요건을 충족시키면 시설을 설치·운영할 수 있습니다.

---

128) 사립학교에서 해당 학교의 실습 등을 이유로 사회복지시설을 설치하는 경우가 있는데, 이러한 경우에는 반드시 보건복지부로부터 정관 변경허가를 받아야 함.

4.2.3. 단체

「사회복지사업법 시행규칙」 별지 제18호서식의 "사회복지시설 설치·운영 신고서"에서는 신고인이 법인인 경우에는 법인의 정관을 제출토록하고 있습니다. 이는 해당 법인이 사회복지시설 설치·운영과 관련한 권리능력을 제대로 갖추고 있는지를 확인하기 위한 것입니다. 법인격이 없는 단체의 경우는 그 내부 규정의 여부와 무관하게 대외적으로 특별하게 권리능력이 있다고 보기 어렵고, 이에 따라서 위 신고서에도 법인격 없는 단체에 대해서는 특별하게 언급을 하고 있지 않는 것입니다. 또한 「사회복지사업법」 제34조제2항제2호에서는 사회복지시설 설치와 관련된 제한사유를 열거하면서 특정한 "개인"과 그러한 개인이 임원인 "법인"만을 언급하고 있는데, 만일 「사회복지사업법」에서 법인격이 없는 단체도 사회복지시설의 설치·운영자로 인정을 하고 있다면, 당연히 그에 대한 결격사유도 규정하였을 것이나 현행 「사회복지사업법」에 관련 사항이 없는 것도 법인격 없는 단체를 아예 사회복지시설의 설치·운영 주체로 인식하지 않은 것이라고 볼 수 있습니다.

아울러 앞에서 사회복지시설의 설치 주체에 대해서 언급한 바와 같이, 사회복지시설의 설치·운영 주체가 당초 사회복지법인이나 기타 법인으로 한정되었다가, 상당한 시간이 지난 후에 매우 조심스럽게 개인으로 확대된 연혁을 살펴보면, 법률상 권리능력이 없는 단체에게까지 사회복지시설을 설치·운영토록 한 것으로는 보기가 어렵습니다.

한편 입법연혁을 살펴보더라도 1993년부터 1998년 사이에는 당시 「영유아보육법」 상 보육시설 중 일부[129]에 한해서 법인격이 없는 단체가 설치·운영할 수 있는 것으로 특별하게 규정이 되어 있었고, 현행 「영유아보육법」에서도 법인이나 자연인이 아닌 특정 단체도 어린이집을 설치·운영할 수 있도록 예외적으로 규정하고 있습니다. 이러한 사항을 반대로 해석하면, 법인격이 없는 자는 법률에서 별도로 규정하지 않은 한 사회복지시설을 설치·운영할 수 있는 주체가 될 수 없다는 것으로 이해하는 것이 바람직하다고 할 것입니다.

---

129) 2.민간보육시설 : 법인, 단체 또는 개인이 설치·운영하는 시설로서 직장보육시설 또는 가정보육시설이 아닌 시설
3.직장보육시설 : 사업주가 사업장의 근로자를 위하여 설치·운영하는 시설
4.가정보육시설 : 개인이 가정 또는 그에 준하는 곳에서 설치·운영하는 시설

5. 신고 절차

「사회복지사업법」에서는 사회복지시설의 설치·운영을 하고자하는 자의 경우 신고를 하도록 규정하고 있으나, 시설 관련 개별 법률 중에는 신고가 아닌 인가나 지정 등의 절차를 통해 관련 시설을 설치·운영하도록 규정하고 있는 경우가 있습니다. 따라서 개별 법률에 관련 절차가 있다면 그 절차에 따라서 설치절차를 진행하여야 합니다.

5.1. 신고서 작성·제출

사회복지시설을 설치·운영하기 위해서는 시행규칙 별지 제15호 서식에 따른 신고서를 작성·제출해야 합니다. 제15호 서식에서 기재해야 하는 사항은 다음과 같습니다.

5.1.1. 신고인

신고인은 해당 시설을 설치·운영하는 자를 의미합니다. 설치·운영자가 개인인 경우에는 그 성명과 주소, 연락처를 적으면 되고, 법인인 경우에는 그 법인의 대표권이 있는 자의 성명과 주소, 연락처를 적고 법인의 이름도 별도로 적어야 합니다.

⚠ 유의사항	신고인이 설치·운영자인 이유

o 「사회복지사업법 시행규칙」 별지 제15호서식인 "사회복지시설 설치·운영 신고서"는 사회복지시설을 설치·운영하고자 하는 자가 제출하는 것으로서, 그 신고인은 설치·운영하고자 하는 자를 의미하는 것입니다.

- 만일 시설장이 될 자나 행정사 등이 신고서를 제출하더라도, 이는 신고인의 대리인으로서 해당 신고서를 제출하는 것이 되므로 신고인의 위임장이 반드시 필요합니다.

5.1.2. 시설개요

5.1.2.1. 명칭

시설을 설치·운영하고자 하는 자는 그 시설의 명칭을 정해야 합니다. 시설의 명칭은 세법(稅法)상 개인 사업자등록증이나 개인 고유번호증을 발급 받고, 각종 금융 계좌를 개설함에 있어서 활용이 됩니다.

5.1.2.2. 사업의 종류

사업의 종류에는 사회복지시설의 종류를 명시해야 합니다. 앞에서 이미 언급한 사회복지시설의 종류 중 한 가지를 명시해야 합니다. 다만, 이 신고서는 「사회복지사업법」에 따라 설치되는 사회복지관이나 결핵·한센시설 중에서 설치·운영하고자 하는 시설의 종류를 적시하면 됩니다. 다른 종류의 시설의 경우 각각 설치 근거 법령에 따른 신고서를 작성하되 해당 법령에서 구분하고 있는 가장 상세한 수준의 시설 종류를 기재하면 됩니다.

5.1.2.3. 소재지 및 연락처

시설의 소재지는 해당 시설 설치·운영신고서를 수리하고, 추후 관리·감독권을 행사하는 주무관청을 결정하는 사항으로서 실제 시설이 설치·운영되는 곳의 주소를 명시하여야 합니다. 관리·감독을 위한 신고라는 점을 고려하면 소재지의 지번까지 상세하게 명시하여야 합니다. 전화번호는 시설에서 전용을 사용하는 것을 기재하는 것이 원칙이겠으나 설치·운영자나 시설장이 될 사람의 연락처를 기재할 수도 있을 것입니다.

5.1.2.4. 시설장의 성명 및 생년월일

시설이 설치되면 해당 시설의 시설장이 될 사람의 이름과 그 생년월일을 명시해야 합니다. 이는 시설장이 될 사람의 결격사유 등을 명확히 확인할 목적으로 신고서에 기재토록 하는 사항입니다.

5.1.2.5. 설치연월일

「사회복지사업법」 제34조제2항에서는 사회복지시설은 신고를 한 후에 설치·운영토록 규정하고 있습니다. 그럼에도 불구하고 설치·운영 신고서에는 설치연월일을 기재토록 하고 있어, 마치 시설을 이미 설치한 후에 사후적으로 그 사실을 신고하여도 되는 것으로 오인할 여지가 있습니다. 하지만 앞에서 살펴본 바와 같이 이 경우 신고는 기초 지자체가 그 신고내용을 확인하고, 관련 법률 부합 여부나 실제 사업 가능성 여부를 실질적으로 검토하기 때문에 「행정절차법」 제40조에서 규정하고 있는 "행정청에 일정한 사항을 통지함으로써 의무가 끝나는 신고"와는 다르다고 할 수 있습니다. 따라서 사회복지시설은 우선 신고를 완료한 후에 설치·운영을 개시하는 것이 맞습니다. 신고서에 기재하는 시설의 설치연월일은 "신고가 수리된 날"이나 해당 신고가 20일 이내에 처리되어야 하는 사항임을 고려하여 신고서 제출일로부터 적어도 20일 이상 지난 날 중 실제 설치·운영이 가능한 날을 추정하여 그 설치연월일로 기재하는 것이 적절할 것으로 판단됩니다.

5.1.2.6. 입소정원

입소정원은 해당 시설에 거주하거나 동시에 이용할 수 있는 사람의 정원(定員)을 기재하는 것입니다.

5.2. 신고서에 첨부할 서류

사회복지시설을 설치하고자 하는 자는 시설설치·운영 신고서에 다음의 서류를 첨부하여 시장·군수·구청장에게 제출하여야 합니다.

5.2.1. 법인의 정관(법인인 경우)

법인이 사회복지시설을 설치·운영하고자 하는 경우에는 앞에서 설명한 바와 같이 해당 법인의 정관 목적사업에 특정 사회복지시설을 설치·운영할 수 있다는 내용이 포함되어 있어야만 시설과 관련한 권리능력이 있는 것으로 보아 신고를 수리할 수 있기 때문에 법인의 정관을 제출토록 하는 것입니다. 관련 공무원은 반드시 해당 정관 중 목적사업 부분에 설치·운영하고자 하는 시설의 법률적 근거와 그 세부적인 사항이 명시되어 있는지를 확인하여야 합니다.

5.2.2. 시설운영에 필요한 재산목록

당연한 이야기지만 사회복지시설은 그 설치·운영자가 시설의 모든 부분에 대해서 전적으로 책임을 지고, 해당 시설을 운영해야 합니다. 그 중 가장 중요한 것이 재정적인 부분이라고 할 수 있습니다. 사회복지시설을 운영하기 위해서는 건물이나 용품 등 물적설비와 시설장, 종사자와 같은 인적설비가 법령에 부합되게 갖춰져야 하고, 그러한 시설을 운영하는 동안 계속해서 일정한 수준을 유지해야 하기 때문입니다. 만일 적정한 재정적 기초를 확보하지 못하면 시설이 부실하게 운영될 수밖에 없고, 그에 따라 시설 거주자나 이용자에게 직·간접적으로 피해가 발생할 가능성도 있기 때문에 반드시 시설의 지속적인 운영에 필요한 재산을 갖추어야 하는 것입니다. 시설 신고 시에 이러한 재산목록을 제출토록 하는 것은 그 운영의 가능성 및 안정성과 실제 제공하는 서비스의 질을 담보할 수 있는지 여부를 확인코자 하는 것입니다. 재산목록은 설치·운영을 하고자 하는 자의 소유로 되어 있는 재산의 목록과 이를 증명할 수 있는 각종 서류가 해당이 됩니다. 목록이 필요한 재산은 시설운영에 필요한 것만 해당되는 것으로서 시설운영과 관련이 없는 재산은 별도로 제출할 필요도 없고, 제출하여서도 아니 됩니다.[130] 한편 자신의 소유는 아니지만 국·공유 부동산에 시설을 설치·운영할 계획이라면 해당 부동산을 사용할 수 있는 권리가 있다는 점을 증명하면 됩니다.

---

130) 시설을 직접 설치·운영하는 부동산이나 그 수익이 시설의 운영에 필요한 재원이 되는 경우에 한함. 농지나 산지 등 시설과 무관한 재산의 경우는 그 규모가 아무리 크다고 하더라도 장차 그 매각 대금을 시설 운영에 활용할 것이 아니라면 시설 설치·운영신고 시에 제출할 수 있는 재산은 아닌 것으로 판단됨.

⚠ 유의사항 보조금 또는 후원금은 인정할 수 없음

o 사회복지시설 설치운영 신고서에 보조금이나 후원금을 시설의 설치·운영에 필요한 재산에 포함시키거나, 사업계획서·예산서에 포함시키는 경우가 있습니다.
- 그러나 보조금이나 후원금은 <u>사회복지시설 설치·운영자의 의지나 노력에 따라 당연히 얻어질 수 있는 재원이 아니므로</u> [131] 이를 인정할 수는 없습니다.

⚠ 유의사항 전세 또는 임대차 계약은 원칙적으로 인정할 수 없음

o **(법체계 측면)** 시행규칙 제20조제1항제2호에서는 <u>소유권과 사용권을 명확히 구분하여 표시</u>하고 있기 때문에, 동 조문상 <u>소유권의 범위를 일반적인 재산권으로 확대해석하기는 어렵습니다.</u>
o **(시설운영 측면)** 설치운영자 자신의 소유가 아닌 부동산의 경우는 자신의 의지가 아닌 <u>임대인의 의사에 따라 해당 시설의 지속운영 여부나 재정적 안정성이 좌우</u>되므로 이를 인정하기는 어렵습니다. 다만, 사회복지시설의 설치운영의 근거가 되는 개별 법률에서 인정하는 경우라면 예외로 할 수는 있을 것입니다.

5.2.3. 사업계획서 및 예산서

사업계획서는 해당 사회복지시설을 어떻게 운영할 지에 대한 계획을 기술(記述)한 것으로서 그 실현 가능성이나 타당성 등이 충분히 드러날 수 있도록 작성되어야 합니다. 예산서는 사회복지시설을 설치한 후 사용될 수입·지출에 관한 사항을 기술하는 것으로서 특히 해당 시설을 충분히 운영할 수 있을 만한 수입이 있다는 점을 명확히 밝힐 수 있는 정도로 작성되어야 합니다. 예산서는 앞에서 설명한 시설운영에 필요한 재산목록과도 밀접한 관련이 있는 것으로서 그 재산목록에 등재된 재산으로부터 발생하는 과실(果實)에 관한 사항도 반드시 포함되어 있어야 합니다. 이미 언급한 바와 같이 그 실현 여부가 불분명한 후원금이나 보조금 재원에 좌우되는 내용의 사업계획서나 예산서는 시설 설치·운영신고 첨부서류로서 가치가 없다는 점에 각별히 유의하여야 합니다.

5.2.4. 시설의 평면도와 건물의 배치도

시설의 평면도나 건물의 배치도는 설치·운영하고자 하는 사회복지시설이 그 목적에 부합되도록 실제로 운영될 수 있는지 여부를 확인하고, 시설별 설비기준을 충족하고 있는지 여부도 함께 확인할 수 있도록 하기 위해서 제출케 하는 것입니다.

---

131) 기부약정서 등을 제출하는 경우도 있으나 기부약정서는 언제든지 철회가 가능한 등 유동성이 너무 크기 때문에 여전히 인정하기 어려움.

예컨대 노인복지시설이나 장애인복지시설인 경우 일반적인 설비기준에는 충족되지만 승강기나 휠체어 이동통로 등이 확보되지 않아 사실상 이동이 불편하거나 불가능한 경우가 발생할 수도 있기 때문에 이를 확인하기 위해 그 평면도나 배치도가 필요한 것입니다.

6. 소방시설 확인

설치·운영 신고를 받은 주무관청에서는 앞에서 언급한 첨부서류를 면밀히 검토함은 물론이고 이에 더해서 장차 운영하고자 하는 시설이 「소방시설 설치·유지 및 안전관리에 관한 법률」에 따른 소방시설 등을 적절하게 갖추고 있는지 여부를 관할 소방본부나 소방서에 반드시 확인을 해야 합니다.132)

7. 시설신고증 발급 등

시설 설치·운영 신고에 문제가 없는 경우 주무관청에서는 시설신고증을 발급하고, 시설신고관리대장을 작성하여야 합니다.

8. 변경신고

사회복지시설 설치·운영신고와 관련하여 「노인복지법」이나 「장애인복지법」에서는 신고사항 중 중요한 사항이 변경된 경우에는 변경신고를 하도록 규정하고 있습니다. 이에 반해 「사회복지사업법」에서는 신고한 내용의 변경이 있을 경우라고 하더라도 별도의 변경신고를 할 수 있는 절차를 명시적으로 두고 있지 않습니다. 이러한 「사회복지사업법」 규정을 문언 그대로 해석할 경우 최초로 신고한 사항에 변동이 있으면, 새롭게 설치·운영신고를 하여야 하는 것으로도 해석이 가능합니다. 하지만, 이러한 해석은 사회복지시설의 거주자나 이용자를 두텁게 보호한다는 측면에서는 수긍을 할 수 있으나, 실제 사회복지시설을 설치·운영하는 자 입장에서는 상당한 행정적 부담이 가는 사항이 될 수도 있습니다. 생각건대 「사회복지사업법」에서 별도의 변경신고 규정을 두고 있지 않은 것은 입법의 불비(不備)라고 사료되나, 그렇다고 하여 법령의 규정을 자의적으로 해석하는 것도 적절치는 않다고 할 것이므로, 신고한 사항에 변경이 있을 때마다 신규 신고 절차와 동일하게 신고하는 것을 원칙으로 하되, 다만, 시행규칙 별지 제18호 서식인 사회복지시설 신고증 뒤쪽에는 변경사항란을 두고 있는 점을 고려할 때 신고증에 기재된 각 사항 중 시설 거주자나 이용자에게 영향을 미치지 않는 사항인 시설의 명칭이나 소재지,

---

132) 사회복지시설의 거주자나 이용자의 안전을 확보하기 위해 2015년 6월에 제정된 조문임.

시설장의 성명과 같은 사항은 사회복지시설 신고증 변경으로 처리할 수도 있을 것으로 사료됩니다.

⚠ 유의사항	시설의 설치·운영자 변경 가능 여부
o 시설의 운영자나 운영법인의 경우는 애당초 설치·운영신고를 한 자이므로 이를 변경한다는 것은 논리적으로 불가능한 것입니다. - 설치·운영 신고는 수리됨으로써 이미 완료된 행위로서 신고를 한 자도 수리와 동시에 이미 확정이 되어 버리는 것이기 때문입니다. - 따라서 특정 시설의 사실상 설치·운영자의 변경을 꾀하고자 한다면, 신고증 변경이 아니라 종전 시설의 폐지와 새로운 시설 설치·운영의 신고절차를 거쳐야 합니다.	

9. 설치·운영 신고가 불가능한 자

사회복지시설은 그 시설에 거주하거나 이용하는 자의 다수가 사회적인 약자인 경우가 많으므로 시설의 설치·운영과 관련하여서는 공익성이나 공공성 등이 엄격하게 요구된다고 할 수 있습니다. 따라서 이러한 취지 반영을 위해 「사회복지사업법」에서는 사회복지시설을 설치·운영할 수 없는 자를 정하여 열거하고 있습니다.

9.1. "설치·운영 신고를 할 수 없다"의 의미

9.1.1. 도입 연혁

2016년 8월 4일 개정 이전	2016년 8월 4일 개정 이후
第34条(사회복지시설의 설치) ② 국가 또는 지방자치단체 외의 자가 시설을 설치·운영하려는 경우에는 보건복지부령으로 정하는 바에 따라 시장·군수·구청장에게 신고하여야 한다. 다만, 제40조에 따라 폐쇄명령을 받고 3년이 지나지 아니한 자는 시설의 설치·운영 신고를 할 수 없다.	**第34条(사회복지시설의 설치)** ② 국가 또는 지방자치단체 외의 자가 시설을 설치·운영하려는 경우에는 보건복지부령으로 정하는 바에 따라 시장·군수·구청장에게 신고하여야 한다. 다만, 다음 각 호의 어느 하나에 해당하는 자는 시설의 설치·운영 신고를 할 수 없다. 1. 제40조에 따라 폐쇄명령을 받고 3년이 지나지 아니한 자 2. 제7조제3항 각 호[133]에 해당하는 개인 또는 그 개인이 임원인 법인

133) 제7조가 2017.10.24.에 삭제되고, 동일한 내용이 제19조로 이동

특정 요건에 해당될 경우 사회복지시설의 설치·운영 신고를 할 수 없도록 한 규정은 1999.11.1.에 시행된 「사회복지사업법」에서 최초로 도입되었고, 최근 2016.8.4. 개정으로 「사회복지사업법」에서 제34조의 조문의 구성이 위와 같이 변경되었습니다. 종전의 「사회복지사업법」 제34조에서는 폐쇄명령을 받고 3년이 지나지 아니한 자의 경우 설치·운영 신고를 막는 것으로써 시설의 설치·운영을 방지하였던 것입니다.[134] 그러나 2016년 8월 4일 이후 시행된 「사회복지사업법」에서는 신규로 시설을 설치·운영하려는 자뿐만 아니라, 종전에 시설을 설치·운영하고 있는 자에게도 적용이 되는 결격사유가 추가되었습니다. 이러한 결격사유가 추가되었다면 「영유아보육법」 제16조[135]의 예와 같이 "설치·운영할 수 없다"로 규정하여 사회복지시설의 설치와 동시에 운영도 막는 것으로 조문을 구성하였어야 했을 것입니다. 그러나 어떠한 사유에서인지는 모르겠으나 종전의 문구를 그대로 사용하는 상황이 발생하게 되고, 결과적으로 설치·운영 "신고"만 할 수 없는 다소 부적절한 입법이 되게 되었습니다. 생각건대 이는 명백한 입법의 불비(不備)로 사료됩니다.

9.1.2. 해석 방향

이러한 입법 취지나 연혁으로 볼 때 「사회복지사업법」 제34조제2항이 설치·운영 자체가 불가능하다는 것인지, 아니면 단순히 설치·운영 "신고"만을 할 수 없다는 것인지 명확히 알기가 어렵습니다. 만일, 동 조문을 문언 그대로 설치·운영 신고만을 할 수 없다고 해석한다면 이미 설치·운영 신고를 마치고 운영하고 있는 시설에 대해서는 동 조문을 적용할 수 없다고 할 것이고, 이러한 경우 이미 시설을 운영하고 있는 자의 법적안정성을 유지시킬 수 있다는 장점은 있으나, 특정한 조건이 있는 자가 시설을 설치·운영하는 것을 방지하고자 한 동 조문의 취지에는 부합되지 않는 상황이 발생한다는 문제점이 있습니다.

이와는 반대로 설치·운영 신고를 할 수 없다는 의미를 설치·운영 자체를 할 수 없다는 것으로 확대해석할 경우 동 조문의 개정의 취지는 성실하게 반영하는 상황이 될 수는 있으나, 사회복지법인의 경우 적법하게 시설을 설치·운영 신고를 하고 운영하던 중 해당 법인의 책임 없이 발생한 그 임원의 결격사유로 인해 시설을 운영할 수 없게 되는 경우가 발생할 수도 있어 법적안정성을 해치게 되는 문제점이 발생

134) 당시에도 복수의 시설을 운영하던 자가 있었을 것인데, 이러한 경우 일부 시설에 대해 폐쇄명령을 받은 자가 타 시설의 운영이 가능한지 여부에 대해서 논란의 여지가 있음.

135) 「영유아보육법」 제16조(결격사유) 다음 각 호의 어느 하나에 해당하는 자는 어린이집을 설치·운영할 수 없다.

하게 됩니다. 또한 이러한 해석을 할 경우 설치·운영자가 일반법인[136]이 경우라면 해당 임원을 개임(改任)함으로써 동 조문의 저촉을 피해갈 수 있으나, 개인인 경우에는 「사회복지사업법」상 시설의 설치·운영자 변경제도가 없는 상황이므로 시설을 폐쇄해야 하는 문제가 발생하게 됩니다. 즉 시설을 설치·운영하는 자가 결격사유에 해당될 경우 그 시설의 설치·운영자가 사라지게 되는 문제가 발생하게 됩니다.

이러한 사항을 종합하여 본다면 동 조문은 문언에 충실하게 설치·운영 신고행위가 불가능한 것으로 한정하여 해석하는 것이 바람직할 것으로 판단됩니다. 따라서 시설의 설치·운영자가 제34조제2항 각 호의 어느 하나에 해당할 경우 기존에 정상적으로 운영하던 시설은 그대로 운영하고, 향후 신규로 시설을 설치하는 것은 금지되는 것으로 해석하는 것이 국민의 기본권을 제한할 수 있는 조문의 적절한 해석방향으로 사료됩니다. 하지만 궁극적으로는 이러한 논란의 여지를 없애기 위해서 향후에 보다 명확한 문구로 법률을 개정하는 것이 가장 바람직하다고 할 수 있을 것입니다.

9.2. 개별 결격사유

"제40조에 따라 폐쇄명령을 받고 3년이 지나지 아니한" 경우나 "제19조제1항 제1호 및 제1호의2부터 제1호의8까지의 어느 하나에 해당하는 개인 또는 그 개인이 임원인 법인"에 대해서는 사회복지법인 임원의 결격사유와 관련하여 이미 검토한 사항을 참고 바랍니다. 다만, 제40조에 따른 폐쇄명령을 받은 주체가 임원의 결격사유에는 "사람"으로 규정하고 있는 것과는 달리 이 결격사유에서는 "자"이기 때문에 대상은 자연인뿐만 아니라 법인도 해당이 된다는 점에 유의해야 합니다. 만일 폐쇄명령을 받았던 법인이 자정 차원에서 해당 임원들을 모두 경질하였다고 하더라도, 법인의 실체는 그대로 유지되므로 결격사유를 면할 수는 없습니다.

10. 재무·회계기준의 준수 의무

시설을 설치·운영하는 자는 보건복지부령인 「사회복지법인 및 사회복지시설 재무·회계 규칙」에 따라 시설을 투명하게 운영해야 할 의무가 있습니다. 이 준수 의무와 관련된 조문은 2011년 8월에 도입된 것으로서 그 이전에는 사회복지법인 자체와 그 사회복지법인이 설치·운영하는 사회복지시설에만 한정하여 당시 「사회복지법인

136) 사회복지법인의 임원이 결격사유에 해당하면 임원 자격이 자동으로 상실되므로 애당초 동 조문이 적용될 여지가 없으므로, 여기서 법인은 사회복지법인을 제외한 법인만 해당

재무·회계규칙」에 따라 재무·회계를 운영토록 하였으나, 이후 모든 사회복지시설의 재무·회계 투명성을 높이기 위한 취지로 사회복지법인이 아닌 자가 설치·운영하는 사회복지시설의 운영도 재무·회계에 관한 기준에 따르도록 하기 위해서 개정된 것입니다. 따라서 동 조항에 따른 준수 의무자는 사회복지시설을 설치·운영하는 모든 자가 해당됩니다.137) 즉 사회복지법인은 물론이고, 그 밖에 영리·비영리법인과 개인도 사회복지시설을 설치·운영한다면 해당 시설과 관련하여서는 「사회복지법인 및 사회복지시설 재무·회계 규칙」을 준수해야 합니다.

⚠ 유의사항	「사회복지법인 및 사회복지시설 재무·회계 규칙」상 의무 이행자

o 「사회복지법인 및 사회복지시설 재무·회계 규칙」에서는 동 규칙의 준수 의무자로 "시설장"을 명시하고 있는데 시설장은 「사회복지사업법」 제34조제3항에서 규정하고 있는 "시설을 설치·운영하는 자"가 아니므로 시설회계와 관련된 의무를 부과하는 것이 적절한지 의문입니다.

o 다만, 별도의 규정이 없더라도 시설의 설치·운영자는 당연히 시설회계와 관련한 책임을 져야 하는 것이고, 이에 더불어 시설장은 사회복지시설의 운영에 대해 전반적인 책임을 지고 있으므로 설치·운영 주체와 함께 재무회계규칙과 관련한 의무를 이행토록 법령을 구성한 것으로 볼 여지는 있습니다.

※ 사회복지법인이 시설을 설치·운영하는 경우는 해당 사회복지법인의 회계에는 "법인회계", "시설회계", "수익사업회계"가 모두 포함되므로 그 사회복지법인이 당연히 모든 회계처리에 대해서 책임을 져야 합니다.

11. 위탁운영 기준 등

11.1. 위탁 가능 시설

앞에서 이미 언급한 바와 같이 사회복지시설은 법 제34조제3항에 따라 그 설치·운영자가 전적으로 책임을 지고 직접 운영해야 하는 것이 원칙입니다. 그러나 이러한 원칙에 대한 예외로 같은 조 제4항에서는 국가나 지자체가 설치한 사회복지시설은 필요한 경우 사회복지법인이나 비영리법인에게 위탁하여 운영할 수 있도록 예외를 두고 있습니다. 국가나 지자체가 설치한 사회복지시설의 경우 사회서비스 공급 부족 등의 이유로 부득이하게 국가나 지자체가 설치하였지만, 그 운영의 전문성 등 측면을 고려할 때는 공무원이 직접 운영하는 것보다 이를 사회복지법인 등 전문가에게 위탁하여 운영하는 것이 보다 바람직할 수 있고, 위탁을 하더라도 그 투명한 관리가 가능하다는 점에서 위탁운영이 가능한 것으로 예외 규정을 두고

137) 국가나 지자체가 직접 설치·운영하는 사회복지시설은 정부나 지자체 예산을 사용하기 때문에 「사회복지법인 및 사회복지시설 재무·회계 규칙」 제2조의2에 따라 예산 관련 법령을 준수

있는 것으로 사료됩니다. 국가나 지자체 이외의 자가 설치·운영하는 시설은 법에서 예외를 두고 있지 않기 때문에 타인에게 위탁하여 운영할 수 없습니다.

11.2. 운영의 위탁을 받을 수 있는 자

11.2.1. 소극적 기준

국가나 지자체가 설치한 사회복지시설을 수탁할 수 있는 자는 사회복지법인이나 비영리법인에 한정됩니다.[138] 또한 이러한 법인은 적어도 법 제34조제2항에 따른 사회복지시설의 설치·운영상 주체로서의 결격사유가 없어야 할 것입니다. 아울러 해당 법인의 정관상 목적사업에 수탁하고자 하는 사회복지시설과 관련된 사업 내용이 반드시 명시되어 있어야 합니다. 만일 시설을 위탁하고자 하는 법인의 정관에 그 시설과 관련된 사항이 없다면, 이는 「민법」 제34조에 따라 해당 시설을 수탁 운영할 수 있는 권리능력이 없는 법인이 되기 때문입니다.

11.2.2. 적극적 기준

소극적 기준을 충족시키는 사회복지법인이나 비영리법인 중에서도 시행규칙 제21조제3항에 따라 재정적 능력, 공신력, 사업수행능력, 지역간 균형분포 및 평가결과 등을 종합적으로 고려하여 선정된 자에 한해서 수탁이 가능합니다.

개인 해석 "지역간 균형분포"의 의미

o 시행규칙 제21조제3항에서 명시하고 있는 각종 조건들은 "수탁자의"라는 단어로 꾸며지고 있기 때문에 모두 다 수탁자에 대한 것이라고 할 것입니다.

- 그런데 지역간 균형분포의 경우는 수탁자에 대한 것인지 아니면 수탁하는 시설에 대한 것인지 다소 모호합니다. 즉, 수탁자가 특정지역에 몰려 있으면 아니 된다는 의미인지, 수탁하는 시설이 특정지역에 몰려 있으면 아니 된다는 것인지 알기가 어렵습니다.
- 이 조문이 신설되던 2004년도의 시행규칙에서는 지역사회에 부합되는 복지사업의 수행과 관련한 개정사항이 많았음을 미루어 보면, "지역간 균형분포"는 수탁자에 관한 기준이 아니라 지자체 등이 위탁시설을 설치할 때 특정지역에만 그 위탁시설이 집중되지 않도록 하라는 취지로 짐작이 됩니다.
- 생각건대 지역간 균형분포는 수탁하는 법인을 선정하기 위한 기준이므로, 수탁자인 법인에 대한 것이라고 보아야 할 것인데, 만일 수탁법인이 재정적 능력이나 공신력, 사업수행능력이 있는 경우라고 한다면 굳이 해당 법인의 지역적 균형분포를 따질 이유가 없을 것입니다.

138) 개인은 법인과 달리 개인의 개별 사정에 영향을 받게 되므로 그 업무의 영속성이나 그 밖에 투명성 확보에 어려움이 있어 제외된 것으로 판단됨. 시설별 설치 근거 법률에서는 각각 그 수탁자의 범위를 달리 정한 경우도 있음.

11.3. 위탁방법

사회복지시설을 위탁하기 위해서는 국가나 지자체에 각각 수탁자선정심의위원회를 두어야 하고, 이의 심의를 거쳐 수탁자를 선정해야 합니다. 수탁자선정심의위원회는 위원장 1명을 포함한 9명이내의 위원으로 구성되고, 위원장은 위원 중에서 해당 시설을 직접 위탁하고자 하는 위탁기관의 장이 지명하게 됩니다. 위원은 △사회복지 업무를 담당하는 공무원, △사회복지에 관한 학식과 경험이 풍부한 자[139], △공익단체("「비영리민간단체 지원법」 제2조에 따른 비영리민간단체)[140]에서 추천하는 자, △법률전문가 등 위원회 참여가 필요하다고 위탁기관의 장이 인정하는 자 중에서 위탁기관의 장이 임명·위촉한 자가 됩니다. 위원회의 회의는 재적위원 과반수의 출석으로 개의하고, 출석위원 과반수의 찬성으로 의결하게 됩니다. 제척사유나 그 밖에 위원회의 운영과 관련한 사항은 위탁기관의 장이 정할 수 있습니다.

11.4. 공개모집

시행규칙 제21조제1항에서는 국가나 지자체가 공개모집의 방법을 통해서 수탁법인을 선정토록 하고 있습니다. 다만, 국가나 지자체가 사회복지사업을 할 목적으로 스스로 설립한 비영리법인에 사업을 위탁하는 경우로서 보건복지부장관이 정하는 경우에는 공개모집의 절차를 거치지 않아도 됩니다.

⚠ 유의사항	공개모집 예외의 한계

o 시행규칙 제21조제1항 단서 규정은 사회복지시설 위탁의 방법에 대해서 해당 시설 근거법령에서 별도의 규정을 두고 있지 않는 경우에만 적용이 가능합니다.

- 예컨대 어린이집의 경우 「영유아보육법」 제24조제2항에서 위탁을 할 때는 반드시 "공개경쟁의 방법"으로 하도록 규정하고 있습니다.
- 법 제3조에 따라 「영유아보육법」이 「사회복지사업법」에 우선 적용됨은 물론이고 위 공개모집 예외는 법률이 아닌 시행규칙에서 정하고 있는 것이기 때문에 어린이집의 위탁에 대해서는 국가나 지자체가 설립한 비영리법인이라고 하더라도 반드시 공개경쟁을 통한 위탁 절차를 진행해야 합니다.

---

139) 학식과 경험의 풍부성 여부는 그 학위나 경력 등 객관적인 사실을 근거로 판단하여야 향후 논란의 여지를 줄일 수 있음.

140) 종전 「사회복지사업법」에서는 공익단체를 「사회복지사업법」 제7조제2항제6호에서 "「비영리민간단체 지원법」 제2조에 따른 비영리민간단체"로 규정하고 있었으나, '18.4.25부터 시행되는 「사회복지사업법」에서는 이러한 내용이 삭제되었음. 그 삭제의 이유에 대해서는 별도의 검토보고서나 논의 과정이 없었던 것을 감안하면 입법 과정상의 실수에서 비롯된 것으로 판단됨. 따라서 「사회복지사업법」의 개정과 무관하게 공익단체는 종전과 같이 그 범위를 해석하면 될 것으로 사료됨.

11.5. 위탁계약

11.5.1. 계약서 필수 기재사항

위탁계약서에는 △수탁자의 명칭, 주소 및 대표자의 이름[141] △위탁계약기간, △위탁대상시설 및 업무내용, △수탁자의 의무 및 준수 사항, △시설의 안전관리에 관한 사항, △시설종사자의 고용승계에 관한 사항, △계약의 해지에 관한 사항이 반드시 포함되어야 하고, 그 밖에 시설 운영과 관련하여 필요하다고 인정되는 사항을 추가로 포함시킬 수 있습니다.

⚠ 유의사항 "고용승계에 관한 사항"의 의미 또는 범위

o 시행규칙 제21조의2제1항제5호의2에서 위·수탁계약서에 반드시 명시해야 하는 사항으로 "고용승계에 관한 사항"을 정하고 있는데, 이러한 사항을 반드시 고용을 승계하여야 한다는 것으로 해석하는 것은 다소 무리가 있습니다.
- 만일 종전의 수탁법인이 채용한 종사자가 법령에 따른 자격요건에 부합되지 않거나, 결격사유에 해당되는 경우라고 한다면 시설의 종사자가 될 수 없는 사람이므로 그 고용을 승계할 수도 없고 승계하여서도 아니 될 것입니다.
- 또한 자격요건이나 결격사유 등의 객관적인 기준은 모두 충족하고 있으나, 물의를 일으켜 공식적으로 징계 등을 받은 사람인 경우로서 시행규칙 제21조제1항에 따른 수탁자선정심의위원회에서 심의를 통해 부적격자로 판단하는 경우에는 승계를 하지 않을 수도 있을 것입니다.
- 요컨대 고용승계에 관한 사항은 당연히 고용을 승계하라는 것이 아니라 지자체나 지자체의 수탁자선정심의위원회가 합리적인 기준을 두어 고용승계와 관련한 사항을 정할 수 있다는 것으로 해석하는 것이 바람직할 것입니다.

개인 해석 필수 기재사항에 시설 종사자의 고용승계가 포함된 이유

o 국·공립시설의 위·수탁계약상 시설 종사자의 고용승계는 '05.7.31.에 개정·시행된 「사회복지사업법 시행규칙」에 최초로 명시되었습니다.
- 사회복지시설의 위·수탁계약기간이 종료되면 다시 수탁법인을 선정하는 절차를 거치게 되는데 이 때 해당 사회복지시설에 근무하던 종사자도 수탁법인의 수탁계약 연장 여부에 따라 그 고용계약의 지속 여부가 결정되므로 그 지위가 매우 불안정한 상황이었습니다.
- 한편 사회복지시설의 종사자는 해당 시설 관련 개별 법령에 따른 자격요건 등 인적기준에 부합되고, 동시에 결격사유에 해당되지 않으면 그 직무를 수행함에 있어 큰 문제가 있다고 보기는 어렵습니다.(물론 성향이나 인격적인 부분 등 주관적인 요소도 영향을 미칠 수는

---

141) 종전 「사회복지사업법 시행규칙」 제21조의2제1항제1호에서는 "수탁자의 성명 및 주소"로 명시되어 있었음, 그러나 법 제34조제5항에 따르면 수탁자가 법인으로 한정되어 있기 때문에 수탁자의 성명이라는 것이 애당초 존재하지 않음. 따라서 이러한 상황을 정확히 반영하여 현행과 같이 수탁자의 명칭, 주소와 해당 수탁법인의 대표자 이름을 명시토록 개정한 것임

있을 것이나, 이러한 성향 등에 있어서는 특별한 문제없이 통상의 경우와 동일하다는 것을 전제로 합니다.)

- 요컨대 수탁법인이 변경되어 새로운 종사자를 고용하더라도, 종전의 종사자와 크게 다를 바가 없고, 오히려 시설의 거주자·이용자의 입장에서는 새로운 종사자보다는 기존의 종사자와 교감(交感) 등의 부수적인 측면에서는 보다 나은 점이 있는 점이나 종사자의 고용 안정성을 강화함으로써 그에 따라 제공되는 서비스의 질도 높아질 수 있다는 점 등을 두루 고려하여 해당 규정을 정한 것으로 판단됩니다.

개인 해석 필수 기재사항에 시설장의 고용승계에 관한 사항이 포함되지 않은 이유

o 사회복지시설의 시설장은 시설 관련 법령에서 통상 종사자보다 강화된 자격요건과 결격 사유를 적용하고 있습니다.

- 또한 종사자와는 달리 법령상 권리·의무(시설 안전점검, 보육교사 감독 등)를 명시적으로 부여하고 있고, 특히 「사회복지법인 및 사회복지시설 재무·회계 규칙」에서는 관련 사무에 대해 시설장에게 시설의 설치·운영자와 유사한 권한을 부여하고 있습니다.
- 이러한 법령의 구조에 미루어 보면 시설장은 시설의 운영과 관련하여 매우 엄중한 권한과 의무를 동시에 가지고 있는 지위를 가지고, 시설의 운영 전반에 대해서 해당 시설의 설치·운영자와 함께 책임을 부담하는 지위에 있다는 것을 미루어 짐작할 수 있습니다.

o 즉, 사회복지시설의 시설장은 단순히 사회복지사업과 관련하여 자신의 노무를 제공하는 것을 넘어서 해당 시설을 설치한 자와의 유기적인 관계를 통해서 시설을 운영하는 자라고 할 수 있을 것입니다.

- 국·공립 사회복지시설의 위·수탁의 경우에 이러한 유기적인 관계를 적용하여 본다면, 시설을 수탁받은 법인이 변경되는 경우 해당 시설의 운영과 관련한 여러 가지 운영 철학 등도 변경될 것이고, 이러한 철학은 시설의 운영에 대해서 직접적인 책임을 지고 있는 시설장과도 공유가 되어야 할 필요가 있을 것이라고 할 것이므로,
- 시설장의 거취와 관련하여서는 수탁법인의 자율성을 보다 크게 인정하는 차원에서 시설장의 고용승계에 관해서는 수탁계약의 필수 기재사항으로 하지 않은 것으로 판단됩니다.

11.5.2. 계약기간

위탁계약기간은 시행규칙 제21조의2제2항에 따라 무조건 5년으로 해야 합니다. 종전의 시행규칙에서는 계약기간을 “5년 이내”로 하도록 정하고 있었으나, 2016년에 수탁자의 예측 가능성을 높여 수탁 시설의 안정적인 운영을 담보한다는 차원에서 그 계약기간을 5년으로 확정토록 개정되었기 때문에 위탁자의 판단 여지없이 계약 기간은 무조건 5년으로 해야 합니다.

11.5.3. 계약갱신

5년의 계약기간이 종료된 이후에는 원칙적으로 신규로 수탁자를 심사·선정하는 절차를 거쳐야 하지만, 위탁기관이 필요하다고 인정하는 경우에는 선정위원회에서

심의를 거쳐 그 계약기간을 갱신할 수도 있습니다. 이때 갱신의 의미는 종전의 계약을 새롭게 한다는 의미가 담겨져 있기는 하지만 시행규칙에서는 위탁계약 기간을 5년으로 정하고 있기 때문에 갱신의 경우도 그 계약기간이 5년이 되는 것이 바람직한 해석이라고 사료됩니다. 계약의 갱신의 경우 자칫 수탁자가 타성에 젖거나 방만한 운영을 할 우려가 있고, 새로운 수탁자의 진입을 막는 효과도 있기 때문에 반드시 필요한 경우에 한해서만 진행해야 할 것입니다.

⚠ 유의사항 **계약기간 갱신관련 경과 규정 적용 여부**

o 2016.8.4.에 개정·시행된 시행규칙 부칙에서는 "이 규칙 시행 전에 체결된 위탁계약의 계약기간에 관하여는 종전의 규정에 따른다."라고 경과규정을 두고 있으나, 갱신의 경우에 대해서는 별도의 규정을 두고 있지 않습니다.

- 따라서 2016.8.4. 이전의 규정을 적용받은 계약이라고 하더라도, 2016.8.4. 이후에 갱신을 하게 되면, 개정된 시행규칙의 적용을 받게 되므로, 계약기간은 5년으로 확정됩니다.

개인해석 **계약기간 연장 시 공개모집 필요 여부**

o 「사회복지사업법 시행규칙」 제21조제1항 본문에서는 시설 위탁시 반드시 공개모집을 하도록 규정하고 있고, 같은 규칙 제21조의2제2항 단서에서는 위탁기간 연장이 가능한 것으로 규정하고 있습니다.

- 제21조제1항은 수탁자를 선정하는 방법을 정하고 있는 것이고, 제21조의2제2항은 이미 선정된 수탁자와의 계약 연장과 관련된 사항을 정하고 있는 것이므로 규율 대상이 서로 다른 조문입니다.
- 따라서 최초 위·수탁 시에는 당연히 제21조에 따라 공개모집을 해야 하지만, 이미 계약이 체결되어 있는 경우에는 그 기간 종료에 즈음하여, 제21조제1항에 따른 공개모집이나 제21조의2제2항에 따른 갱신 중에서 선택이 가능하다고 할 수 있습니다.
- 공모를 했으나 우연히 기존 수탁자가 다시 선정되었다고 하더라도 이는 제21조의2제2항에 따른 계약연장이 아닌 제21조제1항에 따른 신규 계약이 되는 것입니다.

11.5.4. 계약해지

사회복지시설의 운영을 위탁한 국가나 지자체는 계약서상의 계약해지 사유가 발생한 경우는 물론이고, 계약서에 명시적인 해지사유를 적시하지 않은 경우라고 하더라도 위탁계약 체결 내용과 달리 운영하는 경우에는 해당 계약을 해지할 수 있습니다. 또한 위탁받은 사회복지법인이나 비영리법인의 설립허가가 취소된 경우에는 계약의 당사자가 없어지게 되므로 이 경우 계약을 해지할 수 있습니다.[142]

---

142) 설립허가 취소로 인해서 사회복지법인 등이 소멸되는 것으로서 이 경우 계약 당사자인 사회복지법인 등의 권리·의무를 이전 받을 주체가 없기 때문에 굳이 계약을 해지할 수 있는 것으로 시행규칙에 명시하지 않더라도 당연히 계약이 해지되는 것임. 따라서 이 경우에는

11.6. 수탁자의 법적 지위

국가나 지자체로부터 시설의 운영을 위탁받은 자는 「사회복지사업법」과 그 하위 법령 등에서 언급하고 있는 "시설의 운영자"의 지위가 발생합니다. 이는 시설의 설치에는 관여하지 않았으나 그 운영을 위탁받은 자로서 해당 시설의 실질적인 운영에 전적인 책임이 있는 지위로 이해할 수 있습니다. 이에 따라 수탁자는 법령에 따라 시설 운영자에 대해서 주어지는 모든 권리·의무와 관련한 주체가 됩니다.

해 석 례 **지방공단인 시설관리공단의 시설운영의 대행이 가능하다고 본 해석례**

o **해석번호** : [법제처 08-0388, 2008. 12. 24.]

o 권한의 대행에 관하여는 법률상 정의되어 있지는 않으나, 권한의 위임 · 위탁과는 달리 행정권한이 이전되지 않고 그 법적 권한은 행정청의 명의와 책임으로 행사하되, 권한행사에 따른 실무를 대행기관으로 하여금 행하게 하는 것을 의미하는 것이 일반적인데, 권한의 대행은 법적인 권한 자체가 변경되는 것은 아니므로, 업무의 성질상 이러한 대행이 가능하다면,

- 지방자치단체가 「사회복지사업법」에 따른 사회복지시설인 노인종합복지회관(「노인복지법」에 따른 노인복지관)을 설치하여 **「사회복지사업법」 제34조제5항 및 제6항의 위탁운영 방법에 따르지 않고** 「지방공기업법」에 따른 지방공단인 창원시시설관리공단으로 하여금 그 운영을 대행하도록 하는 것도 가능

[개인해석]

o 이 해석례는 시설운영의 법적인 권한은 지자체가 가지고 있고, 모든 행위도 해당 지자체의 명의로 이루어져야 한다는 전제조건 아래에서만 유효하다는 점에 유의해야 합니다.

o 「지방공기업법」상 지방공단 등이 수행하는 사업이 대부분 수도, 도로, 주택 등 공공설비를 관리·유지하는 사업인데 반해,

- 시설의 운영은 단순히 건물을 관리하는 것이 아니라 인적자원(건물, 설비)과 물적자원(종사자, 시설장)으로 결합되어 있는 시설을 운영할 뿐만 아니라 생활자, 거주자, 이용자에게 적정한 서비스를 제공하는 종합적인 행위라는 점에 미루어 보면,
- 위 해석례는 「지방공기업법」의 취지와 사회복지시설 운영의 본질을 잘 이해하지 못한 상황에서 도출된 것이 아닌가 하는 우려가 있습니다.
- 위 해석례를 인용하여 지방공단 등에 대행을 맡기는 것은 자칫 「사회복지사업법」의 위반 문제와도 직결될 우려가 있으므로 지양해야 할 행위로 사료됩니다.

위탁자는 계약의 해지 여부를 재량에 맡겨서 결정할 것이 아니라 당연히 해지하는 것으로 인식하는 것이 바람직

제34조의2(시설의 통합 설치·운영 등에 관한 특례)

제34조의2(시설의 통합 설치 · 운영 등에 관한 특례) ① 이 법 또는 제2조제1호 각 목의 법률에 따른 시설을 설치 · 운영하려는 경우에는 지역특성과 시설분포의 실태를 고려하여 이 법 또는 제2조제1호 각 목의 법률에 따른 시설을 통합하여 하나의 시설로 설치 · 운영하거나 하나의 시설에서 둘 이상의 사회복지사업을 통합하여 수행할 수 있다. 이 경우 국가 또는 지방자치단체 외의 자는 통합하여 설치 · 운영하려는 각각의 시설이나 사회복지사업에 관하여 해당 관계 법령에 따라 신고하거나 허가 등을 받아야 한다.

② 제1항에 따라 둘 이상의 시설을 통합하여 하나의 시설로 설치 · 운영하거나 하나의 시설에서 둘 이상의 사회복지사업을 통합하여 수행하는 경우 해당 시설에서 공동으로 이용하거나 배치할 수 있는 시설 및 인력 기준 등은 보건복지부령으로 정한다.

1. 입법취지

시설은 그 시설 근거 법령에 각각의 인적·물적기준이 정해져 있고, 반드시 그 기준을 준수하면서 시설을 설치·운영하여야 합니다. 따라서 법령상 기준을 충족시키는 인적·물적 자원은 오롯이 하나의 해당 시설에만 전용(專用)으로 사용되어야 하는 것이 원칙입니다. 그러나 사회복지시설의 경우 그 개별 근거 법률에 따라서 사업이나 부처별로 각각 나뉘어져 규제되고 있는 관계로 유사한 대상에게 유사한 서비스를 제공하는 시설이 중복적으로 존재하게 되는 반면, 농어촌 지역의 경우는 시설이 없어 사각지대가 발생하는 등의 지역간 불균형 심화현상이 발생[143]되기도 합니다. 이러한 문제점을 해결하기 위해 농어촌 지역 등의 지역특성과 시설분포 등을 고려하여 사회복지시설을 통합하여 설치할 수 있는 근거[144]와 특정한 사회복지시설에서 그 시설의 인적·물적 자원을 활용하여 사회복지시설 이외의 사회복지사업을 통합하여 수행할 수 있는 근거를 마련하고자 이 조문이 신설된 것입니다.[145]

2. 통합방식

2.1. 하나의 시설로 설치·운영하는 경우

법 제34조의2제1항에서 규정하고 있는 "이 법 또는 제2조제1호 각 목의 법률에 따른 시설을 통합하여 하나의 시설로 설치 · 운영"한다는 문구의 경우 새로운 제3의 시설유형을 만든다거나, 하나의 시설이 그 시설의 이름으로 다른 유형의 시설의

143) 「국회 보건복지위원회 검토보고서(1808529)」, 24쪽 참조
144) 「사회복지사업법 일부개정법률안」(정부제출, 2010.5.31.) 중 제안이유 참조
145) 「국회 보건복지위원회 검토보고서(1808529)」, 25쪽 참조

업무를 함께 하거나 한다는 의미146)로 오해할 여지가 있습니다. 그러나 같은 조 제1항 후단에서는 통합하여 운영하고자 하는 각각의 시설이 해당 관계 법령에 따라 신고하거나 허가를 받도록 하고 있고, 통합 설치·운영의 시설 및 인력 기준을 정하고 있는 「사회복지사업법 시행규칙」 별표 2 “시설의 통합 설치 · 운영 등에 따른 시설 및 인력 기준”에서도 설비를 공동으로 사용하거나 인력을 겸직하여 운영할 수 있도록 규정하고 있는 점을 고려하여 본다면, 각각의 법률에 따른 시설의 형태는 그대로 유지가 되고. 단지 그 인적·물적 자원을 통합하여 활용할 수 있는 것으로만 보아야 합니다.

2.2. 하나의 시설에서 둘 이상의 사회복지사업을 통합하여 수행하는 경우

법 제34조의2제1항 중에서 “하나의 시설에서 둘 이상의 사회복지사업을 통합하여 수행”하는 경우는 특정 사회복지시설을 설치·운영하는 자가 해당 사회복지시설의 인적·물적 자원을 활용하여, 해당 시설이 아닌 다른 사회복지사업을 수행하는 것을 의미합니다. 이는 특정 사회복지시설을 설치·운영하는 자가 그 시설의 인적·물적 자원을 활용하여 해당 시설에서 제공하는 것과 유사한 프로그램 성격의 사회복지사업을 수행할 수 있도록 허용한 것입니다. 예컨대 사회복지관을 설치·운영하는 자가 해당 사회복지관의 인력이나 설비를 활용하여 비록 사회복지관의 고유사무는 아니라고 하더라도 국가나 지자체가 위탁하는 각종 프로그램 성격의 사회복지사업을 수행하는 사례를 들 수 있습니다.147)

3. 통합 운영 등의 전제조건

앞에서도 언급하였지만 사회복지시설을 통합하여 설치·운영하거나, 사회복지사업을 통합하여 수행하고자 할 경우 반드시 개별 시설이나 사업의 근거가 되는 법률에서 각각 규정하고 있는 신고나 허가 등의 절차를 반드시 거쳐야 합니다. 법 제34조의2는 새로운 시설유형이나 사회복지사업을 창설하는 것이 아니라 기존의 법률에 따른 시설이나 사회복지사업에 따라 해당 시설 등을 운영하되 그 인적·물적 자원을 공동으로 사용하는 것만 정해 놓은 것이기 때문입니다.

146) 예를 들어 A유형 시설과 B유형 시설을 통합하여 새로운 C유형의 시설을 만든다거나, A유형 시설과 B유형 시설을 통합하여 운영하되 외부적으로는 A유형 시설만 운영하는 것으로 표명하는 경우를 예상할 수 있음.

147) 이 경우 특정 프로그램 성격의 사업을 수행하기 위해서만 채용된 자는 해당 사회복지시설의 종사자로 볼 수 없다는 점에 유의

4. 통합 운영 등의 기준

통합 운영 등과 관련한 구체적인 기준은 「사회복지사업법 시행규칙」 별표 2에서 정하고 있는데 그 기준은 비교적 간단합니다. 우선 둘 이상의 시설을 통합하여 하나의 시설로 설치 · 운영하는 경우에는 그 시설이나 설비는 △시설 거주자나 이용자의 불편이 초래되지 않는 전제하에서, △사무실이나 식당 등 서로 중복되는 시설·설비를 공동으로 사용할 수 있습니다. 인력의 경우는 △사업에 지장이 없다는 전제하에서, △간호사, 사무원, 영양사 등 특정한 업무에 종사하는 사람을 겸직하여 운영할 수도 있습니다. 하나의 시설에서 둘 이상의 사회복지사업을 통합하여 수행하는 경우에는 시설거주자나 이용자에게 불편이 없고, 사업에 지장이 없으면 시설·설비를 공동으로 사용할 수 있고, 인력도 겸직하여 운영할 수 있습니다.

5. 통합 운영 등에 대한 판단권자

사회복지시설을 통합하여 설치·운영하고자 하거나, 하나의 시설에서 둘 이상의 사회복지사업을 통합하여 수행하고자 할 경우, 통합 운영 등을 하고자 하는 자는 그 통합 운영 등의 대상인 사회복지시설이나 사회복지사업을 관할·관장하는 각각의 주무관청이나 주무부서 모두에 대해서 사전에 그 통합 운영 등이 가능한지 여부를 협의하거나 검토를 요청해야 합니다. 통합 운영 등이 가능한지 여부에 대한 검토 요청 등이 있으면 각각의 주무관청이나 주무부서는 「사회복지사업법 시행규칙」 별표 2에 따른 기준에 부합되는지 여부를 함께 논의하고, 그 결과를 통합 운영 등을 하고자 하는 자에게 통보해야 할 것입니다.

제34조의3(보험가입 의무)

제34조의3(보험가입 의무) ① 시설의 운영자는 다음 각 호의 손해배상책임을 이행하기 위하여 손해보험회사의 책임보험에 가입하거나 「사회복지사 등의 처우 및 지위 향상을 위한 법률」 제4조에 따른 한국사회복지공제회의 책임공제에 가입하여야 한다.

1. 화재로 인한 손해배상책임
2. 화재 외의 안전사고로 인하여 생명 · 신체에 피해를 입은 보호대상자에 대한 손해배상책임

② 국가나 지방자치단체는 예산의 범위에서 제1항에 따른 책임보험 또는 책임공제의 가입에 드는 비용의 전부 또는 일부를 보조할 수 있다.

③ 제1항에 따라 책임보험이나 책임공제에 가입하여야 할 시설의 범위는 대통령령으로 정한다.

→ 「사회복지사업법 시행령」 제18조의3(보험가입 의무)

일상생활을 영위하는 데 있어서 여러 가지 위험한 상황이 발생할 가능성이 언제나 존재하고 있다고 할 수 있습니다. 사회복지시설의 경우도 예외는 아니라 그 시설에서 어느 때든지 위험한 상황이 발생하고 그로 인해 여러 가지 피해가 초래될 우려가 있습니다. 동 조문은 이러한 상황에 대비토록 하기 위해서 모든 사회복지시설 운영자로 하여금 보험에 가입을 하도록 강제하고 있습니다.

1. 가입 의무자

「사회복지사업법」 제34조의3제1항에 따라 보험가입의 의무가 있는 자는 "시설의 운영자"입니다. 시설의 설치·운영자가 아니라 단순히 "운영자"라고 명시한 것은 시설을 직접 설치한 설치·운영자뿐만 아니라, 직접 설치를 하지는 않았지만 법 제34조제4항에 따라 위탁받아 운영하는 자에게도 보험가입 의무를 부과하기 위해서입니다. 즉 사회복지시설을 직접 설치·운영하는 자나, 국가나 지자체로부터 위탁받아 운영만 하는 자 모두 해당 시설과 관련한 보험에 가입을 해야 합니다.

2. 가입 필요 시설

책임보험이나 책임공제에 가입해야 하는 대상은 앞에서 분류한 90여종의 사회복지시설 모두가 해당됩니다. 즉 모든 사회복지시설은 책임보험 등에 가입을 해야 합니다.

3. 손해배상책임 종류 등

3.1. 화재로 인한 손해배상책임

시설의 운영자는 해당 시설에서 발생한 화재로 인하여 초래되는 인적·물적 손해에 모두에 대한 배상책임을 담보할 수 있는 책임보험 등에 가입을 해야 합니다. 즉 인적·물적 손해가 누구에게 발생하였는지 여부와 무관하게 그 손해에 대해 배상책임을 질 수 있는 상품에 가입을 해야 합니다. 이는 다음에서 살펴볼 안전사고

관련 손해배상책임의 경우 보호대상자에게 발생한 손해에 대해서만 책임을 지는 것과 다른 점입니다. 즉 이 조문에서 의무로 규정하고 있는 보험은 화재로 인한 손해배상책임을 담보할 수 있는 보험으로서 자신뿐만 아니라 타인에게 발생한 손해까지도 배상할 수 있는 보험이어야 합니다.

유의사항 통상의 화재보험과의 차이점

o 통상의 화재보험은 화재로 인해 보험가입자 자신의 재물 등에 발생한 손해를 담보하는 것이 대부분입니다.
- 하지만 이 조문에서 언급하고 있는 보험은 보험가입자 자신의 재물뿐만 아니라 화재로 인해 발생하는 모든 손해를 담보하는 것이므로 통상의 화재보험과는 큰 차이가 있습니다.
- 따라서 통상의 화재보험의 가입만으로는 이 조문에서 의무로 부여하고 있는 바와 같은, 화재로 인해 타인에게 발생한 손해를 배상할 수 있는 보험에 가입한 것이라고 볼 수 없다는 점에 각별히 유의해야 합니다.

유용한 TIP 화재로 인한 손해배상책임액 수준

o 보험금액은 자율적으로 정할 수가 있으나 적어도 화재로 인한 책임의 최소한을 정하고 있는 「화재로 인한 재해보상과 보험가입에 관한 법률」 제8조제1항 각 호에 따른 보험금액보다는 적은 금액이 되어서는 아니 될 것입니다.

3.2. 안전사고로 인해 보호대상자에게 발생한 손해배상책임

시설의 운영자는 화재 외의 안전사고로 인해 보호대상자148)에게 발생하는 생명·신체에 대한 피해에 대해서 배상책임을 담보할 수 있는 책임보험 등에도 가입하여야 합니다. 이는 화재와 관련된 손해배상책임을 담보할 책임보험 등과는 별개로 가입을 해야 한다는 점 유의해야 합니다. 이 건 관련 손해배상책임은 사회복지시설에서 거주하거나 사회복지시설을 이용하는 자에게 발생되는 손해에 한정된 것으로서 화재로 인한 손해배상책임과는 그 범위에서 차이가 있습니다. 손해배상책임을 담보할 보험금액 등은 해당 사회복지시설에서 통상 발생할 우려가 있는 안전사고 유형이나 그 피해정도를 잘 고려하여 설계를 할 수 있는 것이므로 어느 정도 수준이 되어야 한다고 단정하기는 어렵습니다.

개인 해석 안전사고의 경우 보호대상자에 발생한 손해배상책임만 보장하는 이유

o 시설장이나 종사자의 경우 이른바 「산업재해보상보험법」에 따른 보험에 이미 가입되어 별도의 보험을 가입하지 않아도 안전사고와 관련한 손해를 배상받을 수 있기 때문입니다.

---

148) 보호대상자에 대한 정의는 법 제33조의2제1항에서 명시하고 있음. 이에 따르면 보호대상자는 사회복지서비스를 필요로 하는 사람인데 이를 사회복지시설에 대입을 하면, 사회복지시설에서 제공하는 서비스를 필요로 하는 사람이 되고, 따라서 사회복지시설에서 생활하거나 사회복지시설을 이용하면서 서비스를 제공받는 사람을 모두 포함한다고 할 수 있음.

4. 가입 대상 상품

사회복지시설의 운영자가 가입할 수 있는 보험은 손해보험사에서 판매하는 책임보험과 「사회복지사 등 처우 및 지위 향상을 위한 법률」에 따른 한국사회복지공제회의 책임공제 두 가지 종류가 있습니다. 책임보험이나 책임공제 중 어느 한 가지를 선택하여 가입을 하면 되고, 법 제34조의3제1항 각 호의 손해배상 대상별로 각각 가입을 하여도 되고, 두 가지 손해배상책임을 통합하여 모두 부보(附保)하는 상품이 있다면 해당 상품 하나만 가입을 하여도 됩니다.

5. 미가입시 처벌

책임보험 등에 가입하지 않을 경우 이는 과태료 300만원에 처해지게 됩니다. 이 경우 과태료 처분의 대상자는 책임보험에 가입해야할 의무가 있는 시설의 운영자가 되므로, 시설장이나 그 밖에 시설의 운영자가 아닌 자에 대해 행하는 과태료 처분은 무효인 행정처분이 될 수 있다는 점 유의해야 합니다. 또한 이러한 행위는 「사회복지사업법 시행규칙」 별표 4의 행정처분 기준 중 "그 밖에 회계 및 시설운영과 관련한 부당행위가 발생"된 것으로 보아 개선명령이나 시설폐쇄의 대상이 되는 점도 유의하여야 합니다.

제34조의4(시설의 안전점검 등)

제34조의4(시설의 안전점검 등) ① 시설의 장은 시설에 대하여 정기 및 수시 안전점검을 실시하여야 한다.
② 시설의 장은 제1항에 따라 정기 또는 수시 안전점검을 한 후 그 결과를 시장 · 군수 · 구청장에게 제출하여야 한다.
③ 시장 · 군수 · 구청장은 제2항에 따른 결과를 받은 후 필요한 경우에는 시설의 운영자에게 시설의 보완 또는 개수(改修) · 보수를 요구할 수 있으며, 이 경우 시설의 운영자는 요구에 따라야 한다.
④ 국가나 지방자치단체는 예산의 범위에서 제1항부터 제3항까지의 규정에 따른 안전점검, 시설의 보완 및 개수 · 보수에 드는 비용의 전부 또는 일부를 보조할 수 있다.
⑤ 제1항부터 제4항까지의 규정에 따른 정기 또는 수시 안전점검을 받아야 하는 시설의 범위, 안전점검 시기, 안전점검기관 및 그 절차는 대통령령으로 정한다.
→ 「사회복지사업법 시행령」 제18조의4(시설의 안전점검 등)

1. 안전점검 의무자

사회복지시설의 장(이하 "시설장"이라 합니다)은 해당 시설에 대해서 정기 및 수시 안점점검을 실시해야 합니다. 안전점검 의무가 부여된 자는 책임보험과는 달리 시설의 운영자가 아닌 시설장이 됩니다. 이는 시설장이 해당 시설의 운영과 관련하여 실질적인 책임을 지고 있을 뿐만 아니라 상근(常勤)하면서 근무를 해야 하므로 실제 해당 시설의 물적설비에 발생할 수 있는 각종 안전 위해(危害) 요소를 가장 잘 파악할 수 있는 자이기 때문입니다.

2. 종류 및 대상 등

안전점검은 정기안전점검과 수시안전점검으로 나누어 실시하게 됩니다. 정기안전점검은 앞에서 분류한 90여종의 사회복지시설 모두를 대상으로 반기별로 실시하게 되고, 수시안전점검은 풍수해나 그 밖에 위해상황이 발생하여 점검의 필요성이 있다고 판단할 때나 정기안전점검 결과 취약한 사항이 발생된 경우에 실시하게 됩니다. 특히 시설의 구조·설비의 안전도 취약을 이유로 수시안전점검을 실시할 때는 △「시설물의 안전 및 유지관리에 관한 특별법」 제28조에 따라 등록한 안전진단전문기관 또는 △「건설산업기본법」 제9조에 따라 등록한 시설물의 유지관리를 업으로 하는 건설업자에게 의뢰하여, 「시설물의 안전관리에 관한 특별법」 제13조에서 정하고 있는 "안전점검 및 정밀안전진단지침"에 따른 안전점검을 실시토록 하여야 합니다.

3. 미점검시 처벌

안전점검을 제대로 하지 않은 경우 과태료 300만원에 처해지게 됩니다. 이 경우 과태료 처분의 대상자는 안전점검의 의무가 있는 시설장이라는 점 유의해야 합니다. 또한 이러한 행위는 「사회복지사업법 시행규칙」 별표 4의 행정처분 기준 중 "그 밖에 회계 및 시설운영과 관련한 부당행위가 발생"된 것으로 보아 개선명령이나 시설폐쇄의 대상이 되는 점도 유의하여야 합니다.

제34조의5(사회복지관의 설치 등)

제34조의5(사회복지관의 설치 등) ① 제34조제1항과 제2항에 따른 시설 중 사회복지관은 지역복지증진을 위하여 다음 각 호의 사업을 실시할 수 있다.

1. 지역사회의 특성과 지역주민의 복지욕구를 고려한 서비스 제공 사업
2. 국가 · 지방자치단체 및 민간 부문의 사회복지서비스를 연계 · 제공하는 사례관리 사업
3. 지역사회 복지공동체 활성화를 위한 복지자원 관리, 주민교육 및 조직화 사업
4. 그 밖에 복지증진을 위한 사업으로서 지역사회에서 요청하는 사업

② 사회복지관은 모든 지역주민을 대상으로 사회복지서비스를 실시하되, 다음 각 호의 지역주민에게 우선 제공하여야 한다.

1. 「국민기초생활 보장법」에 따른 수급자 및 차상위계층
2. 장애인, 노인, 한부모가족 및 다문화가족
3. 직업 및 취업 알선이 필요한 사람
4. 보호와 교육이 필요한 유아 · 아동 및 청소년
5. 그 밖에 사회복지관의 사회복지서비스를 우선 제공할 필요가 있다고 인정되는 사람

③ 그 밖에 사회복지관의 설치 · 운영 · 사업 · 인력 기준 등에 필요한 사항은 보건복지부령으로 정한다.

→ **「사회복지사업법 시행규칙」 제23조(사회복지관의 설치기준), 제23조의2(사회복지관의 운영기준)**

제34조의5는 「사회복지사업법」을 근거로 하는 유일한 사회복지시설인 사회복지관에 관한 사항을 규정하고 있습니다. 「노인복지법」에 따른 노인복지관, 「장애인복지법」에 따른 장애인 지역사회재활시설(종전 장애인복지관)과 구분하기 위해 통상 종합사회복지관으로 불리고 있습니다.

第35条(시설의 장)

第35条(시설의 장) ① 시설의 장은 상근(常勤)하여야 한다.
② 다음 각 호의 어느 하나에 해당하는 사람은 시설의 장이 될 수 없다.
1. 제19조제1항제1호, 제1호의2부터 제1호의9까지 및 제2호의2부터 제2호의4까지의 어느 하나에 해당하는 사람
2. 제22조에 따른 해임명령에 따라 해임된 날부터 5년이 지나지 아니한 사람
3. 사회복지분야의 6급 이상 공무원으로 재직하다 퇴직한 지 3년이 경과하지 아니한 사람 중에서 퇴직 전 5년 동안 소속하였던 기초자치단체가 관할하는 시설의 장이 되고자 하는 사람
③ 시설의 장이 제2항 각 호의 어느 하나에 해당하게 되었을 때에는 그 자격을 상실한다.

1. 의의

사회복지시설에는 해당 사회복지시설의 업무와 그 시설에서 제공되는 각종 서비스를 책임지고 관리하는 시설장을 두어야 합니다. 그 자격 등 채용기준은 시설과 관련된 개별 법률에서 각 시설의 인적기준으로 정하고 있습니다. 한편 법 제35조의2에서 사회복지법인이나 사회복지시설을 설치·운영하는 자가 시설의 종사자를 채용할 수 있도록 규정하고 있는 것에 반해 시설장에 관한 규정인 제35조에서는 그 채용에 관한 사항을 별도로 규정하고 있지 않습니다. 그렇다고 하여 사회복지시설을 설치·운영하는 자가 시설장을 채용할 수 없다거나, 법률상 채용이 의무화되어 있지 않다거나 하는 것은 아닙니다. 시설을 운영하기 위해서는 논리적으로도 시설장이나 종사자가 반드시 필요한 것이고, 시설 관련 개별 법령에서도 각각 시설의 인적 기준으로서 시설장이나 종사자에 관한 사항을 규정하고 있었기 때문에 「사회복지사업법」에서 채용과 관련된 규정을 굳이 언급하지 않는다고 하더라도 사회복지시설에는 당연히 시설장이나 종사자를 두어야 하기 때문입니다.

입법 연혁으로 볼 때 시설장이나 종사자 관련 조문은 원래 「사회복지사업법」에 포함되어 있지 않았던 사항이었습니다. 위에서 언급한 바와 같이 시설 운영을 위해서는 당연히 시설장이나 종사자를 두어야 하기 때문에 별도의 조문으로 규정할 필요성이 없었기 때문이라고 미루어 짐작할 수 있습니다. 이후 시설장과 종사자에 관한 조문이 만들어진 것은 시설장과 종사자에 대해서 각각 여러 가지 의무를 부과하거나 자격 요건을 강화하기 위한 필요가 있어서라고 사료됩니다. 시설장의 경우 1997년 「사회복지사업법」이 전부개정될 때 관련 조문이 신설되었고, 이때 시설장에게 상근의무를 부과하고 그 결격사유를 규정하게 되었습니다. 종사자 관련 조문은 2011년 「사회복지사업법」 개정으로 신설되었으며, 이때 종사자에 대한 결격사유를 규정하게 되었습니다.

2. 채용권자

시설장은 시설을 설치·운영하는 자가 해당 시설의 업무를 처리하기 위해 채용을 하게 됩니다. 물론 설치·운영하는 자가 개인일 경우 그 설치·운영자가 직접 시설장이 되거나[149], 설치·운영자가 법인일 경우에는 해당 법인의 임직원이 시설장이 되는 경우도 있어 반드시 채용의 방법만이 있는 것은 아닙니다. 즉 시설을 설치·운영하는 개인이 시설장이 되는 경우라면 이는 채용이 아니라 해당 개인이 사업주의 자격과 시설장의 자격을 동시에 가지고 시설을 운영하는 것이 되므로 노동 관계법상 사용자의 지위만을 가진다고 할 수 있습니다. 이와 반대로 법인이 설치·운영자로서 해당 법인의 임원이 시설장이 되는 경우라면 이는 고용관계가 없다고 보기 어렵습니다. 임원은 법인과 직접 고용관계가 있는 자는 아니라 위임관계에 있는 기관에 불과하지만, 시설장의 경우는 해당 법인과 고용계약을 맺고 업무를 수행하기 때문입니다.[150]

3. 상근의무

3.1. 원칙

시설장은 시설에서 상근(常勤)해야 할 의무가 있습니다. 그러나 「사회복지사업법」에서는 “상근(常勤)”이라는 용어에 대한 명시적인 정의를 규정하고 있지는 않으므로 이 용어는 사회일반에서 사용되는 수준의 정의를 바탕으로 동 법률의 제정 목적 달성을 위한 범위 내에서 해석하는 것이 바람직하다고 할 것입니다. 먼저, 용어의 일반적인 의미를 알아보면, 국립국어원의 표준국어대사전에서는 “상근(常勤)은 날마다 일정한 시간에 출근하여 정해진 시간 동안 근무함. 또는 그런 근무”라고 정의하고 있는데, 이러한 사전적 정의를 사회시설 시설장에 대입하면 “시설장은 날마다 일정한 시간에 출근하여 정해진 시간 동안 근무하여야 한다.”라고 해석할 수 있을 것입니다. 여기서 의미하는 출근시간이나 정해진 시간의 경우 통상 9시~18시까지의 근로를 의미하는 것이라고 할 수 있을 것이나 시설의 특성에 따라 그 시간대는 다소 변화가 있을 수 있을 것으로 판단됩니다. 이러한 사전적 의미와 더불어 보건복지부에서 편찬한 「사회복지시설 관리안내」에서는 상근에 대해서 “휴일

149) 법인이 설치·운영하는 사회복지시설임에도 불구하고 시설장 이름으로 그 사업자등록증이나 고유번호증 등을 발부받는 경우가 있는데, 이 경우 해당 시설의 법률상 사업주는 시설장인 개인이 되므로 유의해야 함.

150) 법인의 임원이 시설장을 겸할 경우 노동관계법령 등의 적용 시 개별 사안별로 해당 시설장은 사용자가 될 수도 있고, 근로자가 될 수도 있음.

기타 근무를 요하지 않는 날을 제외하고, 일정한 근무계획 하에 매일 소정의 근무시간 중 상시 그 직무에 종사하여야 하는 것"으로 규정하고 있습니다.[151] 여기서 "일정한 근무계획"은 시설장 본인의 의사에 따라 자의적으로 근무하는 것이 아니라 일정한 계획에 따라서 체계적으로 근무하여야 한다는 의미이고, "소정(所定)의 근무시간"을 두도록 한 것도 단순히 근무시간 총량을 정하는 것이 아니라 시설장이 근무하는 시간을 누구나 예측 가능토록 그 시간대도 반드시 정하라는 취지로 판단됩니다. 아울러 "상시 그 직무에 종사"토록 한 것도 근무시간 중에 단순히 사무실에서 머무는 것만으로는 충분하지 않고, 그 시간 중에는 반드시 시설장으로서의 직무를 수행해야 한다는 의미를 내포하고 있는 것으로 사료됩니다.

3.2. 예외

이와 같이 시설장에게는 법률에 따른 상근의무가 부여되어 있지만, 사회복지시설 시설장인 경우 다양한 사회활동을 하는 것이 반드시 나쁘다고만 볼 수 없다고 할 것이며, 이러한 현실을 반영하여 일정한 기준에 해당되는 경우라면 상근의 해석 범위를 일부 확장하여 해석하고자 하는 의지를 「사회복지시설 관리안내」를 통해 밝히고 있습니다.[152] 동 지침에 따르면 겸직을 허용함에 있어 영리 업무의 경우는 반드시 금지되어 있으므로 이에 대해서는 논의할 여지가 없으나, 비영리 업무의 경우는 시설장으로서의 업무수행에 지장이 없는 경우에 한해서 시설장 개인의 판단하에 수행 가능한 것으로 언급하고 있습니다. 개인의 판단하에 수행 가능하다는 것은 상근의무의 위반 여부에 대해서 문제가 발생할 경우 그에 대한 책임을 시설장 본인이 전적으로 진다는 의미로 해석됩니다.

⚠ 유의사항	본인 책임 하에 겸직을 하고자 할 경우 유의사항
o 겸직을 할 경우 인건비 보조금의 과·오 지급 문제나, 의무위반에 따라 시설장 해임 등의 문제가 발생할 여지가 있기 때문에 시설장이 지침에서 허용하고 있는 범위 내에서 겸직하고자 한다면, <u>그 정확한 내용을 밝혀 시·군·구 등 주무관청과 우선 협의한 후 결정하는 것 바람직</u>할 것으로 판단됩니다.	

151) 보건복지부, 「2023 사회복지시설 관리안내」, 20쪽
152) 보건복지부, 「2023 사회복지시설 관리안내」, 21쪽

4. 결격사유

사회복지시설의 시설장은 해당 사회복지시설 운영에 대한 전반적인 실무를 실제로 관장하는 사람이라는 특성을 고려하여 「사회복지사업법」에서는 특정 사유에 해당하는 사람은 시설장이 될 수 없도록 규정하고 있습니다. 이러한 사유는 「사회복지사업법」 제19조제1항에 따른 사회복지법인의 임원의 결격사유와 동일하기 때문에 구체적인 내용은 해당 조문에 대한 해설을 참조 바랍니다.

유의사항	시설장 결격사유별 적용 시점

o 시설장의 결격사유는 2012년 8월 5일부터 시행된 규정으로 당시 부칙 제2조에서는 법률 시행일 이후에 최초로 취임하는 시설장부터 적용하는 것으로 적용례를 두고 있습니다.

- 이에 따라 해당 개정 법률 시행 이전에 시설장이 된 자에 대해서는 개정 규정에 따른 결격사유 적용하지 않습니다.

o 2017년 12월 20일부터 시행된 퇴직공무원의 시설장 임용 제한규정(퇴직 3년 이내, 최근 5년간 경력)의 경우는 그 시행일 이후에 퇴직한 사람에게만 적용이 되고,

- 그 이전에 퇴직한 사람은 종전의 규정(퇴직 2년 이내, 최근 3년간 경력)에 따르게 됩니다.

5. 결격사유 해당 시 업무 처리

종전 「사회복지사업법」에서는 시설장의 결격사유를 규정하면서도, 시설장이 해당 결격사유에 해당될 경우에 대해서 명시적으로 규정하고 있는 바가 없었습니다. 이러한 사항을 보완하기 위해 2022년 6월에 관련 규정이 개정·시행되어 결격사유에 해당되는 경우 시설장은 그 자격을 상실하게 되는 것으로 명확해졌습니다. 다만 이러한 규정은 해당 개정법률 시행일인 2022년 6월 21일 이후에 결격사유가 발생 경우에만 적용됩니다.

하지만 이러한 자격 상실 규정이 명확함에도 불구하고, 시설장 등이 결격사유에 해당될 때의 당연퇴직이 된다는 등의 명시적인 효력 규정이 없기 때문에 결격사유 해당 시 그 고용관계가 당연히 종료되는 것으로 보기는 여전히 어렵다고 할 것입니다.

참조 판례	결격사유 해당되는 것만으로는 당연퇴직으로 보기 어려움

o **사건번호** : [대법원 2009.2.12, 선고, 2007다62840, 판결]

o 사용자가 어떤 사유의 발생을 당연퇴직 또는 면직 사유로 규정하고 그 절차를 통상의 해고나 징계해고와 달리한 경우에, 그 당연퇴직사유가 근로자의 사망이나 정년, 근로계약기간의 만료 등 근로관계의 자동소멸사유로 보이는 경우를 제외하고는 이에 따른 당연퇴직처분은 구 근로기준법(2007. 4. 11. 법률 제8372호로 전문 개정되기 전의 것) 제30조의 제한을 받는 해고이다.

따라서 이러한 상황이 발생하면 일반적인 노동관계 법리에 따라 업무를 처리하는 것이 바람직할 것으로 사료됩니다. 즉 시설장 등이 결격사유에 해당된다면 이는 법률을 위반하는 사항이 되므로 「근로기준법」 제23조제1항에서 정하고 있는 해고의 "정당한 이유"가 될 것이므로 시설장 등과의 고용관계를 즉시 종료시켜야 할 것입니다. 이 과정에서 「근로기준법」 제26조 및 제27조 등 관련 규정에 따라 해고절차를 진행해야 할 것으로 사료됩니다.

해 석 례	자격 상실 확인 또는 취업제한 명령 판결 불필요
o **해석번호** : [법제처 21-0141, 2021. 5. 21.]	
o 사회복지법인 또는 사회복지시설의 종사자로서 근무하던 중 「사회복지사업법」 제35조의2 제2항 각 호의 어느 하나에 해당하게 된 사람에 대하여, 종사자 자격 상실을 확인하거나 사회복지법인 · 사회복지시설 취업 제한을 명하는 법원의 판결이 별도로 있어야만 해당 종사자를 해고할 수 있는 것은 아님	

유의사항	결격사유에 해당될 경우 유의할 사항
o 법 제35조나 제35조의2에서 규정하고 있는 조문에 해당되는 자를 시설의 장이나 종사자로 채용한 경우 이는 「사회복지사업법」 및 시설 관련 법령에 따른 인적기준에 부합되지 않는 경우로서, 시설 설치기준 위반에 해당되며, - 이에 대해서 주무관청은 시정을 명할 수 있고, 그 명령에 응하지 않는 경우 신고 반려나 허가 취소 등이 가능하다고 할 것입니다. o 또한 이러한 자들에게 보조금이 지급되었다고 한다면, 이는 보조금을 받을 수 없는 자가 보조금을 받은 것이 되므로 보조금 수령자(시설의 설치·운영자)에게 해당 보조금의 반환을 명하는 등의 조치가 필요할 것입니다. - 「근로기준법」에 따른 해고 등의 절차가 진행되는 중 임금의 지급과 관련하여서는 국가나 지자체가 보조한 보조금을 재원으로 하여서는 지급하지 못하도록 하는 것이 바람직할 것으로 사료됩니다. - 해당 보조금은 당연히 합법을 전제로 하여 지급하는 것이고, 결격사유에 해당된 자의 경우 보조금을 재원으로 한 급여를 지급받을 자격이 있다고 보기는 어렵기 때문입니다. o 요컨대 사회복지법인 시설장 등에 대한 결격사유는 당연해고 사유는 아니지만, △시설 설치의 인적 기준과 관련한 진입장벽의 역할, △부적절한 자 및 인적기준 미달 시설에 대한 퇴출 수단, △결격사유 해당자에 대한 보조금 지급의 금지·반환 근거 등의 효과를 가진다고 할 것입니다.	

제35조의2(종사자)

제35조의2(종사자) ① 사회복지법인과 사회복지시설을 설치·운영하는 자는 시설에 근무할 종사자를 채용할 수 있다.
② 다음 각 호의 어느 하나에 해당하는 사람은 사회복지법인 또는 사회복지시설의 종사자가 될 수 없다.
1. 제19조제1항제1호의7부터 제1호의9에 해당하는 사람
2. 제1호에도 불구하고 종사자로 재직하는 동안 시설이용자를 대상으로 「성폭력범죄의 처벌 등에 관한 특례법」 제2조에 따른 성폭력범죄 및 「아동·청소년의 성보호에 관한 법률」 제2조제2호에 따른 아동·청소년대상 성범죄를 저질러 금고 이상의 형 또는 치료감호를 선고받고 그 형이 확정된 사람
③ 종사자가 제2항 각 호의 어느 하나에 해당하게 되었을 때에는 그 자격을 상실한다.

1. 의의

사회복지법인과 사회복지시설을 설치·운영하는 자는 해당 사회복지시설 거주자나 이용자에게 제대로 된 서비스를 제공하기 위해서 당연히 종사자를 채용해야 합니다. 그럼에도 불구하고 법 제35조의2제1항에서는 시설에 근무할 종사자의 채용이 그 채용권자의 재량인듯 표현을 하고 있어 자칫 오해의 여지가 있습니다. 하지만 사회복지시설은 그 시설 관련 개별 법령에서 대부분 인적기준(종사자의 수나 자격 등)을 정하고 있고, 그러한 인적기준을 준수하기 위해서는 종사자를 반드시 채용할 수밖에 없는 상황이 되므로 제35조의2제1항에서 "채용할 수 있다"라고 표현하고 있으나, 이를 채용해도 되고, 하지 않아도 되는 것으로 해석할 여지는 없다고 할 것입니다. 물론 사회복지법인의 사무국에서 근무하는 직원의 경우는 「사회복지사업법」상 사회복지법인 사무국 근무자에 대한 기준이 없는 관계로 해당 법인의 재량에 따라 채용할 수는 있다고 할 것입니다.[153)]

제1항에서는 "시설에 근무할 종사자"라고 표현하고 있는 반면, 제2항에서는 "사회복지법인 또는 사회복지시설의 종사자"라는 표현을 사용하고 있습니다. 또한 종사자(從仕者)라는 단어는 특정 업무를 하기 위해서 고용된 사람이라는 사전적인 의미가 있습니다. 따라서 「사회복지사업법」에서 언급하고 있는 종사자(從仕者)

153) 사회복지법인을 비롯한 모든 법인은 그 법인 운영을 위해서 근무하는 자가 적어도 1명 이상은 있어야 할 것이며, 그러한 직원에 대한 예산도 반드시 확보해야 할 것임. 만일 법인 운영 사무를 담당할 직원이 없다면, 해당 법인 운영에 정상적으로 이루어지는 것으로 보기 어렵다고 할 것이고, 자칫 법인 설립허가 취소에 이를 수도 있음에 유의할 필요

사회복지법인에 근무하는 자나 사회복지시설에 근무하는 자뿐만 아니라 사회복지사업과 관련하여 근로를 하는 사람 모두를 의미하는 것이라고 할 수 있습니다. 다만, 사회복지법인이나 사회복지시설에서 종사하는 자에 대해서는 「사회복지사업법」 제35조의2제2항에서 결격사유를 정하고 있고, 이 중 특히 사회복지시설에서 종사하는 종사자에 대해서는 국가나 지자체가 보조금으로써 급여를 지급하도록 하는 등 그 처우나 규제에 있어서 차이가 있을 뿐입니다.

2. 결격사유

사회복지법인에서 근무하는 자는 그 법인의 운영 및 그 법인이 수행하는 사회복지사업과 관련한 제반 사무를 수행하고, 사회복지시설에서 근무하는 자는 사회복지시설에서 실무를 실제 수행하는 사람으로서 다음과 같은 특정 사유에 해당하는 경우에는 사회복지법인이나 사회복지시설의 종사자가 될 수 없습니다. 이러한 사람은 시설의 거주자 등을 대상으로 결격사유로 원인이 되었던 것과 동일한 문제를 발생시킬 우려가 큰 자들이기 때문에 이를 미연에 방지한다는 차원에서 결격사유로써 그 채용을 엄격히 막고 있는 것입니다.

⚠ 유의사항 사회복지법인의 종사자 범위 등

- o 법 제35조의2제2항에서는 "사회복지법인 또는 사회복지시설의 종사자"라고 표현하고 있기 때문에 사회복지법인에서만 근무하는 자도 이 법 종사자 결격사유에 해당하는 자가 됩니다.
- o 만일 사회복지법인이 사회복지시설을 설치·운영한다면, 해당 법인의 사무국 직원이나 그 법인이 설치·운영하는 시설의 직원이나 모두 다 그 법인의 직원이 되는 것입니다.
- \- 다만, 사회복지시설로 발령이 난 사람의 경우 해당 사회복지시설의 근거 법령에 부합되는 자격 등을 갖추어야 하므로, 사회복지법인 사무국에서 근무하는 사람과 법령의 적용에 있어서 다소간의 차이는 있을 것입니다.

2.1. 법 제19조제1항제1호의7 또는 제1호의8에 해당하는 사람

법 제19조제1항제1호의7 또는 제1호의8은 사회복지법인의 임원 및 사회복지시설의 시설장 결격사유에도 해당되는 사항이고, 사회복지시설의 설치·운영 신고를 할 수 없는 자에도 해당됩니다. 구체적인 내용은 앞에서 언급한 사회복지법인 임원의 결격사유 부분을 참고하기 바랍니다. 다만, 종사자와 관련한 결격사유는 제19조제1항 각 호 중 제1호의7과 제1호의8만을 들고 있기 때문에 그 밖에 제19조제1항제1호, 제1호의2부터 제1호의6까지는 종사자의 결격사유에 해당이 되지 않는 점 유의해야 합니다. 제19조제1항제1호, 제1호의2부터 제1호의6까지의 사유는 주로 관리·감독하는 지위에 있는 사람일 경우에 보다 높은 도덕성을 요구하기 때문에 적용하는 결격사유로서, 실무를 전담하여 주로 관리·감독을 받은 입장에 있는 종사자에 대해서까지 엄격하게 적용할 필요가 없다는 취지에서 제1호의7 및 제1호의8만을 결격사유로 규정한 것으로 사료됩니다.

2.2. 성폭력 관련 범죄 경력자

앞에서 언급한 법 제19조제1항제1호의7 또는 제1호의8의 결격사유에 따를 경우 「성폭력범죄의 처벌 등에 관한 특례법」 제2조에 따른 성폭력범죄 및 「아동·청소년의 성보호에 관한 법률」 제2조제2호에 따른 아동·청소년대상 성범죄를 저지른 자로서, 형 또는 치료감호를 선고받고 확정된 후 그 형 또는 치료감호의 전부 또는 일부의 집행이 끝나거나(집행이 끝난 것으로 보는 경우 포함) 집행이 유예·면제된 날부터 10년이 지나지 아니한 경우에는 시설 종사자가 될 수 없습니다. 이를 달리 보면, 집행이 유예·면제된 날부터 10년이 지난 사람은 시설 종사자가 될 수 있다는 의미가 됩니다. 그러나 위에서 언급한 성폭력범죄나 성범죄가 △종사자로서 재직하는 동안에 △그 시설 생활자나 이용자를 대상으로 저질러진 경우라면 이는 종사자로서의 자격이 없을 뿐만 아니라 추후 종사자로 채용될 수 없도록 하는 것이 일반적인 정의(正義)에 부합되는 것으로 보아 앞에서 언급한 결격사유에서 정하고 있는 것보다 더욱 더 엄중하게 결격사유를 정하고 있습니다. 따라서 종사자로서 재직하는 동안에 그 시설 생활자나 이용자를 대상으로 성폭력 범죄 등을 저질러 금고 이상의 형 또는 치료감호를 선고받고 그 형이 확정된 사람의 경우에는 영구히 시설의 종사자가 될 수 없습니다.[154)]

2.3. 적용상 경과규정

이 결격사유 시행 당시 부칙에는 별도의 적용례나 경과규정 등을 두고 있지는 않습니다. 따라서 당시 개정 법률이 시행된 날부터 결격사유 규정이 적용되고, 법 시행 이전에 채용된 종사자라고 하더라도 그 채용시기와 무관하게 개정 법률이 시행되면 그때부터 당연히 결격사유 관련 조문의 적용을 받게 됩니다.[155)]

---

154) 법 제35조의2제2항제2호에 따르면 형이 확정된 사람은 시설의 종사자가 될 수 없으므로, 형 확정 이후에는 시설의 종사자가 될 수 없음. 향후 재심 등을 통해 확정된 형이 무효나 취소가 되지 않는 한 영구히 종사자가 될 수 없음. 형의 집행면제가 된 경우는 장차 있을 형의 집행 일부나 전부를 면제하는 것으로서 형의 확정 사실을 무효화하는 것이 아니므로 형의 집행이 면제된 자는 이 건 결격사유에 해당됨.

155) 법제처, 「법령 입안·심사 기준」(2022), 668쪽

해 석 례	부칙상 적용례 또는 경과조치 없이 신설된 결격사유의 적용 시점
o **해석번호** : [법제처 13-0081, 2013. 4. 26., 민원인]	
o 개정된 「사회복지사업법」의 시행일인 2012. 8. 5. 전에 사회복지직무와 관련하여 「형법」 제356조의 죄를 범하여 형의 집행유예를 선고받고 그 형이 확정되었으나 개정법의 시행일 이후에도 여전히 형의 확정일부터 7년이 지나지 아니한 자로서 2012. 8. 5. 현재 사회복지법인 또는 사회복지시설에 종사하는 자에게도 「사회복지사업법」 제35조의2제2항이 적용된다고 할 것입니다.	

3. 결격사유 해당 시 업무 처리 : 시설장 관련 사항 참조

제35조의3(종사자 채용 시 준수사항)

> **제35조의3(종사자 채용 시 준수사항)** ① 사회복지법인과 사회복지시설을 설치·운영하는 자는 해당 법인 또는 시설의 종사자를 채용할 때 정당한 사유 없이 채용광고의 내용을 종사자가 되려는 사람에게 불리하게 변경하여 채용하여서는 아니 된다.
> ② 사회복지법인과 사회복지시설을 설치·운영하는 자는 종사자를 채용한 후에 정당한 사유 없이 채용광고에서 제시한 근로조건을 종사자에게 불리하게 변경하여 적용하여서는 아니 된다.

이 조문은 2019년 6월 12부터 시행된 조문으로서 사회복지법인이나 그 밖에 사회복지시설을 설치·운영하는 자는 해당 사회복지법인이나 사회복지시설에서 근무하는 사람을 채용할 때 당초 채용광고 내용과 달리 채용을 하거나, 채용한 이후에 당초 채용광고에서 제시한 근로조건을 종사자에게 불리하게 적용하여서는 아니 된다는 사항을 담고 있습니다. 현재 제35조의3과 동일한 내용으로 규제를 하고 있는 「채용절차의 공정화에 관한 법률」이 이미 제정되어 운용되고 있으나, 「채용절차의 공정화에 관한 법률」은 상시 30명 이상 근로자를 사용하는 사업 또는 사업장에만 적용되므로, 상시 근로자가 30인 미만인 사회복지법인이나 사회복지시설에는 사실상 적용이 되지 않았습니다. 제35조의3은 사회복지 분야에 있어 이러한 법률적 사각지대를 해소하는 차원에서 사회복지법인과 사회복지시설의 규모와는 무관하게 적용토록 하기 위해서 제정된 조문으로 사료됩니다.

참고로 "정당한 사유"인지 여부는 채용조건 등을 변경한 채용권자가 밝혀야 할 것이고, 누구나 그 사유가 정당하다는 인식이 있는 정도가 되어야 할 것입니다. 만일 양 당사자가 수긍하는 조건이라면 별문제가 없을 것이고, 종사자가 수긍하지 못할 사유라면 쟁송을 통해서 정당성 여부를 확인해야 할 것입니다.

참조 판례 "정당한 사유"의 판단 기준 관련 참조

o **사건번호** : [대법원 2018. 11. 1., 선고, 2016도10912, 전원합의체 판결]

o 정당한 사유는 구체적인 사안에서 법관이 개별적으로 판단해야 하는 불확정개념으로서, 실정법의 엄격한 적용으로 생길 수 있는 불합리한 결과를 막고 구체적 타당성을 실현하기 위한 것이다.
- 위 조항에서 정한 정당한 사유가 있는지를 판단할 때에는 병역법의 목적과 기능, 병역의무의 이행이 헌법을 비롯한 전체 법질서에서 가지는 위치, 사회적 현실과 시대적 상황의 변화 등은 물론 피고인이 처한 구체적이고 개별적인 사정도 고려해야 한다.

第36條(운영위원회)

第36條(운영위원회) ① 시설의 장은 시설의 운영에 관한 다음 각 호의 사항을 심의하기 위하여 시설에 운영위원회를 두어야 한다. 다만, 보건복지부령으로 정하는 경우에는 복수의 시설에 공동으로 운영위원회를 둘 수 있다.

1. 시설운영계획의 수립 · 평가에 관한 사항
2. 사회복지 프로그램의 개발 · 평가에 관한 사항
3. 시설 종사자의 근무환경 개선에 관한 사항
4. 시설 거주자의 생활환경 개선 및 고충 처리 등에 관한 사항
5. 시설 종사자와 거주자의 인권보호 및 권익증진에 관한 사항
6. 시설과 지역사회의 협력에 관한 사항
7. 그 밖에 시설의 장이 운영위원회의 회의에 부치는 사항

② 운영위원회의 위원은 다음 각 호의 어느 하나에 해당하는 사람 중에서 관할 시장 · 군수 · 구청장이 임명하거나 위촉한다.

1. 시설의 장 / 2. 시설 거주자 대표 / 3. 시설 거주자의 보호자 대표
4. 시설 종사자의 대표 / 5. 해당 시 · 군 · 구 소속의 사회복지업무를 담당하는 공무원
6. 후원자 대표 또는 지역주민 / 7. 공익단체에서 추천한 사람
8. 그 밖에 시설의 운영 또는 사회복지에 관하여 전문적인 지식과 경험이 풍부한 사람

③ 시설의 장은 다음 각 호의 사항을 제1항에 따른 운영위원회에 보고하여야 한다.

1. 시설의 회계 및 예산 · 결산에 관한 사항
2. 후원금 조성 및 집행에 관한 사항
3. 그 밖에 시설운영과 관련된 사건 · 사고에 관한 사항

④ 그 밖에 운영위원회의 조직 및 운영에 관한 사항은 보건복지부령으로 정한다.

→ **「사회복지사업법 시행규칙」 제24조(운영위원회의 설치 및 운영 등)**

1. 의의 및 연혁

시설운영위원회는 1997년 8월 22일에 전부개정된 「사회복지사업법」에 최초로 도입되었습니다. 사회복지시설의 운영위원회는 「사회복지사업법」 제36조제1항에 따라 사회복지시설에 반드시 두어야 하는 필요적 상설기관으로서, 이를 통해 사회복지시설과 관련된 다양한 사항을 심의함으로써 사회복지시설의 운영에 있어서의 민주성·투명성을 제고하고, 생활자 등의 권익을 향상시키기 위한 취지로 설치·운영되는 것이라고 할 수 있습니다.[156] 운영위원회 관련 조문은 최초 도입 시에는 법률에 그 설치 근거만 두고, 조직이나 운영에 관한 사항은 보건복지부령으로

156) 당시 「사회복지사업법」 전부개정의 일반적인 취지 중 "시설운영의 투명성을 보장할 수 있도록 제도적 장치를 강화"한다는 취지와 관련되는 조문으로 판단됨.

위임하는 형식이었습니다. 이후 2003년 개정 시에는 운영위원회의 심의사항을 법률로써 명확히 열거하였고, 2012년도 개정 시에 조직과 운영에 관한 사항도 법률에서 규정하기에 이르렀습니다. 법률로써 그 운영과 관련한 사항을 보다 엄중하게 규정한 것으로 판단됩니다.

2. 설치 의무자

2.1. 원칙

운영위원회를 설치해야 하는 의무자는 해당 시설의 시설장입니다. 이는 시설의 실질적인 운영이 시설의 설치·운영자보다는 주로 시설장을 통하여 이루어지고 있는 현실을 반영한 것으로 사료됩니다. 시설장이 운영위원회를 설치해야 하므로 시설장이 있는 모든 시설은 각 시설별로 운영위원회를 두어야 합니다. 시설 관련 개별 법령에 따라 시설장이 겸직을 하는 경우라고 하더라도 해당 시설장은 각각의 시설에 대해서는 시설장의 지위를 별개로 가지고 있는 것이므로 각 시설별로 운영위원회를 두어야 합니다.

2.2. 공동설치

같은 시·군·구에 설치된 3개 이내의 시설로서, 해당 시설이 모두 거주시설이거나 모두 거주시설이 아닌 시설일 경우 공동으로 하나의 운영위원회를 둘 수 있습니다.[157] 이 경우 거주시설은 3개 이내 시설의 전체 정원이 20명 미만인 경우에만 해당이 되며, 비거주시설인 경우에는 시장·군수·구청장이 시설의 특성이나, 이용자 수, 시설 규모 등을 종합적으로 고려하여 공동으로 운영위원회를 두는 것이 필요하다고 인정하는 경우만 해당이 됩니다.

3. 심의

3.1. 심의의 법적 성격

심의(審議)와 관련하여서 「사회복지사업법」에서 별도로 규정하고 있는 바가 없으므로 그 의미는 사전적 정의와 법률의 취지를 종합적으로 고려하여 판단해야 할 것입니다. 사회복지시설의 운영과 관련하여서는 원칙적으로 그 시설을 설치·운영하는 자와 그 권한을 위임받은 시설장 등이 법령의 범위 내에서 전권(全權)을 행사할 수 있을 뿐이고, 그 외의 주체는 법령상 운영과 관련한 사항에 대해서는

157) 따라서 거주시설과 비거주시설이 공동으로 운영위원회를 둘 수는 없음.

권한이 없다고 할 것입니다. 그러나 설치·운영자나 시설장의 판단에만 의존하여 사회복지시설을 운영하게 된다면 자칫 그 운영의 민주성이나 투명성에 중대한 악영향이 발생할 우려가 있어, 이러한 상황을 방지하기 위해서 운영위원회를 두는 법률적 취지가 있고, 심의(審議)의 사전적인 의미가 "심사하고 토의함"이라는 점을 함께 고려하여 보면, 사회복지시설 운영과 관련한 여러 가지 판단은 그 설치·운영자나 시설장의 몫이라고 할 수 있겠으나, 운영상 투명성 등을 제고하기 위해서는 여러 분야의 다양한 의견을 심사하고 토의하는 절차가 필요하기 때문에 운영위원회를 두는 것이라고 할 수 있습니다. 따라서 법 제36조제1항에서 규정하고 있는 심의는 시설의 운영 전반에 관한 사항을 여러 위원들이 모여서 심사하고 토의하는 것을 의미한다고 할 수 있습니다.

⚠ 유의사항 운영위원회에서 의결 또는 결의가 가능한지 여부

o 운영위원회의 운영과 관련하여 의결이나 결의라는 표현을 사용하고 있는 경우가 있는데, 이러한 규정이 의사 판단의 민주성을 위해 실제 운영위원회의 의결이나 결의 절차를 거친다는 것이라면 그러한 절차를 거치는 것은 법률에 위배되는 것은 아니라고 할 것입니다.

- 한편 의결이나 결의를 규정한 자체 운영위원회 운영규정이 있음에도 불구하고 심사·토의만을 거친 경우 이는 내부적인 의사 결정 과정의 문제일 뿐이므로 이러한 사실을 들어 「사회복지사업법」 제36조제1항에서 규정하고 있는 심의 절차를 위반한 것으로 보기는 어렵다고 할 것입니다.

해 석 례 위원회 심의 결과에 대한 기속 여부 관련 참조 해석례

o **해석번호** : [법제처 10-0304, 2010.10.1.] / [법제처 11-0669, 2011.11.24.]

o 「국어기본법」 제13조제1항에서는 문화체육관광부에 국어심의회를 둔다고만 하고 있을 뿐, 그 심의한 내용에 대하여 문화체육관광부장관이 반드시 따르도록 하는 규정이 없으며,

- 국어심의회가 국어발전기본계획의 수립 등에 관하여 심의하는 것은 그 내용에 대한 자문을 하는 것에 그칠 뿐 문화체육관광부장관에 대하여 구속력 있는 결정을 하는 것으로는 볼 수 없다 할 것입니다.

o 다수의 의견을 모으는 행위의 형식으로서 "의결"이라는 용어를 사용하게 되는 것인바, 단순한 자문기관이라 하더라도 그 결집된 의견을 자문을 요청한 기관에 주고자 하는 경우에는 의견을 모으는 행위 즉 의결이 필요한 것이라 할 것입니다. 그러므로 국어심의회의 규정에 단순히 "의결"이라는 용어가 있다고 하여 그 위원회의 법적 성격을 의결기관이라고 볼 수는 없다고 할 것입니다.

결과적으로 운영위원회는 특정 사안에 대해서 심의에 관한 권한만 있을 뿐이고, 최종적인 판단은 시설장이 하는 것이라고 할 수 있습니다. 그러나 운영위원회를

둔 법률적 취지를 고려할 때 운영위원회에서 심의한 사항은 그 사항을 배척할만한 합리적인 이유가 없다면 운영위원회의 심의결과를 존중하는 것이 바람직할 것으로 사료됩니다.

3.2. 심의사항

운영위원회는 △시설운영계획의 수립·평가 관련 사항, △사회복지 프로그램의 개발·평가 관련 사항, △시설 종사자 근무환경 개선 관련 사항, △시설 거주자의 생활환경 개선 및 고충 처리 등에 관한 사항, △시설 종사자와 거주자의 인권보호 및 권익증진에 관한 사항, △시설과 지역사회의 협력에 관한 사항, △기타 시설장이 회의에 부치는 사항 등에 관해서 심의를 진행합니다. 이러한 사항들은 모두 시설 운영뿐만 아니라, 시설 거주자나 종사자에게도 직접적인 영향을 미칠 수 있는 것들로서 이러한 사항과 밀접한 관련이 있는 사람들이 모여서 논의하는 것이 필요한 사항들이라고 할 수 있습니다.

3.3. 심의방법

3.3.1. 원칙

법률의 제정 취지와 다양한 사항에 대해 결의가 아닌 심의토록 규정하고 있는 법률의 규정을 종합적으로 고려하여 볼 때 운영위원회는 단순히 다수결에 따라 특정 사항을 결정하는 것에 목적이 있는 것이 아니라, 시설의 장, 거주자 대표, 보호자 대표, 종사자 대표 등 다양한 이해관계자들이 특정한 사안을 보다 적정하고 신중하게 심의토록 하는 데 그 제도의 취지가 있는 것이기 때문에, 그 위원들이 한자리에 모여 서로 의견을 교환하고 논의하는 절차가 반드시 필요하다고 할 것입니다.

3.3.2. 서면심의 불가

실무상 서면심의가 가능하지 여부에 대해서 논의가 되는 경우가 있으나, 앞에서 살펴본 바와 같이 법률의 제정 및 운용 취지를 고려하고, 심의의 사전적 정의가 심사하고 토의하는 것이라는 점을 미루어 보면, 서면을 통한 심의는 일방적인 의견의 개진만이 가능하여 특성상 토의가 이루어지기는 어려운 방법이므로 이를 「사회복지사업법」 제36조제1항에서 규정하고 있는 심의로 보기는 어렵다고 할 것입니다. 또한 「사회복지사업법」 제36조제4항에 따라 운영위원회의 조직 및 운영에 관한 사항을 위임[158]받아 정하고 있는 「사회복지시설 관리안내」[159]에서는 운영위원회의

158) 「사회복지시설 관리안내」는 그 머리말에서 밝히고 있는 바와 같이 통상 공무원의 업무 편의를

회의를 정기 또는 수시 개최토록 규정하면서 그 회의를 공개하도록 규정하고 있는데, 이러한 회의의 공개는 실제 소집하여 운영위원회를 개최하여야만 가능한 것이므로, 동 문구가 운영위원회는 실제로 위원들이 모여서 심의를 해야 한다는 것을 규정하고 있는 것이라고 할 수 있고, 따라서 서면심의는 운영위원회의 운영기준에도 부합되지 않는 것이라고 할 수 있습니다.

4. 보고

법 제36조제3항에서는 시설장에 대해서 특정 사항을 운영위원회에 보고하도록 의무를 부과하고 있습니다. 특히 「사회복지법인 및 사회복지시설 재무·회계 규칙」 제10조, 제16조, 제17조, 제19조에서는 사회복지시설의 예산이나 결산과 관련한 업무를 처리함에 있어서 반드시 운영위원회에 보고를 거치도록 하고 있기 때문에, 이를 위반할 경우에는 관련 규정에 따른 행정처분이 가능합니다. 즉 운영위원회의 보고를 거치지 않고 예·결산 업무를 처리한 경우는 「사회복지사업법」 제40조제1항 제4호에 해당되고, 이는 「사회복지사업법 시행규칙」 제26조의2 및 별표4의 2. 개별기준 중 제4호다목에 따른 행정처분의 대상이 된다고 할 수 있습니다.

5. 운영위원

5.1. 선임권자

앞에서 이미 언급한 것과 같이 운영위원회를 설치하여 운영해야 하는 의무자는 시설장입니다. 그러나 운영위원회의 위원을 선임할 수 있는 권한을 가진 것은 해당 시설을 관할하는 시장·군수·구청장입니다. 이러한 법률 조문은 2012년 8월 5일부터 시행한 「사회복지사업법」에서 새롭게 제정된 것으로서, 종전에는 「사회복지사업법 시행규칙」에서 운영위원의 선임과 관련한 사항을 규정하고 있던 것을 법률로 상향 입법한 것입니다. 개정전 「사회복지사업법 시행규칙」 제24조제2항에서는 운영위원 중 공무원인 자를 제외하고는 시설장의 추천을 받아 시장·군수·구청장이 운영위원을 임명·위촉하도록 규정하고 있었으나, 법률로 상향입법하면서 시설장의 추천절차를 삭제하였는데, 이는 해당 시설 운영의 민주성이나 투명성을 제대로 높일 수 있도록 하기 위해 주무관청이 보다 객관적인 입장에서 직권으로 운영위원을 선임토록 한

위해서 만들어지는 것으로서 이를 통해 국민의 권리·의무에 관한 사항을 규정하는 것은 적절치 않음. 그러나 운영위원회에 관한 사항은 「사회복지사업법」 제36조제4항에서 위임한 사항을 정하고 있는 것이므로 이 부분에 대해서는 법령의 효력이 있음.

159) 보건복지부, 「2023 사회복지시설 관리안내」, 26쪽

것으로 판단됩니다. 따라서 현행 「사회복지사업법」 체계에서는 운영위원을 선임함에 있어 시설장의 추천 절차를 거칠 필요는 없고, 시장·군수·구청장이 직권으로 임명·위촉하면 됩니다. 다만, 현행 법률하에서 시설장의 추천절차를 거친 경우 이를 위법이라고 하기는 어려울 것이나 애당초 있었던 추천절차를 삭제한 법률 개정 취지에는 위배되는 상황이 발생하게 되고, 이에 따라 시설장에게 굳이 추천을 받은 사유 등에 대해서 주무관청의 담당 공무원이 소명해야 하는 문제가 발생할 우려가 있습니다.

선임의 방법으로는 임명과 위촉이 있는데, 임명의 경우는 해당 시·군·구의 공무원 등 시·군·구가 인사권 등의 권한에 기해서 운영위원의 직무를 수행하라고 명령할 수 있는 사람 대해서 행하는 선임방법이고, 위촉(委囑)은 단어의 사전적 의미 그대로 시·군·구가 운영위원의 직무 수행 여부를 명령할 수 있는 대상이 아닌 사람에 대해서 운영위원의 직무 수행을 요청하는 선임방법입니다.[160]

5.2. 자격

5.2.1. 시설장

시설장은 운영위원회를 설치해야 하는 의무자임과 동시에 운영위원으로 참여할 수 있는 사람입니다. 시설장은 해당 시설의 운영 전반에 관해서 실질적인 책임이 있는 사람이므로 운영위원회에 참석하여 심의하고, 특정 사항은 보고를 하도록 하기 위해 운영위원이 될 수 있는 사람으로 규정하고 있는 것입니다.

5.2.2. 시설 거주자 대표

시설의 거주자(居住者) 대표는 해당 시설에서 거주하는 사람들의 대표를 의미합니다. 시설의 거주자는 해당 사회복지시설이 존재하는 가장 중요하면서도, 유일한 이유라고 할 수 있기 때문에 운영위원회에 참여하는 것이 당연하다고 할 것입니다. 시장·군수·구청장은 운영위원을 선임할 때 거주자들이 그 대표성을 인정한 사람을 우선적으로 거주자의 대표로 선임하는 것이 가장 바람직할 것으로 판단됩니다. 운영위원으로 선임되기 위한 거주자의 대표는 거주자들이 그 다수결로 선임하는 것이 가장 적절할 것입니다. 다만, 거주자들 대부분이 장애나 그 밖에 질환 등으로 인해 정상적인 의사결정을 통해 그 대표를 선임하는 것이 불가능한 경우[161]라고 한다면, 시·군·구에서 거주자 중 심의가 가능한 사람 중에서 위촉하고, 위촉이

160) 법제처, 「법령 입안·심사 기준」(2020), 378쪽 및 「법령 입안·심사 기준」(2022), 409쪽 참조

161) 뇌성마비 등으로 의사표시 방법상으로만 문제가 있는 경우는 해당되지 않음. 보완대체 의사소통기기 등의 활용을 통해 충분히 자신의 의사표현이 가능하기 때문임.

불가능한 경우라고 한다면 시설 거주자의 보호자 대표를 반드시 2명을 선임하는 등의 방안을 강구하여야 할 것입니다.

5.2.3. 시설 거주자의 보호자 대표

시설에 거주하고 있는 거주자의 법률상 보호자들을 대표하는 사람을 의미합니다. 시장·군수·구청장은 거주자의 보호자 대표를 선정함에 있어서도 시설 거주자의 대표를 선임하는 것과 마찬가지로 우선 보호자들이 자율적으로 대표권을 인정한 사람을 우선하여 운영위원으로 선임하는 것이 바람직합니다. 보호자의 대표가 되기 위해서는 보호자들이 다수에게 그 대표성을 인정받는 절차를 거치는 것이 가장 바람직합니다. 그러나 거주자의 보호자 전원의 의사를 묻기가 어렵거나 사실상 불가능한 상황인 경우에는 부득이하게 시·군·구에서 시설 거주자의 보호자 대표를 정하여 위촉할 수도 있습니다. 그러나 시·군·구가 직권으로 위촉하는 경우는 반드시 불가피한 경우로서 보호자 대표를 위촉하지 않는 것보다 직권으로 위촉하는 것이 시설의 투명성·민주성 제고에 도움이 되는 등 공익 추구에 있어 더 바람직한 경우로 한정하여야 할 것입니다.

5.2.4. 시설 종사자의 대표

시설 종사자는 시설의 인적구성을 담당하고 있는 시설의 가장 중요한 축이라고 할 수 있습니다. 시설 운영에 있어 실질적인 업무의 대부분을 수행하는 사람이므로 운영위원회에 참여토록 하는 것입니다. 시설 종사자의 대표의 경우도 종사자들이 대표성을 인정한 사람이 있다면 그 사람을 우선하여 운영위원으로 선임하는 것이 바람직합니다.

5.2.5. 해당 시·군·구 소속 사회복지업무 담당 공무원

운영위원회에 해당 시·군·구 소속 사회복지업무 담당 공무원을 참여시키도록 하는 것은 시설 운영위원에서 심의되거나 보고되는 사항들이 정책을 결정하는 데 필요하고, 또한 이미 시행된 각종 정책이 제대로 시행되고 있는지 여부를 확인하는 데도 필요하기 때문입니다. 특히 시설에서 발생할 수 있는 각종 고충이나 인권침해 등의 사안을 보다 잘 파악할 수도 있기 때문입니다. 운영위원으로 임명될 수 있는 공무원은 우선 △해당 시·군·구 소속이어야 하며, △사회복지업무를 담당하는 자이어야 합니다. 타 시·군·구 소속은 당연히 자격이 없고, 해당 시·군·구 소속이라고 하더라도 사회복지업무 담당이 아닌 경우에는 운영위원이 될 수 없습니다.

5.2.6. 후원자 대표 또는 지역주민

해당 시설에 후원이 많은 경우 그 후원금이 시설 운영에 어떻게 사용되는지 여부를 투명하게 공개하는 측면뿐만 아니라 장차 후원을 계속 받을 수 있는 환경을 조성한다는 취지에서 후원자 중 그 대표를 선정하여 운영위원으로 위촉할 수 있습니다. 운영위원이 될 수 있는 지역주민은 해당 시설이 설치된 시·군·구에 거주하는 사람으로서 특히 시설과 근거리에 있어 시설 운영과 밀접한 관련이 있는 사람인 경우라고 할 수 있습니다. 시설 운영과 관련한 님비(NIMBY)현상을 방지하고, 나아가 지역사회와의 원만한 관계를 바탕으로 보다 원활한 시설의 운영을 위해서 지역주민을 운영위원으로 참여케 하는 것입니다.

5.2.7. 공익단체에서 추천한 사람

공익단체는 「비영리민간단체 지원법」 제2조에 따른 비영리민간단체를 말하는 것으로서, 시설 운영과 관련하여 제3자로서 객관적인 시각을 가진 주체가 의견을 제시할 수 있도록 하기 위해 그러한 공익단체에서 추천을 받아 운영위원을 선임할 수 있도록 규정한 것입니다.

5.2.8. 기타 시설 운영 또는 사회복지에 관한 전문가

앞에서 언급한 여러 분야에 속하는 사람들만으로 시설 운영 등과 관련한 전문적이고, 심도 있는 심의 진행이 어려울 경우 이를 보완하기 위해 시·군·구가 별도의 전문가를 선임할 수 있도록 규정하고 있습니다. 시설의 운영 또는 사회복지에 관하여 전문적인 지식과 경험이 풍부한지 여부는 학위나 경력 등으로 객관적으로 입증할 수 있는 정도여야 합니다.

5.3. 정원 및 구성

운영위원은 적어도 5명 이상은 되어야 하고, 최대 15명을 넘을 수는 없습니다. 그 구성에 있어서 유의해야 할 사항이 몇 가지 있습니다. 우선 앞에서 언급한 자격과 관련하여 동일한 자격을 가지고 있는 사람이 2명을 초과하여서는 아니 됩니다. 즉 동일한 자격을 가지고 있는 사람은 2명까지만 선임이 가능합니다. 특정한 입장을 대변하는 사람들만 다수가 참여하는 운영위원회가 구성되는 것을 방지함으로써 시설의 운영과 관련하여 보다 객관적이고 다양한 의견을 듣고자 마련된 사항으로 판단됩니다. 또한 운영위원이 될 수 있는 자격의 종류가 법 제36조제2항 각 호에 따라 총 8개 분야로 나누어져 있으므로 각 분야별로 적어도 1명 이상을 선임하거나, 만일 최소인원인 5명으로 한정하여야 하는 상황이라면 적어도 해당 사회복지시설과 가장 직접적이고 밀접하게 관련이 있는 제2항제1호부터 제5호까지 사람을 우선하여 운영위원으로 선임하는 것이 가장 바람직할 것으로 사료됩니다.

유용한 TIP **최대 15명을 넘을 수 없는 이유**

- o 법 제36조제2항에서는 운영위원이 될 수 있는 자격의 종류를 제1호부터 제8호까지 열거하면서, 각 호에 해당하는 사람이 2명까지는 운영위원으로 선임될 수 있도록 규정하고 있습니다. 다만, 제1호의 시설장의 경우는 시설에 1명만 선임 또는 채용되므로, 2명까지 선임할 수가 없습니다.
- \- 따라서 운영위원으로 시설장 1명과 제2호부터 제8호까지 해당하는 사람 각 2명을 모두 선임할 경우 "1+(7*2)"가 되므로 최대 15명까지만 가능하게 됩니다.

「사회복지사업법」 제36조제1항에서는 시설에 운영위원회를 두도록 규정하고 있고, 같은 법 시행규칙 제24조제1항에서는 운영위원회의 위원 구성에 대해서 상세하게 규정을 하고 있습니다. 이러한 규정을 따르면 시설의 운영위원회는 5명 이상 15명 이하의 위원으로 구성하되 「사회복지사업법」 제36조제2항 각 호 중 같은 호에 해당하는 위원은 최대 2명까지만 위원으로 활동할 수 있습니다. 그런데 이러한 규정을 엄격하게 적용함에 있어 다음과 같은 사례는 해석이나 민원의 여지가 있어 실무상 유의해야 합니다.

우선 제36조제2항제6호의 경우 "후원자 대표 또는 지역주민"으로 명시하고 있는데, 이 조문에 따라 위촉이 가능한 운영위원의 경우의 수는 △후원자 대표만 2명, △지역주민만 2명, △후원자 대표1명+지역주민 1명만 가능합니다. 시행규칙 제24조제1항의 취지를 제6호에 적용하면 "후원자 대표 또는 지역주민" 중 최대 2명까지만 운영위원이 될 수 있기 때문입니다. 다음으로 법 제36조제2항제8호의 "그 밖에 시설의 운영 또는 사회복지에 관하여 전문적인 지식과 경험이 풍부한 사람"인 위원에 대해서도 해석의 여지가 있을 수는 있으나 이 또한 시행규칙 제24조제1항의 규정이 달리 적용되지 않는다고 할 것입니다. 따라서 교수, 법률 전문가, 시설운영 전문가 등 그 명칭이나 자격과는 무관하게 이들이 모두 「사회복지사업법」 제36조제2항 중 제8호에 해당되어 위촉된 자라면 이들의 구성 또한 2명을 초과할 수 없다고 할 것입니다. 만일 시장·군수·구청장이 이러한 규정을 위반하여 위원을 임명·위촉한 경우라면, 이는 법령을 위반한 행정행위로서 당연히 무효라고 할 것입니다. 다만, 법 제36조제2항제6호(지역주민)나 제7호(공익단체 추천)에 따라 선임된 사람으로서 그 사람이 우연히 전문적인 지식이나 경험이 풍부한 사람이라면, 이는 제8호에 따라 선임된 자가 아니므로 제8호에서 언급하고 있는 지식이나 경험이 풍부한 2명과 무관하게 각각 제6호나 제7호에 해당되는 자로서 2명의 초과 여부와 무관하게 임명 등이 가능하다고 할 것입니다. 그러나 시·군·구가 운영위원을 선임함에 있어 만일 제6호나 제7호에 따라 선임한 사람이 제8호에서 언급하고 있는 전문가에 해당하는 사람이라면 굳이 제8조에 따른 전문가를 추가로 위촉할 필요는 없을 것으로 사료됩니다.

시행규칙 제24조제3항에서는 위원장은 위원 중에서 호선(互選)토록 규정하고 있습니다. 따라서 시설장이 당연히 위원장이 된다거나 그 밖에 자가 당연히 위원장이 된다는 등의 운영위원회 관련 규정 등이 있다면 이들은 모두 법령을 위반한 규정 등으로 효력이 없다고 할 것입니다.

5.4. 임기

운영위원의 임기는 시행규칙 제24조제4항에 따라 3년이 되고, 보궐(補闕)된 위원의 임기는 그 전임자 임기의 남은 기간이 됩니다. 임기는 법령으로 정한 사항이기 때문에 3년보다 길게 하거나 짧게 할 수는 없습니다. 위원장은 운영위원 중에서 호선(互選)된 자이므로 그 임기는 원래 그 사람이 운영위원으로서 가지고 있던 임기와 동일하게 적용이 됩니다.

유용한 TIP **보궐(補闕)된 위원은 누구를 의미하는지?**

o 보궐(補闕)은 궐위(闕位)나 결원(缺員)이 된 빈자리를 채우는 것을 의미합니다.
- 운영위원의 경우 앞에서 이미 언급한 바와 같이 법 제36조제2항 각 호에 따른 자격을 가진 사람 중에서 각 2명까지만 위촉이 가능합니다. (시설장은 1명뿐이므로 1명만 위촉이 가능)
- 따라서 만일 특정 위원의 자리가 빈 경우로서 해당 위원과 법 제36조제2항 중 동일한 호에 해당되는 위원을 선임하는 것이라면 보궐된 위원으로 보아야 할 것입니다.
- 특정 위원의 자리가 비었으나, 그와 무관한 자격을 가진 사람을 위원으로 선임하였다면 이는 보궐된 위원으로 볼 여지가 적거나 없다고 할 것입니다.

o 예컨대 원래 종사자 대표가 2명이었던 경우에 그 중 1명이 퇴사하고, 그 자리에 다른 종사자가 위촉이 된다면, 종전 퇴사한 종사자 위원의 빈자리를 채우는 것이 되므로 새롭게 위촉된 종사자 위원은 종전 종사자 위원의 잔연임기가 해당 위원의 임기가 됩니다.
- 만일 위와 동일한 상황이 발생했음에도 불구하고, 종사자 대표가 아닌 제6호나 제7호에 따른 사람을 위촉했다면, 그 사람의 임기는 3년이 되는 것입니다.

5.5. 해임·해촉 가능 여부

법률 형식적인 측면에서 보면 「사회복지사업법」 제36조제2항에서 “임면 또는 위·해촉”이 아닌 “임명 또는 위촉”만을 규정하고 있고, 사회복지시설의 운영위원회는 시설과 관련된 각종 사항을 심의하는 기능을 수행하기 때문에 외부로부터 영향을 최대한 최소화함으로써 공정하고 충실한 업무수행이 담보되어야 하므로 그 임기가 확정적으로 보장되어야 한다고 할 수 있습니다. 그러나 운영위원 중 공무원의 경우는 해당 지자체가 전적으로 임면권이 있으므로 비교적 자유롭게 해임이 가능하다고 할 것입니다.

유용한 TIP	운영위원회의 임명·위촉 철회 사유 예시

o 시설장 : 시설장으로서의 자격상실 시
o 시설 거주자 대표 : 퇴소 등 거주자의 자격상실 시
o 시설 거주자의 보호자 대표 : 시설 거주자의 시설 퇴소 시
o 시설 종사자의 대표 : 시설 종사자 자격상실 시
o 해당 시·군·구 소속의 사회복지업무를 담당하는 공무원
  : 담당 공무원의 퇴직 또는 非사회복지업무로의 전보 시
o 후원자 대표 : 후원 미이행 등으로 인한 후원자 자격상실 시
o 지역주민 : 타 지역으로 이주한 경우
o 공익단체에서 추천한 사람 : 해당 공익단체에서 추천을 철회할 경우

해촉과 관련하여서는 최초로 위촉될 당시의 위촉 사유에 해당하는 지위나 자격을 상실했을 때는 시·군·구는 자신이 행한 위촉에 관한 행정행위를 철회하는 것도 가능하다고 할 것입니다. 또한 「사회복지사업법」이나 그 밖의 법률을 위반하여, 사회복지시설의 운영위원으로 계속 지위를 유지하는 것이 부적절하다고 판단이 된다면 역시 위촉을 철회하는 것이 가능할 것으로 판단됩니다. 이때 시장·군수·구청장의 철회로 인해 위원의 지위를 상실하게 될 사람은 행정쟁송을 통해서 자신의 지위를 확인하거나 해당 주무관청의 행정처분의 부당성에 대해서 다툴 수가 있습니다.

제37조(시설의 서류 비치)

제37조(시설의 서류 비치) 시설의 장은 후원금품대장 등 보건복지부령으로 정하는 서류를 시설에 갖추어 두어야 한다.
→ 「사회복지사업법 시행규칙」 제25조(시설의 서류비치)

「사회복지사업법」에서 시설장으로 하여금 후원금품대장이나 그 밖의 서류들을 시설에 갖추어 두도록[비치(備置)] 규정하고 있습니다. 시설장이 시설에 비치해야 할 서류는 △법인의 정관 및 설립허가증 사본(설치·운영자가 법인인 경우에 한함), △사회복지시설신고증, △시설거주자 및 퇴소자 명부, △시설거주자 및 퇴소자 상담기록부, △시설의 운영계획서 및 예산·결산서, △후원금품대장, △시설의 건축물 관리대장, △시설의 장과 종사자의 명부가 있습니다. 이러한 서류들은 모두 해당 사회복지시설이 법률에 따라 정상적으로 설치되고, 운영하고 있는지를 입증할 수 있는 서류들입니다. 이러한 서류들을 비치하여 주무관청이 법 제51조 등에 따라 관리·감독권을 행사할 때 신속하게 이를 입증·확인할 수 있고, 또한 시설신고증이나 법인설립허가증사본과 같이 법령상으로 공개토록 한 문서의 경우 이를 확인할 수 있는 권한을 가지고 확인하고자 하는 사람에게 즉시 공개할 수 있도록 준비하게 하는 취지도 있습니다. 아울러 시설에 들어오거나 나가고자 하는 사람들이 해당 시설이 합법적으로 설치된 것인지, 적정하게 운영되고 있는 것인지 확인하는 데도 중요한 역할을 하게 됩니다.

第38조(시설의 휴지·재개·폐지 신고 등)

第38조(시설의 휴지 · 재개 · 폐지 신고 등) ① 제34조제2항에 따른 신고를 한 자는 지체 없이 시설의 운영을 시작하여야 한다.
② 시설의 운영자는 그 운영을 일정 기간 중단하거나 다시 시작하거나 시설을 폐지하려는 경우에는 보건복지부령으로 정하는 바에 따라 시장 · 군수 · 구청장에게 신고하여야 한다.
③ 시장 · 군수 · 구청장은 제2항에 따라 시설 운영이 중단되거나 시설이 폐지되는 경우에는 보건복지부령으로 정하는 바에 따라 시설 거주자의 권익을 보호하기 위하여 다음 각 호의 조치를 하고 신고를 수리하여야 한다.
1. 시설 거주자가 자립을 원하는 경우 자립을 할 수 있도록 지원하고 그 이행을 확인하는 조치
2. 시설 거주자가 다른 시설을 선택할 수 있도록 하고 그 이행을 확인하는 조치
3. 시설 거주자가 이용료 · 사용료 등의 비용을 부담하는 경우 납부한 비용 중 사용하지 아니한 금액을 반환하게 하고 그 이행을 확인하는 조치
4. 보조금 · 후원금 등의 사용 실태 확인과 이를 재원으로 조성한 재산 중 남은 재산의 회수조치
5. 그 밖에 시설 거주자의 권익 보호를 위하여 필요하다고 인정되는 조치
④ 시설 운영자가 제2항에 따라 시설운영을 재개하려고 할 때에는 보건복지부령으로 정하는 바에 따라 시설 거주자의 권익을 보호하기 위하여 다음 각 호의 조치를 하여야 한다. 이 경우 시장·군수·구청장은 그 조치 내용을 확인하고 제2항에 따른 신고를 수리하여야 한다.
1. 운영 중단 사유의 해소
2. 향후 안정적 운영계획의 수립
3. 그 밖에 시설 거주자의 권익 보호를 위하여 보건복지부장관이 필요하다고 인정하는 조치
⑤ 제1항과 제2항에 따른 시설 운영의 개시 · 중단 · 재개 및 시설 폐지의 신고 등에 관하여 필요한 사항은 보건복지부령으로 정한다.

→ 「사회복지사업법 시행규칙」 제26조(시설의 휴지·재개·폐지신고 등)

1. 즉시 운영 의무

법 제34조제2항에 따라 사회복지시설의 설치·운영신고를 한 자는 지체 없이 시설의 운영을 시작하여야 합니다. 일반적으로 법령에서 사용되고 있는 “지체 없이” 라는 표현은 시간적 즉시성이 강하게 요구되지만 정당하거나 합리적인 이유에 따른 지체는 허용되는 것으로 사정이 허락하는 한 가장 신속하게 해야 한다는 뜻입니다. 즉 몇 시간 또는 며칠과 같이 물리적인 시간 또는 기간을 의미한다기보다는 해당 사무를 처리함에 있어 사정이 허락하는 한 가장 신속하게 처리해야 하는 기간을 의미하는 것으로 해석하는 것이 「사회복지사업법」 개별 조문의 취지와 부합하는 것이라고 할 것입니다. 따라서 시설의 개설신고를 한 자가 개설신고 시에 함께 제출한 사업계획서에서 약속한 시기 또는 시설 신고증이 발급된 날 중 최대한 이른 시간 내에 해당 시설의 운영을 시작한다면 지체가 있는 것으로 보기는 어려울 것입니다.

2. 시설 운영의 휴지·재개·폐지의 신고

시설을 설치·운영한 자가 그 시설의 운영을 일정 기간 중단하거나, 중단된 운영을 다시 시작할 때 또는 시설을 폐지하고자 할 때에는 반드시 시장·군수·구청장에게 신고를 하여야 합니다.[162] 이는 해당 시설을 이용하는 거주자, 이용자들의 권익보호를 위해서 시설의 설치·운영을 신고해야 하는 것과 마찬가지로 이를 중단하거나 폐지할 때 또는 다시 운영을 개시할 때에는 그러한 상황들을 성실히 신고토록 규정하고 있는 것입니다.

3. 휴지·폐지 시 필요조치

사회복지시설이 그 운영을 중단하거나 아예 폐지하는 경우에는 무엇보다도 그 시설의 거주자에 대한 보호조치를 하여야 하고, 다음으로 보조금 등 해당 시설에 투입된 공적자금에 대한 보전조치를 하여야 합니다. 이러한 사항을 고려하여 법 제38조제3항에서는 시장·군수·구청장이 조치해야 할 사항을 열거하고 있습니다.

3.1. 거주자 보호 등

우선 휴지·폐지 시설에 거주자가 남아 있는 경우 해당 거주자에게 다른 주체가 설치·운영하는 시설을 선택할 수 있도록 안내하고, 실제 다른 시설로 옮겼는지를 확인하여야 합니다. 사회복지시설과 관련된 업무에 있어서 가장 우선순위를 두어야 할 것이 바로 해당 시설의 거주자이기 때문에 거주자 보호는 주무관청이 반드시 가장 먼저 해야 할 조치입니다. 다음으로 시설 거주자가 설치·운영자에게 이용료·사용료 등의 비용을 납부하였으나 시설이 휴지·폐지를 할 경우에는 해당 비용만큼 서비스를 온전히 받을 수 없고, 따라서 그 남은 비용은 시설의 거주자가 돌려받는 것이 바람직합니다. 주무관청은 이러한 상황을 참작하여 사용되지 않은 비용은 반드시 시설 거주자에게 반환토록 조치하고, 반환이 제대로 이루어졌는지 여부에 대해서도 확인을 하여야 합니다. 이러한 사항을 분명히 하기 위해 설치·운영자는 △시설거주자에 대한 조치계획서, △시설 이용자가 납부한 시설 이용료 및 사용료의 반환조치계획서를 주무관청에 제출해야 합니다.

162) 설치·운영자가 법인인 경우에는 반드시 휴지·폐지·재개를 결의한 이사회나 총회 결의 필요

3.2. 공적자금의 보전

사회복지시설은 그 운영과 관련하여 보조금이나 후원금을 재원으로 하는 경우가 많습니다. 그런데 시설이 휴지 또는 폐지될 경우라면 당연히 보조금이나 후원금은 그 지급 대상이나 목적이 상실되는 상황이 되므로 남은 비용은 반드시 회수조치를 하는 것이 마땅합니다. 아울러 보조금이나 후원금으로 조성된 재산의 경우도 비록 그 소유권자가 설치·운영자로 되어 있으나, 시설의 설치·운영을 조건으로 지급된 보조금·후원금으로 조성된 것이므로 이는 반환을 해야 합니다. 이때 보조금은 그 지급 주체에게로 반환하면 되지만 후원금의 경우는 반환을 받을 수 있는 주체가 다소 불명확[163]하므로 이를 주무관청으로 반환케 하고 해당 주무관청은 회수한 재원을 원래 후원취지와 부합되는 곳에 사용하면 될 것입니다. 이러한 공적자금의 보전을 위해서 시설의 설치·운영자는 휴지나 폐지 시에 △보조금 후원 사용결과 보고서, △잔여재산 반환조치계획서, △시설 재산의 사용 또는 처분 계획서 등의 서류를 주무관청에 제출하여야 합니다.

3.3. 기타 권익보호조치

시장·군수·구청장은 앞에서 언급한 사항이외에 시설 거주자의 권익 보호를 위해 필요하다고 인정되는 사항에 대해서는 별도의 조치를 할 수 있습니다.

4. 운영재개 시 필요조치

시설의 운영을 일시 휴지하였다가 다시 재개하고자 하는 경우 그 시설의 설치·운영자는 해당 시설 거주자의 권익을 보호하기 위해 반드시 다음과 같은 조치를 하여야 합니다. 우선 당초 운영 중단 사유를 모두 해소하여야 합니다. 운영 중단 사유가 완전히 해소되지 않으면, 해당 시설은 언제라도 다시 휴지·폐지될 수 있기 때문입니다. 중단 사유의 해소 여부는 시장·군수·구청장에게 제출한 해소 조치 보고서를 통해서 판단하게 됩니다. 다음으로 앞으로 어떻게 안정적으로 시설을 운영할 것인지에 대한 운영계획을 상세하게 작성하여 이를 시장·군수·구청장에게 제출하여야 합니다. 이러한 보고서나 운영계획서를 제출받은 시장·군수·구청장은 그 이행 여부를 주기적으로 확인하여야 합니다. 법령에 정확한 주기에 대해서는 정해 놓고 있지는 않았기 때문에 그 운영 중단 사유나 운영계획서상 적시한 각종 일정 등을 종합적으로 고려하여 개별사안마다 주기를 달리하여 확인하는 것이 가능할 것입니다.

---

163) 후원금이 혼입되어 사용되는 경우가 대부분이므로 사실상 어떤 후원자가 납부한 후원금을 재원으로 하여 재산이 조성되었는지 나누기가 어려움.

第40조(시설의 개선, 사업의 정지, 시설의 폐쇄 등)

第40조(시설의 개선, 사업의 정지, 시설의 폐쇄 등) ① 보건복지부장관, 시·도지사 또는 시장·군수·구청장은 시설이 다음 각 호의 어느 하나에 해당할 때에는 그 시설의 개선, 사업의 정지, 시설의 장의 교체를 명하거나 시설의 폐쇄를 명할 수 있다.

1. 시설이 설치기준에 미달하게 되었을 때
2. 사회복지법인 또는 비영리법인이 설치·운영하는 시설의 경우 그 사회복지법인 또는 비영리법인의 설립허가가 취소되었을 때
3. 설치 목적이 달성되었거나 그 밖의 사유로 계속하여 운영될 필요가 없다고 인정할 때
4. 회계부정이나 불법행위 또는 그 밖의 부당행위 등이 발견되었을 때
5. 제34조제2항에 따른 신고를 하지 아니하고 시설을 설치·운영하였을 때
6. 제36조제1항에 따른 운영위원회를 설치하지 아니하거나 운영하지 아니하였을 때
7. 정당한 이유 없이 제51조제1항에 따른 보고 또는 자료 제출을 하지 아니하거나 거짓으로 하였을 때
8. 정당한 이유 없이 제51조제1항 및 제2항에 따른 검사·질문·회계감사를 거부·방해하거나 기피하였을 때
9. 시설에서 다음 각 목의 성폭력범죄 또는 학대관련범죄가 발생한 때
   가. 「성폭력범죄의 처벌 등에 관한 특례법」 제2조제1항제3호부터 제5호까지의 성폭력범죄
   나. 「아동·청소년의 성보호에 관한 법률」 제2조제3호의 아동·청소년대상 성폭력범죄
   다. 「아동복지법」 제3조제7호의2의 아동학대관련범죄
   라. 「노인복지법」 제1조의2제5호의 노인학대관련범죄
   마. 「장애인복지법」 제2조제4항의 장애인학대관련범죄
   바. 그 밖에 대통령령으로 정하는 성폭력범죄 또는 학대관련범죄
10. 1년 이상 시설이 휴지상태에 있어 시장·군수·구청장이 재개를 권고하였음에도 불구하고 재개하지 아니한 때

② 제1항에 따른 사업의 정지 및 시설의 폐쇄 명령을 받은 경우에는 제38조제3항을 준용한다.
③ 제1항에 따른 행정처분의 세부적인 기준은 그 위반행위의 유형과 위반 정도 등을 고려하여 보건복지부령으로 정한다.

→ **「사회복지사업법 시행규칙」 제26조의2(행정처분의 기준)**

1. 의의

사회복지시설이 설치기준 미달 등 여러 가지 사유에 해당하여 지속적으로 운영되도록 하는 것이 적절하지 않을 때는 해당 시설의 거주자 보호와 지원된 공적자금의 신속한 회수 등을 위해 해당 시설의 개선, 사업의 정지, 시설장 교체를 명할 수 있고, 궁극적으로서 해당 시설의 폐쇄까지도 명할 수 있습니다. 만일 이러한 명령이 있음에도 불구하고 그 명령을 이행하지 않으면 법 제54조제5호에 해당하여 1년 이하의 징역이나 1천만원 이하의 벌금에 처해지게 됩니다.

2. 처분권자

앞에서 살펴본 바와 같이 사회복지시설과 관련한 사무는 시장·군수·구청장이 주무관청으로서 역할을 수행하게 됩니다. 그럼에도 불구하고 이 건 명령의 경우는 시설의 주무관청이 아닌 보건복지부장관, 시·도지사도 행할 수 있는 것으로 규정되어 있습니다. 이러한 규정은 원래 1997년에 전부개정이 되기 이전의 「사회복지사업법」에서는 시장·군수·구청장만이 시설의 개선 등에 대해서 명령할 수 있도록 되어 있었으나, 1997년 전부개정 이후에는 시장·군수·구청장 이외에도 보건복지부장관이나 시·도지사도 시설의 개선 등을 명령할 수 있도록 개정되어 현재까지 이르게 되었습니다. 굳이 주무관청이 아니라 보건복지부장관 등으로 명령권자를 확대한 이유에 대해서는 개정 당시 국회에서 구체적인 논의가 있었는지 여부를 확인하기 어려워 정확히 알 수는 없으나, 추측건대 시설에서 발생한 여러 가지 부적절한 상황은 사회적 약자일 수밖에 없는 시설 거주자나 이용자에게는 상당히 나쁜 영향이 미칠 우려가 크고, 따라서 굳이 주무관청에만 맡겨 둘 것이 아니라 관련되는 모든 관청에서 그 발견 즉시 적절한 조치를 취할 수 있도록 하기 위한 것으로 짐작됩니다. 이러한 해석과는 달리 법 제40조제1항 각 호에서 열거하고 있는 각종 위반행위의 주무관청이 보건복지부, 시·도, 시·군·구로 혼재되어 있기 때문에 그 처분권자로서 이 모든 주체를 망라하여 명시하는 것이라는 시각도 있을 수 있습니다. 그러나 이러한 시각으로 이 건 조문을 본다면 보건복지부장관이나 시·도지사는 시설에서 발생하는 여러 가지 부당한 상황을 인지하였음에도 불구하고, 자신의 업무 소관이 아니라면 직접적인 조치가 불가능한 것으로만 해석되는 문제점이 발생하게 됩니다. 따라서 이러한 해석은 국가나 지자체가 시설 거주자 등을 적극 보호해야 한다는 측면에서는 고려의 여지가 없는 것이라고 판단됩니다.

⚠ 유의사항 처분명령을 받는 주체

o 처분권자의 처분명령을 받는 자는 <u>시설의 설치·운영자</u>입니다.
- 시설을 개선하거나 폐지하고, 시설장을 교체하는 것은 시설을 설치·운영하는 자만이 가능한 사항이기 때문입니다.
- 만일 시설장에 대해서 시설장 교체 명령을 한다거나 시설폐쇄 명령을 하는 경우라면 애당초 피처분자가 행할 수 없는 처분을 명령하게 되는 것이므로,
- 이후 해당 행정처분의 적법성과 관련한 쟁송의 소지가 있기 때문에 이 건과 관련되는 모든 처분은 <u>반드시 시설의 설치·운영자를 피처분인으로 하여 행하여야 합니다.</u>

3. 처분사유 및 기준 – 제51조제1항 위반시

3.1. 설치기준 미달

행정처분기준		
1차 위반	2차 위반	3차 위반 이상
개선명령	시설장 교체	시설폐쇄

사회복지시설은 그 시설별로 각각의 설치기준이 있습니다. 이러한 설치기준은 해당 시설에서 제공하는 서비스의 질을 담보하기 위한 최소 기준으로, 이를 충족시키지 못하는 시설은 제대로 된 시설 서비스를 제공할 수 없고, 따라서 그 존재 가치도 없다고 할 것입니다. 이러한 상황을 반영하여 설치기준이 미달된 시설에 대해서 처분을 하게 되는 것입니다. 다만, 설치기준 미달은 개선의 여지가 있는 사항이므로 1차위반시 우선 개선명령을 내리고, 그럼에도 불구하고 개선이 되지 않은 경우는 해당 시설의 운영에 대해 1차적인 책임이 있는 시설장 교체를 명령하게 됩니다. 물론 이러한 처분을 받았음에도 불구하고 개선이 되지 않을 경우에는 해당 시설은 더 이상 존재 가치가 없다고 보아 시설폐쇄 처분을 하게 되는 것입니다.

3.2. 설치·운영자인 사회복지법인 등의 설립허가 취소

행정처분기준		
1차 위반	2차 위반	3차 위반 이상
시설폐쇄	-	-

사회복지시설을 설치·운영하는 자가 법인인 경우 해당 법인의 설립허가가 취소되면 법인은 소멸하게 되고, 이에 따라 해당 시설을 설치·운영하는 주체도 소멸되는 결과가 발생하게 되므로 당연히 시설을 폐쇄하게 되는 것입니다. 다만, 이 경우 설립허가 취소된 법인이 청산과정 중에 스스로 시설을 폐쇄하는지 여부를 우선 확인한 뒤에 스스로 폐쇄하는 결정을 하지 않거나 할 의사나 능력이 없다고 판단될 때 한해서 시설폐쇄 조치를 취하는 것이 바람직할 것으로 판단됩니다. 법인의 설립허가가 취소된 경우에는 시설을 개선하거나, 시설장을 교체할 주체인 설치·운영자가 더 이상 존재하지 않는 상황이 발생되는 것이므로 이 건 사유는 시설폐쇄 처분만 가능합니다.

만일 해당 시설의 설비나 사업 자체를 양수받고자 하는 자가 있다고 하더라도 「사회복지사업법」에서는 설치·운영자를 변경할 수 있는 법적 장치가 갖추어져 있지 않기 때문에 「사회복지사업법」에 따라 설치·운영자를 변경하거나, 사업을 양도·양수할 수는 없습니다. 다만, 폐쇄되는 시설의 인적·물적 자원과 관련하여 종전의 설치·운영자가 보유하고 있던 제반 권리·의무관계를 승계하면서 새로운 시설의 설치·운영 신고를 한다면 설치·운영자의 변경과 같은 효과는 발생시킬 수는 있습니다.

개인 해석 설치·운영자인 영리법인의 해산이나 개인이 사망한 경우

o 법 제40조제1항제2호는 "사회복지법인 또는 비영리법인"이 설치하는 시설의 경우에 해당 사회복지법인이나 비영리법인의 설립허가가 취소된 경우만을 행정처분의 대상으로 명시하고 있습니다.

- 이러한 조문은 1997.8.22.에 공포되고, 1998.7.1.부터 시행된 「사회복지사업법」의 개정법률(법률 제5358호)에서 처음으로 도입된 것인데, 당시 개정법률 제34조제3항에서는 국가·지자체와 사회복지법인 및 기타 비영리법인만 사회복지시설을 설치·운영할 수 있는 것으로 제한하고 있는 사항을 반영하여 규정된 것으로 판단됩니다.
- 그러나 현행 「사회복지사업법」의 경우 제34조와 관련하여 이미 살펴본 바와 같이 국가·지자체 이외의 자가 신고하고 개설할 수 있도록 규정, 굳이 사회복지법인이나 기타 비영리법인만 그 설치·운영자로 한정하고 있지는 않습니다.
- 생각건대 법 제40조제1항제2호 중 "사회복지법인 또는 비영리법인"이라는 표현은 1999.11.1.에 현행과 같이 사회복지시설의 설치·운영자의 범위를 확대할 때 "설치·운영자인 법인이 해산하거나 개인이 사망한 경우" 등으로 함께 개정되었어야 하는 조문으로 판단됩니다.

o 이러한 입법연혁이나 해당 조문의 취지를 미루어 보면, 사회복지법인 또는 비영리법인이 아닌 법인이나 개인이 설치·운영하는 시설로서 그 법인이 해산하거나 개인이 사망한 경우 청산인이나 상속인을 대상으로 시설 폐쇄를 권고하거나 해당 시설의 폐쇄를 명할 수 있다고 할 것입니다.

- 다만, 시설폐쇄 행정처분의 경우 그 법률적 근거가 매우 중요하므로, 「사회복지사업법」의 개정이 있기 전까지는 법 제40조제1항제3호의 "계속하여 운영될 필요가 없다고 인정할 때"로 근거를 들어 행정처분을 할 수 있을 것으로 사료됩니다.

3.3. 설치 목적 달성 또는 운영 필요성 소멸

행정처분기준		
1차 위반	2차 위반	3차 위반 이상
시설폐쇄	-	-

시설의 설치 목적이 정해져 있는 경우로서 그 목적이 달성된 경우라고 한다며, 해당 시설은 더 이상 존재할 이유가 없는 것으로서 스스로 시설을 폐쇄하는 것이 원칙이나, 이러한 자발적인 폐쇄가 진행되지 않을 경우에 시설의 폐쇄를 명하게

되는 것입니다. 아울러 설치 목적 달성이외에 여러 가지 사유로 인해서 해당 시설이 계속하여 운영될 필요가 없다고 인정이 될 경우에도 처분권자는 시설의 폐쇄를 명령할 수 있습니다. 운영의 목적이 달성되거나 그 필요성이 소멸된 경우라고 인정이 된다면, 이는 설치·운영법인의 설립허가가 취소된 것과 마찬가지로 개선명령이나 시설장의 교체를 명령할 이유가 없기 때문에 시설폐쇄 처분만 가능합니다.

3.4. 회계부정, 불법행위, 기타 부당행위

시설과 관련하여 회계부정, 불법(不法)행위 또는 그 밖의 부당(不當)행위가 발생한 경우 행정처분을 하게 되는데 각각의 처분 대상이나 기준을 세분하면 다음과 같습니다.

참조 판례 회계부정 등으로 인한 금액을 다시 입금시키도록 하는 개선명령 가능

o **사건번호** : [대법원 2016. 7. 27., 선고, 2015두46390, 판결]

o 행정청이 '회계부정이나 불법행위 또는 그 밖의 부당행위 등'으로 인하여 사회복지시설의 운용에 사용되어야 할 자금이 목적과 무관한 용도로 사용되는 등 사회복지시설에 금전적 손실이 발생한 경우 그 금액 상당을 사회복지시설로 다시 입금 내지 회복하도록 명하는 것도 구 사회복지사업법 제40조 제1항이 정한 개선명령으로서 허용된다.

3.4.1. 보조금 및 후원금 용도외 사용

행정처분기준		
1차 위반	2차 위반	3차 위반 이상
개선명령	시설장 교체	시설장 교체

보조금은 「보조금 관리에 관한 법률」이나 「지방재정법」의 관련 규정에 따라 보조 용도로만 사용하여야 하고, 이를 위반할 경우 보조금의 환수나 형사처벌 등의 대상이 됩니다. 이 건 행정처분은 이러한 환수나 형사처벌과는 별개로 해당 시설의 운영의 책임을 물어 별도로 처해지는 것입니다. 후원금과 관련하여서는 「사회복지법인 및 사회복지시설 재무·회계 규칙」 제41조의7에 따라 후원자가 지정한 사용용도가 있으면 그 사용용도대로만 사용해야 하고, 사용용도를 정하지 않은 경우에는 보건복지부장관이 정한 사용기준에 따라 사용하여야 합니다. 여기서 보건복지부장관이 정한 사용기준은 「사회복지시설 관리안내」나 「사회복지법인 관리안내」 지침에 상세하게 기재되어 있습니다.[164] 보조금이나 후원금을 용도 외로 사용한 경우에는 우선 원상회복과 향후 재발을 방지할 수 있는 절차 마련 등을 포함한

164) 보건복지부, 「2023 사회복지법인 관리안내」, 149쪽 및 「2023 사회복지시설 관리안내」, 142쪽 참조

개선명령을 내릴 수 있습니다. 그러나 이러한 상황이 중복하여 발생할 경우 시설장의 교체 처분을 할 수 있습니다. 보조금이나 후원금이 시설회계에서 처리[165]되고, 시설회계는 시설장이 그 관리·감독에 대해서 우선적으로 책임을 지기 때문에 시설회계에 대한 관리 책임이 있는 시설장을 교체토록 명령을 내리는 것입니다.

3.4.2. 회계장부 미기재 또는 허위기재

행정처분기준		
1차 위반	2차 위반	3차 위반 이상
개선명령	시설장 교체	시설장 교체

사회복지시설은 「사회복지법인 및 사회복지시설 재무·회계 규칙」에 따라 시설회계를 두어야 하며, 이에 따른 회계장부를 기재하여야 합니다. 그러나 이러한 규정에도 불구하고 회계장부를 두지 않거나 허위로 기재하는 경우 행정처분의 대상이 됩니다. 회계장부를 기재하지 않는 것은 기재여부에 대해서만 판단하면 되지만, 허위(虛僞)로 기재하는 것에 대해서는 해당 행위를 판단하는 자의 가치관에 따라 기준이 다를 수도 있기 때문에 처분 시에 유의해야 합니다. 허위의 사전적인 의미는 원래 없는 것을 꾸며내거나, 있는 것을 달리 꾸미는 것으로서 이를 회계장부에 적용하면 실제 발생한 회계사항을 그 실체적 진실과는 다르게 장부에 기재하는 것을 의미한다고 할 것입니다. 따라서 실제 발생한 회계사항을 그 사실과 달리 장부에 기재하였다면 모두 허위 기재라고 할 수 있습니다. 다만, 사실상 적정한 곳에 적절하게 예산을 집행하였음에도 불구하고 회계지식 부족으로 인해 관·항·목 등을 잘못 기재한 경우라고 한다면, 허위로 기재할 적극적인 의사가 있었음이 명백하지 않는 한 이를 허위로 보는 것은 적절치 않은 것으로 사료됩니다. 이는 단순한 실수로 보아 회계장부의 정정을 요청하면 충분한 사안이라고 판단됩니다. 물론 이러한 상황이 반복되면 회계지식이 있는 자를 회계직으로 임명토록 개선명령을 내릴 수는 있을 것입니다. 이 건 관련 처분도 시설회계 운영과 관련된 것으로서 해당 회계에 대한 관리·감독의 우선적인 책임이 있는 시설장 교체를 그 주된 행정처분으로 규정하고 있는 것입니다.

---

165) 이 건이 적용되는 보조금은 해당 사회복지시설과 관련된 용도로 사용되는 것에 한정하고, 후원금도 시설 명의로 영수증을 발급한 것이나 법인에서 전입금(후원금)으로 전입 받은 것에 한정되는 점에 유의. 법인 운영만을 위한 보조금이나 후원금으로서 사회복지법인의 법인회계에서만 처리되거나, 사회복지법인이 아닌 주체의 경우 시설회계가 아닌 회계에서 처리되는 보조금이나 후원금은 시설 운영과 무관한 것으로서 이 건 처분대상으로 보기 어려움.

3.4.3. 회계 및 시설운영 관련 부당(不當)행위 발생

행정처분기준		
1차 위반	2차 위반	3차 위반 이상
개선명령	개선명령	시설장 교체

앞에서 언급한 사항이외에 시설회계나 시설운영과 관련하여 부당(不當)한 행위가 발생하였을 경우에 행정처분의 대상이 됩니다. 부당한 행위는 정당하지 않거나 이치에 맞지 않는 행위라는 사전적 의미가 있습니다. 따라서 부당행위라고 하는 것은 특정한 일의 처리방법이나 방향 등을 보았을 때 그렇게 하는 것이 적절치 않다고 다수의 사람들이 판단하는 행위를 의미한다고 할 것입니다. 물론 법령을 위반한 불법행위[166]는 이러한 주관적인 판단 기준을 적용할 필요도 없이 당연히 부당행위라고 할 수 있을 것입니다. 따라서 이 건 처분은 시설의 회계나 그 운영과 관련하여 불법행위를 포함한 부당한 행위를 하였을 경우에 대해서 적용되는 것이라고 할 수 있습니다. 이러한 부당행위에 대해서는 개선을 요청하는 것이 바람직하고, 그러한 요청이 있음에도 불구하고 거듭 동일한 사안이 발생한다면 종국적으로 회계나 시설운영에 직접적인 책임이 있는 시설장을 교체토록 처분할 수 있을 것입니다.

3.4.4. 거주자에 대한 인권침해 발생

행정처분기준		
1차 위반	2차 위반	3차 위반 이상
개선명령	시설장 교체	시설폐쇄

사회복지시설의 거주자에 대해서 부당한 체벌, 폭행, 학대 등 인권침해가 있는 경우 해당 인권침해 행위에 대한 처벌 등과는 별개로 해당 시설의 설치·운영자에 대해서 행정처분을 가하게 됩니다. 「사회복지사업법 시행규칙」 별표 4 행정처분의 기준에서는 이 건 행정처분의 대상을 규정하면서 "부당한"이라는 단어를 사용하고 있어, 자칫 정당한 체벌 등에 대해서는 인정을 하거나 혹은 행정처분을 하지 않는 것처럼 곡해할 우려도 있습니다. 그러나 처벌, 폭행이나 학대는 어떠한 경우라고 하더라도 정당한 것이 될 수 없는 것으로서 그 정당성 여부에 대해서는 논의의 필요나 가치조차 없는 것이라고 할 것입니다. 즉 부당한 이라는 용어는 체벌, 폭행, 학대 등 인권침해의 부당성을 강조하기 위해 사용된 단어에 불과한 것으로서

166) 「사회복지사업법 시행규칙」 시행규칙 별표 4의 행정처분의 기준 중 개별기준에서 열거하고 있는 불법행위 이외의 불법행위는 모두 이 건 처분 대상이 되는 것임.

이 건의 해석상 큰 의미가 없다고 할 것입니다. 인권침해 등의 사항은 즉시 시설장 교체나 시설폐쇄가 필요한 엄중한 사항이기는 하지만 시설을 즉시 폐쇄하거나 시설장을 변경하게 되는 경우 오히려 시설 거주자들에게 피해를 끼칠 우려가 있는 것이므로 우선 개선명령을 하고, 거듭될 경우 시설장 교체나 시설폐쇄 처분토록 규정하고 있는 것입니다.

3.4.5. 사회복지법인 또는 사회복지시설 관련 정보(情報)의 부적절한 처리

행정처분기준		
1차 위반	2차 위반	3차 위반 이상
개선명령	시설장 교체	시설장 교체

사회복지법인의 대표이사를 포함한 임직원이나 사회복지시설의 장이나 종사자가 법 제6조의제2항에 따른 정보시스템[167]을 통하여 처리되는 정보를 「사회보장급여의 이용·제공 및 수급권자 발굴에 관한 법률」 제31조 또는 「개인정보 보호법」 제59조를 위반하여 처리하는 경우에 위와 같이 행정처분을 할 수 있습니다. 물론 이 경우 직접 정보처리를 부적절하게 한 자는 「개인정보 보호법」 제71조, 제72조 및 「사회보장급여의 이용·제공 및 수급권자 발굴에 관한 법률」 제54조에 따라서 각각 벌칙의 대상이 되는 점도 유의해야 합니다.

3.5. 시설 설치·운영 신고 미이행

행정처분기준		
1차 위반	2차 위반	3차 위반 이상
개선명령	시설폐쇄	

설치·운영 신고 없이 시설을 운영할 경우 이는 법 제54조에 해당하여 1년 이하의 징역 또는 1천만원 이하의 벌금에 처해지는 범죄행위가 됩니다. 또한 설치·운영 신고 없이 운영하는 경우 이를 「사회복지사업법」에 따른 시설이라고도 할 수 없습니다. 한편 개선명령이나 시설폐쇄 처분의 경우는 합법적인 시설임을 전제로 이루어지는 처분입니다. 이러한 사항들을 미루어 보면 설치·운영신고를 하지 않고 운영하는 이른바 미신고 시설에 대해서 개선명령을 하는 것이나, 시설폐쇄 조치를 하는 것이 적절한 행정처분인지에 대해서는 상당히 의문이 있습니다. 즉 법률에 따라 모든 절차를 거친 시설의 설치·운영자에 대해서만 가능한 처분을 시설의 설치·운영자

167) 실무상으로는 "사회복지시설정보시스템(www.w4c.go.kr)"으로 통칭하고 있음.

지위나 자격이 없는 자에게까지 확대할 수 있는지와 그런 처분의 가치가 있는 것인지에 대해서는 상당히 회의적입니다. 환언하면 애당초 이러한 경우에 개선이라는 것은 당초에 하지 않았던 시설의 설치·운영신고를 하는 것 말고는 상상할 수 없는 것인데, 이러한 행정처분은 이미 법 제54조에 해당하는 자에 대해서 시설의 설치·운영신고를 할 수 있는 길을 터주게 되는 효과를 내게 되어 사실상 신고제도를 형해화(形骸化)시킬 우려[168]와 형사처벌의 효과를 반감시킬 우려[169]도 있습니다. 물론 신고는 없었지만 사실상 시설의 형태를 유지함으로써 거주자가 있는 경우라고 한다면 그 거주자들에게 지속적으로 사회복지시설과 관련한 서비스를 제공할 수 있도록 시설의 운영·설치신고를 할 수 있도록 해야 한다는 주장도 있을 수 있으나, 신고조차 불가능한 불법적인 시설[170]에 거주자를 계속 거주하게 하는 것은 「사회복지사업법」상 사회복지시설 제도에는 부합하지 않고, 거주자를 합법적인 시설로 옮기는 것이 충분히 가능한 사안이므로 언급할 가치가 없는 주장이라고 판단됩니다. 또한 개선명령을 하였음에도 불구하고, 개선이 되지 않은 경우 시설폐쇄를 명할 수 있도록 하고 있는데 설치·운영신고가 되지 않은, 따라서 시설도 아닌 것에 대해서 시설에 대해서만 가능한 시설폐쇄를 명령하는 것이 바람직한 것인지와 나아가 명령을 할 수 있는 시설이 존재하는지에 대해서까지 논란의 여지가 작지 않다고 할 것입니다. 요컨대 이 건 사안에 대해 개선명령이나 시설폐쇄라는 행정처분의 기준을 적용하는 것은 입법이 불비(不備)로서 개정이 필요한 사항이라고 판단이 됩니다.

3.6. 운영위원회 미설치 또는 미운영

행정처분기준		
1차 위반	2차 위반	3차 위반 이상
개선명령	시설장 교체	시설장 교체

운영위원회는 앞에서 살펴본 바와 같이 시설 운영에 있어 투명성이나 민주성,

168) 개선명령이 있기 전까지는 설치·운영신고 없이 미신고 시설을 운영하는 사례 발생 가능
169) 개선명령을 준수하여 설치·운영신고를 한 경우 이에 대한 형사처벌 수위가 낮아지거나 처벌이 되지 않을 수도 있게 됨.
170) 통상 시설 관련 법령에서 규정하고 있는 기준에 부합되는 경우라고 한다면 신고를 하지 않거나 못할 이유가 없음. 특히 신고를 할 경우 오히려 보조금이나 후원금 등 재정에 있어서 큰 도움이 된다는 점을 고려하면 기준이 부합됨에도 불구하고 신고를 하지 않거나 못하는 것은 아닌 것으로 판단됨. 즉 신고를 하지 못한다는 것은 설치 기준에 부합되지 않는다는 것이고, 이러한 경우는 해당 불법 시설의 거주자에게 적절한 사회복지서비스를 제공할 만한 여건을 갖추고 있지 않은 경우라고 판단할 수밖에 없음.

공공성을 제고하기 위해서 법률상 그 설치가 의무화된 것입니다. 이러한 운영위원회를 두지 않았을 경우 1차에 한해서는 운영위원회를 즉시 설치·운영토록 개선명령을 하고, 이러한 개선명령에도 불구하고 개선이 되지 않을 경우에는 운영위원회를 설치·운영해야 할 의무가 있는 시설장의 책임을 물어 시설장 교체의 처분을 하게 됩니다.

3.7. 보고 및 자료제출 의무 미이행 / 검사·질문의 거부·방해·기피 등

행정처분기준		
1차 위반	2차 위반	3차 위반 이상
개선명령	시설장 교체	시설장 교체

법 제51조에 따라 보건복지부장관, 시·도지사, 시장·군수·구청장은 각각 그 소관 사무와 관련하여 사회복지시설을 설치·운영하는 자에게 보고나 자료 제출을 요청할 수 있습니다. 또한 같은 조에 따라 시설 운영자 등에 대해서 검사·질문을 할 수가 있습니다. 그러나 이러한 요청에도 불구하고 보고 또는 자료 제출을 하지 않거나 거짓으로 한 경우에는 이에 합당한 행정처분을 할 수 있습니다. 또한 검사·질문을 거부·방해하거나 기피한 경우에도 행정처분이 가능합니다. 이 경우 우선 개선명령을 내리고, 그럼에도 불구하고 개선이 되지 않을 경우에는 시설장을 교체토록 하고 있습니다. 그런데 이 건 처분기준을 정함에 있어 시설장은 적극적으로 지도·감독·회계감사에 임하고자 하였으나 시설의 설치·운영자가 이를 방해한 경우에도 시설장 교체 처분을 해야 하는지에 대한 문제제기 여지가 있습니다. 앞에서 살펴본 여러 가지 처분 중 시설장 교체 처분이 포함된 것은 시설장이 직·간접적으로 책임을 져야 하는 건으로서 시설장 교체 처분을 하더라도 어느 정도 정당성이 있다고 할 것입니다. 그러나 이 건의 경우는 시설장의 의사나 의지와 관계없이 시설 설치·운영자의 강압에 의해서 부당행위가 발생하거나 시설 설치·운영자가 직접 위반의 주체가 될 수도 있음에도 불구하고 시설장의 교체를 명할 경우 그 처분의 정당성에 대해서 논란의 여지가 있을 수 있다는 것입니다. 나아가 설치·운영자의 부당한 행위를 저지하는 등의 행위를 한 시설장이 교체 명령 대상이 되어 오히려 부당한 행위를 한 설치·운영자에게 유리하게 작용되는 불합리한 점도 발생될 우려가 있다고 할 것입니다. 생각건대 법 제40조제1항에 따를 경우 행정처분에 있어서는 재량의 여지가 있기 때문에 제51조제1항 및 제2항에 따른 지도·감독·회계감사권 행사 방해 등과 관련하여 시설장의 직·간접적인 책임이 전혀 없는 경우나 시설 설치·운영자가 독단적으로 방해 등의 행위를 한 것이 명백한 경우라고 한다면 시설장 교체 처분은 하지 않는 것이 바람직할 것으로 판단됩니다.

3.8. 성폭력범죄 및 학대범죄 발생

시설에서 ①「성폭력범죄의 처벌 등에 관한 특례법」 제2조제1항제3호부터 제5호까지의 성폭력범죄, ②「아동·청소년의 성보호에 관한 법률」 제2조제3호의 아동·청소년대상 성폭력범죄, ③「아동복지법」 제3조제7호의2의 아동학대관련범죄, ④「노인복지법」 제1조의2제5호의 노인학대관련범죄, ⑤「장애인복지법」 제2조제4항의 장애인학대관련범죄 중 어느 하나에 해당하는 범죄가 발생한 때에는 관련 법률에 따른 처벌과는 별개로 해당 시설에 대해서 행정처분을 하게 됩니다. 이러한 상황에 대한 행정처분은 그 범죄 발생 유형에 따라 다음과 같이 세분하여 나뉘어 있습니다.171)

개인 해석 "시설에서"의 의미

o 「사회복지사업법」 제40조제1항제9호에서는 "시설에서" 성폭력범죄나 학대관련범죄가 발생한 경우에 한해서 행정처분을 하는 것으로 규정하고 있습니다.
- 문구만 놓고 보면 시설에서 성폭력범죄나 학대관련범죄가 발생하기만 하면 모두 행정처분의 대상이 되는 것으로 이해할 수도 있으나, 구체적인 행정처분의 기준을 정하고 있는 「사회복지사업법 시행규칙」 별표 4의 행정처분의 기준을 살펴보면,
- 범죄의 주체는 시설장이나 시설종사자 또는 시설의 거주자·이용자가 되고, 그 피해자는 시설의 거주자·이용자인 경우만 명시하고 있기 때문에 이러한 기준의 범위에 들어오는 사항에 대해서만 이 건 규정이 적용되는 것이라고 할 수 있습니다.
- 따라서 시설장이나 종사자가 아닌 설치운영자나 임원, 또는 제3자가 시설 내에서 관련 범죄를 저지른 경우나 그 피해자가 시설의 거주자·이용자가 아닌 경우, 해당 범죄가 시설이 아닌 곳에서 발생한 경우 등은 모두 다 행정처분의 대상이라고 보기 어렵습니다.
- 다만 거주·생활자가 제3의 장소에서 시설장·종사자 또는 다른 거주·생활자에 의해 피해를 입은 경우에는 시설장·종사자가 해당 시설을 이탈하게 된 사유나 관련 법령의 위반 등의 사항을 고려할 수 있고, 또한 해당 시설장·종사자의 관리·감독에 대한 책임을 물을 수는 있을 것이고, 그렇다면 「사회복지사업법」 제40조제1항제4호에 따른 처분을 가능할 것으로 사료됩니다.(시행규칙 별표 4 → 2. 개별기준 → 4호라목)

o 이는 관련 행정처분의 취지가 해당 사회복지시설의 설치·운영하는 자에게 해당 시설의 운영에 대한 책임을 묻기 위한 것이기 때문에 시설에서 발생한 범죄만을 행정처분의 대상으로 삼고 있는 것이라는 점을 이해해야 합니다.

171) 2019년 6월 「사회복지사업법 시행규칙」 개정에 따라 성폭력범죄나 학대범죄가 발생하면 원칙적으로 시설폐쇄 처분을 하고, 예외적으로 미수범이나 음란행위 등에 대해서만 행정처분을 감경하는 형태로 행정처분 규정 체계가 정비되었음. 처분의 정도나 대상은 종전과 동일.

3.8.1. 원칙

행정처분기준		
1차 위반	2차 위반	3차 위반 이상
시설폐쇄		

시설장이나 종사자가 거주자나 이용자에 대해서 앞에서 언급한 성폭력 범죄나 학대범죄를 저지른 경우(다음에서 언급한 미수범이나 추행, 음란행위 등의 성폭력 범죄를 저지른 경우를 제외) 해당 시설에서 동일한 범죄가 발생할 여지를 주지 않기 위해 범죄 발생 즉시 해당 시설을 폐쇄하는 행정처분을 하게 됩니다. 이는 시설폐쇄를 통한 범죄 재발 방지 효과가 시설의 거주자의 이전과 관련하여 발생하는 불편보다 훨씬 크기 때문에 즉시 폐쇄처분을 하도록 한 것입니다. 주무관청은 이 건과 관련하여 시설폐쇄 처분을 할 때에는 반드시 그 거주자들이 다른 시설로 옮기는 것은 물론이고, 범죄로 인해 발생한 직·간접적인 피해구제를 위해서도 노력해야 할 것입니다.

3.8.2. 시설장에 의한 성폭력범죄 또는 학대범죄가 발생한 경우

행정처분기준		
1차 위반	2차 위반	3차 위반 이상
시설장 교체	시설폐쇄	

시설장이 해당 시설 거주자·이용자에 대해서 「형법」 제300조[172] 또는 「성폭력범죄의 처벌 등에 관한 특례법」 제11조부터 제14조까지의 범죄[173]를 저지른 경우에는 위와 같은 기준으로 행정처분을 하게 됩니다. 이 건에서 규정하고 있는 성폭력 범죄는 시설장이 저지른 경우이므로 1차 행정처분이 시설장 교체가 되고, 지속적으로 발생할 경우에는 시설폐쇄 대상이 됩니다.

3.8.3. 종사자에 의한 성폭력범죄 또는 학대범죄가 발생한 경우

행정처분기준		
1차 위반	2차 위반	3차 위반 이상
개선명령	시설장 교체	시설폐쇄

172) 「형법」 제300조(미수범) 제297조(강간), 제297조의2(유사강간), 제298조(강제추행) 및 제299조(준강간, 준강제추행)의 미수범은 처벌한다.

173) 제11조(공중밀집 장소에서의 추행), 제12조(성적 목적을 위한 공공장소 침입행위), 제13조(통신매체를 이용한 음란행위), 제14조(카메라 등을 이용한 촬영)

시설 종사자가 해당 시설 거주자·이용자에 대해서 「형법」 제300조 또는 「성폭력범죄의 처벌 등에 관한 특례법」 제11조부터 제14조까지의 범죄를 저지른 경우에는 위와 같은 기준으로 행정처분을 하게 됩니다. 시설 종사자가 저지른 범죄로서 우선 해당 종사자를 해고하는 등 개선을 명령하고, 지속적으로 발생할 경우에는 그 관리책임을 물어 시설장을 교체하거나, 시설을 폐쇄하는 처분을 하게 됩니다.

3.8.4. 거주자·이용자 간에 성폭력범죄 또는 학대범죄가 발생한 경우

행정처분기준		
1차 위반	2차 위반	3차 위반 이상
개선명령	시설장 교체	시설폐쇄

시설 거주자나 이용자 간에 성폭력 범죄가 발생한 경우는 우선 재발 방지를 위한 개선을 명령하고, 지속적으로 발생할 경우에 그 관리책임을 물어 시설장을 교체하거나 시설을 폐쇄하는 처분을 하게 됩니다.

3.9. 재개권고 불이행

행정처분기준		
1차 위반	2차 위반	3차 위반 이상
개선명령(6개월 내 재개)	시설폐쇄	

1년 이상 휴지상태에 있는 시설인 경우로서 시장·군수·구청장이 시설 운영 재개를 권고하였음에도 불구하고 재개하지 않은 경우에는 한 번 더 6개월 이내에 재개토록 개선명령을 내리고, 그 이후에도 재개하지 않는다면 시설 운영의 의지가 없는 것으로 보아 시설폐쇄 처분을 하게 됩니다.

4. 처분 시 유의사항

4.1. 차수 적용

앞에서 언급한 각종 처분사항은 그 위반 차수에 따라 각각 달라집니다. 이 경우 차수는 최근 3년간(성폭력범죄 관련은 5년간) 같은 위반행위로 행정처분을 받은 경우에 적용하게 됩니다. 이 경우 기간의 계산은 위반행위에 대하여 행정처분을 받은 날과 그 처분 후 다시 같은 위반행위를 하여 적발된 날을 기준으로 하게 됩니다.[174]

---

174) 종전에는 차수(次數) 적용 기준에 대한 사항을 판례(대법원 2014. 6. 12. 선고 2014두2157 판결)에 따라 같은 위반행위를 한 날로 보았으나, 2017년 10월 16일에 「사회복지사업법 시행규칙」 개정을 통해 위반행위에 대한 적발일로 명시

참조 판례	'재적발일'과 관련된 종전 판례
o 사건번호 : [대법원 2014.6.12, 선고, 2014두2157, 판결]	
o 재적발일이라고 함은 행정청에서 해당 위반행위를 적발한 날이 아니라 "종전의 같은 위반행위에 대한 행정처분 후에 영업자가 같은 위반행위를 한 날"을 의미	

4.2. 처분기준 예외

4.2.1. 두 가지 이상 위반 시 처분

앞에서 언급하고 있는 각각의 처분대상이 되는 위반행위가 2종류 이상인 경우에는 그 중 가장 무거운 위반행위에 대한 처분기준을 적용합니다. 보다 무거운 위반행위라고 함은 그 행정처분 기준이 보다 더 무거운 위반행위를 의미합니다. 행정처분의 경중(輕重)을 따지자면 "시설폐쇄 〉 시설장 교체 〉 개선명령" 순으로 무겁다고 할 것입니다. 여기서 유의해야 할 점은 시행규칙 별표 4 행정처분의 기준 제2호의 개별기준 중 제4호나 제9호에서 각 목을 두어 열거하고 있는 위반행위도 각각 다른 종의 위반행위로 셈해야 한다는 것입니다. 개별기준 중 제4호나 제9호의 각 목에 해당하는 위반행위는 각각 서로 다른 위반행위로서 그 위반행위 별로 별도의 처분기준을 가지고 있기 때문에 이는 별도로 독립된 위반행위로 보아야 하기 때문입니다.

4.2.2. 시설폐쇄 처분 특례

앞에서 언급하고 있는 각각의 처분대상이 되는 위반행위를 4종류 이상 저질렀거나, 시설 거주자에 대한 학대·성폭력 등 중대한 불법행위가 발생하여 해당 시설의 정상적인 불가능하다고 인정할 때에는 개별 행정처분기준에도 불구하고 시설폐쇄 처분을 내릴 수 있습니다.

4.2.3. 처분기준의 감경(減輕)

시설장 교체 또는 시설폐쇄 명령에 해당되는 위반행위가 있었다고 하더라도, 그 위반 정도가 경미(輕微)하거나, 그러한 위반행위가 발생할 수밖에 없었던 상당한 사유가 있다고 인정이 되면 각각 1회에 한해서 "시설장 교체 → 개선명령", "시설폐쇄 → 시설장 교체"와 같이 처분을 갈음할 수 있습니다. 이러한 감경처분을 한 경우에는 그 감경처분은 앞에서 언급한 차수의 선정에는 산입(算入)하지 않습니다.

第41조(시설 수용인원의 제한)

第41조(시설 수용인원의 제한) 각 시설의 수용인원은 300명을 초과할 수 없다. 다만, 대통령령으로 정하는 경우에는 그러하지 아니하다.

→ 「사회복지사업법 시행령」 제19조(수용인원 300명 초과시설)

이 조문은 사회복시설의 대규모화를 방지하기 위해 도입된 조문입니다. 원칙적으로 사회복지시설은 그 인력이나 설비가 완벽하게 갖추어졌다고 하더라도 해당 시설에 300이상의 사람을 거주시킬 수는 없습니다. 다만, 「노인복지법」 제32조에 따른 노인주거복지시설 중 양로시설과 노인복지주택이나 같은 법 제34조에 따른 노인의료복지시설 중 노인요양시설의 경우는 그 시설의 특성상 인적·물적기준을 충족하면 300명이상을 수용할 수 있습니다.

제3장의2

재가복지

제41조의2(재가복지시설)/제41조의4(가정봉사원의 양성)

제41조의2(재가복지서비스) ① 국가나 지방자치단체는 보호대상자가 다음 각 호의 어느 하나에 해당하는 재가복지서비스를 제공받도록 할 수 있다.

1. 가정봉사서비스: 가사 및 개인활동을 지원하거나 정서활동을 지원하는 서비스
2. 주간 · 단기 보호서비스: 주간 · 단기 보호시설에서 급식 및 치료 등 일상생활의 편의를 낮 동안 또는 단기간 동안 제공하거나 가족에 대한 교육 및 상담을 지원하는 서비스

② 시장 · 군수 · 구청장은 「사회보장급여의 이용 · 제공 및 수급권자 발굴에 관한 법률」 제15조에 따른 보호대상자별 서비스 제공 계획에 따라 보호대상자에게 사회복지서비스를 제공하는 경우 시설 입소에 우선하여 제1항 각 호의 재가복지서비스를 제공하도록 하여야 한다.

제41조의4(가정봉사원의 양성) 국가나 지방자치단체는 재가복지서비스를 필요로 하는 가정 또는 시설에서 보호대상자가 일상생활을 하기 위하여 필요한 각종 편의를 제공하는 가정봉사원을 양성하도록 노력하여야 한다.

이 조문은 2003년 7월에 신설된 조문으로서 종전의 사회복지서비스가 보호를 필요로 하는 사람을 사회로부터 격리·수용하는 방향으로 진행된 것에 대한 문제의식에서 비롯된 것입니다.[175] 이 조문에 따라 국가나 지자체는 보호를 필요로 하는 사람이 자신의 가정에서 관련 서비스를 제공받을 수 있도록 하고, 특히 사회복지서비스를 제공하는 경우에는 각종 재가복지서비스 제공을 시설 입소보다 우선하여 제공하여야 합니다. 또한 재가복지서비스를 원활히 제공하기 위해서 가정봉사원의 양성에도 노력해야 합니다.

175) 「국회 보건복지위원회 검토보고서(16593)」, 11쪽 참조

제4장

보칙

제42조(보조금 등)

제42조(보조금 등) ① 국가나 지방자치단체는 사회복지사업을 하는 자 중 대통령령으로 정하는 자에게 운영비 등 필요한 비용의 전부 또는 일부를 보조할 수 있다.
② 제1항에 따른 보조금은 그 목적 외의 용도에 사용할 수 없다.
③ 국가나 지방자치단체는 제1항에 따라 보조금을 받은 자가 다음 각 호의 어느 하나에 해당할 때에는 이미 지급한 보조금의 전부 또는 일부의 반환을 명할 수 있다. 다만, 제1호 및 제2호의 경우에는 반환을 명하여야 한다.
1. 거짓이나 그 밖의 부정한 방법으로 보조금을 받았을 때
2. 사업 목적 외의 용도에 보조금을 사용하였을 때
3. 이 법 또는 이 법에 따른 명령을 위반하였을 때
④ 제1항에 따른 보조금과 관련하여 이 법에서 규정한 사항 외에는 「보조금 관리에 관한 법률」 및 「지방재정법」을 따른다.

→ 「사회복지사업법 시행령」 제20조(보조금 등)

1. 보조금의 정의 및 성격

「보조금 관리에 관한 법률」 제2조제1호에서는 국가 외의 자가 수행하는 사무 또는 사업에 대하여 국가(「국가재정법」 등 관련 법률에 따라 설치된 기금을 관리·운용하는 자를 포함)가 법인·단체 또는 개인의 시설자금이나 운영자금으로 교부하는 금전을 보조금으로 정의하고 있습니다. 이러한 보조금은 보조금 교부에 대한 신청이 있는 경우 같은 법 제17조제1항 각 호에 따른 사항인 △법령 및 예산의 목적 적합 여부, △보조사업 내용의 적정 여부, △금액 산정의 착오 유무, △자기자금의 부담능력 유무 등 조사한 후에 그 교부 여부를 결정하게 됩니다. 즉 보조금은 그 보조금을 교부하고자 하는 국가나 지자체가 필요에 따라 신청을 받고, 그 신청을 면밀히 검토한 후에 교부하게 되는 것으로서, 당연히 받을 수 있다거나 반드시 교부하여야 한다는 주장할 수 있는 대상은 아닙니다. 따라서 사회복지시설을 설치·운영한다는 이유만으로 보조금을 당연히 지급 받는다거나, 한 번 받기 시작하면 당연히 계속하여 받는다는 등의 인식은 법리적으로나 사회복지사업 수행자의 자비(自費) 부담 원칙의 측면에서도 잘못된 것이라고 할 수 있습니다.

2. 보조금을 받을 수 있는 자

법 제42조에서는 사회복지사업을 하는 자 중에서 대통령령으로 정하는 자에게 운영비 등 필요한 비용의 전부 또는 일부를 보조할 수 있도록 규정하고 있습니다.

이에 따라 대통령령으로 정하는 자에는 △사회복지법인, △사회복지사업을 수행하는 비영리법인, △사회복지시설 보호대상자를 수용하거나 보육 · 상담 및 자립지원을 하기 위하여 사회복지시설을 설치 · 운영하는 개인이 해당됩니다. 이러한 조문의 구조나 「민법」상 권리능력의 주체와 관련된 조문을 종합적으로 미루어 판단하면 보조금은 사회복지사업을 하는 법인이나 자연인 중 일부만이 받을 수 있는 것입니다. 실무상으로 "시설에 대해서 보조금을 지급한다."라거나 "시설보조금"이라는 용어를 사용하는 경우가 있는데 이는 보조금 지급과 관련된 법리 및 「민법」 권리능력 등과 관련한 법리에 대한 몰이해에 비롯된 것으로서 상당히 유의해야 할 사안입니다.

우선 "시설에 대해서 보조금을 지급한다."는 것을 살펴보면 시설은 권리·의무의 객체로서 사회복지사업의 도구에 불과한 것이므로 보조금을 지급 받을 주체가 될 수 없습니다. 정확하게 표현을 하면 해당 보조금은 사회복지시설을 설치·운영하는 사회복지법인, 비영리법인 또는 개인에게, 해당 사회복지시설의 운영에 사용할 것을 용도로 하여 지급하는 것입니다. 이 경우 현금의 흐름은 시설의 설치·운영자인 사회복지법인 등 법인이나 개인이 자신의 명의로 개설한 통장 중 해당 시설의 보조금 전용 통장을 지정하여, 그 통장으로 보조금을 지급 받는 것입니다. 회계의 흐름은 더욱 간단하여 해당 시설회계 세입 과목중 보조금 수입으로 처리하면 됩니다. 시설회계는 해당 시설의 설치·운영자인 사회복지법인 등 법인이나 개인이 자신의 자산의 일부인 사회복지시설을 관리하는 데 필요하여 법령에 따라 설치한 회계이므로 당연히 그 관리자도 시설의 설치·운영자인 사회복지법인 등이 됩니다. 「사회복지법인 및 사회복지시설 재무·회계 규칙」에서 시설회계와 관련하여 시설장에게 관련 의무를 부과하고 있는 것은 보조금 처리 업무를 포함한 실제 시설에서 발생하는 각종 업무에 대해서 실질적인 역할을 하는 시설장에게도 책임을 부과하기 위한 취지인 것이지, 이러한 조문으로 미루어 시설의 설치·운영자가 해당 시설회계에 책임이 없다거나, 시설회계가 설치·운영자가 아닌 다른 독립된 주체에 의해서 관리·운영되는 것으로 말할 수는 없습니다.

"시설보조금"이라는 용어의 경우도 정확하게 표현하자면 "시설 설치·운영자에게 시설 운영에 사용할 것을 목적으로 주는 보조금"이라고 할 것입니다. 시설보조금이라는 용어로 인해서 마치 해당 보조금이 그 수령에 대한 권리능력이 없는, 법률상 권리·의무의 객체인 시설에 대해서 지급하는 것이라는 오해가 유발되지 않도록 유의해야 할 것입니다.

3. 보조금 반환

보조금을 받은 자가 거짓이나 부정한 방법으로 보조금을 받은 경우나 사업 목적 외의 용도에 보조금을 사용한 경우에는 반드시 그 반환을 명해야 하며, 「사회복지사업법」이나 「사회복지사업법」에 따른 명령을 위반한 경우에는 그 사안을 가려 보조금의 반환을 명할 수 있습니다. 「사회복지사업법」이나 그에 따른 명령을 위반한 자에 대한 반환명령은 사회복지사업 수행을 목적으로 하여 교부받은 보조금을 사용할만한 자격이 없다는 취지가 담겨 있는 것이라고 할 수 있습니다. 보조금 반환과 관련하여 명심하여야 할 사항은 보조금을 반환해야 할 의무자는 "보조금을 받은 자"라는 점입니다. 예컨대 인건비를 지원할 목적으로 지급된 보조금을 재원으로 하여 정당하게 임금을 받은 사회복지시설의 종사자가 있다면 그 사람은 보조금을 재원으로 급여를 받은 자일뿐이고, 보조금을 받은 자는 임금을 지급한 자, 즉 해당 시설의 설치·운영자가 되는 것입니다. 이러한 구분이 중요한 이유는 보조금 반납에 대한 행정처분이나 강제처분을 누구를 대상으로 해야 하는지의 문제 등과 같이 그 처분의 적법성이나 정당성과 직접적인 연관이 되기 때문입니다.

사례 예시 **호봉산정 경력을 잘못 계산한 경우 보조금 반환 의무자**

o 「사회복지시설 관리안내」에서 정하고 있는 보조금을 재원으로 하여 인건비를 지원할 수 있는 경력기준을 잘못 적용하여 호봉을 더 높이 계산하여 종사자 급여를 받은 경우,
- 해당 급여를 받은 종사자가 경력기준을 잘못 적용한 것에 대해서 허위로 경력을 제출하였거나 그 밖에 위법한 행위를 하지 않았다면 해당 종사자에 대해서 보조금 과지급(過支給)을 이유로 반환을 요청할 수는 없습니다.
- 왜냐하면 해당 종사자는 보조금을 재원으로 하는 급여를 받은 것이지 "보조금을 받은 자"는 아니기 때문입니다.
- 따라서 이러한 경우 경우에는 시설 설치·운영자가 보조금을 받은 자로서 해당 보조금 과지급분을 반환하여야 합니다.

제42조의2(국유·공유 재산의 우선매각)

제42조의2(국유 · 공유 재산의 우선매각) 국가나 지방자치단체는 사회복지사업과 관련한 시설을 설치하거나 사업을 육성하기 위하여 필요하다고 인정하면 「국유재산법」과 「공유재산 및 물품 관리법」에도 불구하고 사회복지법인 또는 사회복지시설에 국유 · 공유 재산을 우선매각하거나 임대할 수 있다.

「국유재산법」과 「공유재산 및 물품 관리법」에서는 국유재산이나 공유재산의 매각이나 사용허가·대부계약에 관해서 그 요건이나 대상 등을 매우 엄격하게 규정하고 있습니다. 현행 「국유재산법」 등에는 사회복지법인이나 사회복지시설을 설치·운영하는 자에 대해 특례를 두어 우선매각이나 임대와 관련된 사항을 정하고 있는 바는 없습니다. 이러한 상황을 반영하여 「사회복지사업법」에서는 별도로 국유재산이나 공유재산의 매각 등에 대해서 특례를 두고 있습니다. 그러나 본 규정만으로는 「국유재산법」이나 「공유재산 및 물품 관리법」에서 규정하고 있는 어떠한 사항에 대해서 특례를 인정한다는 것인지 분명치가 않습니다. 더구나 국유재산과 관련한 특례의 경우 「국유재산특례제한법」에 따라 규제를 받고 있고, 「국유재산특례제한법」에서 규정하고 있는 「사회복지사업법」과 관련한 내용은 국가에 귀속된 사회복지법인의 잔여재산을 다른 사회복지법인 등에게 무상으로 사용·수익하게 할 수 있는 것이 전부이므로 과연 「사회복지사업법」 제42조의2 규정만으로 어떤 특례 효과를 발생시킬 수 있을 지는 의문입니다.

여러 가지 법률관계나 그 정책적인 목표 등을 두루 살펴보건대 이 조문은 선언적인 성격이 강한 것으로서, 굳이 적용을 한다면 국가나 지자체가 그 국유재산이나 공유재산에 대해서 「국유재산법」 등에 따라 매각이나 임대와 관련한 재량을 행사할 수 있을 때 최대한 사회복지법인이나 사회복지시설을 고려하라는 취지 정도로 이해할 수 있을 것입니다.

⚠ 유의사항 **"사회복지시설에 국유 · 공유 재산을 우선매각하거나 임대"의 의미**

o 이미 살펴본 바와 같이 사회복지시설은 권리·의무의 객체로서 어떤 행위를 할 수 있는 지위를 가지고 있지 않습니다. 따라서 동 조문과 같이 "사회복지시설에" 국유재산 등을 매각하거나 임대하는 행위를 할 수 없습니다.

- 이는 입법자가 권리능력의 주체와 객체를 혼동하여 조문을 구성한 것으로 사료되며, 따라서 "사회복지시설을 설치·운영하는 자가 사회복지시설 관련 용도로 사용할 경우"에로 해석하는 것이 바람직합니다.

제42조의3(지방자치단체에 대한 지원금)

제42조의3(지방자치단체에 대한 지원금) ① 보건복지부장관은 시 · 도지사 및 시장 · 군수 · 구청장에게 사회복지사업의 수행에 필요한 비용을 지원할 수 있다.
② 보건복지부장관은 「사회보장급여의 이용 · 제공 및 수급권자 발굴에 관한 법률」 제39조에 따른 평가결과를 반영하여 제1항에 따른 지원을 할 수 있다.
③ 제1항에 따른 지원금의 지급기준 · 지급방법 등에 관하여 필요한 사항은 보건복지부령으로 정한다.
→ 「사회복지사업법 시행규칙」 제26조의3(지원금의지급기준)

보건복지부장관은 사회복지사업의 수행과 관련하여 시·도지사, 시장·군수·구청장에게 그 예산의 범위 내에서 필요한 비용을 지원할 수 있습니다. 이는 지방자치단체가 직접 수행하는 여러 가지 사회복지사업을 조장하고, 보다 나은 질의 서비스를 제공토록 하기 위해 지급하는 것입니다. 지급되는 지원금은 해당 지자체가 수행하는 복지사업과 관련한 것으로서 「사회보장급여의 이용 · 제공 및 수급권자 발굴에 관한 법률」 제39조에 따른 평가결과를 반영하고, 해당 복지사업이 복지행정의 발전이나 주민의 복지증진에 기여하였는지 등을 종합적으로 고려하여 지급하게 됩니다.

제43조(시설의 서비스 최저기준)

제43조(시설의 서비스 최저기준) ① 보건복지부장관은 시설에서 제공하는 서비스의 최저기준을 마련하여야 한다.

② 시설 운영자는 제1항의 서비스 최저기준 이상으로 서비스 수준을 유지하여야 한다.

③ 제1항의 서비스 기준 대상시설과 서비스 내용 등에 관하여 필요한 사항은 보건복지부령으로 정한다.

→「사회복지사업법 시행규칙」 제27조(시설의 서비스 최저기준)

보건복지부장관은 모든 사회복지시설에서 제공하는 서비스의 최저기준을 마련하여야 하고, 시설을 운영하는 자는 그 최저기준 이상으로 서비스 수준을 유지해야 할 의무가 있습니다. 이는 사회복지시설에서 거주하거나 시설을 이용하는 사람들에게 제대로 된 서비스가 제공될 수 있도록 하기 위함입니다.

시설별 서비스 최저기준은 시설이나 관련 정책 환경 등에 따라 무수히 많은 수의 종류가 있을 것이나, △시설 이용자의 인권, △시설의 환경, △시설의 운영, △시설의 안전관리, △시설의 인력관리, △지역사회 연계, △서비스의 과정 및 결과 등은 반드시 포함되어야 하며, 그 밖에 시설별로 서비스 최저기준 유지에 필요한 사항으로 판단하는 사항을 포함하여야 합니다. 다만, 각 시설별로 그 서비스의 기준에 차이가 있기 때문에 시설 관련 개별 법령이나 관련 지침 등에서 각각 따로 서비스 최저기준을 정하게 됩니다.

제43조의2(시설의 평가)

제43조의2(시설의 평가) ① 보건복지부장관과 시·도지사는 보건복지부령으로 정하는 바에 따라 시설을 정기적으로 평가하고, 그 결과를 공표하거나 시설의 감독·지원 등에 반영할 수 있으며 시설 거주자를 다른 시설로 보내는 등의 조치를 할 수 있다.
② 보건복지부장관이나 시·도지사는 제1항의 평가 결과에 따라 시설 거주자를 다른 시설로 보내는 경우에는 제38조제3항의 조치를 하여야 한다.
→「사회복지사업법 시행규칙」 제27조의(시설의 평가)

보건복지부장관과 시·도지사는 모든 사회복지시설에 대해서 3년마다 평가를 실시합니다. 이를 통해 각 시설에서 제공되는 서비스의 질을 가늠함으로써 시설에 대한 감독이나 지원을 위한 기본 자료로 사용을 하고, 궁극적으로는 시설의 거주자에게 제대로 된 서비스를 제공하는지를 판단하기 위함입니다. 시설의 평가결과에 따라 우수하거나 개선이 잘 된 시설의 경우에는 인센티브를 지원하는 등의 혜택을 제공하고, 평가결과가 나쁜 경우에는 운영개선을 요청하거나, 해당 시설에 거주하는 사람들을 다른 시설로 옮기는 등의 조치를 취하게 됩니다.[176]

176) 시설의 평가에 관한 구체적인 사항은「사회복지시설 관리안내」참조

제44조(비용의 징수)

제44조(비용의 징수) 이 법에 따른 복지조치에 필요한 비용을 부담한 지방자치단체의 장이나 그 밖에 시설을 운영하는 자는 그 혜택을 받은 본인 또는 그 부양의무자로부터 대통령령으로 정하는 바에 따라 그가 부담한 비용의 전부 또는 일부를 징수할 수 있다.

→ 「사회복지사업법 시행령」 제21조(비용의 징수)

→ 「사회복지사업법 시행규칙」 제28조(비용징수의 통지)

1. 의의

국가나 지자체가 「사회복지사업법」에 따른 여러 가지 조치를 하거나, 민간에서 사회복지와 관련한 여러 가지 서비스를 제공하는 경우에는 필연적으로 그에 따른 비용이 발생하게 됩니다. 국가나 지자체가 복지와 관련하여 수행하는 여러 가지 조치는 「헌법」 제34조 및 「사회복지사업법」 제34조 등에 따라 부여된 사회복지 증진과 향상을 위한 책임의 일환으로서 공적예산을 통해서 이루어질 것이고, 민간의 경우는 당연히 사회서비스 제공에 있어서 자신의 인적·물적 자원을 동원하는 방법으로 이루어질 것입니다. 즉, 사회서비스의 제공자는 공적이건 사적이건 모두 자신이 가지고 있는 자원을 동원하여 서비스를 제공하는 것이므로 그 비용에 충당할 수 있는 적절한 비용을 그 서비스를 제공받는 사람에게 반대급부로서 지급받는 것이 일반적인 경제원칙에 부합되는 것이라고 할 수 있습니다.

한편 법 제44조의 조문을 살펴보면 "복지조치(福祉措置)"에 필요한 "비용을 징수(徵收)"하는 근거로 읽을 수 있습니다. 이때 조치(措置)는 "문제나 사태를 해결하기 위해 필요한 대책을 세움"이라는 의미가 있는 것으로서 복지조치라는 것은 통상적인 상황이 아니라 특별한 대책의 일환으로 복지서비스를 제공하는 상황으로 판단됩니다. 한편 징수(徵收)는 "국가나 공공 단체에서 행정 목적 달성을 위해 국민들에게서 조세·수수료·현품 따위를 거두어들임"이라는 사전적 의미가 있습니다. 이러한 용어의 정의를 종합적으로 고려하면 법 제44조는 시설이용 등 사회서비스 이용과 관련하여 비용(費用)을 받을 수 있다는 단순한 내용의 조문이라고 보기는 어렵습니다. 오히려 국가, 지자체, 사회복지 사업자는 사고나 문제 상태에 있는 사람에 대해서 그 사람의 선택과는 무관하게 우선 서비스를 제공한 후에, 원래 그러한 서비스에 대해서 비용을 납부해야 하는 본인 또는 그러한 본인을 잘 돌봐야 하는 의무가 있는 부양 의무자에게 해당 비용을 징수할 수 있다는 취지의 조문으로 해석을 하는 것이 적절할 것으로 사료됩니다. 예컨대 노숙자인 경우 국가·지자체가 우선 필요한 조치를 하고, 그에 대해서 비용이 발생하면, 노숙자 본인이나 그 노숙자를 원래 돌봐야 되는 부양 의무자에게 그 비용을 청구할 수 있다는 의미라고 할 것입니다. 다만 이러한 비용의 청구에 있어서 서비스 제공자에 대해서 비용의 산출 근거를 명시하여 통지하도록 의무를 부여하고 있는 것입니다.

2. 징수방법 및 예외

위와 같은 비용 징수는 혜택을 받은 본인이나 부양 의무자[177]에 대해서 하며, 반드시 비용징수 통지서를 통해서 진행을 해야 합니다. 다만, 혜택을 받는 본인이 「국민기초생활 보장법」에 따른 수급자인 경우에는 그 비용을 징수해서는 아니 됩니다. 「국민기초생활 보장법」에 따른 수급자는 그 경제적 여건 등으로 인해 국가나 지자체로부터 여러 가지 급여를 받을 수밖에 없는 상황에 처해있는 경우가 대부분이므로 납부할 비용을 마련하는 것이 어렵기 때문입니다. 이 경우 시설을 설치·운영하는 자는 국가나 지자체에 대해서 해당 비용을 보전하여 줄 것을 요구할 수 있을 것이고, 이에 대해 보조금 지급 등으로 보전이 가능할 것으로 판단됩니다.

---

177) 부양 의무자는 말 그대로 부양의 의무가 있는 사람으로서, 자신의 부양의무를 지자체나 시설에서 대신하여 이행하는 것이 되므로 그에 대한 비용을 부담하는 것임.

제45조(후원금의 관리)

제45조(후원금의 관리) ① 사회복지법인의 대표이사와 시설의 장은 아무런 대가 없이 무상으로 받은 금품이나 그 밖의 자산(이하 "후원금"이라 한다)의 수입 · 지출 내용을 공개하여야 하며 그 관리에 명확성이 확보되도록 하여야 한다.

② 후원금에 관한 영수증 발급, 수입 및 사용결과 보고, 그 밖에 후원금 관리 및 공개 절차 등 구체적인 사항은 보건복지부령으로 정한다.

→ **「사회복지법인 및 사회복지시설 재무·회계 규칙」**

1. 후원금의 정의

후원금은 △아무런 대가 없이, △무상으로 받은 금품이나 그 밖의 자산을 의미합니다. 따라서 비용을 지불하거나 그에 상당하는 의무를 부담하여야 하는 금품은 그 명칭과 무관하게 「사회복지사업법」에 따른 후원금으로 볼 수 없습니다. 후원하는 것은 금품이나 자산이므로 그 종류는 가치가 있는 모든 동산·부동산을 모두 망라한다고 할 수 있습니다. 또한 그 형태가 없는 것이라고 하더라도 재산권이 있다고 인정되는 각종 권리[178]도 「사회복지사업법」에 따른 후원금에 해당된다고 할 수 있습니다. 그러나 법령에 따라서 의무화된 회비나 그 밖에 납부의무로 인해서 제공되는 금품은 권리나 권한의 유지를 위한 것이므로 아무런 대가가 없는 것이라고 보기 어려워 이를 후원금으로 볼 수 없습니다.

2. 관리의무

사회복지법인이나 사회복지시설에서 사용할 목적으로 후원된 금품의 경우 「사회복지법인 및 사회복지시설 재무·회계 규칙」에 따라 사용 및 결과 공개 등의 절차를 준수하여야 합니다. 「사회복지법인 및 사회복지시설 재무·회계 규칙」 제41조의7에 따른 비지정후원금의 사용용도나 같은 규칙 제44조에 따른 시행세칙은 보건복지부에서 편찬한 「사회복지시설 관리안내」 및 「사회복지법인 관리안내」에 규정되어 있습니다.[179]

3. 「기부금품의 모집 및 사용에 관한 법률」 준수 필요

「사회복지사업법」에서 규정하고 있는 후원금은 「기부금품의 모집 및 사용에 관한 법률」에 따른 기부금에도 해당되므로, 두 법률을 모두 준수해야 한다는 점을

---

178) 저작권, 특허권 등

179) 보건복지부, 「2023 사회복지법인 관리안내」, 149쪽 및 「2023 사회복지시설 관리안내」, 142쪽 참조

각별히 유의해야 합니다. 「사회복지사업법」에서는 사회복지법인이나 시설과 관련하여 이미 수령한 후원금을 어떻게 사용해야 하는지에 대해서만 규정하고 있을 뿐이고, 수령이나 모집 등의 다른 절차에 대해서는 달리 정하고 있지 않습니다. 따라서 후원금(=기부금)을 모집하거나, 접수하는 일반적인 절차는 반드시 「기부금품의 모집 및 사용에 관한 법률」에 부합되도록 진행하여야 합니다.

예컨대 1천만원 이상 10억원 이하의 후원금을 모집하기 위해서는 반드시 광역시도지사에게 모집 등록을 해야 하고, 10억원을 초과하여 모집하기 위해서는 행정안전부장관에게 모집 등록을 하여야 합니다. 만일 모집 등록을 하지 않고, 모집을 하는 경우에는 징역이나 벌금형의 대상이 됩니다. 또한 모집 행위에는 후원금을 납부하라는 적극적인 권유행위뿐만 아니라 홈페이지나 명함, 관련 책자 등에 후원금 계좌를 명시하는 등 간접적인 경우도 포함이 되므로 후원금의 규모에 따라 반드시 모집 등록을 하여야 합니다.

제45조의2(상속인 없는 재산의 처리)

제45조의2(상속인 없는 재산의 처리) ① 시설을 설치 · 운영하는 자는 그 시설에 입소 중인 사람이 사망하고 그 상속인의 존부가 분명하지 아니한 때에는 「민법」 제1053조부터 제1059조까지의 규정에 따라 사망한 사람의 재산을 처리한다. 다만, 사망한 사람의 잔여재산이 500만원 이하인 경우에는 관할 시장 · 군수 · 구청장에게 잔여재산 목록을 작성하여 보고하는 것으로 그 재산의 처리를 갈음할 수 있다.

② 제1항 단서에 따른 보고를 받은 시장 · 군수 · 구청장은 제2조제1호 각 목의 법률에서 정하는 절차에 따라 사망한 사람의 재산을 처리할 수 있다.

1. 조문의 취지

사람이 사망을 하면 그 즉시 사망한 사람이 소유하고 있던 재산에 대한 상속이 이루어집니다. 이때 상속받을 사람이 명확하면 그 사람이 상속을 받으면 되지만, 상속받을 사람이 명확하지 않을 경우에는 「민법」 제1053조부터 제1059조에서 규정하고 있는 절차에 따라서 사망한 사람의 재산을 처리하게 됩니다. 즉, ①상속재산관리인 선임 청구, ②상속재산관리인 선임 및 공고, ③상속인 없는 재산의 청산 공고, ④상속인 수색 공고, ⑤특별연고자에 대한 분여, ⑥상속재산의 국가귀속이라는 절차를 거쳐야 합니다. 그런데 「민법」상의 절차는 상속받을 사람의 권리를 두텁게 보장하는 반면 그 절차가 다소 복잡하고, 처리 기간이 매우 길다는 특징이 있습니다. 한편 사회복지시설에서 연고자가 없는 사망자가 발생한 경우 위와 같은 「민법」 규정을 미처 제대로 알지 못해 사망자의 잔여재산을 임의로 처분하는 등의 상황이 발생하기도 합니다.

이러한 여러 가지 사정을 고려해서 「사회복지사업법」에 제45조의2를 신설하여 사회복지시설에 입소 중에 사망한 사람으로서 잔여재산이 500만원 이하인 경우에 한해서 「민법」상의 절차를 간소화하여, 시장·군수·구청장에게 잔여재산의 목록을 작성하여 보고하는 것으로써 잔여재산을 처리할 수 있도록 한 것입니다. 보고를 받은 시장·군수·구청장은 「사회복지사업법」 제2조제1호 각 목으로 열거한 법률에서 정하는 바에 따라서 재산을 처리할 수 있습니다.

요약해보면 이 조문은 사회복지시설의 설치·운영자가 그 시설에 입소한 사람이 무연고인 상태에서 사망했을 경우 잔여재산을 처리할 수 있는 근거와 설치·운영자로부터 보고를 받은 시장·군수·구청장이 그 잔여재산을 처리할 수 있는 근거에 대해서 각각 정하고 있는 것입니다.

2. 시설 설치·운영자의 처리 절차

이 규정은 「민법」에 일반적인 절차가 있음에도 불구하고, 사회복지사업의 특별한 사정을 고려하여, 보다 간소하게 절차를 규정한 것입니다. 따라서 그 적용 대상을 필요최소한으로 제한할 필요가 있습니다. 제45조의2에서는 ①시설에 입소 중인 사람이 사망하고, ②그 상속인의 존부가 분명하지 아니한 때, ③사망한 사람의 잔여재산이 500만원 이하일 경우에 간소화된 절차를 진행할 수 있도록 하고 있습니다. 각 요건을 자세히 살펴보면 다음과 같습니다.

2.1. 시설에 입소 중인 사람

「사회복지사업법」에서는 "입소"라는 용어에 대해서 별도의 정의를 하고 있지 않기 때문에 시설에 입소 중이라는 것이 어떠한 상황인지에 대해서 먼저 판단할 필요가 있습니다. 먼저 입소는 사전상 "훈련소, 연구소, 교도소 따위에 들어감"이라는 의미를 갖습니다. 한편 사회복지사업의 근거가 되는 법률 중 「노인복지법」에서는 노인주거복지시설이나 재가노인복지시설을 이용하는 것과 관련해서 입소라는 용어를 사용하고 있습니다. 「노숙인복지법」에서는 일시적으로 이용하는 시설이나 생활하는 시설 모두에 대해서 입소라는 용어를 사용하고 있습니다.

이러한 사항을 종합적으로 고려해 보면, 시설에 입소 중인 사람은 어떠한 형태이건 사회복지시설을 이용하는 사람으로 보는 것이 바람직하다고 할 것입니다. 이른바 이용시설을 잠시 이용하는 과정에 사망하는 사람이 발생하는 경우에도 적용을 해야하는지에 대해서는 논란의 여지가 있을 수도 있으나 해당 시설의 설치·운영자가 잔여재산을 관리하여야 하는 상황에 놓이게 되는 경우라고 한다면 굳이 생활시설에만 국한할 필요는 없을 것으로 판단됩니다.

요컨대 시설에 입소 중인 사람은 사회복지시설을 이용하거나 해당 시설에서 생활하는 사람이 모두 다 포함되는 경우라고 할 수 있을 것입니다.

2.2. 상속인의 존부가 분명하지 않을 때

상속인의 존부가 분명하지 않을 때라고 하는 것은, 상속을 받을 사람이 있는지 여부가 명확하지 않은 경우를 의미합니다. 그런데 상속인이 있는지 여부가 불분명하다는 것이 어느 정도까지 인지에 대해서는 「민법」이나 「사회복지사업법」에서 따로 정하고 있지 않기 때문에 이를 판단하는 것이 간단하지 않습니다. 실무상 사망자가 생존 시에 자신의 가족관계등록부나 제적부 등을 제시하여서 상속인이 없다는 것이 객관적으로 명확한 경우가 아니라고 한다면, 거의 모든 경우에서 상속인의 존부가 분명하지 않다고 할 여지가 매우 큽니다. 왜냐하면 시설 입소 기간 중에 방문객이 있었다고 하더라도 그러한 방문객이 반드시 「민법」상 상속인이라고 할 수도 없고, 사망 후에는 시설의 설치·운영자가 사망자와 관련된 가족관계등록부를 교부받기도 어렵기 때문입니다.

개인 해석	벌금형의 집행유예와 결격사유 관련

o 통상 가족관계등록부나 제적부에 상속인이 없는 경우라면 상속인의 존부가 명확하다고 할 수 있으나, 시설의 설치·운영자가 소송 사건이 아님에도 불구하고 제3자인 무연고 사망자의 가족관계등록부 등을 교부받기는 어렵습니다.[180]

- 「민법」에서는 이러한 상황을 타개하기 위해서 법원에 관리인 선임 등의 절차를 가사비송사건으로 처리하고 있는 것인데, 「사회복지사업법」에서는 그러한 절차를 간소화하는 차원에서 제45조의2를 신설한 것이 되어 결국 실무상으로 이 조문을 유효적절하게 적용할 수 있을지는 의문입니다.

2.3. 잔여재산 500만원 이하

「민법」이 아닌 보다 간소한 절차로 처리할 수 있는 잔여재산은 500만원 이하로 한정됩니다.

개인 해석	500만원으로 정한 이유

o 500만원 이하 기준은 무연고 사망자의 장례를 치르고, 그 밖에 법률절차를 진행할 경우 해당 시설에서 통상 500만원의 비용이 사용되는 점을 고려한 것입니다.[181]

- 시설 내에 무연구 사망자가 발생한 경우 해당 시설의 설치·운영자는 장례절차를 진행해야 하지만, 그 비용이 별도록 마련되어 있지 않기 때문에 사망자가 남긴 잔여재산 중 일부를 사용할 수밖에 없다는 점을 고려한 것으로 보입니다.
- 만일 상속인이 있어 상속을 받는다고 하더라도 장례 관련 비용으로 사용된 500만원은 상계하고 상속을 받는 상황이 발생하여, 500만원 이하로 잔여재산이 있는 경우에는 상속인이 상속받을 재산이 실질적으로 없는 것이나 다름 없기 때문에 간소하게 처리하더라도 상속인의 권리를 침해하는 것으로 보기는 어렵다는 점이 고려된 것을 판단됩니다.

180) 「가족관계의 등록에 관한 법률」 제14조 및 같은 법 시행규칙 제19조 등 참조
181) 평균 장례비용 150만원, 변호사 선임비용 등 300~350만원, 「국회 보건복지위원회 검토보고서(2104372)」, 13쪽

2.4. 목록 보고

시설의 설치·운영자는 잔여재산의 목록을 작성하여 시장·군수·구청장에게 보고해야 합니다. 유의할 점은 제45조의2제1항에서는 시설 설치·운영자의 사무로 잔여재산의 목록을 보고하는 것까지만 규정하고 있고, 그 시설의 설치·운영자가 어떻게 사용해야 하는지에 대해서는 별도로 언급하고 있지 않는 점에 유의해야 합니다. 그 잔여재산의 처분은 제45조의2제2항에 따라 잔여재산의 목록을 보고 받은 시장·군수·구청장이 권한을 가지고 처리하게 됩니다.

3. 처리방법

법 제45조의2제2항에서는 잔여재산의 목록 보고를 받은 시장·군수·구청장이 그 잔여재산을 처리할 수 있는 것으로 규정하면서도, 구체적인 절차는 법 제2조제1호 각 목에서 열거하고 있는 법률, 즉 사회복지사업 관련 법률에서 정하는 절차에 따르도록 하고 있습니다.

개인 해석 | **제45조의2제2항과 관련되는 법률**

o 법 제45조의2제2항에서는 제2조제1호 각 목에서 열거하고 있는 법률에서 규정한 절차에 따라 잔여재산을 처리토록 규정하고 있습니다,
- 그런데, 이 규정에서 다루고 있는 잔여재산이라는 것이 애당초 사회복지시설의 입소자가 남긴 재산에 한정되는 것이라는 점, 사회복지시설이 아닌 곳에서 사망한 사람에 대해서는 제1항에 따라 목록을 작성할 수 있는 사회복지시설의 설치·운영자가 존재하지 않는다는 점을 두루 고려하면,
- 제2조제1호 각 목에서 열거하고 있는 법률 중 사회복지시설 설치 근거 법률로 한정하여도 무방할 것으로 판단됩니다.

o 예컨대 「위안부피해자법」에 따른 "일본군위안부 피해자"가 노인복지시설에 입소 중에 사망하신 경우에는 시장·군수·구청장은 「위안부피해자법」이 아닌 「노인복지법」에서 관련 근거를 확인하여 잔여재산을 처리할 수 있을 것입니다.

그런데 사회복지사업 관련 법률 중에서 상속인이 없는 사람의 잔여재산에 대해서 그 처리 방법 등을 규정하고 있는 법률은 「노숙인복지법」, 「노인복지법」, 「정신건강복지법」, 「장애인복지법」 등 4개의 법률에 한정되어 있습니다.[182] 만일 이 4개 법률과 무관한 사회복지시설에서 상속인 없는 입소자가 발생한 경우에는 제45조의2제1항에 따라 잔여재산의 목록 작성 및 보고로써 「민법」상 관련 규정을 갈음할 수는 있을 것입니다. 그러나 그렇게 보고된 잔여재산의 목록을 보고 받은 시장·군수·구청장은

182) 「노숙인복지법」 제17조의2, 「노인복지법」 제48조, 「정신건강복지법」 제81조의2, 「장애인복지법」 제60조의5

해당 잔여재산을 제2항에 따라 처리하고자 하여도 관련 법률에 절차가 없기 때문에 실질적으로 잔여재산을 처리할 수 없는 문제가 발생하게 됩니다. 이러한 사항은 입법 과정의 실수로 보여집니다. 무연고 사망자가 발생한 사회복지시설과 관련된 근거 법률에 잔여재산 처리 관련 규정이 있는 경우에는 해당 법률의 규정을 우선 적용토록 하고, 개별 법률에 그러한 규정이 없는 경우에는 「사회복지사업법」을 따르도록 하면서, 제45조의2에서 시장·군수·구청장이 잔여재산을 처리할 수 있는 별도의 절차를 구체적이고도 완결적으로 규정하였다면 보다 합리적이고도 체계적인 입법이 되었을 것입니다.

사례 예시 **사회복시시설 관련 근거 법률에 잔여재사 처리절차가 없는 사례**

o 「성폭력방지법」에 따른 생활시설에서 입소 중 사망한 사람 중에 상속인의 존부가 불분명한 사람이 발생한 경우 해당 시설의 설치·운영자는 「사회복지사업법」 제45조의2제1항에 따라 잔여재산의 목록을 작성하여 시장·군수·구청장에 보고하면 「민법」에 따른 절차를 모두 갈음한 것이 됩니다.
- 그러나 시장·군수·구청장은 그 잔여재산을 처리하고자 하여도 「성폭력방지법」에 잔여재산의 처리에 관한 규정이 없기 때문에 아무런 절차도 진행하지 못하게 됩니다.
- 그렇다고 하여 「성폭력방지법」에 따른 사회복지시설에서 발생한 건을 관련 규정이 있다는 이유만으로 「장애인복지법」 등을 근거로 처리할 수도 없을 것입니다.

개인 해석 **잔여재산 처리와 관련한 「노숙인복지법」 제17조제3항의 문제점**

o 종전 「노인복지법」 제48조에서는 노인시설에서 사망자가 발생할 경우 해당 사망자의 그 유류품을 장례 비용에 충당할 수 있도록 규정하고 있었습니다.
- 그런데 이러한 규정은 「민법」 제1053조 등의 취지와 어긋날 뿐만 아니라 상속인의 권리를 침해하는 등의 문제가 제기되는 등의 문제가 있어, 「사회복지사업법」 제45조의2의 신설 시 함께 동일한 취지로 전문을 개정하게 된 것입니다.

o 한편 「사회복지사업법」 제45조의2 신설 시에 「노숙인복지법」 제17조의2도 동일한 취지로 신설되었습니다.
- 그런데 이 때 종전 「노숙인복지법」 제17조에 제3항과 제4항이 함께 신설되었는데, 그 내용은 종전 「노인복지법」 제48조에서 규정한 것과 동일한 것으로서, 노숙인 복지시설에서 사망한 사람의 유류품을 장례비용 등으로 사용할 수 있도록 하는 것입니다.
- 「노숙인복지법」 제17조제3항과 제4항은 함께 신설된 제17조의2와는 취지는 물론이고, 실제 법률상 절차 운영 시에도 충돌이 나는 등의 문제의 소지가 매우 큽니다.
- 요컨대 노숙인시설에서 사망자가 발생한 경우 잔여재산 목록 보고 이전에 장례비용을 사용해도 되는 것인지, 500만원 기준이 그러한 장례비용을 사용하고 남은 금액인지 등의 문제가 있고, 종전 「노인복지법」 제48조가 가지고 있었던 기본권 침해나 「민법」과의 충돌 문제도 여전하다고 할 수 있습니다.

4. 소결

「사회복지사업법」 제45조의2는 사회복지시설에 발생하는 무연고자의 사망과 관련하여 사회복지시설의 실정에 부합하는 절차를 새롭게 만들었다는 점에서는 매우 고무적이라고 할 수 있습니다. 그러나 앞에서 언급한 4개 법률 이외의 법률에 따라 설치된 사회복지시설에서는 적용될 여지가 없고, 특히 「노숙인복지법」의 경우는 「사회복지사업법」 제45조의2나 「노숙인복지법」 자체와도 충돌의 여지가 매우 크다고 할 수 있는 상황입니다. 이러한 상황은 조속한 후속 입법을 통해서 개선이 되어야만 당초 제45조의2가 추구하고자 했던 목적을 실현할 수 있을 것으로 사료됩니다.

실무상 적용 방법에 대해서는 언급하면, 우선 「사회복지사업법」 제45조의2는 강행규정이 아니기 때문에 시설의 설치·운영자가 「민법」의 절차에 따를 것인지, 「사회복지사업법」 제45조의2를 따를 것인지를 판단할 수 있다는 점에 유의할 필요가 있습니다. 따라서 제45조의2제2항에 따라 시장·군수·구청장이 처리할 수 있는 법률인 「노숙인복지법」, 「노인복지법」, 「정신건강복지법」, 「장애인복지법」에 따른 사회복지시설의 설치·운영자는 관련 사안이 발생하였을 때 「민법」이나 「사회복지사업법」의 절차 중에서 취사선택하면 될 것입니다. 앞의 4개 법률 외의 법률에 따라 설치된 시설의 설치·운영자는 제45조의2제2항의 적용이 불가하므로, 종전과 마찬가지로 「민법」의 절차에 따라서 잔여재산을 처리해야 할 것입니다. 물론 이러한 사항은 보건복지부나 지자체에서 사전에 지도 등을 통해서 시설의 설치·운영자에게 충분히 설명하고, 이해를 구해야 할 것입니다.

제47조(비밀누설의 금지)

> 제47조(비밀누설의 금지) 사회복지사업 또는 사회복지업무에 종사하였거나 종사하고 있는 사람은 그 업무 수행 과정에서 알게 된 다른 사람의 비밀을 누설하여서는 아니 된다.

1. 금지의무를 준수해야 하는 자

이 조에서는 사회복지사업 또는 사회복지업무에 종사하였거나 종사하고 있는 사람에 대해서 비밀누설 금지 의무를 부과하고 있습니다. 여기서 사회복지사업은 법 제2조제1호에 따른 사회복지사업을 의미하는 것이고, 사회복지업무는 「사회복지사업법」에서 별도의 정의를 내리고 있지는 않지만 해당 용어가 법 제6조의2, 제36조, 종전 제7조의2에서 공무원에 대해서만 사용하고 있는 점에 미루어 보면 사회복지와 관련한 공무원이 행하는 업무를 의미하는 것으로 볼 수 있습니다. 따라서 비밀누설 금지의무를 준수해야 하는 자는 △사회복지사업과 관련한 직에 종사하였거나 종사하고 있는 사람과 △사회복지 관련 공무를 수행하였거나 수행 중에 있는 전·현직 공무원이 모두 해당된다고 할 수 있습니다.

2. 누설 금지 대상

2.1. 비밀의 범위

누설 금지 대상 비밀은 그 업무 수행 과정에서 알게 된 다른 사람의 비밀입니다. 다만, 「사회복지사업법」에서는 비밀의 구체적인 종류 등에 대해서 명시적으로 규정하고 있는 바가 없습니다. 따라서 이 조문에서 언급하고 있는 비밀은 그 사전적인 의미나 「사회복지사업법」의 취지를 바탕으로 그 범위를 판단해야 합니다. 우선 비밀의 사전적인 의미는 숨겨서 남에게 공개하지 않는 것을 의미합니다. 이러한 것들은 자신이 스스로 숨겨서 공개하지 않는 것은 물론이고, 적극적으로 숨기거나 공개하지 않고자 하는 의사를 표명하지 않더라도 공개해서는 아니 되는 것들도 해당이 됩니다. 예컨대 이름이나 주소, 주민등록번호와 같은 개인정보는 본인이 밝히고 싶지 않다는 의사가 있는지 여부와는 무관하게 법률에 따라 그 공개가 엄격하게 금지되고 있는 것입니다. 또한 사회복지사업이나 사회복지업무를 수행함에 있어서 알게 되는 정보가 개인의 성명, 주소와 같은 일반적인 신상뿐만 아니라 그 개인의 경제수준, 장애여부 등 상당히 민감한 정보들이 다수이므로 이러한 정보를 적극적으로 보호해야 할 필요도 있다고 할 것입니다. 따라서 이 조문에서 언급하고 있는 비밀은 그 비밀의 주체가 본인 스스로 제3자에게 밝혀도 된다는 의사를 표명하지 않은 대상은 모두 다 비밀로 보아야 할 것입니다.

2.2. 직무연관성

앞에서 언급한 누설 금지 대상 비밀은 “그 업무 수행 과정에서 알게 된” 것으로 한정하고 있습니다. 이러한 조문만을 놓고 보면 업무 수행과 무관하게 알게 된 정보는 이 조문에 따른 누설 금지 대상이 아닌 것으로 반대해석 할 여지도 있습니다. 그러나 법 제47조의 의미는 사회복지사업이나 사회복지업무의 수행과 무관하게 알게 된 비밀의 경우는 「사회복지사업법」에서 규제할 수 있는 대상이 아니라는 것이지, 그러한 비밀을 누설해도 된다거나 처벌을 무조건 받지 않는다는 의미는 아닙니다. 오히려 사회복지 관련 업무와 무관하게 알게 된 비밀을 누설하게 된다면 이는 「사회복지사업법」의 적용만 안 되는 것이지, 해당 비밀 누설을 금지하고 있는 다른 법률이나 「형법」 등에 따라서 처벌 등의 규제를 받게 됩니다. 또한 이러한 처벌 등이 확정될 경우 「사회복지사업법」에 따른 사회복지법인의 임원, 시설장, 시설의 종사자 등의 결격사유에 해당되게 되어 관련 업무를 수행할 수 없게 될 수도 있습니다.

第48조(압류 금지)

第48조(압류 금지) 이 법 및 제2조제1호 각 목의 법률에 따라 지급된 금품과 이를 받을 권리는 압류하지 못한다.

「사회복지사업법」이나 사회복지사업의 근거가 되는 법 제2조제1호 각 목의 법률에서는 각각 해당 법률의 수혜자에 대해서 직접 금품을 지급하거나 그러한 금품을 지급받을 권리를 부여하고 있는 경우가 있습니다. 예컨대 「국민기초생활보장법」에 따른 각종 급여가 해당됩니다. 이러한 금품 등은 해당 법률에 따라 최소한의 인간다운 삶을 영위할 수 있도록 하기 위해서 제공하거나, 그 처해있는 여러 가지 어려운 환경을 해소할 수 있도록 하기 위해 제공되는 것이므로, 이의 압류로 얻어지는 공익보다 그로 인해서 해당 국민에게 발생하는 손해가 훨씬 크다고 할 수 있어 압류를 금지하고 있는 것입니다.

第49조(청문)

第49조(청문) 보건복지부장관, 시·도지사 또는 시장·군수·구청장은 다음 각 호의 어느 하나에 해당하는 처분을 하려면 청문을 실시하여야 한다.
2. 제26조에 따른 설립허가 취소/ 3. 제40조에 따른 시설의 폐쇄

"청문(聽聞)"은 행정청이 어떠한 처분을 하기 전에 당사자등의 의견을 직접 듣고 증거를 조사하는 절차를 말하는 것183)으로서, 「사회복지사업법」에서는 사회복지사의 자격을 취소하거나, 사회복지법인의 설립허가 취소나 사회복지시설의 폐쇄에 앞서 실시하게 됩니다. 청문과 관련한 구체적인 절차는 「행정절차법」 제2장에 따라서 이루어집니다. 「사회복지사업법」에서 청문을 반드시 실시토록 규정하고 있는 사회복지법인 등의 설립허가 취소 등의 사안에 있어서는 청문의 절차를 거치지 않으면 해당 취소처분이 무효가 됨을 특히 유의해야 합니다.

第50조(포상)

第50조(포상) 정부는 사회복지사업에 관하여 공로가 현저하거나 모범이 되는 자에게 포상(褒賞)을 할 수 있다.

정부는 사회복지사업과 관련하여 공로가 크거나 다른 사람들에게 모범이 되는 경우에는 포상(褒賞)을 할 수 있습니다. 「정부 표창 규정」 제3조제1호에 따라 대통령표창, 국무총리표창, 보건복지부장관표창으로 구분하여 포상할 수 있습니다.

183) 「행정절차법」 제2조제5호

제51조(지도·감독 등)

제51조(지도 · 감독 등) ① 보건복지부장관, 시 · 도지사 또는 시장 · 군수 · 구청장은 사회복지사업을 운영하는 자의 소관 업무에 관하여 지도 · 감독을 하며, 필요한 경우 그 업무에 관하여 보고 또는 관계 서류의 제출을 명하거나, 소속 공무원으로 하여금 사회복지법인의 사무소 또는 시설에 출입하여 검사 또는 질문을 하게 할 수 있다.

② 시·도지사 또는 시장·군수·구청장은 사회복지법인과 사회복지시설에 대하여 지방의회의 추천을 받아 「공인회계사법」 제7조에 따라 등록한 공인회계사 또는 「주식회사 등의 외부감사에 관한 법률」 제2조제7호에 따른 감사인을 선임하여 회계감사를 실시할 수 있다. 이 경우 공인회계사 또는 감사인의 추천, 회계감사의 대상 및 그 밖에 필요한 사항은 보건복지부령으로 정하는 기준에 따라 지방자치단체의 조례로 정한다.

③ 사회복지법인의 주된 사무소의 소재지와 시설의 소재지가 같은 시 · 도 또는 시 · 군 · 구에 있지 아니한 경우 그 시설의 업무에 관하여는 시설 소재지의 시 · 도지사 또는 시장 · 군수 · 구청장이 지도 · 감독·회계감사 등을 한다. 이 경우 지도 · 감독·회계감사 등을 위하여 필요할 때에는 사회복지법인의 업무에 대하여 사회복지법인의 주된 사무소 소재지의 시 · 도지사 또는 시장 · 군수 · 구청장에게 협조를 요청할 수 있다.

④ 제3항에 따른 지도 · 감독·회계감사 등에 관하여 따로 지방자치단체 간에 협약을 체결한 경우에는 제3항에도 불구하고 협약에서 정한 시 · 도지사 또는 시장 · 군수 · 구청장이 지도 · 감독·회계감사 등의 업무를 수행한다.

⑤ 제1항 및 제2항 에 따라 검사·질문 또는 회계감사를 하는 관계 공무원 등은 그 권한을 표시하는 증표를 지니고 이를 관계인에게 보여주어야 한다.

⑥ 보건복지부장관, 시·도지사 또는 시장·군수·구청장은 지도·감독·회계감사를 실시한 후 제26조 및 제40조에 따른 행정처분 등을 한 경우에는 처분 대상인 법인 또는 시설의 명칭, 처분사유, 처분내용 등 처분과 관련된 정보를 대통령령으로 정하는 바에 따라 공표할 수 있다.

⑦ 지도·감독 기관은 사회복지 사업을 운영하는 자의 소관 업무에 대한 지도·감독에 있어 필요한 경우 촉탁할 수 있으며 촉탁받은 자의 업무범위와 권한은 대통령령으로 정한다.

→ 「사회복지사업법 시행령」 제24조의2(처분 관련 정보의 공표), 제24조의3(촉탁받은 자의 업무범위와 권한)

→ 「사회복지사업법 시행규칙」 제29조(지도·감독공무원의 증표), 제30조(촉탁받은 자의 증표)

→ 「사회복지법인 및 사회복지시설 재무·회계 규칙」 제42조의2

1. 개요

법 제51조제1항에서는 "보건복지부장관, 시 · 도지사 또는 시장 · 군수 · 구청장은 사회복지사업을 운영하는 자의 소관 업무에 관하여" 지도·감독 등을 할 수 있도록 규정하고 있고, 또한 같은 조 제2항에서는 "시·도지사 또는 시장·군수·구청장은 사회복지법인과 사회복지시설에 대하여" 회계감사를 할 수 있도록 규정하고 있습니다.

이때 관리·감독의 대상은 「사회복지사업법」에서 각각 보건복지부, 시·도지사, 시장·군수·구청장의 소관으로 정하고 있는 업무를 의미하고, 회계감사의 대상은 사회복지법인과 사회복지시설에 대해서 「사회복지사업법」, 시설 관련 법률 및 「지방자치법」에 따라 각각 시·도지사나 시장·군수·구청장의 소관으로 정하고 있는 업무를 의미합니다. 만일 보조금 지원 등 그 주체가 명시되지 않은 조문과 관련한 업무는 각각 그 해당 행정업무를 처리하는 관청이 업무의 주체가 됩니다. 자신의 소관이 아닌 업무에 대해서 지도·감독·회계감사 등을 하는 것은 직권남용이나 권한 없는 행정행위가 될 수 있기 때문에 유의해야 합니다.

2. 지도·감독

보건복지부장관 등 행정업무의 주체는 소관 업무 전반에 관해서 지도·감독을 할 수 있고, 필요한 경우에는 그 업무와 관련하여 보고를 하도록 하거나, 관계 서류의 제출을 명령할 수 있습니다. 만일 이러한 명령에 대해서 정당한 이유 없이 보고나 자료제출을 하지 않은 경우, 거짓으로 보고하거나 자료를 제출한 경우 또는 정당한 이유 없이 검사·질문을 거부·방해하거나 기피한 경우에는 1년이하의 징역 또는 1천만원 이하의 벌금에 처해지는 범죄가 되므로 유의해야 합니다.

3. 회계감사

3.1.1. 연혁

회계감사에 관한 사항은 2019년 6월 12일부터 개정·시행된 「사회복지사업법」에 신설된 규정입니다. 사회복지법인이나 사회복지시설에 대해서 구체적인 회계감사를 실시할 수 있도록 그 근거를 마련한 것입니다. 종전 규정에서는 지도·감독의 연장선상에서 회계에 대한 검사나 확인 정도의 행정권한 행사만 가능하였으나, 동 규정이 시행된 이후에는 진정한 의미의 전문적인 회계감사도 할 수 있게 된 것입니다. 회계감사의 경우는 전문적인 지식이 필요한 사항이므로 지자체장은 해당 지방의회의 추천을 받아 「공인회계사법」 제7조에 따라 등록한 공인회계사 또는 「주식회사 등의 외부감사에 관한 법률」 제2조제7호에 따른 감사인을 선임하여 회계감사를 실시할 수 있습니다.

3.1.2. 회계감사 대상 등 방법

「사회복지법인 및 사회복지시설 재무·회계 규칙」 제42조의2에서는 △「사회복지사업법」 제40조제1항제4호에 따른 회계부정이나 불법행위 또는 그 밖의 부당행위 등이 발견된 경우, △「사회복지사업법」 제42조제3항제1호에 따라 거짓이나 그 밖의 부정한 방법으로 보조금을 받은 경우, △「사회복지사업법」 제42조제3항제2호에 따라 사업 목적 외의 용도에 보조금을 사용한 경우, △「사회복지사업법」 또는 「사회복지사업법」에 따른 명령을 위반한 경우, △「사회복지법인 및 사회복지시설 재무·회계 규칙」 제42조제4항에 따라 감사가 시장 · 군수 · 구청장에게 보고한 경우에 한해서 회계감사를 할 수 있도록 규정하고 있습니다.

4. 주무관청이 다른 경우 권한 행사 방법

4.1. 원칙

「사회복지사업법」에 따르면 사회복지법인은 시·도지사가 관련 업무를 관할하고, 사회복지시설은 시장·군수·구청장이 업무를 관할하게 됩니다. 만일 사회복지시설과 관련한 사안이 발생하였다면 이는 그 소재지 시·군·구가 지도·감독·회계감사를 실시하면 됩니다. 이러한 시설에 대한 지도·감독·회계감사를 행함에 있어 그 지도·감독·회계감사가 해당 사회복지시설을 설치·운영하는 사회복지법인에 대한 것이라면(예:법 제34조의3에 따른 보험가입 의무 미이행) 그 사회복지법인이 시설의 소재지와 다른 시·군·구에 있는 경우라고 하더라도, 시설을 관리·감독하는 시·군·구가 해당 사회복지법인에 대해서 지도·감독·회계감사를 할 수 있습니다. 이는 그 지도·감독·회계감사가 사회복지법인 자체에 대한 것이 아니라 해당 사회복지법인이 설치·운영하는 시설에 관한 것이므로 당연히 그 시설을 관할하는 시·군·구가 권한이 있기 때문입니다. 다만, 이러한 지도·감독·회계감사를 실시하는 시·군·구는 해당 사회복지법인을 관할하고 있는 시·도 등에 대해서 필요한 경우 협조를 요청할 수 있습니다. 예컨대 시설 보조금과 관련한 사안으로 사회복지법인 사무소에 출입하여 검사·질문을 수행할 경우 해당 사회복지법인을 관할하는 시·도 등의 공무원의 협조를 받아 해당 업무를 수행하는 것이 보다 정확하고, 원활한 업무 수행에 도움이 되기 때문입니다.

사실 이러한 사항은 「사회복지사업법」상 사회복지법인과 사회복지시설에 대해서 규정하고 있는 법령 조문만으로도 당연히 그 소관 업무가 구분이 되고, 이에 따라 각각의 권한에 속하는 업무에 대해서 지도·감독·회계감사를 행할 수 있음에도 불구하고, 이러한 사항을 보다 명확히 하는 차원에서 법 제51조제3항으로 규정하고 있는 것입니다. 제51조제3항의 규정이 없다고 하더라도 사회복지시설을 관리·감독

하는 주무관청은 해당 시설과 관련한 업무에 대해서는 그 설치·운영자에 대해 당연히 관리·감독권을 행사할 수 있고, 따라서 그 설치·운영자에 대한 주무관청에 대해서 얽매이지 않고 관련 행정처분을 할 수 있는 것입니다. 이는 사회복지법인이나 사회복지시설에서 범죄가 발생하였을 경우 해당 법인이나 시설의 주무관청이 아닌 범죄에 관한 사무를 담당하는 수사당국이 해당 주무관청과 무관하게 그 고유의 사무를 수행할 수 있는 것이나 마찬가지라고 할 것입니다.

4.2. 협약에 의한 예외

앞에서 언급한 지도·감독·회계감사의 원칙은 그 주체나 객체를 관리·감독하는 주무관청과 무관하게 해당 관청은 그 소관 사무에 대해서 지도·감독·회계감사를 행할 수 있다는 것입니다. 그러나 이러한 원칙에도 불구하고, 그 관리·감독의 편의성이나 효율을 높이기 위해서 관련 지자체간에 별도의 협약을 맺은 경우라면 「사회복지사업법」상 사회복지법인이나 시설의 주무관청과 무관하게 협약으로 정한 지자체가 특정 사무 등에 대해서 주무관청이 될 수도 있습니다.

4.3. 지도·감독·회계감사 업무의 촉탁(囑託)

사회복지법인이나 사회복지시설을 지도·감독 업무의 경우 법률 등 전문적인 분야에 지식이 필요한 경우가 많습니다. 이러한 전문적인 분야에 대한 지식을 담당 공무원이 모두 갖추고 있기는 상당히 어렵습니다. 따라서 「사회복지사업법」에서는 지도·감독권을 행사함에 있어서 이러한 전문적인 분야에 대한 지식이 있는 사람에게 관련 업무를 맡길 수[촉탁(囑託)] 있도록 규정하고 있습니다.

업무를 촉탁받은 사람은 사회복지법인이나 시설로부터 보고 받은 사항이나 제출받은 서류를 검사하는 데 필요한 전문적인 지식을 제공하거나, 법인이나 시설에 출입하여 검사·질문하는 공무원에 대해 의견을 주는 일을 할 수 있습니다. 업무를 촉탁받은 사람이 관계 공무원과 동행하여 시설 등에 출입할 경우에도 그 공무원과 마찬가지로 그 권한을 표시하는 증표를 지니고 이를 관계인에게 제시해야 합니다.

제5장

벌칙

第53조·第54조(벌칙)

第53조 5년 이하의 징역 또는 5천만원 이하의 벌금

대상 조문	위반 내용
第23조第3항	o 허가 없는 기본재산 처분 o 허가 없는 장기차입
第42조第2항	o 보조금의 목적 외 사용

第54조 1년 이하의 징역 또는 1천만원 이하의 벌금

대상 조문	위반 내용
第6조 第1항	o 사회복지시설의 설치 방해
第18조의2	o 사회복지법인 임원의 선임과 관련하여 금품, 향응 또는 재산상의 이익을 주고받거나 주고받을 것을 약속한 경우
第28조 第2항	o 수익사업으로 발생한 수익을 법인 운영 또는 그 법인이 설치한 사회복지법인의 운영 이외의 목적에 사용한 경우
第34조 第2항	o 시설 설치·운영 신고 없이 시설을 설치·운영한 경우
第38조 第3항	o 시설 휴지·폐지 시 거주자 권익 보호조치를 정당한 이유 없이 기피하거나 거부한 경우
第40조 第1항	o 시설개선, 사업정지, 시설장교체, 시설폐쇄 명령을 정당한 이유 없이 이행하지 않은 경우
第40조 第2항	o 사업정지, 시설폐쇄 명령에 따라 사업정지, 시설폐쇄를 하면서 거주자 권익 보호조치를 정당한 이유 없이 기피하거나 거부한 경우
第47조	o 비밀누설의 금지 규정을 위반한 경우
第51조 第1항·第2항	o 보고를 하지 아니하거나 거짓으로 보고한 경우 o 자료를 제출하지 아니하거나 거짓 자료를 제출한 경우 o 검사·질문·회계감사를 거부·방해 또는 기피한 경우

第56조(양벌규정)

第56조(양벌규정) 법인의 대표자나 법인 또는 개인의 대리인 · 사용인, 그 밖의 종업원이 그 법인 또는 개인의 업무에 관하여 第53조, 第54조 및 第55조의 위반행위를 하면 그 행위자를 벌하는 외에 그 법인 또는 개인에게도 해당 조문의 벌금형을 과(科)한다. 다만, 법인 또는 개인이 그 위반행위를 방지하기 위하여 해당 업무에 관하여 상당한 주의와 감독을 게을리 하지 아니한 경우에는 그러하지 아니하다.

법인의 대표자나 법인 또는 개인의 대리인 · 사용인, 그 밖의 종업원이 그 법인 또는 개인의 업무에 관하여 第53조, 第54조 및 第55조의 위반행위를 하면 그 행위자를 벌하는 외에 그 사회복지법인이나 개인도 해당 조문의 벌금형을 함께 받게 됩니다. 이는 관리자의 지위에 있는 사회복지법인이나 개인이 그 관리책임을 다하지 못한 것에 대해서 함께 벌칙을 부과하도록 한 것입니다. 다만, 그 사회복지법인이나 개인이 벌칙에 해당하는 위반행위를 방지하기 위해서 상당한 주의와 감독을 게을리하지 않았음을 입증하는 경우에는 관련 벌칙을 함께 부과할 수는 없습니다. "상당한 주의와 감독"의 정도나 한계에 대해서는 그 해석과 관련하여 상당히 많은 해석과 학설 등이 존재하므로 이를 간단하게 규정하기는 어렵습니다. 그러나 "상당한 주의"라는 것이 관리자의 과실이 없었다는 것을 밝힐 수 있는 정도이고, "감독"은 소극적으로 과실이 없다는 것을 넘어 적극적으로 그 피사용인을 관리하였다는 것을 밝힐 수 있는 정도에는 미쳐야만 상당한 주의와 감독을 게을리하지 않았음을 입증할 수 있을 것으로 판단됩니다. 따라서 이러한 여러 가지 판단기준은 발생한 사안별로 각각 달리 판단할 수밖에 없을 것으로 사료됩니다.

양벌규정 적용대상		위반행위를 하는 자			
주체	지위	대표자	대리인	사용인	종업원
법인	운영자[184]	O	O	O	O
개인	운영자	X[185]	O	O	O
	시설장[186]	X	O	O	X[187]
	종사자	X	O	O	X

184) 법인은 추상적이고 관념적인 존재라는 성질상 운영자로서의 지위만 가질 수 있음
185) 개인은 그 스스로 시설의 설치·운영자가 되므로, 별도의 대표자를 둘 수 없음
186) 시설장이나 종사자는 별도의 종업원을 고용하기는 어렵지만, 업무처리에 있어서 한시적으로 대리인이나 사용인을 둘 수는 있음
187) 시설장이나 종사자는 시설의 설치·운영자에게 고용되어 사무를 처리하는 자이므로 해당 시설

참조 판례	상당한 주의와 감독을 게을리하였는지 여부 판단 기준

o **사건번호** : [대법원 2010. 4. 15. 선고 2009도9624 판결, 대법원 2010. 12. 9. 선고 2010도12069 판결 등]

o 구체적인 사안에서 법인이 상당한 주의 또는 관리·감독을 게을리하였는지 여부는 당해 위반행위와 관련된 모든 사정, 즉 당해 법률의 입법 취지, 처벌조항 위반으로 예상되는 법익 침해의 정도, 위반행위에 관하여 양벌규정을 마련한 취지 등은 물론 위반행위의 구체적인 모습과 그로 인하여 실제 야기된 피해 또는 결과의 정도, 법인의 영업 규모 및 행위자에 대한 감독가능성이나 구체적인 지휘·감독 관계, 법인이 위반행위 방지를 위하여 실제 행한 조치 등을 전체적으로 종합하여 판단하여야 한다.

참조 판례	양벌규정 적용에 있어서 "사용인"의 범위

o **사건번호** : [대법원, 2012.5.9. 선고, 2011도11264, 판결]

o 법인의 사용인에는 법인과 정식 고용계약이 체결되어 근무하는 자뿐만 아니라 그 법인의 업무를 직접 또는 간접으로 수행하면서 법인의 통제·감독 하에 있는 자도 포함

제57조(벌칙 적용 시의 공무원 의제)

제57조(벌칙 적용 시의 공무원 의제) 제12조제1항 또는 제52조제2항에 따라 위탁받은 업무를 수행하는 제6조의3제1항에 따른 전담기구, 사회복지 관련 기관 또는 단체 임직원은 「형법」 제129조부터 제132조까지의 규정을 적용할 때에는 공무원으로 본다.

사회복지법인이나 사회복지시설의 설립·설치와 관련한 업무를 위탁받은 사람은 비록 공무원이 아니라고 하더라도, 공무를 위탁받아 수행하는 자이므로 「형법」 중 공무원에 관해서 가중하여 처벌하고 있는 제129조부터 제132조까지의 규정[188)]을 적용하게 됩니다.

운영과 관련하여 별도의 종업원을 둘 수 없음.

188) 제129조(수뢰, 사전수뢰), 제130조(제삼자뇌물제공), 제131조(수뢰후부정처사, 사후수뢰), 제132조(알선수뢰)

第58조(과태료)

1. 법 제35조의3 관련(시행령 별표 4)

위반행위	근거 법조문	과태료		
		1차 위반	2차 위반	3차 이상 위반
가. 법 제35조의3제1항을 위반하여 채용한 경우	법 제58조제1항제1호	200만원	300만원	500만원
나. 법 제35조의3제2항을 위반하여 근로조건을 변경·적용한 경우	법 제58조제1항제2호	200만원	300만원	500만원

1.1. 적용방법

1.1.1. 횟수 계산 방법

최근 3년간 같은 위반행위로 과태료 부과처분을 받은 경우에 1차, 2차, 3차 등 그 횟수가 증가됩니다. 이 경우 기간의 계산은 위반행위에 대하여 과태료 부과처분을 받은 날과 그 처분 후 다시 같은 위반행위를 하여 적발된 날을 기준으로 하게 됩니다. 위반행위 전 부과처분 차수의 다음 차수로 하고, 만일 3년 기간 내에 과태료 부과처분이 둘 이상 있었던 경우에는 높은 차수를 기준으로 다음 차수를 정하게 됩니다.

1.1.2. 감액처분

보건복지부장관, 시 · 도지사 또는 시장 · 군수 · 구청장은 △위반행위자가 자연재해 · 사고 등으로 재산에 현저한 손실이 발생하는 등의 사정이 있는 경우, △위반행위가 사소한 부주의나 오류 등 과실로 인한 것으로 인정되는 경우, △그 밖에 위반행위의 정도, 위반행위의 동기와 그 결과 등을 고려하여 줄일 필요가 있다고 인정되는 경우에는 원래 과태료의 2분의 1 범위에서 그 금액을 줄일 수 있습니다.(과태료를 체납하고 있는 경우에는 감액처분 불가)

1.2. 처분을 받는 자

이 과태료는 법 제35조의3에서 정하고 있는 의무를 위반한 경우에 부과되는 것이므로 법 제35조의3에서 의무자로 명시되어 있는 자가 곧 처분을 받는 자가 됩니다. 법 제35조의3에서는 종사자를 채용하는 사회복지법인과 사회복지시설을 설치·운영하는 자에게 의무를 부과하고 있으므로 과태료 또한 종사자 채용자인 사회복지법인과 사회복지시설 설치·운영자에게 부과하여야 합니다.

2. 그 밖의 행위 관련(시행령 별표 5)

위반행위	과태료 금액
가. 법 제11조의4를 위반하여 사회복지사 또는 이와 유사한 명칭을 사용한 경우	150만원
나. 법 제13조제2항 단서를 위반하여 보수교육을 받지 않은 경우	20만원
다. 법 제13조제3항을 위반하여 보수교육을 이유로 불리한 처분을 한 경우	100만원
라. 법 제18조제6항을 위반하여 임원의 임면 보고를 하지 않은 경우	100만원
마. 법 제24조를 위반하여 재산 취득 보고를 하지 않은 경우	100만원
바. 법 제31조를 위반하여 사회복지법인이 아닌 자가 사회복지법인이라는 명칭을 사용한 경우	200만원
사. 법 제34조의3을 위반하여 책임보험 또는 책임공제에 가입하지 않은 경우	300만원
아. 법 제34조의4제1항을 위반하여 안전점검을 실시하지 않은 경우	300만원
자. 법 제37조를 위반하여 시설에 갖추어 두어야 할 서류를 갖추어 두지 않은 경우	50만원
차. 법 제38조제1항을 위반하여 시설의 운영을 시작하지 않은 경우	100만원
카. 법 제38조제2항을 위반하여 다음 각 목의 신고를 하지 않고 시설을 휴지(休止)·재개 또는 폐지한 경우	
1) 재개신고를 하지 않은 경우	100만원
2) 휴지 또는 폐지신고를 하지 않은 경우	200만원
타. 법 제45조를 위반하여 후원금에 관한 영수증 발급, 수입 및 사용결과 보고 등을 하지 않은 경우	300만원

2.1. 적용방법

2.1.1. 하나의 위반행위가 둘 이상의 과태료 부과 대상인 경우

하나의 위반행위가 둘 이상의 과태료 부과기준에 해당하는 경우에는 그 중 금액이 큰 과태료 부과기준을 적용하게 됩니다.

2.1.2. 과태료 감액 처분

과태료 부과권자는 과태료 대상이 △위반행위자가 「질서위반행위규제법 시행령」 제2조의2제1항 각 호의 어느 하나에 해당하는 경우[189], △위반행위가 사소한 부주의나 오류로 인한 것으로 인정되는 경우, △법 위반상태를 시정하거나 해소하기 위한 노력이 인정되는 경우에는 원래 과태료 금액의 2분의 1의 범위에서

189) 「질서위반행위규제법 시행령」 제2조의2는 과태료 감경 관련 조문임. 이에 따른 감경대상자는 △「국민기초생활 보장법」 제2조에 따른 수급자, △「한부모가족 지원법」 제5조 및 제5조의2 제2항·제3항에 따른 보호대상자, △「장애인복지법」 제2조에 따른 제1급부터 제3급까지의 장애인, △「국가유공자 등 예우 및 지원에 관한 법률」 제6조의4에 따른 1급부터 3급까지의 상이등급 판정을 받은 사람, △미성년자임.

그 금액을 줄일 수 있습니다. 또한 위반행위의 정도, 위반행위의 동기와 그 결과 등을 고려하여 줄일 필요가 있다고 인정되는 경우에도 역시 그 금액을 줄일 수 있습니다. 물론 위와 같은 경우에 해당된다고 하더라도 다른 과태료를 체납하고 있는 경우라고 한다면 과태료를 감액하여서는 아니 됩니다.

2.1.3. 과태료 가중 처분

과태료 부과권자는 △위반의 내용·정도가 중대하여 사회복지시설의 이용자 등에게 미치는 피해가 크다고 인정되는 경우, △법 위반상태의 기간이 6개월 이상인 경우에는 원래 과태료 금액의 2분의 1의 범위에서 늘릴 수 있습니다. 또한 감액의 경우와 마찬가지로 위반행위의 정도, 위반행위의 동기와 그 결과 등을 고려하여 늘릴 필요가 있다고 인정되는 경우에도 역시 그 금액을 늘릴 수 있습니다. 다만, 이러한 가중 처분을 적용하여 과태료 금액을 늘리더라도 각각 법 제58조제2항에서 규정하는 상한선인 300만원을 초과할 수는 없습니다.

2.2. 처분을 받는 자

과태료 처분을 받는 자는 각 위반 조문별로 해당 조문에서 의무를 이행해야 하는 자로 규정하고 있는 자가 됩니다. 예컨대 법 제34조의3에 따른 책임보험은 시설의 운영자가 가입의무자이므로 미가입에 따른 과태료는 시설의 운영자에게 부과해야 합니다. 또한 법 제34조의4에 따른 안전점검은 시설장이 그 점검 의무자이므로 안전점검 미실시에 따른 과태료는 시설장에게 부과하여야 합니다.

(부록1)

알아두면 유용한 사례

사회복지법인의 존재 형태는 재단(財團)인지 아니면 사단(社團)인지

관련 법령 조문

「사회복지사업법」
제32조(다른 법률의 준용) 법인에 관하여 이 법에서 규정한 사항을 제외하고는 「민법」과 「공익법인의 설립·운영에 관한 법률」을 준용한다.

「공익법인의 설립 · 운영에 관한 법률」
제7조(이사회의 기능) ① 이사회는 다음 사항을 심의 결정한다.
1. 공익법인의 예산, 결산, 차입금 및 재산의 취득·처분과 관리에 관한 사항
2. 정관의 변경에 관한 사항 / 3. 공익법인의 해산에 관한 사항
4. 임원의 임면에 관한 사항 / 5. 수익사업에 관한 사항
6. 그 밖에 법령이나 정관에 따라 그 권한에 속하는 사항

원칙 : 재단법인의 형태로만 설립·운영 가능

o 「사회복지사업법」 제32조에서는 사회복지법인과 관련하여 「민법」 등을 준용토록 규정하고 있으나 사단법인이나 재단법인 관련 규정 중 어떠한 규정을 준용해야 할지는 명확하게 언급하고 있지는 않습니다.

관련 입법례 | 재단인지 사단인지 명확히 하고 있는 사례

「사회복지사업법」
제6조의3(정보시스템 운영 전담기구 설립) ④ 제1항에 따른 전담기구에 관하여 이 법에서 규정한 사항 외에는 「민법」 중 재단법인에 관한 규정을 준용한다.
「근로복지기본법」
제80조(「민법」의 준용) 기금법인에 관하여 이 법에 규정한 것을 제외하고는 「민법」 중 재단법인에 관한 규정을 준용한다.

- 그러나 「민법」과 함께 준용되는 「공익법인의 설립 · 운영에 관한 법률」 제7조 이사회 관련 규정에서는 이사회가 법인의 해산, 정관변경, 임원의 임면에 관한 사항을 심의·결정토록 정하고 있는 점, 또한 「사회복지사업법」에서도 총회에 관한 사항은 규정하고 있지 않은 반면, 모든 업무가 주로 이사회나 이사를 중심으로 이루어지는 것으로 기술하고 있는 점을 미루어 보면 사회복지법인은 재단법인의 형태로 설립·운영하는 것을 전제로 하여 관련 법령이 마련된 것으로 판단됩니다.

o 물론 「사회복지사업법」에서는 재단·사단인지 구분을 하고 있지 않고, 입법 연혁상으로도 사단법인의 형태의 사회복지법인에 대한 여지를 둔 적이 있었고,

사례 예시 「사회복지사업법」 제정 당시 사회복지법인의 정의

o 1970년에 「사회복지사업법」이 제정된 후 1997.8.22.에 전부개정되기 전까지 사회복지법인의 정의는 "사회복지사업을 행할 것을 목적으로 설립된 법인 또는 그 연합체를 말한다." 라고 명시되어 있었습니다.

- 현행 법률의 정의와 큰 차이는 없으나 다만, 특이하게 "연합체(聯合體)"도 사회복지법인으로 정의하고 있습니다.
- 이 때 연합체라는 것이 어떠한 실체를 가지는 것인지에 대해서는 명확하게 규정하고 있는 바는 없으나[190], 사회복지법인이 되는 주체이므로 그 연합체도 당연히 법인격이 있는 법인이거나, 동 조문에 따라 법인격을 가지게 되므로, 현재 그러한 연합체가 있다고 하더라도 당연히 사회복지법인으로 존재하고 있을 것이므로 특별하게 그 존재에 대해서 고민할 이유가 없을 것을 생각됩니다.

o 다만, 현행 사회복지법인은 그 해석상 재단법인이라는 전제하에서 관리·감독 및 운영이 되고 있으나, 초창기에는 여러 주체의 모임인 연합체 즉 사단의 형태로도 사회복지법인이 존재할 수도 있었을 가능성을 보여준다는 데에는 의미가 있을 수도 있습니다.

- 실제로 제정 당시 부칙 제2항에서는 "사단법인 한국사회복지연합회"를 사회복지법인으로 간주하는 규정을 두고 있는 점에 미루어 보면, 제정 이후에도 이와 같은 사단 형태의 사회복지법인 설립 가능성을 완전히 배제하고 있는 것은 아니라는 판단도 가능합니다.

- 또한 현행 「사회복지사업법」 제33조제1항에 따른 사회복지협의회의 경우, 같은 조 제2항에서 사회복지법인으로 한다고 명시하고 있으나, 시행령 제13조에서는 회원과 관련된 조문을 두고 있어, 회원을 가지는 사단법인 형태의 사회복지법인이 실재하기도 합니다.

o 그러나 이러한 연혁이나 특정 법인의 형태가 어찌되었건 간에 사회복지법인은 이사회가 법인과 관련된 모든 사항을 심의·의결하고, 그 기본재산이 법률상으로 상당히 중요한 비중을 차지하고 있기 때문에 재단법인을 전제로 하여 만들어지는 법인이라고 할 것입니다.

- 설령 사단법인 형태로 존재한다고 하더라도 총회는 큰 역할을 하지 못할 뿐만 아니라 이로 인해 회원들은 단순히 회비만 납부하는 지위만을 가지는 것에 불과하기 때문에 사단법인 제도의 취지에 부합되지 않는 부적절한 상황이라고 할 것입니다.

190) 당시 「민법」에 따라 설립된 "사단법인 한국사회복지연합회"를 염두에 둔 조문으로 사료됨.

「사회복지사업법」상 "지체 없이"의 의미

관련 법령 조문

「사회복지사업법」

제18조(임원) ⑥ 법인은 임원을 임면하는 경우에는 보건복지부령으로 정하는 바에 따라 지체 없이 시·도지사에게 보고하여야 한다.

제22조의3(임시이사의 선임) ① 법인이 제20조에 따른 기간 내에 결원된 이사를 보충하지 아니하여 법인의 정상적인 운영이 어렵다고 판단되는 경우 시·도지사는 지체 없이 이해관계인의 청구 또는 직권으로 임시이사를 선임하여야 한다.

제22조의4(임시이사의 해임) ① 시·도지사는 다음 각 호의 어느 하나에 해당하는 경우 이해관계인의 청구 또는 직권으로 임시이사를 해임할 수 있다. 이 경우 제2호부터 제4호까지의 규정에 따라 임시이사를 해임하는 때에는 지체 없이 그 후임자를 선임하여야 한다.

제24조(재산 취득 보고) 법인이 매수·기부채납(寄附採納), 후원 등의 방법으로 재산을 취득하였을 때에는 지체 없이 이를 법인의 재산으로 편입조치하여야 한다. 이 경우 법인은 그 취득 사유, 취득재산의 종류·수량 및 가액을 매년 시·도지사에게 보고하여야 한다.

제38조(시설의 휴지·재개·폐지 신고 등) ① 제34조제2항에 따른 신고를 한 자는 지체 없이 시설의 운영을 시작하여야 한다.

o 일반적으로 법령에서 사용되고 있는 "지체 없이"라는 표현은 시간적 즉시성이 강하게 요구되지만 정당하거나 합리적인 이유에 따른 지체는 허용되는 것으로서 사정이 허락하는 한 가장 신속하게 해야 한다는 뜻입니다.

- 즉 몇 시간 또는 며칠과 같이 물리적인 시간 또는 기간을 의미한다기보다는 해당 사무를 처리함에 있어 사정이 허락하는 한, 가장 신속하게 처리해야 하는 기간을 의미하는 것으로 해석하는 것이 「사회복지사업법」 개별 조문의 취지와 부합하는 것이라고 할 것입니다.

해석례 「민원사무처리에 관한 법률 시행령」 제21조의 "지체 없이"의 의미

o **해석번호** : [법제처 11-0134, 2011.6.16, 행정안전부]

o 일반적으로 법령에서 사용되고 있는 "지체 없이"라는 표현은 시간적 즉시성이 강하게 요구되지만 정당하거나 합리적인 이유에 따른 지체는 허용되는 것으로 사정이 허락하는 한 가장 신속하게 해야 한다는 뜻으로 사용

임원의 임면보고

o 임원의 임면이 있는 경우 해당 법인은 「사회복지사업법 시행규칙」 제10조에 따라 임면보고를 해야 하는데, 이 경우 법인임원임면보고서에 각종 서류를 첨부하여 이를 시·도지사에게 제출하여야 합니다.

- 따라서 임원의 임면보고는 법인임원임면보고서와 그 첨부서류의 작성이 완료되는 시점에 즉시 보고를 하여야 한다고 할 수 있습니다.

- 이 경우 법인임원임면보고서나 그 첨부서류 대부분은 이미 해당 임원의 임면을 위한 이사회 개최 전이나 그 직후에 즉시 작성이 가능한 것이지만, 이사회 회의록은 그 완성을 위해 참석 이사의 날인 등 일정한 시간이 소요되는 점을 고려하여 지체 여부를 판단할 수 있을 것입니다.

임시이사의 선임

o 이해관계인이 임시이사를 선임해 줄 것을 청구한 경우에는 그 청구일을 기준으로 하고, 주무관청이 직권으로 선임하고자 하는 경우에는 그 선임사유가 발생하였다고 판단한 날을 기준으로 하여,

- 해당 주무관청이 임시이사로 선임할 사람을 선발하고 검증하는 절차에 소요되는 기간으로서 제3자가 판단하더라도 정당하고 합리적인 기간에 이루어지면 지체가 있다고 볼 수는 없을 것입니다.

임시이사의 해임

o 시·도지사는 임시이사를 해임하는 경우 지체 없이 그 후임자를 선임하여야 하는데 이는 앞에서 살펴본 바와 같이 주무관청이 직권으로 임시이사를 선임할 때와 동일하게 지체 여부를 판단하면 됩니다.

재산의 취득

o 사회복지법인이 재산을 취득한 경우 지체 없이 법인 재산으로 편입조치 하여야 하는데, 재산 취득의 시점은 부동산의 경우 그 등기가 완료된 때이고, 동산인 경우에는 차량과 같이 등록이 필요한 경우에는 등록이 완료된 때, 그 밖의 동산인 경우

에는 그 재무·회계처리 규정에 따라 해당 법인의 재산으로 편입한 때라고 할 수 있습니다.

- 따라서 재산의 취득 완료를 위해 등기나 등록이 필요한 때에는 해당 등기나 등록 관련 법령에서 정하는 기간 내에 등기·등록을 완료하면 지체 없이 편입조치가 있는 것으로 볼 수 있습니다.

- 그 밖의 동산의 경우라면 해당 동산에 대한 재무·회계 장부처리에 필요한 정당하고 합리적인 시간 내에 처리할 경우 지체가 없는 것으로 볼 수 있을 것입니다.

☑ 시설의 휴지·개·폐지신고 시

o 시설의 개설 신고를 한 자는 개설신고 시에 함께 제출한 사업계획서에서 약속한 시기 또는 시설 신고증이 발급된 날 중 최대한 이른 시간 내에 해당 시설의 운영을 시작한다면 지체가 없다고 할 수 있을 것입니다.

기본재산 경매 시 주무관청 허가 여부

관련 법령 조문

「사회복지사업법」

제23조(재산 등) ③ 법인은 기본재산에 관하여 다음 각 호의 어느 하나에 해당하는 경우에는 시·도지사의 허가를 받아야 한다. 다만, 보건복지부령으로 정하는 사항에 대하여는 그러하지 아니하다.

1. 매도·증여·교환·임대·담보제공 또는 용도변경을 하려는 경우
2. 보건복지부령으로 정하는 금액 이상을 1년 이상 장기차입(長期借入)하려는 경우

o 사회복지법인 기본재산 관련하여 「사회복지사업법」 제23조제3항제1호에서는 기본재산에 대해 매도, 증여, 교환, 임대, 담보제공, 용도변경을 하고자 하는 경우 주무관청의 허가를 받도록 규정하고 있습니다.

- 따라서 처분의 전제가 되는 원인이 무엇이든지 해당 기본재산의 양도가 유효하기 위해서는 반드시 주무관청의 처분허가를 받아야 할 것입니다.

- 특히 기본재산의 양도와 관련된 여러 가지 법률이 「사회복지사업법」에 대해 특별법적 지위를 가지고 있지 않다면, 당연히 「사회복지사업법」상 기본재산 처분허가 절차도 반드시 준수해야 함을 명심할 필요가 있습니다.

임의경매 : 허가가 필요한 것으로 사무 처리

o 임의경매의 경우 사전에 해당 기본재산에 대한 제한물권과 관련한 기본재산 처분허가가 전제되기는 하지만, 이는 담보제공에 한정된 허가이고, 그 허가가 있었다고 하더라도 허가 대상인 재산은 여전히 기본재산이므로 이미 허가받은 담보제공 행위 이외에 동 기본재산에 대한 제반행위, 즉 별건의 담보제공 행위나 그 밖에 기본재산의 변경에 해당되는 사안에 대해서는 주무관청의 허가가 반드시 필요합니다.

- 즉 주무관청이 임의경매 발생을 전제로 허가를 했다고 볼 수 없으며, 임의경매에 따른 기본재산의 양도는 담보제공 허가와는 별개로 기본재산이 처분·양도되는 것이므로 이에 대한 별도의 허가가 필요하다고 할 것입니다. (다만, 이 경우 주무관청은 담보제공 허가에 기인한 임의경매가 있었고, 해당 사회복지법인이 임의경매된 기본재산에 대한 처분허가를 신청한다면 채권자의 권리 보호 측면을 충분히 고려하여 가급적 기본재산 처분허가를 해야 할 필요가 있음에 유의)

o 하지만 제한물권 설정 시 주무관청의 허가가 있었던 기본재산 처분 허가와 관련한 여러 가지 판례에서는 해당 제한물권에 기한 임의경매와 관련한 기본재산 처분허가 필요 여부에 대해서는 다소 의견이 엇갈립니다.

- 어떠한 견해를 따르건 간에 임의경매 시에도 주무관청의 허가를 받으면 해당 기본재산의 소유권 이전 등과 관련한 법률적 분쟁의 소지는 급격히 감소할 것으로 판단되므로, 가급적 주무관청의 허가를 받는 것이 바람직할 것이라고 할 것입니다.

참조 판례 임의경매 시 기본재산 처분허가가 필요하다는 취지

o **사건번호** : [대법원 2007.6.18, 자, 2005마1193, 결정]

o 사회복지사업법 제23조 제3항 제1호의 규정에 의하면 사회복지법인이 기본재산을 매도하기 위하여는 보건복지부장관의 허가를 받아야 하고, 이는 경매절차에 의한 매각의 경우에도 마찬가지인바,

- 사회복지법인의 기본재산에 대하여 실시된 부동산경매절차에서 최고가매수신고인이 그 부동산 취득에 관하여 보건복지부장관의 허가를 얻지 못하였다면 민사집행법 제121조 제2호에 정한 '최고가매수신고인이 부동산을 매수할 자격이 없는 때'에 해당하므로 경매법원은 그에 대한 매각을 불허하여야 한다.

- 그리고 이는 사회복지법인이 보건복지부장관의 허가를 받아 토지 및 건물에 대하여 공동근저당권을 설정하였다가 건물을 철거하고 새 건물을 신축하여, 민법 제365조의 '저당지상 건물에 대한 일괄경매청구권'에 기하여 위 신축건물에 대한 경매가 진행된 경우라도 마찬가지이므로, 위 신축건물의 매각에 관하여 별도로 보건복지부장관의 허가가 없다면 최고가매수신고인에 대한 매각은 허가될 수 없다.

o **사건번호** : [대법원 1984.12.1, 자, 84마591, 결정]

가. 공익법인의 기본재산의 처분제한에 관한 공익법인의 설립운영에 관한 법률 제11조 제3항의 규정은 같은 법 제1조의 입법목적에 비추어 강행규정이라 할 것이고 이는 기본재산을 임의처분하는 경우뿐만 아니라 강제경매에 의한 처분의 경우도 마찬가지로 적용된다 할 것이다.

나. 공익법인이 집행채권을 기채함에 있어 주무관청의 허가를 받은 바 있었다 하여 그 허가의 효력이 기본재산의 처분에까지 미치는 것이라고는 볼 수 없다.

o **사건번호** : [대법원 1967.2.22, 자, 65마704, 결정]

o 재단법인의 기본재산에 속하는 재산을 처분하는 행위는 기부행위(정관)의 변경에 속하는 것이므로 주무관청의 허가가 필요하다 할 것이며, 이 허가 없이 한 위의 재산처분은 그것이 임의매매의 경우이던 경매의 경우이던 간에 정관 변경임에 차이가 있을 수 없는바 이므로 그 효력을 발생할 수 없다 할 것인만큼, 그 허가 없이 된 본건 경락을 불허한 것이 적법하다는 취의의 원결정에 위법이 있을 수 없다.

o **사건번호** : [대법원 2003.9.26, 자, 2002마4353, 결정]

o 사회복지법인의 기본재산의 매도, 담보제공 등에 관한 사회복지사업법 제23조 제3항의 규정은 강행규정으로서 사회복지법인이 이에 위반하여 주무관청의 허가를 받지 않고 그 기본재산을 매도하더라도 효력이 없으므로,

- 법원의 부동산임의경매절차에서 사회복지법인의 기본재산인 부동산에 관한 낙찰이 있었고 낙찰대금이 완납되었다 하더라도 위 낙찰에 대하여 주무관청의 허가가 없었다면 그 부동산에 관한 소유권은 사회복지법인으로부터 낙찰인에게로 이전되지 아니한다.

참조 판례 임의경매 시 기본재산 처분허가가 불필요하다는 취지

o **사건번호** : [서울북부지방법원 2014.12.11, 선고, 2014가단16101, 판결]

o 사회복지법인이 기본재산을 매도하기 위하여는 주무관청의 허가를 받아야 하고, 이는 경매절차에 의한 매각의 경우에도 마찬가지라 할 것이다(대법원 2007. 6. 18.자 2005마1193 결정 참조).

o 그러나 사회복지법인의 기본재산에 관하여 이를 담보를 제공할 당시 주무관청의 허가를 받았을 경우에는 저당권의 실행으로 경락이 될 때에 다시 주무관청의 허가가 필요하다고 볼 수 없다(대법원 1966. 2. 8.자 65마1166 결정, 대법원 1993. 7. 16. 선고 93다2094 판결 등 참조).

o **사건번호** : [대법원 1993.7.16, 선고, 93다2094, 판결]

o 의료법 제41조 제3항의 규정에 의한 보건사회부장관의 허가는 강제경매의 경우에도 그 효력요건으로 보아야 할 것이지만,

- 강제경매의 대상이 된 부동산에 보건사회부장관의 허가를 받아 소외 은행을 근저당권자로 한 근저당이 설정되었고, 그 경락대금이 모두 위 은행에 배당되어 그 근저당권이 소멸되었다면 이는 위 은행의 근저당권실행에 의하여 임의경매가 실시된 것과 구별할 이유가 없다고 하겠고,
- 담보제공에 관한 보건사회부장관의 허가를 받았을 경우에 저당권의 실행으로 경락될 때에 다시 그 허가를 필요로 한다고 해석되지 아니하는 이치에서 위와 같은 경락의 경우에도 별도의 허가를 필요로 하지 아니한다고 할 것이다.

※ 이 판결에서 참조한 당시 「의료법」 조문

제41조 (설립허가등) ③의료법인은 그 재산을 처분하거나 정관을 변경하고자 할 때에는 보건사회부장관의 허가를 받아야 한다.

o **사건번호** : [대법원 1966. 2. 8.자 65마1166 결정]

o 학교법인의 기본재산에 관하여 담보로 제공할 당시 주무부장관의 허가를 받았을 경우에는 저당권의 실행으로 경락이 될 때에 다시 주무부장관의 허가를 필요로 한다고는 해석되지 아니한다.

※ 판결에서 참조한 당시 「사립학교법」 조문 **제28조 (재산관리)** ① 학교법인이 그 기본재산을 매도·증여·임대·교환 또는 용도변경하거나 담보에 제공하고자 할 때 또는 의무의 부담이나 권리의 포기를 하고자 할 때에는 감독청의 허가를 받아야 한다.
o **사건번호** : [대법원, 77다1476, 1977.9.13.]
o 사회복지 법인의 기본재산에 관한 담보제공에 관하여 보건사회부장관으로부터 허가를 받은바 있다고 하더라도 경매절차가 채무명의에 의한 강제경매이면 위 담보제공허가는 사회복지사업법이 요구하는 보건사회부장관의 허가가 될 수 없다.

☑ 강제경매 : 반드시 허가를 받아야 함

o 강제경매의 경우 해당 강제경매의 원인행위에 대한 주무관청의 허가행위가 없는 일반적인 채권채무 관계를 바탕으로 이루어지는 경우가 대부분이므로 당연히 「사회복지사업법」에 따른 기본재산 처분허가를 받아야 할 것이고,

- 나아가 기본재산 처분허가를 하고자 하는 경우라고 하더라도 임의경매에 의한 처분·양도시보다 더 엄격하게 심사하여 허가를 하여야 할 것입니다.

기본재산 무상임대 관련 법리 정리

관련 법령 조문

「사회복지사업법」
제23조(재산 등) ③ 법인은 기본재산에 관하여 다음 각 호의 어느 하나에 해당하는 경우에는 시·도지사의 허가를 받아야 한다. 다만, 보건복지부령으로 정하는 사항에 대하여는 그러하지 아니하다.
1. 매도·증여·교환·임대·담보제공 또는 용도변경을 하려는 경우
2. 보건복지부령으로 정하는 금액 이상을 1년 이상 장기차입(長期借入)하려는 경우

무상임대인 경우도 기본재산 처분허가를 받아야 함

o 「사회복지사업법」 제23조제3항제1호에서는 사회복지법인이 그 기본재산을 매도, 증여, 교환, 임대, 담보제공, 용도변경 하고자 하는 경우 주무관청의 허가를 받도록 규정하고 있습니다.

o 사회복지법인의 기본재산에 대해서 처분허가를 받도록 규정하고 있는 것은 사회복지법인 근간인 그 기본재산을 부당하게 감소시키는 것을 방지함으로써 사회복지법인의 재정적 기초를 튼튼하게 하고, 그 건전한 발달을 도모하고자 하는 공익적인 목적에서 비롯된 것이라고 할 수 있습니다.

o 그런데 최근 판례(대법원, 2015도9569, 2015.10.15.)에서는 기본재산처분허가 대상 행위를 「사회복지사업법」 제23조제3항제1호에서 열거하고 있는 6가지 행위로 한정하고,

참조 판례	기본재산 처분허가 대상
o **사건번호** : [대법원 2015.10.15, 선고, 2015도9569, 판결]	
o 보건복지부장관의 허가사항으로 정하고 있는 '사회복지법인의 기본재산 임대행위'는 차임을 지급받기로 하고 사회복지법인의 기본재산을 사용, 수익하게 하는 것을 의미하고, 차임의 지급 약정 없이 무상으로 기본재산을 사용, 수익하게 하는 경우는 이에 포함되지 않는다.	

- 그 중 "임대"에 대해서는 「민법」 제618조 임대차 정의를 차용하여 무상임대의 경우는 임대가 아니라 사용대차라고 언급하면서, 이는 법 제23조제3항제1호에서 열거하고 있는 6가지 행위에 해당되지 않는 처분행위이므로 허가가 필요 없는 것으로 판시하고 있습니다.

o 그러나 이러한 판례는 다음과 같은 이유로 미루어 보면 납득하기가 상당히 어렵습니다.

- 우선 판례에서는 「사회복지사업법」상 임대에 대한 정의가 없으므로 「민법」상 정의를 차용하는 것으로 밝히고 있는데, 「민법」에도 임대에 대한 정의가 아니라 임대차에 대한 정의만 있기 때문에 이를 「사회복지사업법」에 그대로 적용하는 것은 무리가 있다고 할 것입니다.

- 특정 법률의 용어에 대해서 정확한 정의가 없다고 전제하면서, 여전히 다른 법률에서 완전히 동일하지도 않은 용어의 정의를 차용하여 해석하는 것은 스스로 논리적 모순에 빠지는 오류를 범하고 있는 것으로 사료됩니다.

- 나아가 「사회복지사업법」에서 기본재산처분에 대해서 허가를 받도록 하고 있는 취지와 그 밖의 판례나 헌재결정 등을 참조하면 기본재산의 법률적 상황에 변동을 발생시키는 제반 법률행위에 대해서 주무관청의 허가를 받아야 한다는 것으로 해석하는 것이 타당하다고 할 것입니다.

- 즉 「사회복지사업법」 제23조제3항제1호에서 나열하고 있는 사항 중 임대는 「민법」상 임대차로 한정지을 것이 아니라 기본재산에 영향을 미치는 유·무상의 임대행위 자체라고 할 것입니다.

o 또한 지원법인의 경우 사회복지사업을 하는 자를 지원하는 것을 주된 목적으로 설립된 법인으로서 그 지원 방법으로는 금전이나 물품을 지원하는 적극적인 지원 방법과 법인의 재산을 무상으로 이용토록 하는 소극적인 지원 방법을 예상할 수 있습니다.

- 그러나 이러한 소극적인 지원 방법의 경우 위 대법원 판결을 그대로 적용하면 배임의 죄에 해당되므로 사실상 불가능한 지원 방법이 됩니다.

- 이는 사회복지법인이 기왕에 소유하고 있는 재산을 사회복지사업을 위해 사용하는 경우에도 불법이 될 수 있다는 것으로 귀결되므로 상당히 불합리한 판결로도 사료됩니다.

o 임대에 대한 부분을 따로 분리하여 볼 것이 아니라 기본재산의 감소나 감소의 우려가 있는 변동 원인의 하나로 해석하되 이를 용도변경으로 보아 사회복지법인이 주무관청의 허가를 받아 기본재산을 처분·변경토록 하는 것이, 이를 배임의 죄로 몰아가는 것보다 더 합리적인 해석이라고 판단됩니다.

제한물권이 설정된 부동산을 구매한 경우 주무관청의 처리 방법

관련 법령 조문

「사회복지사업법」

제23조(재산 등) ② 법인의 재산은 보건복지부령으로 정하는 바에 따라 기본재산과 보통재산으로 구분하며, 기본재산은 그 목록과 가액(價額)을 정관에 적어야 한다.

③ 법인은 기본재산에 관하여 다음 각 호의 어느 하나에 해당하는 경우에는 시·도지사의 허가를 받아야 한다. 다만, 보건복지부령으로 정하는 사항에 대하여는 그러하지 아니하다.

1. 매도·증여·교환·임대·담보제공 또는 용도변경을 하려는 경우
2. 보건복지부령으로 정하는 금액 이상을 1년 이상 장기차입(長期借入)하려는 경우

제24조(재산 취득 보고) 법인이 매수·기부채납(寄附採納), 후원 등의 방법으로 재산을 취득하였을 때에는 지체 없이 이를 법인의 재산으로 편입조치하여야 한다. 이 경우 법인은 그 취득 사유, 취득재산의 종류·수량 및 가액을 매년 시·도지사에게 보고하여야 한다.

[질문1] 사회복지법인이 제한물권이 설정된 부동산을 구매한 경우 그 부동산에 대해 기본재산 처분허가를 받아야 하는지?

[답변1] 기본재산 처분허가 대상이라고 볼 수 없음.

o 「사회복지사업법」 제24조에서는 사회복지법인이 매수 등의 방법으로 재산을 취득하였을 경우 이를 즉시 법인의 재산으로 편입시키고, 그 취득 사유, 재산의 종류 등에 대해서 매년 시·도지사에게 보고하도록 규정하고 있으며,

- 같은 법 제23조제2항 및 같은 법 시행규칙 제12조제1항제1호에서는 사회복지법인 명의 부동산은 당연히 기본재산이 되는 것으로 규정하고 있고,

- 또한 같은 법 제23조제3항에서는 기본재산에 대한 담보제공 등을 하기 위해서는 시·도지사의 허가를 받도록 규정하고 있습니다.

- 이러한 법령의 규정을 본 질문 부동산에 적용을 하면, 이 건 부동산은 일단 그 담보설정 여부와 무관하게 당연히 해당 사회복지법인의 기본재산이 되는 것이라고 할 수 있습니다.

- 하지만 동 부동산에 설정된 근저당권의 경우 해당 사회복지법인이 동 부동산이 기본재산이 되고난 이후에 행한 법률행위가 아니므로 기본재산 처분허가 대상인 「사회복지사업법」 제23조제3항에 해당되는 행위라고 볼 수 없습니다.

- 따라서 동 건 부동산은 기본재산 처분허가를 할 수 있는 대상이 아닙니다.

⚠ 유의사항 장기차입허가의 필요성 여부

o 채권·채무관계에 따라 권리가 설정된 부동산을 매입하는 행위는 기본재산에 대한 장기차입과 달리 볼 여지가 없기 때문에 「사회복지사업법」 제23조제3항제2호에 해당되는 경우라면 장기차입 허가도 받아야 할 것이라는 의견이 있을 수 있습니다.

- 그러나 장기차입의 경우 법인이 기본재산에 관하여 사후적으로 행하는 행위로서 권리가 설정된 부동산이 매입되기 전이면 기본재산이 아니므로 장기차입허가 절차를 실행할 수가 없고,
- 매입된 이후라면 이 또한 제1호에 따른 처분 허가와 마찬가지로 사후 허가 대상이라고 보기 어려운 점이 있습니다.

- 다만, 「사회복지사업법」 제24조에 따른 보고나 같은 법 제23조제2항에 따라 이행하는 정관변경 신청 등의 과정에서 동 부동산의 매입 행위로 인해 사회복지법인의 채무가 증가되거나, 새로운 의무가 부과되는 경우 또는 향후 사회복지법인의 재정적 안정을 해칠 것이 명백한 경우라면 「사회복지사업법」 제51조에 따른 지도·감독을 통해 동 재산을 신속하게 매각토록 요청해야 할 것입니다.

- 아울러 위와 같은 경우로서 제한물권이 부동산의 가치에 비해 과도하게 설정되었다면 매입 결정을 한 이사 등은 「형법」상 배임의 죄에 해당될 여지가 상당히 높으므로 주무관청에서는 면밀한 검토와 엄정한 사후처리를 해야 할 것입니다.

[질문2] 이 건 부동산을 정관상 기본재산 목록으로 기재하는 정관 변경신청이 있을 경우 처리 방법은?

[답변2] 법령의 규정에 부합되게 취득한 재산이라면 반려할 권한은 없음

o 「사회복지사업법」 제23조제2항에서는 법인의 기본재산은 그 목록과 가액을 정관에 기재하도록 규정하고 있습니다.

- 동 건 부동산의 경우 이미 앞에서 살펴본 바와 같이 법령에 따라 자동적으로 해당 사회복지법인의 당연한 기본재산이 되고, 따라서 사회복지법인은 그 목록과 가액을 정관에 기재해야 할 의무가 발생하게 되며,

- 따라서 이 건 사회복지법인이 동 건 부동산에 대한 소유권을 취득하였고, 법령에 따라 그 목록과 가액을 기재한 정관에 대한 변경신청을 하였다면, 이는 법률에 따른 의무이행을 위한 정관 변경신청이므로, 주무관청은 그 재산 목록과 가액에 하자가 있지 않는 한 이를 반려할 권한이 없다고 보는 것이 타당할 것으로 판단됩니다.

참조 판례	재단법인의 정관변경 허가의 법적 성질
o 사건번호 : [대법원 1996.5.16, 선고, 95누4810, 전원합의체 판결]	
o 민법 제45조와 제46조에서 말하는 재단법인의 정관변경 "허가"는 법률상의 표현이 허가로 되어 있기는 하나, 그 성질에 있어 법률행위의 효력을 보충해 주는 것이지 일반적 금지를 해제하는 것이 아니므로, 그 법적 성격은 인가라고 보아야 한다.	

- 다만, 정관 변경인가 심사 과정에서 부동산의 매입이 해당 사회복지법인에 손해를 끼친 행위로 판단된다면 「형법」상 배임의 죄에 대해 수사의뢰하거나, 「사회복지사업법」 제51조에 따라 사회복지법인에 대해 부동산의 즉시 매수할 것 등에 대해서 지도·감독을 행해야 할 것입니다.

- 또한 사회복지법인의 설립 과정에서 제한물권이 설정된 재산을 기본재산으로 출연하고자 하는 경우가 있다면 이는 장차 설립된 사회복지법인의 재정적 기초를 위협할 수 있는 가능성이 있으므로 허가 신청을 반려하는 것이 바람직할 것으로 판단됩니다.

[질문3] 제한물권 설정된 상태로 구매한 부동산에 대해 해당 제한물권에 기한 임의경매가 진행되어 낙찰된 경우 그 양도에 있어 주무관청 허가가 필요한지?

[답변3] 제한물권 설정에 대해서 주무관청이 관여한 바가 없기 때문에 그 처분·양도 시에는 반드시 주무관청의 허가가 필요함

o 이 건 부동산에 설정된 제한물권의 경우 해당 제한물권을 설정함에 있어 주무관청의 허가를 받지 않았으므로, 동 제한물권을 권원으로 한 임의경매가 진행되었다고 하더라도 동 부동산의 낙찰과 그 낙찰로 인한 부동산의 처분·양도에 관하여 주무관청의 허가가 필요합니다.

참조 판례	임의경매 시 기본재산 처분허가가 필요하다는 취지
o 사건번호 : [대법원 2003.9.26, 자, 2002마4353, 결정]	
o 사회복지법인의 기본재산의 매도, 담보제공 등에 관한 사회복지사업법 제23조 제3항의 규정은 강행규정으로서 사회복지법인이 이에 위반하여 주무관청의 허가를 받지 않고 그 기본재산을 매도하더라도 효력이 없으므로, - 법원의 부동산임의경매절차에서 사회복지법인의 기본재산인 부동산에 관한 낙찰이 있었고 낙찰대금이 완납되었다 하더라도 위 낙찰에 대하여 주무관청의 허가가 없었다면 그 부동산에 관한 소유권은 사회복지법인으로부터 낙찰인에게로 이전되지 아니한다.	

- 따라서 임의경매 이후 낙찰과 그 낙찰로 인한 처분·양도에 대해 주무관청의 허가를 받지 않았다면 동 소유권 이전은 무효가 되는 것은 물론이고,

- 나아가 이러한 행위는 「사회복지사업법」 제23조제3항을 위반한 것이 되므로, 같은 법 제53조제1호에 해당 5년 이하의 징역 또는 5천만원 이하의 벌금에 해당되는 범죄가 됩니다.

o 또한 이 건을 변형된 장기차입의 형태라고 보더라도, 위의 부동산 처분·양도와 동일하게 취급하면 될 것으로 사료됩니다.

- 즉 기본재산에 대한 장기차입 허가 없이 이루어진 사항이므로 은행권에 대한 변제도 주무관청의 허가 없이는 이루어질 수 없기 때문입니다.(경매·처분·양도 관련 법리나 벌칙 적용도 동일)

기본재산에 대한 채권자 대위(代位) 처분 가능 여부

관련 법령 조문

「사회복지사업법」

제23조(재산 등) ② 법인의 재산은 보건복지부령으로 정하는 바에 따라 기본재산과 보통재산으로 구분하며, 기본재산은 그 목록과 가액(價額)을 정관에 적어야 한다.

③ 법인은 기본재산에 관하여 다음 각 호의 어느 하나에 해당하는 경우에는 시·도지사의 허가를 받아야 한다. 다만, 보건복지부령으로 정하는 사항에 대하여는 그러하지 아니하다.

1. 매도·증여·교환·임대·담보제공 또는 용도변경을 하려는 경우
2. 보건복지부령으로 정하는 금액 이상을 1년 이상 장기차입(長期借入)하려는 경우

제24조(재산 취득 보고) 법인이 매수·기부채납(寄附採納), 후원 등의 방법으로 재산을 취득하였을 때에는 지체 없이 이를 법인의 재산으로 편입조치하여야 한다. 이 경우 법인은 그 취득 사유, 취득재산의 종류·수량 및 가액을 매년 시·도지사에게 보고하여야 한다.

「민법」

제404조(채권자대위권) ①채권자는 자기의 채권을 보전하기 위하여 채무자의 권리를 행사할 수 있다. 그러나 일신에 전속한 권리는 그러하지 아니하다.

②채권자는 그 채권의 기한이 도래하기 전에는 법원의 허가없이 전항의 권리를 행사하지 못한다. 그러나 보전행위는 그러하지 아니하다.

[질문] 사회복지법인의 채권자가 해당 채권 확보를 위해 사회복지법인의 기본재산에 대한 처분허가를 신청할 수 있는지?

[답변] 사회복지법인이 아닌 자는 기본재산 처분허가 신청을 할 수 없음.

o 사회복지법인의 기본재산에 대해서 처분허가를 받도록 규정하고 있는 것은 사회복지법인 근간인 그 기본재산을 부당하게 감소시키는 것을 방지함으로써 사회복지법인의 재정적 기초를 튼튼하게 하고, 그 건전한 발달을 도모하고자 하는 공익적인 목적에서 비롯된 것이라고 할 수 있습니다.

- 또한 해당 기본재산이 없어진다는 것은 사회복지법인의 실체가 소멸되는 것을 의미하는 것이므로 그 기본재산의 처분에 대해서 주무관청에 허가를 신청할지 여부는 해당 사회복지법인의 의사에 좌우되어야 하는 것이 바람직하다고 할 것입니다.

o 이러한 취지와 「사회복지사업법」에서 기본재산처분 허가 신청은 해당 사회복지법인만 가능한 것으로 규정하고 있는 것에 미루어 보면,

- 기본재산처분 허가 신청은 법인 고유의 권한인 것으로서 「민법」 제404조에 따른 채권자대위 대상이라고 보기 어렵고,

- 금전채권자가 사회복지법인을 상대로 기본재산 처분허가를 신청할 것을 강제로

청구할 권한도 없으므로 우회적이나 간접적인 방법에 의한 대위신청도 불가능하다고 할 것입니다.

참조 판례	제3자의 기본재산 처분허가 신청 불허

o **사건번호 :** [대법원 1998.8.21, 선고, 98다19202, 판결]

o 재단법인은 일정한 목적을 위하여 바쳐진 재산이라는 실체에 대하여 법인격을 부여한 것이므로 그 출연된 재산 즉 재단법인의 기본재산은 바로 법인의 실체인 동시에 법인의 목적을 수행하기 위한 가장 기본적인 수단으로서 이를 처분한다는 것은 재단법인의 실체가 없어지는 것을 의미하므로 재단법인의 기본재산은 이를 함부로 처분할 수 없는 것이고, 재단법인이 정관의 변경을 초래하는 기본재산의 처분을 위하여 주무관청의 허가를 신청할 것인지 여부는 특별한 사정이 없는 한 재단법인의 의사에 맡겨져 있다고 할 것이므로,

- 채무자인 재단법인에 다른 재산이 없어 기본재산을 처분하지 않고는 채무의 변제가 불가능하다고 하더라도, 재단법인으로부터 기본재산을 양수한 자도 아니고 금전채권자들에 불과한 자에게는 강제이행청구권의 실질적인 실현을 위하여 필요하다는 사유만으로 기본재산의 처분을 희망하지도 않는 재단법인을 상대로 주무관청에 대하여 기본재산에 대한 처분허가신청절차를 이행할 것을 청구할 권한이 없다.

o **사건번호 :** [부산고법 2002.7.26, 선고, 2002누424, 판결]

o 사립학교법의 여러 규정의 규정 내용과 그 입법 취지 등을 검토하여 보면, 사립학교법 제28조 제1항에서 학교법인이 그 기본재산에 대한 처분행위를 하고자 할 때에는 관할청의 허가를 받아야 한다고 규정한 취지는 사립학교의 설치·경영을 위하여 설립된 학교법인이 그 기본재산을 부당하게 감소시키는 것을 방지함으로써 사립학교의 건전한 발달을 도모하고자 하는 공익적 목적에서 비롯된 것이라 할 것이고,

- 그러한 취지와 학교법인의 기본재산 처분행위에 대한 허가신청의 법적 성질 등에 비추어 보면, 사립학교법은, 학교법인의 기본재산은 학교법인의 목적을 수행하기 위한 가장 기본적인 수단으로서, 이를 처분한다는 것은 학교법인의 실체가 없어지는 것을 의미하므로, 학교법인의 기본재산 처분을 위하여 관할청의 허가를 신청할 것인지 여부는 특별한 사정이 없는 한 학교법인의 의사에 맡기고 있다고 봄이 상당하다.
- 위와 같은 입장에서 보면, 채무자인 학교법인에 다른 재산이 없어 기본재산을 처분하지 않고는 채무의 변제가 불가능하다고 하더라도, 사립학교의 기본재산의 처분에 대한 허가신청은 민법 제404조의 채권자대위의 대상이 된다고 볼 수 없고, 학교법인의 금전채권자에 불과한 자로서는 강제이행청구권의 실질적 실현을 위하여 필요하다는 사유만으로 기본재산의 처분을 희망하지도 않는 학교법인을 상대로 주무관청에 대하여 기본재산에 대한 처분허가신청절차의 이행을 청구할 권한이 없어(대법원 1998. 8. 21. 선고 98다19202, 19219 판결 참조), 그러한 우회적 방법에 의한 대위신청도 불가능하다고 보아야 할 것이다.

기본재산 처분 시 「지방계약법」 준수 여부

관련 법령 조문

「사회복지사업법」

제23조(재산 등) ② 법인의 재산은 보건복지부령으로 정하는 바에 따라 기본재산과 보통재산으로 구분하며, 기본재산은 그 목록과 가액(價額)을 정관에 적어야 한다.

③ 법인은 기본재산에 관하여 다음 각 호의 어느 하나에 해당하는 경우에는 시·도지사의 허가를 받아야 한다. 다만, 보건복지부령으로 정하는 사항에 대하여는 그러하지 아니하다.

1. 매도·증여·교환·임대·담보제공 또는 용도변경을 하려는 경우
2. 보건복지부령으로 정하는 금액 이상을 1년 이상 장기차입(長期借入)하려는 경우

④ <u>제1항에 따른 재산과 그 회계에 관하여 필요한 사항은 보건복지부령으로 정한다</u>.

「사회복지법인 및 사회복지시설 재무·회계 규칙」

제1조(목적) 이 규칙은 <u>「사회복지사업법」 제23조제4항</u>, 제34조제3항 및 제45조제2항의 규정에 의하여 사회복지법인 및 사회복지시설의 재무·회계 및 후원금관리에 관한 사항을 규정하여 재무·회계 및 후원금관리의 명확성·공정성·투명성을 기함으로써 사회복지법인 및 사회복지시설의 합리적인 운영에 기여함을 목적으로 한다.

제30조의2(계약의 원칙) 계약에 관한 사항은 「지방자치단체를 당사자로 하는 계약에 관한 법률」, 같은 법 시행령 및 같은 법 시행규칙을 준용한다. 다만, 국가·지방자치단체·법인 외의 자가 설치·운영하는 시설의 경우에는 그러하지 아니하다.

원칙 : 「지방계약법」을 준용하여 해당 절차를 진행해야 함

o 「사회복지법인 및 사회복지시설 재무·회계 규칙」 제30조의2에서는 사회복지법인이 계약을 할 경우 「지방계약법」을 따르도록 규정하고 있습니다.

- 사회복지법인의 기본재산 처분에 따른 계약도 동 조문에 해당되지 않는다고 보기 어려우므로 해당 기본재산 처분 시에는 「지방계약법」에 따른 입찰 또는 수의계약 절차 등 관련 사항을 반드시 준수해야 할 것입니다.

o **(법령체계)** 「사회복지사업법」 제23조제4항에서는 기본재산과 그 회계에 관하여는 보건복지부령으로 정하도록 위임을 하고 있고,

- 이러한 위임규정에 따라 「사회복지법인 및 사회복지시설 재무·회계 규칙」이 제정되었고, 동 규칙 제30조의2에서 규정하고 있는 "계약"에는 사회복지법인의 기본재산과 관련한 계약도 포함되는 것으로 해석할 수 있습니다.

o **(법령취지)** 주무관청의 제한된 인적·물적 자원의 여건상 현행 「사회복지사업법」 규정상 사회복지법인의 기본재산 처분허가 시에 해당 재산에 대한 실사(實査)를 통해 그 가치를 가늠하기는 상당히 어렵습니다.

- 따라서 실무상으로는 법인에서 제출하는 각종 서류를 근거로 대략적인 규모만 확인한 후 허가하고, 이후 그 처분 결과를 보고 받거나 정관변경 절차 진행 과정 중에 실제 처분결과를 확인하는 절차를 활용하고 있습니다.

- 이러한 과정 중에 자칫 사회복지법인이 그 기본재산을 처분함에 있어 그 매수자 등과 허위·통정을 통해 부적절한 거래관계를 형성할 우려가 다분히 있습니다.

- 그러나 기본재산 처분 시에 「지방계약법」에 따른 입찰 등의 절차를 거칠 경우 그 거래관계의 투명성이 확보되어 법인에게 그 처분 재산에 대한 적절한 가치가 귀속되는 효과를 기대할 수 있을 것입니다.

- 따라서 기본재산의 처분과 관련된 계약도 「사회복지법인 및 사회복지시설 재무·회계 규칙」 제30조의2에 따라 「지방계약법」을 준용한다고 보는 것이 입법의 취지에 부합되는 해석이라고 할 것입니다.

o **(법령연혁)** 현행 「사회복지법인 및 사회복지시설 재무·회계 규칙」 제30조의2는 2009년 2월 5일에 개정된 규칙에서 처음으로 신설되었습니다.[191]

- 제30조의2의 신설로 삭제된 조문은 계약의 일반적인 방법에 대해서 규정하고 있던 것들로서 해당 사항을 모두 「지방계약법」을 준용토록 하면서 삭제가 된 것입니다.

- 삭제된 조문인 종전 제32조제1항에서는 계약의 일반적인 방법을 정하고 있고, 제2항제2호에서는 특정가(特定價) 이하의 재산을 매각할 경우 예외적으로 지명경쟁을 할 수 있도록 규정하고 있습니다.

- 또한 종전의 제37조의2에서는 각종 처분 절차에 대해서는 「국가계약법」을 준용토록 규정하고 있습니다.

- 즉 당시 조문에서 "재산의 매각"이라는 일반적인 용어를 사용하고 있고, 그 재산에 법인의 기본재산이 포함되는 것은 당연한 것이고 보면,

- 종전 규정상으로도 기본재산의 처분 시에는 일반경쟁을 원칙으로 하고, 예외적으로 지명경쟁 등의 방법을 활용하며, 그 절차는 「국가계약법」을 준용하여 운용되고 있었음을 알 수 있습니다.

---

191) 당시 검토보고서 등에는 개정취지를 "보조금 지원 주체인 지방자치단체의 실질적인 감독 기능을 강화하기 위하여 계약에 관한 사항은 「지방자치단체를 당사자로 하는 계약에 관한 법률」을 준용하도록"하는 것으로 서술

- 현행 제30조의2가 이러한 복잡한 조문들을 정리하면서, 해당 내용을 모두 포함하고 있는 「지방계약법」을 따르도록 신설한 것임을 감안하면,

- 사회복지법인이 기본재산을 처분할 경우도 현행 「사회복지법인 및 사회복지시설 재무·회계 규칙」 제30조의2에서 규정하고 있는 계약에 해당되는 것이라고 할 것이며, 따라서 「지방계약법」을 준용하여 그 계약절차를 진행하는 것이 바람직하다고 할 것입니다.

공용수용(公用收用)과 기본재산 처분과의 관계

관련 법령 조문

「사회복지사업법」

제23조(재산 등) ③ 법인은 기본재산에 관하여 다음 각 호의 어느 하나에 해당하는 경우에는 시·도지사의 허가를 받아야 한다. 다만, 보건복지부령으로 정하는 사항에 대하여는 그러하지 아니하다.

1. 매도·증여·교환·임대·담보제공 또는 용도변경을 하려는 경우
2. 보건복지부령으로 정하는 금액 이상을 1년 이상 장기차입(長期借入)하려는 경우

「공익사업을 위한 토지 등의 취득 및 보상에 관한 법률」

제19조(토지등의 수용 또는 사용) ① 사업시행자는 공익사업의 수행을 위하여 필요하면 이 법에서 정하는 바에 따라 토지등을 수용하거나 사용할 수 있다.

② 공익사업에 수용되거나 사용되고 있는 토지등은 특별히 필요한 경우가 아니면 다른 공익사업을 위하여 수용하거나 사용할 수 없다.

*** 「공익사업을 위한 토지 등의 취득 및 보상에 관한 법률」 준용 법률**

: 「국토의 계획 및 이용에 관한 법률」 제96조, 「도로법」 제82조, 「도시개발법」 제22조, 「주택법」 제27조, 「하천법」 제78조 등

허가를 받을 필요가 없습니다.

o 「사회복지사업법」 제23조제3항의 규정은 사회복지법인이 스스로 기본재산에 대해서 처분행위를 하고자 하는 경우나 사회복지법인 스스로의 행한 행위의 결과로 기본재산의 처분행위가 발생되는 경우에 허가를 받도록 하고 있는 것입니다.

o 그런데 공용수용(公用收用)은 국가나 지자체가 공공사업을 시행하기 위해서 사회복지법인의 기본재산과 관련한 재산권을 강제로 취득하고, 그에 대해서 손실을 보상하는 행위이므로

- 이러한 행위와 관련된 제반 절차는 사회복지법인의 기본재산 처분의사와는 무관하게 이루어지는 것이라고 할 것입니다.

- 따라서 이러한 공용수용은 「사회복지사업법」 제23조제3항 각 호의 어느 하나에 해당되는 것이라고 하기는 어려울 것이고, 그에 따라 기본재산의 처분허가가 필요한 경우라고 하기는 더더욱 어려울 것입니다.

참조 판례	공용수용은 기본재산 처분 허가대상이 아님

o **사건번호** : [서울고등법원 2010. 9. 9., 선고, 2009누37458, 판결]

o 공용수용은 국가 또는 지방자치단체 등이 공공사업의 시행을 위해 관련법령에 의해 사인의 재산권을 강제로 취득하고 그에 대해 손실보상을 하는 것이므로 공용수용으로 인한 교지, 교사, 체육장 등 학교재산의 소유권변동은 학교법인의 처분행위에 의한 것이 아님이 명백하다.

- 결국 사립학교법 제28조 제2항, 같은 법 시행령 제12조 제1항에서 금지하는 처분행위에는 공용수용으로 인한 교지, 교사, 체육장 등 학교재산의 소유권이전은 포함되지 않는 것으로 봄이 상당하다.

보상금은 당연히 기본재산이 됩니다.

o 공용수용(公用收用)에 따라 기본재산이 처분되는 경우 그 처분은 법률에 따라서 이루어지는 것으로 주무관청의 허가절차는 별도로 필요 없지만, 그 손실보상 차원으로 받는 보상금은 기본재산이 용도변경된 것이므로 당연히 기본재산이 됩니다.

- 따라서 기본재산의 공용수용으로 인해 발생된 보상금 일체는 무조건 기본재산이 되고, 만일 이러한 보상금을 사용하고자 한다면 반드시 주무관청의 허가를 받아야 합니다.

- 만일 보상금을 정관상 기본재산으로 등재하지 않고 금융기관에 예치한 경우 이자가 발생하면, 해당 이자도 보상금에서 파생된 것으로 그 역시 기본재산이 되므로 주무관청의 허가를 받고 사용하여야 합니다.

- 보상금을 정관상 기본재산으로 즉시 기재하였다면, 정관에 기재된 보상금 금액만 기본재산이 되므로, 그 금액 이외에 발생하는 이자는 기타 현금인 기본재산에서 발생하는 이자와 마찬가지로 별도의 처분허가 없이 사용이 가능할 것입니다.

참조 판례	기본재상 공용수용 보상금도 기본재산이므로 사용시 허가가 필요

o **사건번호** : [전원재판부 2005헌바66, 2006. 7. 27.]
[대법원 2006. 11. 23., 선고, 2005도5511, 판결]

o 기본재산의 공용수용의 결과 취득한 보상금은 기본재산이 용도변경된 것이므로 보상금 사용 시에도 주무관청의 허가가 필요함

청산 시 기본재산 처분허가를 받아야 하는지 여부

관련 법령 조문

「사회복지사업법」

제23조(재산 등) ③ 법인은 기본재산에 관하여 다음 각 호의 어느 하나에 해당하는 경우에는 시·도지사의 허가를 받아야 한다. 다만, 보건복지부령으로 정하는 사항에 대하여는 그러하지 아니하다.

1. 매도·증여·교환·임대·담보제공 또는 용도변경을 하려는 경우
2. 보건복지부령으로 정하는 금액 이상을 1년 이상 장기차입(長期借入)하려는 경우

「사회복지사업법 시행규칙」

제14조(기본재산의 처분) ① 법인은 법 제23조제3항제1호에 따라 기본재산의 매도 · 증여 · 교환 · 임대 · 담보제공 또는 용도변경(이하 "처분"이라 한다)에 관한 허가를 받고자 하는 경우에는 별지 제11호서식의 기본재산처분허가신청서에 다음 각 호의 서류를 첨부하여 시 · 도지사에게 제출하여야 한다. 이 경우 시 · 도지사는 「전자정부법」 제36조제1항에 따른 행정정보의 공동이용을 통하여 개별공시지가 확인서를 확인하여야 한다.

1. 기본재산의 처분을 결의한 이사회 회의록사본 1부
2. 처분하는 기본재산의 명세서 1부
3. 처분하는 기본재산의 감정평가서(교환의 경우에는 취득하는 재산의 감정평가서를 포함하며, 개별공시지가서 확인서로 첨부서류에 대한 정보를 확인할 수 있는 경우에는 그 확인으로 첨부서류를 갈음한다) 1부

②법 제23조제3항 단서에서 "보건복지부령으로 정하는 사항"이란 기본재산에 관한 임대계약을 갱신하는 경우를 말한다.

허가를 받아야 합니다.

o 「사회복지사업법」 제23조제3항에서는 사회복지법인은 기본재산을 처분하려는 경우 시·도지사의 허가를 받도록 규정하고 있습니다.

- 한편 사회복지법인의 경우 해산이 되더라도 곧바로 권리능력을 상실하는 것이 아니라 「사회복지사업법」 제32조에 따라 준용되는 「민법」 제81조에 따라 청산법인으로서 청산의 목적 범위 내에서 권리가 있고 의무를 부담하게 됩니다.

- 이러한 사항은 사회복지법인이 설립허가 취소를 사유로 해산한 경우에도 마찬가지로 적용될 수 있다고 할 것입니다.

- 또한 「사회복지사업법」 제27조제1항에서는 해산한 사회복지법인의 남은 재산은 국가나 지자체로 귀속되도록 제한하고 있고, 「사회복지사업법」에서는 사회복지법인의 청산에 대해서 구체적으로 규정하고 있지는 않지만, 같은 법 제32조에

따라 준용되는 「민법」에 따르면, 사회복지법인의 해산 및 청산은 법원이 검사, 감독하고(「민법」 제95조), 일정한 경우에 법원은 직권 또는 이해관계인이나 검사의 청구에 의하여 청산인을 선임·해임할 수 있으므로(「민법」 제83조, 제84조), 법원의 감독 하에 청산절차가 원활하게 진행될 수 있다는 점,

- 청산인은 '채권의 추심 및 채무의 변제' 등의 직무를 행하며 청산인은 위 직무를 행하기 위하여 필요한 모든 행위를 할 수 있으므로(「민법」 제87조), 청산인은 특별한 사정이 없는 한 채무의 변제를 위하여 사회복지법인의 기본재산을 처분할 수도 있을 것이고, 또한 법원이 청산절차를 검사, 감독하므로 기본재산을 처분함에 있어서 관할청의 허가를 받기가 수월할 수 있는 점,

- 법원의 검사, 감독 하에 청산절차가 정상적으로 진행된다면 청산절차에서 주무관청의 허가를 받아 기본재산을 처분하는 것이 채권자들 사이에서 공평한 변제를 받는 방법이 될 수 있고, 청산에 따른 강제경매 등을 이유로 관할청의 허가 없이 기본재산의 매각이 유효하다고 해석하게 되면, 강제경매신청 채권자가 우연한 사정으로 우선 변제의 효과를 누리는 셈이 되어 다른 채권자들과의 형평을 해치게 된다는 점 등을 모두 고려하면,

- 사회복지법인이 「사회복지사업법」 제26조에 따라 설립허가가 취소되어 기능을 수행할 수 없게 된 경우에도 「사회복지사업법」 제26조제1항이 여전히 적용되어 그 기본재산을 처분하고자 할 때에는 관할청의 허가를 받아야 한다고 해석함이 상당하다고 할 수 있습니다.

참조 판례 학교법인 청산 시 기본재산 처분허가 필요

o **사건번호** : [대법원 2010.4.8., 선고, 2009다93329, 판결]

o 학교법인이 사립학교법 제47조 제1항에 의한 해산명령을 받아 해산되고 고등교육법 제62조 제1항에 의한 학교폐쇄 처분을 받아 사실상 학교법인으로서 실체를 상실하고 기능을 수행할 수 없게 된 경우에도 사립학교법 제28조 제1항이 여전히 적용되어 그 기본재산을 처분하고자 할 때에는 관할청의 허가를 받아야 한다고 해석함이 상당하다.

o 관할청의 해산명령으로 해산되어 사실상 학교법인으로서의 실체를 상실하고 기능을 수행할 수 없게 된 경우에는 그 기본재산을 부당하게 감소시키는 것과 같은 극히 제한된 경우에 한하여 사립학교법 제28조 제1항을 적용하는 것이 입법 취지에 부합한다는 전제하에, 강제경매를 포함한 경매절차를 통하여 학교법인의 기본재산을 처분하는 것이 학교법인의 재산을 부당하게 감소시키는 경우에 해당하지 않으므로 이러한 경우에는 사립학교법 제28조 제1항의 적용이 배제된다고 판단한 원심판결에 대하여, 학교법인이 해산한 경우에도 사립학교법 제28조제1항이 적용되어 관할청의 허가를 필요로 한다는 이유로 이를 파기한 사례

파산 시 기본재산 처분허가를 받아야 하는지 여부

관련 법령 조문

「사회복지사업법」

제23조(재산 등) ③ 법인은 기본재산에 관하여 다음 각 호의 어느 하나에 해당하는 경우에는 시·도지사의 허가를 받아야 한다. 다만, 보건복지부령으로 정하는 사항에 대하여는 그러하지 아니하다.

1. 매도·증여·교환·임대·담보제공 또는 용도변경을 하려는 경우

「채무자 회생 및 파산에 관한 법률」

제61조(법원의 허가를 받아야 하는 행위) ① 법원은 필요하다고 인정하는 때에는 관리인이 다음 각호의 어느 하나에 해당하는 행위를 하고자 하는 때에 법원의 허가를 받도록 할 수 있다.

1. 재산의 처분 / 7. 권리의 포기 / 9. 그 밖에 법원이 지정하는 행위

②관리인은 법원의 허가를 받지 아니하고는 다음 각호의 행위를 하지 못한다.

1. 채무자의 영업 또는 재산을 양수하는 행위
2. 채무자에 대하여 자기의 영업 또는 재산을 양도하는 행위
3. 그 밖에 자기 또는 제3자를 위하여 채무자와 거래하는 행위

허가를 받아야 합니다.

o "파산"이라 함은 사회복지법인이 "재정적 어려움으로 인하여 파탄에 직면해 있는 채무자에 대하여 채권자·주주·지분권자 등 이해관계인의 법률관계를 조정하여 채무자 또는 그 사업의 효율적인 회생을 도모하거나, 회생이 어려운 채무자의 재산을 공정하게 환가·배당"하기 위하여 만들어진 절차로서 「민법」 및 「채무자 회생 및 파산에 관한 법률」(이하 "「파산법」")에 따라 진행됩니다.

개인 해석 **「파산법」상 법원 허가의 성질**

o 「파산법」은 그 목적에서도 알 수 있듯이 채무를 완전히 해결하기에는 부족한 사회복지법인의 재산을 공정하게 배당하기 위해 마련된 법률입니다.

- 따라서 사회복지법인이 임의로 재산을 처분하는 경우 공정한 배당이 어려울 수 있기 때문에 법원에서 사회복지법인의 재산의 처분 여부를 통제하는 것입니다.

o 「파산법」 제61조제1항제1호에 따른 "재산의 처분"은 「사회복지사업법」 제23조에 따른 처분과는 다른 행위로서 그 목적이나 효력도 전혀 다른 행위로서,

- 「파산법」상 법원의 허가는 재산 처분을 개시해도 좋다는 것에 불과한 것으로서, 그 처분 허가와 관련된 구체적인 처분행위는 반드시 관련 법률에 부합되도록 이루어져야 함

o 사회복지법인의 파산절차가 진행될 경우 해당 사회복지법인은 채무를 변제하기 위해 자신의 재산을 처분하여야 하는 경우가 발생합니다.

- 이 경우 해당 사회복지법인의 재산처분 행위는 「파산법」 뿐만 아니라 당연히 「사회복지사업법」의 규정에도 부합되어야 하며, 필요한 경우 보조금 관련 법률에도 부합되게 진행되어야 합니다.

- 왜냐하면 해당 사회복지법인이 비록 파산절차를 진행하고는 있다고 하나 여전히 사회복지법인으로서의 지위를 가지고 있고, 「파산법」이 「사회복지사업법」의 특별법적 지위에 있다고 볼 수 없으므로 당연히 그 재산의 처분에 있어서는 「사회복지사업법」에 따른 절차도 준수해야하기 때문입니다.

- 아울러 동 재산이 보조금 관련 법률에 따른 중요재산일 경우, 「파산법」이 보조금 관련 법률에 특별법적 지위에 있다고 보기도 어려우므로 당연히 보조금 관련 법률에 따른 절차도 준수합니다.

o 요컨대 사회복지법인이 파산한 경우로서, 채무 변제를 위해 그 기본재산의 처분이 필요한 경우라고 한다면, 「사회복지사업법」에 따라 주무관청인 시·도지사에게 그 처분허가를 반드시 받아야 합니다.

- 또한 해당 기본재산이 중요재산으로도 관리되고 있다면 보조금 관련 법률에 따라 국고보조금인 경우 중앙관서인 보건복지부장관의 승인을, 지방보조금인 경우는 해당 지방자치단체장의 승인도 반드시 받아야 합니다.

o 만일 위와 같은 절차를 준수하지 않을 시에는 「사회복지사업법」 제53조제1호에 해당되어 5년 이하의 징역 또는 5천만원 이하의 벌금형에 처해질 수 있으며, 아울러 「보조금 관리에 관한 법률」 제41조제2호에도 해당되어 5년 이하의 징역 또는 5천만원 이하의 벌금에 처해질 수도 있음에 유의해야 할 것입니다.

사회복지법인 정관에 "사회적기업" 운영이 포함될 수 있는지 여부

관련 법령 조문

「민법」

제34조(법인의 권리능력) 법인은 법률의 규정에 좇아 정관으로 정한 목적의 범위내에서 권리와 의무의 주체가 된다.

「사회복지사업법」

제2조(정의) 3. "사회복지법인"이란 사회복지사업을 할 목적으로 설립된 법인을 말한다.

제28조(수익사업) ① 법인은 목적사업의 경비에 충당하기 위하여 필요할 때에는 법인의 설립 목적 수행에 지장이 없는 범위에서 수익사업을 할 수 있다.

「사회적기업 육성법」

제2조(정의) 이 법에서 사용하는 용어의 뜻은 다음과 같다.

1. "사회적기업"이란 취약계층에게 사회서비스 또는 일자리를 제공하거나 지역사회에 공헌함으로써 지역주민의 삶의 질을 높이는 등의 사회적 목적을 추구하면서 재화 및 서비스의 생산·판매 등 영업활동을 하는 기업으로서 제7조에 따라 인증받은 자를 말한다.

제7조(사회적기업의 인증) ① 사회적기업을 운영하려는 자는 제8조의 인증 요건을 갖추어 고용노동부장관의 인증을 받아야 한다.

제8조(사회적기업의 인증 요건 및 인증 절차) ① 사회적기업으로 인증받으려는 자는 다음 각 호의 요건을 모두 갖추어야 한다.

1. 「민법」에 따른 법인·조합, 「상법」에 따른 회사·합자조합, 특별법에 따라 설립된 법인 또는 비영리민간단체 등 대통령령으로 정하는 조직 형태를 갖출 것

6. 제9조에 따른 정관이나 규약 등을 갖출 것

제9조(정관등) ① 사회적기업으로 인증받으려는 자는 다음 각 호의 사항을 적은 정관이나 규약 등(이하 "정관등"이라 한다)을 갖추어야 한다.

1. 목적 / 2. 사업내용

[질문1] 사회복지시설인 장애인재활사업장을 운영하는 사회복지법인의 정관 목적사업에 "사회적기업 운영"을 포함할 수 있는지?

[답변1] 사회복지사업을 기반으로 사회적기업 인증을 받는 경우에 한해서 가능

o 사회적기업은 「사회적기업 육성법」 제2조제1호에 따라 특정 영업활동을 하는 자 중에서 인증을 받은 자를 의미합니다.

- 즉 특정한 사업장에 인증을 하는 것이 아니라 사업자가 인증을 받는 구조입니다.

o 장애인재활사업장 등 직업재활시설을 운영하는 사회복지법인이 사회적기업으로 인증받기 위해서는 그 정관에 「사회적기업 육성법」 제2조제3호에 따른 서비스와 관련된 사업을 적시하면 충분할 것으로 사료됩니다.

o 그러나 사회복지법인은 사회복지사업만을 하기 위해서 설립된 특수법인이므로 “사회적기업 운영”을 목적사업으로 명시하는 것은 원칙적으로는 불가능합니다.

- 다만, 사회복지시설 중 직업재활시설을 운영하는 등 목적사업을 수행에 수반되어 사회적기업으로 인증을 받을 경우, 그러한 사회적기업 운영 자체가 사회복지사업을 수행하는 것이 되는 점도 고려할 필요가 있고,

- 한편 사회복지사업이 아닌 제3의 사업을 기반으로 사회적기업 인증을 받을 수 있는 여지는 방지해야 할 필요도 있습니다.

- 따라서 사회복지시설을 기반으로 사회적기업 인증을 받는 경우에 한해서 가능하다고 할 것입니다.

사례 예시	사회적기업 운용을 위한 정관 목적사업 예시
1. 「장애인복지법」에 따른 장애인 직업재활시설(장애인 근로작업장)의 설치·운영 ···· 4. 제1호에 따른 장애인보호작업장 설치·운영을 이유로 「사회적기업 육성법」에 따른 사회적기업으로 인증 받은 후, 사회적기업으로서 수행하는 사업	

[질문2] 사회복지법인의 정관 수익사업에 “사회적기업 운영”을 포함할 수 있는지?

[답변2] 「사회복지사업법」에서 정하고 있는 수익사업의 요건에 해당하면 가능

o 「사회복지사업법」 제28조제1항과 제2항에서는 각각 법인은 △목적사업의 경비를 충당하기 위하여 필요할 때에, △법인의 설립 목적 수행에 지장이 없는 범위에서 수익사업을 할 수 있고,

- 이러한 수익사업에서 생긴 수익을 법인 또는 법인이 설치한 사회복지시설의 운영 외의 목적에 사용할 수 없다고 규정하고 있습니다.

- 따라서 사회복지법인이 「사회복지사업법」 제28조에 따른 수익사업의 요건을 갖추고, 「사회적기업 육성법」에 따른 요건도 동시에 만족시킨다면 당연히 가능하다고 할 수 있을 것입니다.

사회복지법인의 의료기관 개설 가능 여부

관련 법령 조문

「민법」

제34조(법인의 권리능력) 법인은 법률의 규정에 좇아 정관으로 정한 목적의 범위내에서 권리와 의무의 주체가 된다.

「사회복지사업법」

제2조(정의) 3. "사회복지법인"이란 사회복지사업을 할 목적으로 설립된 법인을 말한다.

제28조(수익사업) ① 법인은 목적사업의 경비에 충당하기 위하여 필요할 때에는 법인의 설립 목적 수행에 지장이 없는 범위에서 수익사업을 할 수 있다.

② 법인은 제1항에 따른 수익사업에서 생긴 수익을 법인 또는 법인이 설치한 사회복지시설의 운영 외의 목적에 사용할 수 없다.

③ 제1항에 따른 수익사업에 관한 회계는 법인의 다른 회계와 구분하여 회계처리하여야 한다.

원칙 : 사회복지법인의 의료기관 개설은 불가

o 「사회복지사업법」 제32조에 따라 준용되는 「민법」 제34조에서는 법인의 권리능력은 정관으로 정한 목적 범위 내에서만 존재하는 것으로 규정하고 있습니다.

- 또한 「사회복지사업법」 제2조제3호에 따르면 사회복지법인은 같은 법 제2조제1호에 따른 사회복지사업을 할 목적으로 설립된 법인으로 규정되어 있습니다.

- 따라서 사회복지법인은 그 정관에 사회복지사업 수행만을 목적으로 규정할 수 있고, 그에 따라 사회복지법인은 사회복지사업을 수행하는 경우에 한해서만 권리능력을 가진다고 할 것입니다. (단, 「사회복지사업법」 제28조에서 수익사업도 가능한 것으로 규정하고 있기 때문에 적법한 수익사업을 수행하는 경우에도 권리능력이 있음)

o 한편 사회복지법인이 목적사업으로 수행할 수 있는 사회복지사업은 「사회복지사업법」 제2조제1호 각 목의 법률과 관련된 사업에 한정되는 것인데, 현행 「사회복지사업법」 제2조제1호 각 목에 열거된 법률 중에는 「의료법」이 규정되어 있지 않으므로 「의료법」과 관련된 사업은 사회복지사업이라고 할 수 없습니다.

o 이러한 법률의 규정을 종합적으로 검토하면 「의료법」에 따른 의료기관 개설·운영과 관련한 사업은 「사회복지사업법」 제2조제1호 각 목에 따른 사회복지사업이 아니므로, 사회복지법인이 목적사업으로 수행할 수 있는 사업이 아니라고 할 것이며, 정관에 그 목적사업으로 기재할 수가 없습니다.

- 이에 따라 사회복지법인은 의료기관의 개설·운영 등과 관련한 권리능력이 있다고 볼 수 없고, 그에 따라 사회복지법인이 그 목적사업으로서 의료기관을 개설할 수 없다고 할 것입니다.

☑ 예외 : 정관의 제정 시기, 법령 등에 따른 예외

1 정관 제정 시기에 따른 예외

o 사회복지법인의 의료기관 운영을 금지하는 지침 시달(2001.10.4.)이전에 의료기관 개설을 목적사업으로 하는 정관을 허가받고, 이러한 정관에 따라 지체 없이 실제 의료기관을 旣개설한 법인의 경우에 한해 의료기관을 운영하는 것을 제한적으로 허용하고는 있습니다.[192)]

- 이러한 상황은 법률에 부합되지는 않지만 신뢰보호 측면에서 제한적으로 허용되는 것으로서 보편적이거나 일반적인 상황은 아니므로, 가능하다면 정관을 변경하고, 의료기관을 폐지하도록 사회복지법인에 요구하라는 내용을 「사회복지법인 관리안내」에 적시하고 있습니다.

- 이 경우 유의해야 할 것은 만일 사회복지법인이 정관 규정과 달리 의료기관을 운영하고 있지 않는 경우나, 의료기관 운영에 있어 불법적인 사안이 발생한 경우라고 한다면 적극적으로 정관의 변경과 관련된 지도·감독을 할 수 있을 것이나,

- 2001년 이전에 주무관청에서 적법한 상황에서 허가한 정관에 따라 의료사업을 합법적으로 수행하고 있는 경우라고 한다면 정관변경이나 의료사업 폐지와 같은 적극적인 행정지도를 할 경우 자칫 신뢰보호나 과잉금지 등의 원칙과의 충돌 우려가 있음에도 각별히 유의해야 할 것입니다.

2 법령상 예외

o **(장애인 의료재활시설)** 「장애인복지법」 제58조제1항에서는 "장애인 의료재활시설"을 장애인복지시설로 분류하고 있습니다.

- 이러한 "장애인 의료재활시설"은 「장애인복지법 시행규칙」 제41조 및 별표 4에 따르면 "장애인을 입원 또는 통원하게 하여 상담, 진단·판정, 치료 등 의료재활서비스를 제공하는 시설"로 정의하고 있고, 해당 시설의 설치·운영기준을 정하고 있는 별표 5에서는 "「의료법」의 관련 규정에 따른다."라고 규정하고 있습니다.

---

192) 보건복지부, 「2023 사회복지법인 관리안내」, 248쪽 참조

- 또한 「의료법」 동 법률 제3조의2에 따른 병원등의 요건을 갖춘, "장애인 의료재활시설"인 의료기관을 인정하고 있습니다.

- 즉 「장애인복지법」상 장애인복지시설인 장애인 의료재활시설이 「의료법」상 병원 기준에 부합되게 설치되면, 해당 시설은 사회복지법인임과 동시에 의료기관의 지위도 함께 가지게 되고, 따라서 사회복지법인이 사회복지사업의 일환으로 의료기관의 지위를 갖춘 장애인 의료재활시설을 운영할 수 있습니다.

o **(노숙인진료시설)** 「노숙인 등의 복지 및 자립지원에 관한 법률」 제16조제1항에서는 노숙인진료시설을 노숙인복지시설로 분류하고 있습니다.

- 이러한 노숙인진료시설은 같은 법 제12조에 따라서 의료기관을 노숙인진료시설로 지정하거나, 별도의 기준을 갖추어 설치를 할 수 있습니다.

- 설치 기준을 정해 놓은 같은 법 시행규칙 제5조에 따르면 노숙인진료시설을 설치하기 위해서는 의료기관 개설신고증명서나 개설허가증을 제출하여야 합니다.

- 이러한 사항을 종합하여 보면, 노숙인진료시설도 앞에서 언급한 장애인 의료재활시설과 마찬가지로 의료기관임과 동시에 사회복지시설이라고 할 것입니다.

- 따라서 사회복지법인이 노숙인복지시설인 의료기관을 설치·운영할 수 있을 것으로 생각됩니다. 다만, 이 경우 노숙인을 대상으로 한 복지시설이므로 노숙인이 아닌 사람이 해당 시설을 이용하게 되면 해당 사회복지법인의 설립허가 취소 등의 우려가 있으니 유의해야 할 것입니다.

o **(노인전문병원)** 노인전문병원의 경우 「노인복지법」이 2011년 6월 7일 개정되어 2011년 12월 8일 시행되기 전에는 노인복지시설 중에 하나로 분류되어 있었고,

- 이에 따라 개정전에는 앞서 언급한 장애인 의료재활시설이나 노숙인진료시설과 마찬가지로 사회복지시설과 의료기관의 지위를 모두 가지고 있었습니다.

- 그러나 2011년 12월 8일 「노인복지법」이 개정·시행된 이후에는 노인전문병원이 사회복지시설로서의 지위를 상실하게 되었습니다. 따라서 사회복지법인이 2011년 12월 8일 이후에는 노인전문병원을 설치·운영하는 것이 불가능합니다.

- 물론 다른 일반적인 의료기관과 마찬가지로 사회복지법인이 2011년 12월 8일 이전에 제·개정된 정관에 「노인복지법」상 노인전문병원과 관련된 사항이 포함되어 있고, 그에 따라 이미 운영하고 있는 경우라면 한정적으로 수행이 가능하다고 할 것입니다.

③ 예외적용 시 유의사항

o 의료기관을 개설한 사회복지법인의 경우 다음의 사항을 준수하여야 하며, 위반이 있을 경우 주무관청은 적절한 행정처분을 실시하여야 할 것입니다.

o **(회계 관련)** 의료기관 운영과 관련된 회계는, 동 의료기관 개설이 목적사업이므로 당연히 사회복지법인의 법인회계로 운영이 되어야 할 것입니다. 다만, 사회복지시설임과 동시에 의료기관인 장애인 의료재활시설이나 노숙인진료시설은 시설회계에서 관련 수입·지출을 처리해야 합니다.

- 아울러 「사회복지법인 및 사회복지시설 재무·회계 규칙」의 규정과는 별개로 해당 의료기관이 100병상 이상인 종합병원이라고 한다면, 「의료기관 회계기준 준칙」(보건복지부령)에도 부합되게 운영이 되어야 합니다.

o **(신규 의료기관 개설)** 지침 시달 이전에 정관의 변경이 있었다고 하더라도, 정관 변경 당시에 제시한 사업계획서상 의료기관 개설시기에 비해 상당한 기간이 도과된 후에 의료기관을 개설하고자 하는 경우까지 신뢰를 보호할 필요는 없을 것으로 판단되는 바, 이러한 경우에는 당연히 의료기관을 개설할 수 없습니다.

o **(의료기관 추가개설)** 지침 시달 이전에 정관의 변경이 있었고, 그 이후 지체 없이 의료기관을 개설 운영하고 있는 사회복지법인이라고 하더라도 상당한 기간이 도과된 후에 해당 정관을 근거로 의료기관을 신규로 추가 개설하고자 하는 것에 대해서는 신뢰를 보호할 필요는 없을 것으로 판단되는 바, 이러한 경우에도 당연히 의료기관을 개설할 수 없다고 할 것입니다.

사회복지법인 장애인 특수학교 설치·경영 가능 여부

관련 법령 조문

「사회복지사업법」

제2조(정의) 이 법에서 사용하는 용어의 뜻은 다음과 같다.

1. "사회복지사업"이란 다음 각 목의 법률에 따른 보호·선도(善導) 또는 복지에 관한 사업과 사회복지상담, 직업지원, 무료 숙박, 지역사회복지, 의료복지, 재가복지(在家福祉), 사회복지관 운영, 정신질환자 및 한센병력자의 사회복귀에 관한 사업 등 각종 복지사업과 이와 관련된 자원봉사활동 및 복지시설의 운영 또는 지원을 목적으로 하는 사업을 말한다.
3. "사회복지법인"이란 사회복지사업을 할 목적으로 설립된 법인을 말한다.

「사립학교법」

제3조(학교법인이 아니면 설립할 수 없는 사립학교등) ①학교법인이 아닌 자는 다음 각호의 1에 해당하는 사립학교를 설치 · 경영할 수 없다. 다만, 「초 · 중등교육법」 제52조제2항의 규정에 의하여 산업체가 그 고용근로청소년의 교육을 위하여 중학교 또는 고등학교를 설치 · 경영하는 경우에는 그러하지 아니하다.

1. 초등학교 · 중학교 · 고등학교 · **특수학교** · 대학

「초·중등교육법」

제2조(학교의 종류) 초 · 중등교육을 실시하기 위하여 다음 각 호의 학교를 둔다.

4. 특수학교

제55조(특수학교) 특수학교는 신체적 · 정신적 · 지적 장애 등으로 인하여 특수교육이 필요한 사람에게 초등학교 · 중학교 또는 고등학교에 준하는 교육과 실생활에 필요한 지식 · 기능 및 사회적응 교육을 하는 것을 목적으로 한다.

원칙 : 사회복지법인의 특수학교 설치·경영은 불가

o 우선 「사립학교법」 제3조와 「초·중등교육법」 제2조·제55조를 종합적으로 고려하여 보면, 특수학교는 학교법인만 설치·경영이 가능한 것으로 규정되어 있으므로, 학교법인이 아닌 사회복지법인은 특수학교의 설치·경영의 주체가 될 수 없습니다.

- 해석상으로도 「사립학교법」과 「초·중등교육법」 등 특수학교 관련 법령은 사회복지사업 관련 법령에 포함되지 않기 때문에 사회복지법인이 수행할 수 없는 사업이라고도 할 수 있습니다.

☑ 예외 : 정관의 제정 시기, 법령 등에 따른 예외

o 학교법인만 특수학교를 설치·운영할 수 있도록 제한한 「사립학교법」 제3조 개정규정은 2016.12.27.에 공포되고, 2017.3.28.부터 시행되었습니다.

- 이러한 개정이 있기 전에는 특수학교의 경우 비영리법인도 설치·경영이 가능하였기 때문에 「사립학교법」상 사회복지법인도 설치·경영이 가능했습니다.

- 또한 위의 개정규정은 그 부칙(법률 제14468호)에서 2017.3.28. 이후에 특수학교 설립 인가를 신청한 경우부터 적용한다는 적용례를 두고 있어, 그 전에 이미 인가를 받고 특수학교를 설치·경영하는 주체에 대해서는 학교법인이 아니더라도 인정을 하고 있습니다.

o 한편 「사회복지사업법」 사회복지사업의 범위를 명확히 한 법제처 해석이 있었던 2015.6.23. 이전에는 장애인에 대한 특수학교의 설치·경영도 사회복지사업의 일환으로 보아, 사회복지법인의 정관에 목적사업으로 추가한 후 실제 특수학교를 설치·경영할 수 있었습니다.

해 석 례	「사회복지사업법」상 사회복지사업의 범위
o 해석번호 : [법제처 15-0247, 2015.6.23.]	
o 「사회복지사업법」에 따른 사회복지사업은 <u>원칙적으로 같은 법 제2조제1호 각 목의 법률에 따른 복지사업과 이와 관련된 사업 등으로 한정</u>됩니다.	

o 이러한 상황을 종합하여 보면 다음과 같이 시기를 구분하여, 사회복지법인의 특수학교 설치·경영 가능 여부를 판단할 수 있을 것입니다.

시기	설치·경영 가능여부	사유
~'15.6.22.	설치·운영 가능	o 사회복지사업으로 인식 → 장애인 특수학교 등은 사회복지사업으로 인식
'15.6.23~'17.3.27.	신규 설치·운영 불가	o 법제처에서 사회복지사업 범위를 축소 해석 → 「사립학교법」, 「초·중등교육법」 미포함
'17.3.28.~	신규 설치·운영 불가	o 「사립학교법」에서 학교법인만 설치·경영이 가능토록 명시

사회복지법인의 해외사업 수행의 적부(適否)

관련 법령 조문

「사회복지사업법」

제2조(정의) 이 법에서 사용하는 용어의 뜻은 다음과 같다.

1. "사회복지사업"이란 다음 각 목의 법률에 따른 보호·선도(善導) 또는 복지에 관한 사업과 사회복지상담, 직업지원, 무료 숙박, 지역사회복지, 의료복지, 재가복지(在家福祉), 사회복지관 운영, 정신질환자 및 한센병력자의 사회복귀에 관한 사업 등 각종 복지사업과 이와 관련된 자원봉사활동 및 복지시설의 운영 또는 지원을 목적으로 하는 사업을 말한다.
3. "사회복지법인"이란 사회복지사업을 할 목적으로 설립된 법인을 말한다.

o 사회복지법인은 「사회복지사업법」 제2조제3호 및 제16조에 따라 사회복지사업을 할 목적으로 설립된 법인을 말합니다.

- 사회복지사업은 「사회복지사업법」 제2조제1호 각 목에서 열거하고 있는 법률에 따른 사업과 이와 관련된 사업으로 한정됩니다.

- 따라서 사회복지법인은 「사회복지사업법」 제2조제1호 각 목에서 열거하고 있는 법률에 따른 사업과 이와 관련된 사업을 수행할 목적으로 설립된 법인이라고 할 수 있습니다.

o 그런데 「사회복지사업법」 제2조제1호 각 목에서 열거하고 있는 법률이 기본적으로 국내에서 시행하는 사업을 전제로 규정되어 있는 것이고, 해외사업, 특히 해외에서의 구호나 지원사업에 대해서는 명시적으로 규정하고 있는 바가 없기 때문에,

- 사회복지법인이 그 목적사업으로서 해외사업을 추진하는 것은 사회복지사업의 근거가 되는 법률 규정에 부합되지 않습니다.

- 이러한 해석에도 불구하고 해외사업을 강행할 경우 「사회복지사업법」 제26조제1항제4호에 해당되어 자칫 설립허가 취소가 될 수도 있으니 유의하여야 할 것입니다.

o 다만, 「사회복지사업법」 제2조제1호 각 목에서 열거하고 있는 법률 중에서 해외에서의 구호나 지원사업 등에 대해서 명시적으로 규정하고 있거나, 구호 등의 사업이 해당 법률과 관련된 사업일 경우에 한해서만 해당 사업의 수행이 가능하다고 할 수 있습니다.

- 또한 사회복지사업과 관련된 법률 내용과는 별개로 「사회복지사업법」 제32조에 따라 준용되는 「민법」 제34조에서는 법인이 법률의 규정에 좇아 정관으로 정한

목적의 범위 내에서 권리와 의무의 주체가 되는 것으로 규정하고 있는 점을 고려하면, 앞에서 언급한 법률이외의 법률에서 「사회복지사업법」에 따른 "사회복지법인"을 명시하여 해외관련 사업상 권리·의무의 주체로 규정한 바가 있다면, 해당 법률과 관련된 사업도 가능하다고 할 수 있습니다.

사례 예시	해외사업이 가능한 경우 예시

o 「사회복지사업법」 제2조제1호카목의 「위안부피해자법」의 경우 동 법률 제11조의2에 국가나 지자체의 책무로 외국에 거주하고 있는 피해자에 대한 지원을 명시하고 있습니다.
- 따라서 사회복지법인이 그 정관에 국가나 지자체로부터 「위안부피해자법」에 따른 피해자 지원과 관련 사업을 수탁받아 수행할 수 있도록 명시하였다면, 외국에 거주하고 있는 피해자에 대한 지원도 가능하다고 할 것입니다.

o 해외 분사무소를 설치하고자 하는 경우 국내의 주된 사무소에서 해외의 분사무소로 외환(外換)을 송금해야 할 경우가 발생하게 되고, 이러한 상황을 반영하여 「외국환거래규정」(기획재정부고시) 제9-18조에서는 비금융기관이 분사무소[193]를 설치하고자 할 때에 지정거래외국환은행[194]의 장에게 신고를 하여야 하는 절차가 있다는 점에 유의해야 합니다. 또한 이러한 신고를 하기 위해서는 같은 고시 같은 조 제2항카호에 따라서 주무부장관 또는 한국무역협회장에 대해서 해당 사회복지법인의 해외분사무소의 설치가 불가피하다고 인정을 받아야 한다는 점도 유의해야 합니다.

유의사항	「외국환거래규정」상 "주무부장관"의 의미

o 「외국환거래규정」의 전반적인 취지가 비금융기관의 해외사무소 설치와 관련하여 해당 법인 등을 관리·감독함으로써 그 내부적인 사정을 명확히 알고 있는 주무관청이 해당 법인 등의 해외분사무소 설치의 불가피성 여부를 가장 잘 파악할 수 있기 때문에 주무부장관에게 별도의 "인정"을 받도록 규정한 취지가 있다고 생각됩니다.
- 하지만 앞에서 살펴본바와 같이 사회복지법인의 관리·감독에 대한 모든 사항은 2012년에 이미 지방자치단체의 고유사무로 변경이 되었고,
- 이에 따라 사회복지법인의 해외분사무소 설치의 불가피성 여부는 「사회복지사업법」상 주무관청인 광역지차제가 가장 잘 파악할 수 있는 상황이라고 판단되므로 사회복지법인의 경우는 주무부장관이 아니라 시·도지사에게 인정을 받도록 하는 것이 적절할 것으로 생각됩니다.

193) 해당 고시에서는 "해외사무소"라고 명시하고 있으나, 이는 법인의 해외 분사무소와 동일한 의미임.

194) 해외에 분사무소를 설치하고자 하는 사회복지법인이 외환 거래나 그 사후 관리 등과 관련하여 스스로 지정한 외국환은행을 의미함. 시중 은행 중 외국환 처리가 가능한 1개의 은행을 지정하여 그 은행을 통해서만 외국환 업무를 처리토록 하는 제도임.

새롭게 선임된 이사가 이사회에 참여할 수 있는 시기

관련 법령 조문

「공익법인의 설립 · 운영에 관한 법률」

제8조(이사회의 소집) ③ 이사회를 소집할 때에는 적어도 회의 7일 전에 회의의 목적을 구체적으로 밝혀 각 이사에게 알려야 한다. 다만, 이사 전원이 모이고 또 그 전원이 이사회의 소집을 요구할 때에는 그러하지 아니하다.

o 사회복지법인의 이사회가 개최되고, 해당 이사회에서 새로운 이사가 선임이 될 경우 그 이사의 임기는 이사회에서 정한 바대로 시작이 됩니다.

- 따라서 이사로 선임함과 동시에 이사로서의 임기가 시작되는 것으로 결의를 할 수도 있습니다.

o 그런데 신규 이사를 선임과 동시에 이사로서의 임기를 시작하는 것으로 결의를 할 경우 다음과 같은 사항을 유의해야 합니다.

- 사회복지법인은 「사회복지사업법」 제32조에 따라 준용되는 「공익법인의 설립 · 운영에 관한 법률」 제8조에 따라서 이사회를 소집해야 하는데,

- 만일 신규 이사를 선임할 때 그 이사회에서 이사를 선임하고, 동시에 임기가 시작되는 것으로 결정을 한다면, 새롭게 선임된 이사는 이사로서의 지위는 가지지만, 회의 전에 해당 이사회의 개최 목적을 통보받지 못한 것이 되고, 이는 공설법 제8조 제3항을 위반한 이사회가 되기 때문입니다.

참조 판례 이사회 소집 시 언급하지 않은 안건의 심의·의결은 불법

o **사건번호** : [대법원 2008.7.10, 선고, 2007다78159, 판결]

o 사전에 통지되지 아니한 이사해임안건이 사회복지법인 이사회에 상정된 경우 그 해임의 대상이 된 이사가 자신을 해임하는 안건을 회의목적 사항으로 추가하고 이로써 이사회 소집절차 위반의 하자가 치유되었다는 점에 동의하지 않는 한 당해 이사가 우연히 이사회에 출석하고 있어 재적이사 전원이 출석하여 있다는 사정만으로는 회의의 목적이 구체적으로 회의 7일 전에 각 이사에게 통지되지 아니한 이사회 소집절차 위반의 하자가 치유될 수 없음

- 물론 「공익법인의 설립 · 운영에 관한 법률」 제8조제3항 단서에 따라서 새롭게 선임된 이사를 포함하여 모든 이사가 해당 이사회에 참석하고, 차수를 변경하여 새로운 안건을 결정할 이사회를 개최할 것을 그 전원이 요구한다면 참여가 가능할 것입니다.

임시이사의 대표이사 취임 가능 여부

관련 법령 조문

「사회복지사업법」

제18조(임원) ① 법인은 대표이사를 포함한 이사 7명 이상과 감사 2명 이상을 두어야 한다.

제20조(임원의 보충) 이사 또는 감사 중에 결원이 생겼을 때에는 2개월 이내에 보충하여야 한다.

제22조의3(임시이사의 선임) ① 법인이 제20조에 따른 기간 내에 결원된 이사를 보충하지 아니하여 법인의 정상적인 운영이 어렵다고 판단되는 경우 시·도지사는 지체 없이 이해관계인의 청구 또는 직권으로 임시이사를 선임하여야 한다.

② 임시이사는 제1항에 따른 사유가 해소될 때까지 재임한다.

③ 시·도지사는 임시이사가 선임되었음에도 불구하고 해당 법인이 정당한 사유 없이 이사회 소집을 기피할 경우 이사회 소집을 권고할 수 있다.

제22조의4(임시이사의 해임) ① 시·도지사는 다음 각 호의 어느 하나에 해당하는 경우 이해관계인의 청구 또는 직권으로 임시이사를 해임할 수 있다. 이 경우 제2호부터 제4호까지의 규정에 따라 임시이사를 해임하는 때에는 지체 없이 그 후임자를 선임하여야 한다.

1. 임시이사 선임사유가 해소된 경우
2. 임시이사가 제19조제1항제1호 및 제1호의2부터 제1호의8까지의 어느 하나에 해당하는 경우
3. 임시이사가 직무를 태만히 하여 법인의 정상화가 어려운 경우
4. 임시이사가 제22조제1항 각 호의 어느 하나에 해당하는 경우

② 법인은 제1항에 따라 해임된 임시이사를 이사로 선임할 수 없다.

불가

1 법령 해석상 이유 ⇒ 대표이사는 이사이나 임시이사는 정식이사가 아님

o 「사회복지사업법」 제18조제1항에서는 “법인은 대표이사를 포함한 이사 7명 이상과 감사 2명 이상을 두어야 한다.”라고 규정하고 있습니다.

- 즉 대표이사는 제18조에 따른 임원 중 이른바 정식이사의 지위를 가지는 자라고 할 수 있습니다.

- 그러나 임시이사는 「사회복지사업법」 제18조가 아니라 제22조의3에 따라 임명되는 자이므로 제18조에 따른 정식이사와는 전혀 다른 지위를 가지고 있는 자이므로 정식이사인 대표이사의 지위를 가질 수 없다고 할 것입니다.

② 직무 성격상 이유 ⇒ 결원된 이사의 보충을 통한 법인의 정상적인 운영 확보에 한정

o 대표이사는 그 명칭과 같이 법인을 대표하고, 법인의 일상적인 업무를 통할하고 처리하는 자인데,

- 임시이사는 사회복지법인의 이사가 결원이 된 경우에 한해서 선임되어 법인의 정상화라는 한정된 사무를 수행하기 위해 임시적으로 선임된 자이므로 대표이사가 될 수 없습니다.

③ 등기 실무상 이유 ⇒ 등기선례에 따라 등기가 되지 않으며, 따라서 대표권이 없음

o 대표이사가 법인을 대표하는 대표권을 가지기 위해서는 「사회복지사업법」 제32조에 따라 준용되는 「민법」 제49조제2항과 「법인의 등기사항에 관한 특례법」 제2조에 따라 대표권 제한과 관련된 사항이 등기되어야 합니다.

- 그러나 임시이사의 경우 「사회복지사업법」 제32조에 따라 준용되는 「민법」 제49조제2항 각 호의 등기 사항에 해당되지 않으므로 등기 자체가 불가능합니다.

참조 등기선례	「사회복지법인의 임시이사 등기 가부」
o **선례번호** : 상업등기선례2-136호(2010.10.26. 제정)	
o 사회복지법인에 관하여 사회복지사업법에 규정된 것을 제외하고는「민법」과 「공익법인의 설립·운영에 관한 법률」을 준용하도록 하고 있는 바, - 위 각 법률에 의할 때 사회복지법인의 임시이사는 등기사항이 아니어서 등기할 수 없다.	

- 따라서 임시이사 앞에서 언급한 법률적인 해석과는 별개로 실무상으로도 대표이사로 취임할 수 없다고 할 것입니다.

임시이사를 해임할 때 「행정절차법」을 준수해야 하는지?

관련 법령 조문

「사회복지사업법」

제22조의4(임시이사의 해임) ① 시·도지사는 다음 각 호의 어느 하나에 해당하는 경우 이해관계인의 청구 또는 직권으로 임시이사를 해임할 수 있다. 이 경우 제2호부터 제4호까지의 규정에 따라 임시이사를 해임하는 때에는 지체 없이 그 후임자를 선임하여야 한다.

1. 임시이사 선임사유가 해소된 경우
2. 임시이사가 제19조제1항제1호 및 제1호의2부터 제1호의8까지의 어느 하나에 해당하는 경우
3. 임시이사가 직무를 태만히 하여 법인의 정상화가 어려운 경우
4. 임시이사가 제22조제1항 각 호의 어느 하나에 해당하는 경우

② 법인은 제1항에 따라 해임된 임시이사를 이사로 선임할 수 없다.

o 임시이사의 해임도 「행정절차법」에서 규정하고 있는 처분이므로, 해임 시 「행정절차법」상의 처분절차를 준수 여부가 문제가 될 수 있습니다.

- 이러한 문제는 「행정절차법」 제3조제1항에서 “처분, 신고, 행정상 입법예고, 행정예고 및 행정지도의 절차(이하 "행정절차"라 한다)에 관하여 다른 법률에 특별한 규정이 있는 경우를 제외하고는 이 법에서 정하는 바에 따른다.”라고 규정하고 있는 점을 감안하면, 「사회복지사업법」 제22조의4가 “다른 법률에 특별한 규정이 있는 경우”에 해당되는지를 살펴서 처리해야 할 것입니다.

1 「행정절차법」을 준수해야 한다는 논리

o 「사회복지사업법」 제22조의4에서는 시·도지사가 직권으로 임시이사를 해임할 수 있다는 것만을 규정하고 있을 뿐 구체적인 해임절차에 대해서는 규정하고 있지 않은데, 이러한 규정만으로는 「행정절차법」상의 사전통지나 의견진술의 기회를 주지 않는다거나, 줄 수 없다고 보기 어려운 면이 있으므로 임시이사의 해임 과정에 「행정절차법」 적용이 완전히 배제되는 것으로 해석하기는 어렵습니다.

- 다만, 「행정절차법 시행령」 제13조(처분의 사전 통지 생략사유)에 해당이 된다면 사전 통지는 생략할 수 있는 여지는 있을 것으로 사료됩니다.

참조 판례	「행정절차법」 제3조 관련 대법원 판례

o **사건번호** : [대법원 2002.2.5, 선고, 2001두7138, 판결]

o 행정절차법 제3조 제1항은 "행정절차에 관하여 다른 법률에 특별한 규정이 있는 경우를 제외하고는 이 법이 정하는 바에 의한다."고 규정하고 있는바,

- 이는 행정절차법이 행정절차에 관한 일반법임을 밝힘과 아울러, 매우 다양한 형식으로 행하여지는 행정작용에 대하여 일률적으로 행정절차법을 적용하는 것이 적절하지 아니함을 고려하여, 다른 법률이 행정절차에 관한 특별한 규정을 적극적으로 두고 있는 경우이거나 다른 법률이 명시적으로 행정절차법의 규정을 적용하지 아니한다고 소극적으로 규정하고 있는 경우에는 행정절차법의 적용을 배제하고 다른 법률의 규정을 적용한다는 뜻을 밝히고 있는 것이라고 할 것인데,
- 사립학교법 제20조의2 제2항은 "제1항의 규정에 의한 취임승인의 취소는 관할청이 당해 학교법인에게 그 사유를 들어 시정을 요구한 날로부터 15일이 경과하여도 이에 응하지 아니한 경우에 한한다."고 규정하고 있는바, 비록 그 취지가 사학의 자율성을 고려하여 학교법인 스스로 임원의 위법·부당행위를 시정할 기회를 주는 데 있다고 하더라도, 학교법인이나 해당 임원의 입장에서는 위 시정요구에 응하지 아니하면 임원취임승인이 취소되므로 관할청에 위 시정요구사항에 대한 결과보고를 함에 있어서, 위 기간 안에 시정할 수 없는 사항에 대하여는 임원취임승인취소처분을 면하기 위하여 당연히 위 기간 안에 시정할 수 없는 사유와 그에 대한 앞으로의 시정계획, 학교법인의 애로사항 등에 관한 의견진술을 하게 될 것인즉, 그렇다면 <u>위 조항에 의한 시정요구는 학교법인 이사장을 비롯한 임원들에게, 임원취임승인취소처분의 사전통지와 아울러 행정절차법 소정의 의견진술의 기회를 준 것에 다름 아니다.</u>

2 **「행정절차법」과 무관하다는 논리**

(제1설)

o 통상의 행정처분과 달리 임시이사 선임·해임과 관련한 권한은 시·도지사가 법률에 따라 전적으로 행사할 수 있는 고유한 권한이라는 점을 고려한다면, 법 제22조의4제1항에 따른 해임 근거별로 다음과 같이 논리를 전개할 수 있습니다.

- 법 제22조의4제1항제1호의 선임사유 해소로 인한 해임의 경우는 임시이사가 선임될 당시 법률 제22조의3제2항에 따라 본인이 선임사유 해소 시까지만 재임한다는 사실을 이미 알고 있기 때문에 사전통지나 의견청취 등 별도의 행정절차가 불필요합니다.

- 제2호의 경우는 판단이나 항변의 여지가 없이 객관적이고 명백한 사유인 이사의 결격사유에 해당되어 임시이사에서 해임되는 것이므로 이 또한 행정절차가 불필요합니다.

- 제3호의 경우는 논란의 여지가 있으나, 직무 태만이 명백하고 그로 인해 법인의 정상화가 어렵다는 것이 객관적이고 명백하다면 행정절차가 불필요합니다.

- 제4호의 경우는 사회복지법인의 정식이사의 해임명령 대상 사유에 해당하는 것으로서 동 규정에 해당되는지 여부를 객관적이고 명백하게 판단할 수 있는 기준이 있으므로 이 또한 행정절차가 불필요합니다.

- 위와 같은 사항을 종합적으로 판단하면, 임시이사의 경우는 신속한 법인 정상화를 위해서 일반적인 이사 임명·해임명령 규정과는 별도로 규정을 만들어 적용하는 사안으로서 시·도지사의 판단에 전적으로 일임하는 것이 바람직하다고 할 수 있습니다.

(제2설)

o 「사회복지사업법」 제22조의4에서 시·도지사가 직권으로 이사를 해임하고, 지체 없이 그 후임자를 선임토록 규정한 것은 법인 정상화라는 특수한 목적의 수행을 위해 단기간에 해임·선임되는 임시이사의 권리를 보장한다는 측면보다는 법인의 신속한 정상화라는 것이 그 취지가 있습니다.

- 따라서 동 조문은 일반적인 행정처분에 대해서 규정하고 있는 「행정절차법」에 대한 특별법적 조문이라고 볼 수 있을 것이고, 따라서 「행정절차법」상 절차를 반드시 지킬 필요는 없다고 할 수 있습니다.

임원의 결격사유와 관련한 법리 정리

관련 법령 조문

「사회복지사업법」
제19조(임원의 결격사유) ① 다음 각 호의 어느 하나에 해당하는 사람은 임원이 될 수 없다.
② 임원이 제1항 각 호의 어느 하나에 해당하게 되었을 때에는 그 자격을 상실한다.

「사면법」
제5조(사면 등의 효과) ① 사면, 감형 및 복권의 효과는 다음 각 호와 같다.
5. 복권: 형 선고의 효력으로 인하여 상실되거나 정지된 자격을 회복한다.
② 형의 선고에 따른 기성(旣成)의 효과는 사면, 감형 및 복권으로 인하여 변경되지 아니한다.

[질문1] 제19조제1항 각 호의 어느 하나에 해당하여 이사의 지위를 상실한 후, 「사면법」에 따라 복권된 경우 이사의 지위를 다시 취득하는지?

[답변1] 복권으로 인해서는 이사의 지위가 아닌 이사가 될 수 있는 자격을 다시 취득하는 것에 불과하여 종전의 이사 지위를 회복하는 것은 아님

참조 판례 복권(復權)의 한계

o 사건번호 : [대법원 1993.6.8, 선고, 93다852, 판결]

o 사립학교교원에 대한 징계해임처분이 무효라면 비록 그 학교경영자가 해임처분의 유효를 주장하여 교원의 근무를 사실상 거부한다고 하더라도 그 해임된 교원은 그 해임처분 시부터 여전히 계속하여 교원의 지위를 유지하고 있는 것이라 할 것이고,
- 아직 그 교원이 복직되지 아니한 기간 동안 금고 이상의 형을 받았다면 사립학교법 제57조, 교육법 제77조 제1호, 국가공무원법 제33조 제1항 제3호, 제4호, 제5호에 의하여 당연퇴직된다 할 것이며,
- 그 후 특별사면에 의하여 위 금고 이상의 형의 선고의 효력이 상실되었다 할지라도 사면법 제5조 제2항에 의하면 형의 선고에 관한 기성의 효과는 사면으로 인하여 변경되지 않는다고 되어 있고 이는 사면의 효과가 소급하지 아니함을 의미하는 것이므로
- 위 당연퇴직으로 말미암아 상실된 교원의 지위가 다시 회복되는 것은 아니라 할 것이다.

o 「사면법」 제5조제1항제5호에서는 복권의 효력으로 상실되거나 정지된 자격을 회복하는 것으로 규정하고 있고, 같은 조 제2항에서는 형의 선고에 따라 이미 완성된[기성(旣成)] 효과는 복권으로 인하여 변경되지 않는 것으로 함께 규정하고 있습니다.

- 이러한 사항을 사회복지법인 이사의 결격사유에 대입하면, 결격사유에 해당

되어 이사로서의 지위를 상실한 것은 형의 선고에 따른 기성의 효과로서 복권으로 인하여 변경되지 아니하는 것이 되므로 자동적으로 종전의 이사 지위를 다시 회복하는 것은 아닙니다.

- 다만, 사면의 대상이 되었던 형벌의 종류에 따라 일정 기간 이사로 선임될 수 없는 상황이었다고 한다면, 복권에 따라 이사로 선임될 자격은 회복되는 것입니다.

[질문2] 임원이 결격사유에 해당되었을 때 이를 사회복지법인에 보고해야 하는 것인지?

[답변2] 보고의무는 없으나, 이를 감추고 활동을 할 경우 「형법」상 업무방해죄 등에 해당될 수 있음

o 「사회복지사업법」 제19조제2항에 따를 경우 임원이 결격사유에 해당되면 특별한 절차 없이 즉시 그 자격을 상실하게 됩니다.

- 그러나 자격상실에 대한 고지는 현행 「사회복지사업법」상 의무사항으로는 규정하고 있지 않기 때문에 해당 임원의 자율에 전적으로 의존하고 있습니다.

- 즉 자격상실에 대한 사실을 그 자격이 상실된 자가 사회복지법인에 고지를 하여서 새로운 임원을 선출하는 등의 절차를 거칠 수 있도록 하는 것이 이상적인 절차라고 할 수 있을 것입니다.

o 만일 결격사유에 해당되어 임원으로서의 자격이 상실되었음에도 불구하고, 해당 사회복지법인에 그 사실을 고지하지 않았을 경우에는 이러한 행위는 「형법」상 업무방해죄에 해당이 될 수 있습니다.

- 이는 결격사유에 해당되어 자격이 상실된 자가 참석하는 이사회나 감사 등의 업무는 법률상 모두 무효가 되어 해당 사회복지법인의 정상적인 업무를 저해하게 되는 결과를 초래하게 되기 때문입니다.

- 아울러 결격사유에 해당된 자는 자신으로 인해 사회복지법인의 행위가 위법한 행위가 되고, 그로 인해 발생하는 각종 손해에 대해서 배상할 책임이 발생하게 됩니다.

o 참고로 사회복지법인의 경우 「사회복지사업법」 제18조제6항에 따라 임원의 임면을 보고해야 할 의무가 있는데, 해당 조문에서는 법인이 "임원을 임면하는 경우"에 보고토록 하고 있어, 법인이 직접 임면을 하는 경우가 아니라 결격사유에 해당되어 자격이 상실되는 경우까지 미치는 것으로 보기는 어렵다고 할 수 있습니다.

- 따라서 임원이 그 결격사유를 은폐하는 경우까지 법 제18조제6항에 따른 의무가 있다고 보기는 어렵다고 할 것입니다.

[질문3] 집행유예를 선고받은 임원이 이를 계속 은폐하던 중 집행유예 기간이 도과하여 결격사유에 해당되지 않게 된 경우 해당 임원의 지위는?

[답변3] 결격사유에 해당된 순간 임원으로서의 지위를 상실하였기 때문에 다시 임원의 지위를 가지기 위해서는 새로운 선임절차를 거쳐야 함

o 금고 이상의 형의 집행유예를 선고받고 그 집행유예 기간 중에 있는 자는 임원의 자격을 상실하게 됩니다.

- 만일 해당 임원이 집행유예를 선고 받은 사실을 은폐한 상태로 그 집행유예 기간이 지나버린 경우라고 하더라도, 집행유예가 선고되어 확정된 시점에 별도의 절차 없이 「사회복지사업법」에 따라 당연히 임원으로서의 자격을 상실하게 되므로, 은폐한 기간은 해당 법인의 임원이 아닌 상태로 있었던 것이 됩니다.

- 따라서 자격을 상실한 자가 참여한 이사회나 감사 관련 업무 등은 모두 자격이 없는 자가 행한 무효인 행위가 되게 됩니다.

- 만일 집행유예기간이 끝난 후에 임원의 자격을 가지고자 한다면, 새로운 선임 절차를 반드시 거쳐야합니다.

[질문4] 사회복지법인이 임원의 결격사유 해당 여부를 주기적으로 확인해야 하는지?

[답변4] 법률상 의무규정은 아니지만 법인의 합법적인 운영을 담보하기 위해서 정관 등에 규정을 두어 정기적으로 확인하는 것이 바람직

o 「사회복지사업법」에서는 임원의 결격사유 해당 여부에 대해서 정기적으로 확인토록 강제하고 있는 조문은 없습니다.

- 사회복지법인의 임원이 결격사유에 해당하는지 여부는 해당 임원 자신과 임원의 임면에 대한 권한이 있는 사회복지법인이 각각 자신의 책임으로 확인해야 합니다.

- 만일 임원의 결격사유를 명확히 확인하지 않아 결격사유에 해당하는 임원이 있음에도 불구하고 관련 사무를 처리할 경우 사회복지법인의 정상적인 운영이 불가능함은 물론이고, 「사회복지사업법」 제26조제1항제11호에 해당되어 법인의 설립허가가 취소되는 상황에 이를 수도 있고,

- 나아가 결격사유에 해당됨에도 불구하고 임원으로 활동한 자의 경우는 「형법」상 업무방해 등에 해당되어 처벌이 될 수도 있습니다.

o 요컨대 사회복지법인은 해당 법인의 합법적인 운영을 담보하기 위해서 합리적인 기준을 세워 그 임원이 결격사유에 해당하는지 여부를 살펴보는 것이 바람직할 것으로 사료됩니다.

[질문5] 주무관청이 소관 사회복지법인의 임원이 결격사유에 해당되는 것을 확인한 경우 업무 처리 방법이 있는지?

[답변5] 당연히 자격상실이 되므로 특별한 처분 사항은 없음

o 결격사유에 해당하는 임원은 특별한 절차 없이 당연히 임원으로서의 지위를 상실하므로 주무관청은 해당 임원에게 결격사유와 관련하여 직접 처분할 사항은 없습니다.

- 다만, 해당 임원이 결격사유에 해당된 이후에 참석하여 이루어진 이사회나 그 밖의 법인의 행위는 모두 무효이므로 해당 법인으로부터 관련 보고를 받거나 행정처분을 요청받았을 경우 그에 부합되는 처분을 하여야 할 것입니다.

대표이사가 결격사유에 해당될 때 법리 정리

관련 법령 조문

「사회복지사업법」
제18조(임원) ① 법인은 대표이사를 포함한 이사 7명 이상과 감사 2명 이상을 두어야 한다.
제19조(임원의 결격사유) ① 다음 각 호의 어느 하나에 해당하는 사람은 임원이 될 수 없다.
② 임원이 제1항 각 호의 어느 하나에 해당하게 되었을 때에는 그 자격을 상실한다.

[질문1] 사회복지법인 대표이사가 「사회복지사업법」 제19조제1항 각 호의 어느 하나에 해당된 경우 그 대표이사의 지위는 어떻게 되는 것인지?

[답변1] 당연히 자격을 상실하게 됩니다.

o 「사회복지사업법」 제19조제2항에서는 결격사유에 해당된 경우 그 자격을 상실하는 것으로 규정하고 있기 때문에 대표이사로서의 자격을 당연히 상실하게 됩니다.

- 간혹 대표이사로서의 자격은 상실되었으나, 이사로서의 자격은 유지되는 것으로 주장하는 경우가 있으나, 「사회복지사업법」 제19조제2항은 임원의 자격 상실에 대해서 규정한 것이므로, 제19조제1항 각 호의 어느 하나에 해당되면 대표이사이건, 이사이건, 감사이건 그 지위가 무엇이든지 임원인 경우에는 당연히 그 지위를 상실하게 되는 것이므로 위와 같은 주장은 전혀 고려할 가치가 없다고 할 것입니다.

[질문2] 대표이사가 결격사유에 해당되어 자격을 상실한 경우, 이는 유고(有故)인지 궐위(闕位)인지?

[답변2] 사고가 발생하여(有故), 그 결과 대표이사가 궐위(闕位) 된 것임

o 국립국어원 표준국어대사전에서는 유고(有故)에 대해서 "특별한 사정이나 사고가 있음"이라고 정의하고 있고, 궐위(闕位)에 대해서는 "어떤 직위나 관직 따위가 빔. 또는 그런 자리"라고 정의하고 있습니다.

- 따라서 유고와 궐위는 비교하여 선택할 수 있는 개념이 아니라 각각 상황에 부합될 경우에만 사용하는 독립된 단어입니다.

- 위 질문에 경우 대표이사가 결격사유에 해당되는 사정이 발생하여, 그 대표이사의 자리가 비게 된 경우이므로, 이를 유고와 궐위라는 단어로 표현을 하면,

- 대표이사가 결격사유에 해당되는 사고 상황이 발생하였고, 그로 인해 대표이사의 직이 궐위 상태가 된 것이라고 할 수 있습니다.

o 즉 유고 상황이 있는 경우 그 유고의 내용에 따라 궐위가 될 수도 있고, 아닐 수도 있습니다.

- 예컨대 교통사고나 실종으로 인해 대표이사가 대표이사로서 업무를 수행할 수 없는 상황의 경우 유고상황이라고 할 수는 있으나, 대표이사로서 물러난 것은 아니므로 이를 궐위라고 할 수는 없을 것입니다.

- 반면에 대표이사의 사망이나 결격사유에 해당되는 상황의 경우 유고 상황이 발생한 것은 물론이고, 이러한 경우에는 대표이사로서 권리의무의 주체가 되는 자가 없는 경우가 되므로 당연히 궐위 상태가 됩니다.

[질문3] 대표이사가 결격사유로 궐위되는 경우 직무대행이 가능한지 여부

[답변3] 잔여 재직이사로 구성된 이사회가 「사회복지사업법」 제18조에 부합되는 이사회라면 이사회를 개최하여 대표이사를 선임하여야 할 것이고, 부합되지 않는 이사회라면 「사회복지사업법」 제20조 및 제22조의3에 따라 임시이사를 선임한 후 이사회에서 대표이사를 선임하여야 함

o 만일 「민법」에 따라 설립된 법인의 정관에 대표이사(이사장)의 유고시 직무대행으로 하여금 법인 관련 업무를 처리하게 규정하고 있다면, 대표이사직이 궐위 상태인지 여부와 무관하게 그 유고 사유로 인하여 대표이사가 업무를 수행할 수 없는 경우에는 직무대행이 직무를 대신할 수 있다고 할 것입니다.

- 하지만 이러한 해석은 「민법」에 따라 설립된 법인에 국한된 것으로, 「사회복지사업법」에 따라 설립된 사회복지법인에 당연히 적용되는 사항은 아닙니다.

- 「민법」에서는 이사회에 대해서 별도로 규정하고 있는 바가 없어 정관이나 일반적인 조리를 통해 이사회와 관련된 사항을 해석할 수 있으나,

- 이와 달리 사회복지법인의 설립근거가 되는 「사회복지사업법」에서는 이사회를 필요적 상설기관으로 규정하고 있고, 해당 이사회에 문제가 발생할 경우에 이를 해결하는 방안을 법정(法定)하고 있기 때문에 「민법」, 「공익법인의 설립·운영에 관한 법률」, 정관 및 조리(條理)는 「사회복지사업법」에서 명시적으로 규정하고 있는 사항이 없을 경우에 한해서 보조적으로 적용을 해야 할 것입니다.

o 「사회복지사업법」과 유사한 「사립학교법」 제19조제2항에서는 이사장의 궐위나 유고에 따라 직무수행이 불가능한 경우 정관에 따라서, 정관이 없는 경우에는 이사회의 호선에 따라 다른 이사가 이사장의 직무를 수행하는 것으로 규정하고 있습니다.

관련 법령 조문

「사립학교법」

제19조(임원의 직무) ②이사장이 궐위되거나 사고로 인하여 직무를 수행할 수 없을 때에는 정관이 정하는 바에 의하며, 정관에 규정이 없을 때에는 이사회의 호선에 의하여 다른 이사가 이사장의 직무를 대행한다.

- 하지만 「사회복지사업법」에서는 대표이사의 유고에 대해서는 별도로 정하고 있는 바가 없기 때문에 「사회복지사업법」 제32조에 따라 「공익법인의 설립·운영에 관한 법률」의 관련 규정을 준용해야 합니다.

o 궐위(대표이사가 결격사유에 해당되어 자격이 상실되거나 사망한 경우) 상황은 곧 사회복지법인의 결원이 발생한 경우라고 할 수 있고, 이러한 상황에 대해서 「사회복지사업법」 제20조에서는 2개월 내에 결원을 보충토록 명시적으로 규정하고 있습니다.

- 이러한 규정에 따라 결원을 보충하기 위해서는 이사회를 개최하여야 하는데, 대표이사가 없는 상황이므로 「사회복지사업법」 제32조에 따라 준용되는 「공익법인의 설립·운영에 관한 법률」 제8조제4항에 따라 이사회를 소집하여 새로운 대표이사를 선임하면 될 것입니다.

관련 법령 조문

「공익법인의 설립·운영에 관한 법률」

제8조(이사회의 소집) ④ 이사회를 소집하여야 할 경우에 그 소집권자가 궐위(闕位)되거나 이사회 소집을 기피하여 7일 이상 이사회 소집이 불가능한 경우에는 재적이사 과반수의 찬동으로 감독청의 승인을 받아 이사회를 소집할 수 있다. 이 경우 정관으로 정하는 이사가 이사회를 주재한다.

- 하지만 대표이사의 결원으로 인해 해당 이사회가 「사회복지사업법」 제18조에서 정하고 있는 바를 충족시키지 못할 경우[195], 해당 이사회는 「사회복지사업법」 제19조의 강행규정을 위반한 위법 이사회가 되므로 그 결의가 무효가 되고, 따라서 동 이사회에서의 대표이사 선출행위 또한 무효가 되므로 「사회복지사업법」 제32조에 따라 준용되는 「공익법인의 설립·운영에 관한 법률」 제8조제4항에 따라 이사회를

195) △잔여 재적이사가 7명 미만인 경우, △외부추천이사 비율이 정관에서 정한 이사 정수와의 비율에 부합되지 않는 경우, △특별한 관계에 있는 이사나 외국인 이사 비율이 이사 현원 비율에 부합되지 않는 경우

소집한다고 하더라도 위법인 이사회가 되므로 새로운 대표이사 선임이 불가능하다고 할 것입니다.

- 이러한 경우에는 「사회복지사업법」 제22조의3에 따른 임시이사 선임 사유가 되므로, 즉시 임시이사를 선임함으로써 이사회 구성요건을 치유한 후에 대표이사를 선출해야 할 것으로 사료됩니다.

- 즉 결원으로 이어지는 궐위의 상황이 발생하는 경우 「사회복지사업법」 제32조에 따라 준용되는 「공익법인의 설립·운영에 관한 법률」 제8조나 「사회복지사업법」 제20조 및 제22조의3에 따라 해결이 가능한 사안이므로 굳이 법률상의 근거도 없고, 그 직무범위도 모호한 직무대행을 인정할 이유가 없습니다.

o 만일 대표이사 유고만 있고, 결원이 발생하지 않은 경우라고 한다면 이러한 상황은 대표이사를 반드시 두도록 한 「사회복지사업법」 제18조제1항에는 부합되는 상황이므로,

- 대표이사의 직무대행을 선임하는 것은 오히려 「사회복지사업법」 제18조 제1항의 규정을 위반하게 되는 결과를 초래하게 됩니다.

- 유고 상황이 장기화되어 해당 사회복지법인의 이사회 업무를 수행하기 어려운 경우라고 판단이 된다면 「사회복지사업법」 제32조에 따라 준용되는 「공익법인의 설립·운영에 관한 법률」 제8조에 따라 이사회를 개최한 후 종전 대표이사에게 부여한 대표권을 기타 이사에게 부여하는 결의를 하는 것으로 해결이 가능한 사안이므로 이 또한 굳이 법률상 근거도 없고, 그 직무범위도 모호한 직무대행을 인정할 이유가 없다고 할 것입니다.

대표이사(이사장) 직무대행자에 대한 법리 정리

관련 법령 조문

「민법」
제58조(이사의 사무집행) ①이사는 법인의 사무를 집행한다.

「공익법인의 설립 · 운영에 관한 법률」
제6조(이사회) ④ 이사장은 이사회를 소집하며, 이사회의 의장이 된다.
제8조(이사회의 소집) ④ 이사회를 소집하여야 할 경우에 그 소집권자가 궐위(闕位)되거나 이사회 소집을 기피하여 7일 이상 이사회 소집이 불가능한 경우에는 재적이사 과반수의 찬동으로 감독청의 승인을 받아 이사회를 소집할 수 있다. 이 경우 정관으로 정하는 이사가 이사회를 주재한다.

「사립학교법」
제17조(이사회의 소집) ④이사회를 소집하여야 할 경우에 그 소집권자가 궐위되거나 또는 이를 기피함으로써 7일 이상 이사회의 소집이 불가능할 때에는 재적이사 과반수의 찬동으로 이를 소집할 수 있다. 다만, 소집권자가 이사회의 소집을 기피한 경우에는 관할청의 승인을 얻어야 한다.
제19조(임원의 직무) ②이사장이 궐위되거나 사고로 인하여 직무를 수행할 수 없을 때에는 정관이 정하는 바에 의하며, 정관에 규정이 없을 때에는 이사회의 호선에 의하여 다른 이사가 이사장의 직무를 대행한다.

o 「사회복지사업법」에서는 이사회의 소집권자에 대해서 명시하고 있는 바가 없으므로, 같은 법 제32조에 따라 「공익법인의 설립 · 운영에 관한 법률」의 규정을 준용하여야 합니다.

- 공설법 제8조제1항에서는 우선 이사회의 소집권자가 이사장임을 명확히 하면서, 제4항에서는 소집권자가 궐위되는 경우 등에 한하여 재적이사 과반수의 찬동과 주무관청의 승인으로 이사회를 소집할 수 있도록 규정하고 있습니다.

- 이때 제4항에서 이사회 소집과 관련하여 이사장이라는 표현을 중복하여 사용하지 않고 굳이 "소집권자"라는 표현을 사용한 부분에 대해서 살펴볼 필요가 있으나, 법률연혁으로 볼 때 소집권자라는 표현은 공설법이 1975년도에 최초로 제정될 때부터 사용되고 있는 것이기는 하지만 당시 입법 관련 자료가 미비하여 이사장과 달리 표현한 이유에 대해서는 확인하기가 불가능합니다.

- 따라서 법률의 제정 취지, 법인 운영의 투명성이나 합리성 및 관련 판례 등을 종합적으로 고려하여 판단할 수밖에 없는 상황이라고 할 것입니다.

o 생각건대 ① 「민법」 제58조에서 이사가 법인의 사무를 집행할 수 있도록 규정하고 있고, ② 여러 판례에서 "법령 또는 정관이 정하는 바에 따른 정당한 소집권자"라는 표현을 사용하고 있는 점을 우선 고려하고,

참조 판례	법령이나 정관에 따라 소집권자를 별도로 정할 수 있다는 취지의 사례
o 사건번호 :	[대법원 1992.11.24, 선고, 92다428, 판결]
o 의료법인 이사회의 결의가 <u>법령 또는 정관이 정하는 바에 따른 정당한 소집권자</u> 아닌 자에 의하여 소집되고 (중략) 그와 같은 이사회의 결의는 부존재한 결의로서 아무 효력이 없다.	
o 사건번호 :	[대법원 2000.2.11, 선고, 99두2949, 판결]
o 재단법인 이사회가 <u>법령 또는 정관이 정하는 바에 따른 정당한 소집권</u>자 아닌 자에 의하여 소집되고 그 이사 가운데 일부만이 참석하여 결의를 하였다면, 그 이사회의 결의는 부적법한 결의로서 효력이 없다.	

- ③ 이사장이 이사회의 소집권자라는 사실은 법정(法定)된 것이므로 이에 대해서 하위 법령이나 정관으로 변경이 불가능하다고 할 것이나, 이러한 규정만을 들어 이사장만이 이사회를 소집할 수 있다고 한정하여 해석하기는 어렵다는 점도 함께 고려한다면,

- 해당 법인과 관련된 법령이나 정관의 규정에 이사장이 아닌 이사도 이사회의 소집이 가능하다는 명확한 규정이 있다면 이사장이 아닌 자도 이사회의 소집이 가능하다고 해석할 수 있을 것으로 판단됩니다.

o 따라서 사회복지법인의 정관에 이사회 소집이나 그 밖에 사무를 수행할 수 있는 것을 내용으로 하여 이사장의 직무를 대행할 이사를 둘 수 있는 것으로 규정하되 그 업무 수행권의 범위나 한계 등을 명확히 하고 있는 경우라고 한다면,

- 직무대행자인 이사가 사회복지법인의 이사회 소집의 권한이 없다고 보기는 어렵다고 할 것입니다.

- 다만 직무대행자라는 지위가 대외적으로도 효력을 가지기 위해서는 대표권 제한 등기 등의 절차가 반드시 필요하다는 점,

- 그리고 비상상황임을 전제로 원래 이사장이 가지고 있는 권한을 대행하는 것이므로 법인의 통상적인 업무 수행과 관련된 범위 내에서만 사무를 행할 수 있다는 한계가 있다는 점에 유의하여서 정관 규정을 두어야 할 것입니다.

⚠ 유의사항	정관상 문구 작성 시 유의할 점

o 이사장의 이사회 소집권은 법정(法定)된 권한이므로 사회복지법인 정관에 단순하게 "이사장의 직무를 대행한다."와 같이 표기할 경우 대행하는 권한의 범위가 이사회 소집에까지 미치는 것인지에 대해서 여전히 논란의 여지가 매우 크다고 할 것입니다.

- 따라서 이사회 소집 관련 조문에 직접 "이사장이 궐위나 유고로 인해서 이사회를 소집할 수 없을 경우 제00조에 따른 직무대행자가 이사회를 소집할 수 있다."와 같이 명시하는 것이 바람직합니다.

⚠ 유의사항	직무대행자의 대행행위의 대외적 효력과 관련하여 유의할 점

o 이사장이 대표권을 가지고 있는 대표이사를 겸직하고 있는 경우라고 한다면, 이러한 대표권은 등기로써 인정이 되는 것이므로,

- 직무대행자가 있다고 하더라도 그 직무대행자가 대표권이 있음이 등기되지 않으면 법인의 대표로서의 권한은 인정되지 않습니다.

- 따라서 대표권이 등기되지 않은 직무대행자의 명의로 된 문서 등은 대외적으로는 법인의 정상적인 문서로서 인정을 받지 못하게 되는 점에 유의해야 합니다.

o 아울러 이사장이 궐위됨으로써 직무대행이 지정된 경우라고 한다면 직무대행의 소집권한과는 별개로 해당 이사회가 적법한 이사회인지 여부가 문제가 될 수도 있다는 점에 유의해야 합니다.

- 왜냐하면 이사의 일원인 이사장이 궐위됨으로써 해당 이사회가 「사회복지사업법」 **제18조에서 규정하고 있는 각종 사항 중 어느 하나라도 위반될 경우, 해당 이사회는 위법한 이사회**가 되므로, 직무대행자의 이사회 소집권한이 인정되더라도 소집된 이사회 자체가 위법한 이사회가 되어버리기 때문입니다.

참조 판례	직무대행자의 권한을 제한하는 취지의 사례(법원 선임 직무대행자에 한정)

o **사건번호** : [대법원 2000.2.11, 선고, 99두2949, 판결]

o 민사소송법 제714조 제2항의 임시의 지위를 정하는 가처분은 (중략) 잠정적이고 임시적인 조치로서 그 분쟁의 종국적인 판단을 받을 때까지 잠정적으로 법적 평화를 유지하기 위한 비상수단에 불과한 것으로, (중략) 그 직무대행자는 단지 피대행자의 직무를 대행할 수 있는 임시의 지위에 놓여 있음에 불과하므로,

- 재단법인을 종전과 같이 그대로 유지하면서 관리하는 한도 내의 재단법인의 통상업무에 속하는 사무만을 행할 수 있다고 하여야 할 것이고, (중략) 재단법인의 근간인 이사회의 구성 자체를 변경하는 것과 같은 법인의 통상업무에 속하지 아니한 행위를 하는 것은 이러한 가처분의 본질에 반한다.

이사 정수 증원에 따른 외부추천이사 선임 방법

관련 법령 조문

「사회복지사업법」

제18조(임원) ① 법인은 대표이사를 포함한 이사 7명 이상과 감사 2명 이상을 두어야 한다.

② 법인은 제1항에 따른 이사 정수의 3분의 1(소수점 이하는 버린다) 이상을 다음 각 호의 어느 하나에 해당하는 기관이 3배수로 추천한 사람 중에서 선임하여야 한다.

1. 「사회보장급여의 이용·제공 및 수급권자 발굴에 관한 법률」 제40조제1항에 따른 시·도 사회보장위원회
2. 「사회보장급여의 이용·제공 및 수급권자 발굴에 관한 법률」 제41조제1항에 따른 지역 사회보장협의체

⑥ 법인은 임원을 임면하는 경우에는 보건복지부령으로 정하는 바에 따라 지체 없이 시·도지사에게 보고하여야 한다.

⑧ 제2항 각 호의 기관은 제2항에 따라 이사를 추천하기 위하여 매년 다음 각 호의 어느 하나에 해당하는 사람으로 이사 후보군을 구성하여 공고하여야 한다. 다만, 사회복지법인의 대표자, 사회복지사업을 하는 비영리법인 또는 단체의 대표자, 「사회보장급여의 이용 · 제공 및 수급권자 발굴에 관한 법률」 제41조에 따른 지역사회보장협의체의 대표자는 제외한다.

1. 사회복지 또는 보건의료에 관한 학식과 경험이 풍부한 사람
2. 사회복지를 필요로 하는 사람의 이익 등을 대표하는 사람
3. 「비영리민간단체 지원법」 제2조에 따른 비영리민간단체에서 추천한 사람
4. 「사회복지공동모금회법」 제14조에 따른 사회복지공동모금지회에서 추천한 사람

o 사회복지법인이 그 정관의 변경을 통해 이사의 정수를 증원하는 경우 외부추천이사의 비율을 맞춰야하는 상황이 발생되기도 합니다.

- 예컨대 정수를 8명에서 9명으로 증원하는 경우 외부추천이사는 2명에서 3명으로 증원이 되어야 합니다.

- 그런데 이러한 경우 정관의 변경허가와 외부추천이사의 선임 간에 순서를 잘 지키지 못하면 「사회복지사업법」 제18조 규정을 위반하게 되어, 무효인 이사회가 될 우려가 있기 때문에 상당히 신중하게 접근해야 할 것으로 사료됩니다.

o 만일 정관변경허가를 먼저 받을 경우 해당 법인의 이사 정수가 9명으로 확정이 되는데, 이 경우 동 법인의 이사 중 외부추천이사는 여전히 2명밖에 되지 않기 때문에 결과적으로 위법한 이사회가 되고, 따라서 그 이후의 외부추천이사 선임행위도 무효가 되는 문제가 발생하게 됩니다.

- 정관을 변경하지 않고, 외부추천이사 후보를 추천을 먼저 요청하는 경우에는

외부추천이사 후보를 추천하는 사회보장위원회나 사회보장협의체에서는 외부추천이사 후보를 추천할 근거가 미약하거나 없다는 이유로 후보를 추천하지 않을 가능성이 농후하므로 여전히 문제가 발생하게 됩니다.

- 이러한 경우를 해결하는 방법은 다음과 같은 방안들이 있을 것으로 사료됩니다.

1 정지조건부로 정관 변경허가를 하는 방법

o 법인의 이사 정수를 증원하는 정관에 대한 변경허가 요청이 있을 경우 주무관청은 해당 정관에 대해 변경허가를 하면서 해당 허가가 발효되는 시점을 동 법인이 외부추천이사를 선임하는 때로 하고, 동시에 외부추천이사 선임의 마감시한을 동시에 조건으로 제시하는 조건부 허가를 할 수 있을 것입니다.

- 이 경우 법인의 정관 부칙에 외부추천이사 선임의 마감시한을 해당 변경정관의 시행일로 규정하고, 아울러 부칙에 준비행위 조문을 두어 정관 시행일 전에 외부추천이사의 선임행위를 할 수 있도록 해야 할 것입니다.

2 정관변경 허가 시 모든 법률적 관계 완성되도록 하는 방법

o 법인 이사회에서 이사 정수를 증원하는 정관을 확정하고, 아울러 동 정관이 주무관청의 허가를 받을 경우 취임하는 것을 전제로 미리 외부추천이사 후보를 추천받아 선임을 합니다.

외부추천이사가 재임 중 추천배제 대상 지위에 해당되는 경우

관련 법령 조문

「사회복지사업법」

제18조(임원) ⑧ 제2항 각 호의 기관은 제2항에 따라 이사를 추천하기 위하여 매년 다음 각 호의 어느 하나에 해당하는 사람으로 이사 후보군을 구성하여 공고하여야 한다. 다만, 사회복지법인의 대표자, 사회복지사업을 하는 비영리법인 또는 단체의 대표자, 「사회보장급여의 이용 · 제공 및 수급권자 발굴에 관한 법률」 제41조에 따른 지역사회보장협의체의 대표자는 제외한다.

o 법 제18조제8항에서는 외부추천이사를 선임할 경우 사회복지법인의 대표자 등을 그 추천에서 배제토록 정하고 있습니다.

- 따라서 후보추천 당시에 추천에서 배제해야 할 사람을 추천한 경우라고 한다면 이는 위법한 추천이 될 것이고, 만일 추천배제 대상을 이사로 선임하였다면 이 또한 무효인 선임이라고 할 것입니다.

- 그러나 외부추천이사로 적법하게 추천되고, 적법하게 선임된 자가 그 재임 중에 다른 사회복지법인의 대표이사가 되는 등의 상황이 발생하였다면 이를 위법이나 무효라고 보기는 어렵다고 할 것입니다.

o 왜냐하면 「사회복지사업법」에는 위와 같은 상황과 관련한 별도의 규정이 없기 때문에 일단 적법하게 사회복지법인의 이사가 된 자라고 한다면, 법 제19조에 따른 결격사유에 해당되거나, 제22조에 따른 해임명령의 대상이 되지 않는 한 이사의 지위를 상실할 여지는 없다고 할 것입니다.

o 다만, 다른 외부추천이사가 사회복지법인의 대표이사나 사회복지사업을 하는 비영리법인 등의 대표자가 된다면, 애당초 추천에서 배제하고자 하는 입법취지에는 부합되지 않는 면이 매우 크기 때문에, 외부추천이사의 사임이나, 타 사회복지법인 대표이사 취임 등을 지양토록 권고를 할 여지는 있을 것을 판단됩니다.

- 물론 이러한 권고는 입법취지를 살리고자 하는 권고에 불과한 것으로서, 해당 외부추천이사가 굳이 준수할 필요는 없으나, 향후 해당 사회복지법인에 대한 보조금 지급 등을 심사함에 있어서 상당히 불리한 기준으로 작용할 여지가 작지 않을 것으로 판단됩니다.

임원 직무집행 정지 시 「행정절차법」에 따른 사전통지를 해야 하는지?

관련 법령 조문

「사회복지사업법」

제22조의2(임원의 직무집행 정지) ① 시·도지사는 제22조에 따른 해임명령을 하기 위하여 같은 조 제1항 각 호의 사실 여부에 대한 조사나 감사가 진행 중인 경우 및 해임명령 기간 중인 경우에는 해당 임원의 직무집행을 정지시킬 수 있다.

② 시·도지사는 제1항에 따른 임원의 직무집행 정지사유가 소멸되면 즉시 직무집행 정지명령을 해제하여야 한다.

「행정절차법」

제3조(적용 범위) ① 처분, 신고, 행정상 입법예고, 행정예고 및 행정지도의 절차(이하 "행정절차"라 한다)에 관하여 다른 법률에 특별한 규정이 있는 경우를 제외하고는 이 법에서 정하는 바에 따른다.

제21조(처분의 사전 통지) ④ 다음 각 호의 어느 하나에 해당하는 경우에는 제1항에 따른 통지를 하지 아니할 수 있다.

1. 공공의 안전 또는 복리를 위하여 긴급히 처분을 할 필요가 있는 경우
2. 법령등에서 요구된 자격이 없거나 없어지게 되면 반드시 일정한 처분을 하여야 하는 경우에 그 자격이 없거나 없어지게 된 사실이 법원의 재판 등에 의하여 객관적으로 증명된 경우
3. 해당 처분의 성질상 의견청취가 현저히 곤란하거나 명백히 불필요하다고 인정될 만한 상당한 이유가 있는 경우

⑤ 처분의 전제가 되는 사실이 법원의 재판 등에 의하여 객관적으로 증명된 경우 등 제4항에 따른 사전 통지를 하지 아니할 수 있는 구체적인 사항은 대통령령으로 정한다.

「행정절차법 시행령」

제13조(처분의 사전 통지 생략사유) 법 제21조제4항 및 제5항에 따라 사전 통지를 하지 아니할 수 있는 경우는 다음 각 호의 어느 하나에 해당하는 경우로 한다.

1. 급박한 위해의 방지 및 제거 등 공공의 안전 또는 복리를 위하여 긴급한 처분이 필요한 경우
3. 의견청취의 기회를 줌으로써 처분의 내용이 미리 알려져 현저히 공익을 해치는 행위를 유발할 우려가 예상되는 등 해당 처분의 성질상 의견청취가 현저하게 곤란한 경우

o 「사회복지사업법」 제22조의2에 따른 임원의 직무집행정지의 경우, 해임명령을 위한 조사나 감사가 진행 중인 경우나, 이미 해임명령기간 중인 경우에 한하여 직무집행의 정지를 명하게 됩니다.

o 우선 해임명령 중에 임원의 직무집행을 정지시키는 것은 해임명령에 부수된 행정처분이므로, 해임명령과 분리하여 사전의견진술을 들을 수는 없는 사항이고, 해임명령의 경우는 「행정절차법」 제3조에 해당되어 사전의견진술의 기회를 반드시

부여해야 하는 것은 아닌 점을 미루어 보면 동 경우에는 사전의견진술 절차 진행이 불필요하다고 할 것입니다.

o 다음으로 해임명령을 위해서 조사·감사가 진행 중인 경우 직무집행정지 명령을 하는 경우는 「행정절차법 시행령」 제13조제1호나 제3호에 해당될 때 한해서 사전 통지를 생략할 수도 있을 것입니다.

- 다만, 이 경우는 「행정절차법 시행령」 제13조 각 호의 사항에 부합되는지에 대해서 심도 있는 검토가 우선되어야 할 것인데, 만일 의견진술 기회를 줌으로써 「사회복지사업법」 제22조제1항 각 호에 따른 사항을 개선할 여지가 있는 경우라면 사전 통지가 필요하다고 할 것입니다.

임원 해임명령 시 「행정절차법」에 따른 사전통지를 해야 하는지?

관련 법령 조문

「사회복지사업법」

제22조(임원의 해임명령) ① 시·도지사는 임원이 다음 각 호의 어느 하나에 해당할 때에는 법인에 그 임원의 해임을 명할 수 있다.

② 제1항에 따른 해임명령은 시·도지사가 해당 법인에게 그 사유를 들어 시정을 요구한 날부터 15일이 경과하여도 이에 응하지 아니한 경우에 한한다. 다만, 시정을 요구하여도 시정할 수 없는 것이 명백하거나 회계부정, 횡령, 뇌물수수 등 비리의 정도가 중대한 경우에는 시정요구 없이 임원의 해임을 명할 수 있으며, 그 세부적 기준은 대통령령으로 정한다.

「행정절차법」

제3조(적용 범위) ① 처분, 신고, 행정상 입법예고, 행정예고 및 행정지도의 절차(이하 "행정절차"라 한다)에 관하여 다른 법률에 특별한 규정이 있는 경우를 제외하고는 이 법에서 정하는 바에 따른다.

o 행정처분이라 함은 통상 행정청의 공법상의 행위로서 특정사항에 대하여 법규에 의한 권리의 설정 또는 의무의 부담을 명하거나 기타 법률상 효과를 발생하게 하는 등 국민의 구체적인 권리의무에 직접적 변동을 초래하는 행위를 말합니다.

참조 판례 행정처분의 범위

o **사건번호** : [대법원 2008.4.24, 선고, 2008두3500, 판결]

o 항고소송의 대상이 되는 행정처분이라 함은 행정청의 공법상의 행위로서 특정사항에 대하여 법규에 의한 권리의 설정 또는 의무의 부담을 명하거나 기타 법률상 효과를 발생하게 하는 등 국민의 구체적인 권리의무에 직접적 변동을 초래하는 행위를 말하는 것이고, 행정권 내부에서의 행위나 알선, 권유, 사실상의 통지 등과 같이 상대방 또는 기타 관계자들의 법률상 지위에 직접적인 법률적 변동을 일으키지 아니하는 행위 등은 항고소송의 대상이 될 수 없다

o 이러한 해석에 따르면 「사회복지사업법」 제22조에 따른 임원의 해임명령은 그 명령을 이행하지 않을 경우 사회복지법인의 설립허가취소의 사유가 되는 등 법률상의 효과를 발생하게 되므로 행정처분이 아니라고 하기는 어렵습니다.

- 이러한 행정처분의 경우 「행정절차법」에 따른 절차를 준수하여야만 효력이 있기 때문에 사회복지법인 임원의 해임명령에 있어서도 「행정절차법」에 따른 각종 절차를 준수해야 하는지 여부와 관련하여 여러 가지 견해가 있을 수 있습니다.

o 한편 「행정절차법」 제3조제1항에서는 다른 법률에 특별한 규정이 있는 경우에 그 법률을 적용하는 것으로 규정하고 있는데,

- 사회복지법인의 임원에 대한 해임명령은 「사회복지사업법」 제22조제2항에서 "제1항에 따른 해임명령은 시·도지사가 해당 법인에게 그 사유를 들어 시정을 요구한 날부터 15일이 경과하여도 이에 응하지 아니한 경우에 한한다."라고 규정하고 있고, 위 기간 중에 사회복지법인에 대해 「행정절차법」에서 규정하고 있는 의견진술의 기회를 준 것과 다름없는 것이라고 할 것이고,

참조 판례	「행정절차법」 제3조 관련 대법원 판례

o **사건번호** : [대법원 2002.2.5, 선고, 2001두7138, 판결]

o 행정절차법 제3조 제1항은 "행정절차에 관하여 다른 법률에 특별한 규정이 있는 경우를 제외하고는 이 법이 정하는 바에 의한다."고 규정하고 있는바,

- 사립학교법 제20조의2 제2항은 "제1항의 규정에 의한 취임승인의 취소는 관할청이 당해 학교법인에게 그 사유를 들어 시정을 요구한 날로부터 15일이 경과하여도 이에 응하지 아니한 경우에 한한다."고 규정하고 있는바, 비록 그 취지가 사학의 자율성을 고려하여 학교법인 스스로 임원의 위법·부당행위를 시정할 기회를 주는 데 있다고 하더라도, 학교법인이나 해당 임원의 입장에서는 위 시정요구에 응하지 아니하면 임원취임승인이 취소되므로 관할청에 위 시정요구사항에 대한 결과보고를 함에 있어서, 위 기간 안에 시정할 수 없는 사항에 대하여는 임원취임승인취소처분을 면하기 위하여 당연히 위 기간 안에 시정할 수 없는 사유와 그에 대한 앞으로의 시정계획, 학교법인의 애로사항 등에 관한 의견진술을 하게 될 것인즉, 그렇다면 위 조항에 의한 시정요구는 학교법인 이사장을 비롯한 임원들에게, <u>임원취임승인취소처분의 사전통지와 아울러 행정절차법 소정의 의견진술의 기회를 준 것에 다름 아니다.</u>

- 같은 항 단서에서 "다만, 시정을 요구하여도 시정할 수 없는 것이 명백하거나 회계부정, 횡령, 뇌물수수 등 비리의 정도가 중대한 경우에는 시정요구 없이 임원의 해임을 명할 수 있으며, 그 세부적 기준은 대통령령으로 정한다."라고 규정하고 있어 의견진술의 기회 없이 행정처분이 가능한 것으로도 규정하고 있어, 이는 「행정절차법」과 달리 규정한 것으로도 볼 수 있어, 같은 법 제3조에 따라 「사회복지사업법」을 우선적으로 적용할 수도 있는 사항입니다.

o 요컨대 사회복지법인 임원 해임명령의 행정절차는 「행정절차법」 제3조에 해당되는 것으로서 「행정절차법」상 사전의견진술의 기회를 반드시 부여해야 하는 것은 아닙니다.

임원이 사임한 경우 그 사임의 효력 발생 시기

관련 법령 조문

「민법」

제689조(위임의 상호해지의 자유) ① 위임계약은 각 당사자가 언제든지 해지할 수 있다.

제691조(위임종료시의 긴급처리) 위임종료의 경우에 급박한 사정이 있는 때에는 수임인, 그 상속인이나 법정대리인은 위임인, 그 상속인이나 법정대리인이 위임사무를 처리할 수 있을 때까지 그 사무의 처리를 계속하여야 한다. 이 경우에는 위임의 존속과 동일한 효력이 있다.

☑ 임원의 사임행위는 상대방 있는 단독행위

o 「사회복지사업법」에서는 이사의 사임에 대해서 별도로 규정하고 있지 않기 때문에 「민법」 등 관련 법령이나 판례의 해석에 따라 처리해야 합니다.

- 법인과 임원과의 법률관계는 위임 유사 관계로 보기 때문에 언제든지 해지할 수 있고, 사임의 의사가 법인에 도달하면 임원으로서의 지위가 상실된다는 것이 판례의 기본적인 입장입니다.

- 다만, 사회복지법인의 정관에 사임의 절차가 있다면 그 절차에 따를 경우에 한해서 사임의 효력이 완성되며, 사임의사가 즉각적이라고 볼 수 없는 특별한 사정이 있는 경우에는 대표자의 수리행위 등이 있어야 효력이 발생하는 것으로 판시하고 있습니다.

o 공무원은 사회복지법인 임원 사임 관련 업무를 처리함에 있어서 그 사회복지법인의 정관이나 해당 이사가 사임의사를 밝히면서 제출한 사임계 내용을 면밀히 파악하여야 합니다.

- 또한 이사의 사임으로 인해 「사회복지사업법」 제18조제1항에 따른 이사의 정수를 충족시키지 못하는 상황이 발생할 수도 있기 때문에 이러한 상황을 대비하기 위한 측면에서도 사임의 효력 여부가 중요하므로 관련 상황을 보다 구체적으로 파악할 필요가 있습니다.

참조 판례	법인 임원의 사임행위의 법적 성질 및 철회 가능 여부

o **사건번호** : [대법원 2013.7.25, 선고, 2011두22334, 판결] / [대법원 2013.11.28, 선고, 2011다41741, 판결] / [대법원 2006.6.15, 선고, 2004다10909, 판결]

o 법인과 이사의 법률관계는 **신뢰를 기초로 한 위임 유사의 관계**이므로, 이사는 민법 제689조 제1항이 규정한 바에 따라 **언제든지 사임할 수 있고**,

- 법인의 이사를 사임하는 행위는 **상대방 있는 단독행위**이므로 그 의사표시가 **상대방에게 도달함과 동시에 그 효력을 발생**하고, 그 의사표시가 효력을 발생한 후에는 마음대로 이를 철회할 수 없음이 원칙이다.
- 그러나 법인이 정관에서 이사의 사임절차나 사임의 의사표시의 효력발생시기 등에 관하여 특별한 규정을 둔 경우에는 그에 따라야 하는바,
- 위와 같은 경우에는 이사의 사임의 의사표시가 법인의 대표자에게 도달하였다고 하더라도 그와 같은 사정만으로 곧바로 사임의 효력이 발생하는 것은 아니고 정관에서 정한 바에 따라 사임의 효력이 발생하는 것이므로, 이사가 사임의 의사표시를 하였더라도 정관에 따라 사임의 효력이 발생하기 전에는 그 사임의사를 자유롭게 철회할 수 있다.

o 사임서 제시 당시 즉각적인 철회권유로 사임서 제출을 미루거나, 대표자에게 사표의 처리를 일임하거나, 사임서의 작성일자를 제출일 이후로 기재한 경우 등 사임의사가 즉각적이라고 볼 수 없는 특별한 사정이 있을 경우에는

- 별도의 사임서 제출이나 대표자의 수리행위 등이 있어야 사임의 효력이 발생하고, 그 이전에 사임의사를 철회할 수 있다.

이사회 의결권 대리행사 가능 여부

관련 법령 조문

「민법」

제62조(이사의 대리인 선임) 이사는 정관 또는 총회의 결의로 금지하지 아니한 사항에 한하여 타인으로 하여금 **특정한 행위를 대리**하게 할 수 있다.

제63조(임시이사의 선임) 이사가 없거나 결원이 있는 경우에 이로 인하여 손해가 생길 염려가 있는 때에는 법원은 이해관계인이나 검사의 청구에 의하여 임시이사를 선임하여야 한다.

제64조(특별대리인의 선임) 법인과 이사의 이익이 상반하는 사항에 관하여는 이사는 대표권이 없다. 이 경우에는 전조의 규정에 의하여 특별대리인을 선임하여야 한다.

의결권 대리 행사 : 불가

o 이사회 의결권의 대리행사와 관련한 사항은 「사회복지사업법」이나 「민법」, 「공익법인의 설립 · 운영에 관한 법률」에서는 명시적으로 규정하고 있는 바가 없습니다. 하지만 다음과 같은 이유로 의결권 대리행사는 불가합니다.

o 우선 「사회복지사업법」 제18조에서는 이사회를 구성하는 요건·비율에 대해서 상세하게 규정하고 있습니다. 이 조문은 사회복지법인 운영의 투명성과 공익성을 제고하기 위해 마련된 것으로서 동 조문을 위반하여 구성된 이사회는 위법인 이사회가 됩니다.

- 만일 이사의 의결권을 대리행사 할 수 있는 것으로 해석한다면, 「사회복지사업법」 제18조에서 규정하고 있는 비율에 위반되는 자가 대리인으로 이사회에 참석할 수 있게 되어 「사회복지사업법」 제18조의 제정 취지와 위배되는 문제가 발생합니다.

- 또한 「사회복지사업법」 제32조에 따라 준용하는 「공익법인의 설립·운영에 관한 법률」 제9조제2항에서는 이사회의 의사는 서면결의에 의할 수 없다고 규정하고 있는데, 이와 같이 이사 본인이 직접 서면결의를 하는 것도 금지하는 취지에 비추어 보면, 이사 대리인의 선임을 통하여 의사를 표시하는 방법으로 결의하는 것은 더욱 허용되기 어려울 것이므로 대리인을 선임하여 표결권을 행사하는 것은 허용되지 않는다고 할 것입니다.[196]

- 아울러 법인의 이사의 의결권은 이를 위임하거나, 포기할 수 없는 일종의

196) 법무부, 「실무자를 위한 비영리·공익법인 관리·감독 업무 편람」(2017), 333쪽 참조

인격권이라 할 것이고, 만일 이를 위임할 수 있다고 하면 표결권이 한 사람의 수중에 몰릴 위험이 있고, 포기할 수 있다면 이사회의 불성립을 초래할 우려가 있기 때문에 대리행사 등이 불가능하다고 할 것입니다.197)

o (비록 사회복지법인과는 무관하지만) 「상법」 제390조 및 제391조에서도 이사회의 대리출석이나 의결권 대리행사에 대한 명시적인 규정을 두고 있지 않지만, 관련 판례에서는 "의결권 위임에 의한 이사회 결의는 무효"라고 판시하고 있는 점에도 유의할 필요가 있습니다.

참조 판례	의결권 위임에 의한 이사회 결의 무효
o **사건번호** : [대법원 1982.7.13, 선고, 80다2441, 판결]	
o 이사회는 주주총회의 경우와는 달리 원칙적으로 이사자신이 직접 출석하여 결의에 참가하여야 하며 대리인에 의한 출석은 인정되지 않고 따라서 이사가 타인에게 출석과 의결권을 위임할 수도 없는 것이니 이에 위배된 이사회의 결의는 무효이며 그 무효임을 주장하는 방법에는 아무런 제한이 없다.	

197) 대법원 1957. 3. 22. 4290행상9, 판결 [김현선, "학교법인의 이사회 의결권 위임에 관한 효력", 「법인론실무연구」 2(2)(한국법이론실무학회, 2014.10.), 105쪽 재인용 : 권오복, "민법법인 설립등기와 입법론(Ⅱ)", 「법무사」(대한법무사협회, 2007.3.), 10쪽 재인용]

이사회 소집권자 흠결의 효과

관련 법령 조문

「공익법인의 설립·운영에 관한 법률」

제8조(이사회의 소집) ① 이사장은 필요하다고 인정할 때에는 이사회를 소집할 수 있다.

② 이사장은 다음 각 호의 어느 하나에 해당하는 소집요구가 있을 때에는 그 소집요구일부터 20일 이내에 이사회를 소집하여야 한다.

1. 재적이사의 과반수가 회의의 목적을 제시하여 소집을 요구할 때
2. 제10조제1항제5호에 따라 감사가 소집을 요구할 때

③ 이사회를 소집할 때에는 적어도 회의 7일 전에 회의의 목적을 구체적으로 밝혀 각 이사에게 알려야 한다. 다만, 이사 전원이 모이고 또 그 전원이 이사회의 소집을 요구할 때에는 그러하지 아니하다.

④ 이사회를 소집하여야 할 경우에 그 소집권자가 궐위(闕位)되거나 이사회 소집을 기피하여 7일 이상 이사회 소집이 불가능한 경우에는 재적이사 과반수의 찬동으로 감독청의 승인을 받아 이사회를 소집할 수 있다. 이 경우 정관으로 정하는 이사가 이사회를 주재한다.

제9조(의결정족수 등) ① 이사회의 의사(議事)는 정관에 특별한 규정이 없으면 재적이사 과반수의 찬성으로 의결한다.

② 이사는 평등한 의결권을 가진다.

③ 이사회의 의사는 서면결의에 의하여 처리할 수 없다.

④ 이사회의 의결은 대한민국 국민인 이사가 출석이사의 과반수가 되어야 한다.

1 원칙

o 사회복지법인의 이사회의 소집 등 제반 절차는 「사회복지사업법」에서 직접 규정하고 있지 않기 때문에 「사회복지사업법」 제32조에 따라 준용되는 「민법」과 「공익법인의 설립·운영에 관한 법률」에서 규정하고 있는 바에 부합되게 운영되어야 합니다.

2 이사회 소집

o 「공익법인의 설립·운영에 관한 법률」 제8조제3항에서는 이사회를 소집할 때는 적어도 7일전에 회의 목적을 구체적으로 밝혀 각 이사에게 알리도록 규정하고 있는데,

- 이를 위반하여 구체적인 안건을 밝히지 않고 소집을 통지한 후 일부 이사가 결원인 상태로 개최된 이사회는 무효입니다.

참조 판례	통지하지 않은 안건에 대한 결의는 무효
o **사건번호** : [대법원 2005.5.18, 자, 2004마916, 결정]	
o 일부 이사가 참석하지 않은 상태에서 소집통지서에 회의의 목적사항으로 명시한 바 없는 안건에 관한 사회복지법인 이사회 결의는 무효	

3 소집권자

o 「사회복지사업법」 제32조에 따라 준용되는 「공익법인의 설립 · 운영에 관한 법률」 제8조에서는 이사회 소집권자에 대해서 정하고 있습니다.

- 만일 무효인 이사회에서 선임된 대표이사는 적법한 소집권자가 아니라고 볼 것이므로, 이후의 이사회도 소집절차에 하자가 있는 이사회로서 이 또한 무효인 이사회가 됩니다.

참조 판례	소집권자가 아닌 자에 의한 소집은 위법
o **사건번호** : [대법원 1987.3.24, 선고, 85누973, 판결]	
o 민법상 비영리법인의 이사회결의가 법령 또는 정관이 정하는 바에 따른 정당한 소집권자가 아닌 자에 의하여 소집되고 적법한 소집절차도 없이 개최되어 한 것이라면 그 결과가 설사 적법한 소집통지를 받지 못한 이사가 출석하여 반대의 표결을 하였던들 이사회결의의 성립에 영향이 없었다고 하더라도 그 이사회결의는 당연무효라 할 것이다. o 당연무효인 이사회의 결의에 의하여 선임된 이사에 대한 주무관청의 이사취임승인 처분은 그 행정처분에 중대한 하자가 있는 경우이므로 이에 대하여 법령에 특별히 취소사유로 규정하고 있지 아니하여도 행정청은 스스로 이를 취소할 수 있다 할 것이다.	

o 사회복지법인의 이사회 소집권자가 궐위되거나 소집을 기피하여 7일 이상 이사 소집이 불가능한 경우에는 재적이사 과반수가 찬성하여 시·도지사에게 요청하여 승인을 받으면 개최가 가능합니다.

- 이 경우 이사회의 주재는 정관으로 정하는 자가 하게 되며, 만일 정관으로 관련 사항을 정하고 있지 않다면, 해당 이사회에 참석한 이사들이 호선을 통하여 주재자를 정할 수 있을 것으로 사료됩니다.

4 임시이사가 임명된 경우 이사회 개최

o 임시이사가 결원된 이사를 대신한 이사회라고 하더라도 이사회의 소집이나 운영에 대해서는 달리 볼 이유가 없을 것이기 때문에 일반적인 이사회 법리를 따르면 될 것입니다.

5 이사회 정상 소집 후 개최 당일에 대표이사가 불참한 경우 효과

o 이사회가 정상적으로 소집되어 개최되었기 때문에 정관에 따라 해당 이사회에서 이사회 주재자를 정하면 될 것입니다.

- 만일, 정관에 해당 절차가 규정되어 있지 않다면 해당 이사회에 참석한 이사들이 호선(互選)을 통하여 주재자를 정할 수 있을 것으로 사료됩니다.

o 만일 정상적으로 소집·개최된 이사회가 그 주재자가 불참했다는 이유만으로 불성립되거나 파행되는 것으로 해석한다면, 이는 이사장이 애당초 이사회 소집을 회피하였거나, 소집이 불가능한 경우에 대해서 「사회복지사업법」 제32조에 따라 준용되는 「공익법인의 설립 · 운영에 관한 법률」 제8조제4항에서 이사 과반수만으로도 이사회를 개최할 수 있도록 규정한 것과는 모순이 발생하게 됩니다.

- 요컨대 사회복지법인에 있어서 합법적으로 개최된 이사회의 경우 그 의장인 이사장의 존부나 참석 여부에는 영향을 받지 않습니다.

정족수 계산 시 제척사유 등에 해당하는 이사의 계산방법

관련 법령 조문

「사회복지사업법」

제32조(다른 법률의 준용) 법인에 관하여 이 법에서 규정한 사항을 제외하고는 「민법」과 「공익법인의 설립·운영에 관한 법률」을 준용한다.

「공익법인의 설립 · 운영에 관한 법률」

제7조(이사회의 기능) ② 이사장이나 이사가 공익법인과 이해관계가 상반될 때에는 그 사항에 관한 의결에 참여하지 못한다.

제9조(의결정족수 등) ① 이사회의 의사(議事)는 정관에 특별한 규정이 없으면 재적이사 과반수의 찬성으로 의결한다.

④ 이사회의 의결은 대한민국 국민인 이사가 출석이사의 과반수가 되어야 한다.

o 「사회복지사업법」 제32조에 따라 준용되는 「공익법인의 설립 · 운영에 관한 법률」 제7조에 따르면 사회복지법인의 이사는 해당 사회복지법인과 이해관계가 상반되는 이사회의 의결에 참여하지 못하도록 규정되어 있습니다.

- 이 경우 해당 이사는 의사정족수나 의결정족수를 계산함에 있어서 각각 다음과 같이 처리를 해야 할 것입니다.

o **(의사정족수)** 제척사유에 해당되는 이사의 경우 의결에 참여하지 못하는 것으로만 규정되어 있기 때문에 이사회 참석 자체가 금지되어 있는 경우라고 보기는 어렵습니다.

- 따라서 제척사유에 해당되는 이사가 이사회에 참석하였을 경우 이는 의사정족수에는 포함시켜야 할 것입니다.

o **(재적이사)** 「공익법인의 설립 · 운영에 관한 법률」 제9조제1항이 적용될 경우 「공익법인의 설립 · 운영에 관한 법률」에서는 제척사유에 해당되는 이사를 재적(在籍)이사에서 제외한다는 명문규정이 없으므로 해당 이사도 당연히 재적이사에 포함된다고 할 수 있습니다.

- 「공익법인의 설립 · 운영에 관한 법률」 제9조제1항에서는 안건이 의결되기 위해서 제척사유에 해당되는 이사를 포함한 재적이사 과반수의 찬성이 있는 경우에 의결이 완료되는 것으로 규정하고 있습니다.

- 즉 제척사유가 있는 이사는 재적이사의 수에는 포함이 되지만 의결권이 없으므로 해당 안건이 의결되기 위해서는 찬성하는 이사의 수가 제척사유가 있는 이사의 수를 포함하지 않고도 해당 사회복지법인의 재적이사 과반수가 되어야 합니다.

o **(의결정족수)** 정관상 의결정족수 이사 과반의 출석과 출석 이사 과반의 찬성이라면, 해당 법인의 정관에 제척된 이사와 관련하여 의결정족수 산정에 관하여는 별도의 규정을 두고 있는 경우는 그 정관 내용에 따라 의결정족수를 결정하면 됩니다.

- 그러나 정관에 그러한 내용이 명시적으로 없다면 의결정족수는 의결에 필요한 출석 이사의 수를 말하는 것으로서, 이는 의결에 참여할 수 있는 이사를 전제로 한다고 보아야 할 것이므로 제척사유로 인해 의결에 참여할 수 없는 이사를 제외한 나머지 이사의 수가 의결에 필요한 출석 이사의 수가 되고, 이에 따라 그 출석한 이사 중에서 과반수의 찬성으로 의결이 가능하다고 할 것입니다.

해 석 례 **제척 · 기피 사유 등에 해당할 때 나머지 위원으로 의결할 수 있는지 여부**

o **해석번호** : [법제처 09-0129, 2009.5.29]

【질의요지】

o 소청심사위원회 회의에 출석한 위원 중 제척사유에 해당하는 위원, 기피결정을 받은 위원 또는 회피한 위원은,

가. 「국가공무원법」 제14조제1항의 의사정족수 산정을 위한 출석 위원의 수에 산입할 수 있는지?

나. 「국가공무원법」 제14조제1항의 의결정족수 산정을 위한 출석 위원의 수에 산입할 수 있는지?

【회답】

가. 질의 가에 대하여

소청심사위원회 회의에 출석한 위원 중 제척사유에 해당하는 위원, 기피결정을 받은 위원 또는 회피한 위원은 「국가공무원법」 제14조제1항의 의사정족수 산정을 위한 출석 위원의 수에 산입할 수 있습니다.

나. 질의 나에 대하여

소청심사위원회의 회의에 출석한 위원 중 제척사유에 해당하는 위원, 기피결정을 받은 위원 또는 회피한 위원은 「국가공무원법」 제14조제1항의 의결정족수 산정을 위한 출석 위원의 수에 산입할 수 없습니다.

【이유】

가. 질의 가에 대하여

o 먼저, 제척사유에 해당하는 위원이 의사정족수에서 제외되는지를 살펴보면, 「국가공무원법」에서는 제척사유와 관련하여 그 위원이 해당 "소청 사건에 관여하지 못한다"라고 규정하고 있을 뿐(제14조제2항) 다른 규정을 두고 있지는 않은바,

- 이와 같은 규정은 해당 위원이 위원회의 의사결정에 참여하지 못한다는 의미로 봐야지 위원회의 회의에 참석하는 것을 금지하거나 회의에 참석하더라도 회의 성립 자체에 영향을 미치는 의사정족수에서 제외하라는 취지라 볼 수는 없으므로

- 소청심사위원회에 있어서도 제척사유에 해당하는 위원이 위원회의 회의에 참석하는 경우 그 위원을 의사정족수에 산입해야 할 것입니다.

o 이 경우에도 기피결정을 위한 의사정족수에는 산입하여야 하고(법제처 2009. 1. 21. 회신 08-0415 해석례),

- 회피는 제척이나 기피 사유에 해당하는 위원이 자발적으로 의결에서 빠지는 것으로 제척·기피와 그 효과가 동일하므로, 제척사유에 해당하거나 기피결정을 받은 위원을 의사정족수에 산입한다면 회피를 한 위원 역시 의사정족수에 산입해야 할 것입니다.

o 따라서 소청심사위원회의 회의에 출석한 위원 중 제척사유에 해당하는 위원, 기피결정을 받은 위원 또는 회피한 위원은 「국가공무원법」 제14조제1항의 의사정족수 산정을 위한 출석 위원의 수에 산입할 수 있습니다.

나. 질의 나에 대하여

o 소청심사위원회의 의결에 관하여, 「국가공무원법」은 의견이 나뉠 경우에는 출석 위원 과반수에 이를 때까지 소청인에게 가장 불리한 의견에 차례로 유리한 의견을 더하여 그 중 가장 유리한 의견을 합의된 의견으로 보도록 하여 의결의 방법에 대해 규정(제14조제1항)하고 있을 뿐 제척·기피·회피 등의 경우 의결정족수 산정에 관하여는 별도의 규정을 두고 있지 않으나,

- **의결정족수는 의결에 필요한 출석 위원의 수를 말하는 것**으로, 이는 의결에 참여할 수 있는 위원을 전제로 한다고 보아야 할 것이므로 **제척·기피·회피 등으로 의결에 참여할 수 없는 위원을 제외한 나머지 위원의 수가 의결에 필요한 출석 위원의 수**가 되고 그 중에서 과반수에 이를 때까지의 의견으로 의결이 가능하다고 할 것입니다(법제처 2009. 1. 21. 회신 08-0415 해석례).

o 따라서 소청심사위원회의 회의에 출석한 위원 중 제척사유에 해당하는 위원, 기피결정을 받은 위원 또는 회피한 위원은 「국가공무원법」 제14조제1항의 의결정족수 산정을 위한 출석 위원의 수에 산입할 수 없습니다.

이사회 회의록을 공증 받아야 하는지 여부

관련 법령 조문

「사회복지사업법」

제25조(회의록의 작성 및 공개 등) ② 회의록 및 회의조서에는 출석임원 전원이 날인하되 그 회의록 또는 회의조서가 2매 이상인 경우에는 간인(間印)하여야 한다.

「공증인법」

제66조의2(법인의사록의 인증) ① 법인 등기를 할 때 그 신청서류에 첨부되는 법인 총회 등의 의사록은 공증인의 인증을 받아야 한다. 다만, 자본금의 총액이 10억원 미만인 회사를 「상법」 제295조제1항에 따라 발기설립하는 경우 또는 대통령령으로 정하는 공법인이나 비영리법인의 경우에는 그러하지 아니하다.

「공증인법 시행령」

제37조의3(의사록 인증 제외대상 법인) 법 제66조의2제1항 단서에서 "대통령령이 정하는 공법인 또는 비영리법인"이란 「민법」 제32조에 따라 주무관청의 허가를 받아 설립된 비영리법인 또는 공법인 중 다음의 요건을 모두 갖춘 법인으로서 주무관청의 추천을 받아 **법무부장관이 지정 · 고시하는 법인**을 말한다.

o 일반적인 법인의 경우 등기를 하기 위한 문서를 법원에 제출할 경우 그 문서에 대해 「공증인법」 제66조의2에 따른 공증을 받아야 합니다.

- 그러나 사회복지법인의 경우 「공증인법」 제66조의2제1항 단서 및 시행령 제37조의3에 따른 법무부고시 제2010-58호에 따라 의사록 인증 제외대상에 해당됩니다.

법무부고시 제2010-58호

제17191호 관 보 2010. 2. 8. (월요일)

고 시

◎법무부고시제2010-58호

의사록 인증 제외대상 법인 고시

「공증인법시행령」 제2조의3에 따라 법무부장관이 지정하는 의사록 인증 제외대상 법인을 아래와 같이 고시합니다.

2010년 2월 8일

법 무 부 장 관

79. 사회복지사업법에 의하여 설립된 사회복지법인

사회복지법인의 분할(분리) 가능 여부

관련 법령 조문

「사회복지사업법」

제30조(합병) ① 법인은 시·도지사의 허가를 받아 이 법에 따른 다른 법인과 합병할 수 있다. 다만, 주된 사무소가 서로 다른 시·도에 소재한 법인 간의 합병의 경우에는 보건복지부장관의 허가를 받아야 한다.

② 제1항에 따라 법인이 합병하는 경우 합병 후 존속하는 법인이나 합병으로 설립된 법인은 합병으로 소멸된 법인의 지위를 승계한다.

o 「사회복지사업법」 제30조에서는 사회복지법인의 합병에 대해서는 규정을 두고 있으나, 법인의 분할 또는 분리와 관련하여서는 별도의 조문을 두고 있지 않기 때문에 「사회복지사업법」의 규정만을 들어 사회복지법인의 분할이 불가능하다거나, 당연히 가능하다는 등의 결론을 내리기는 어렵습니다.

- 그러나 「민법」상 법인과 관련한 해석에서는 법률에 명시적인 규정이 있는 경우에 한해서만 합병이나 분할이 가능한 것으로 보고 있는 점을 미루어 보면, 「사회복지사업법」에는 합병 조문이 있으므로, 합병은 가능하지만, 분할과 관련 조문은 없으므로 분할은 불가능한 것으로 미루어 해석할 수 있습니다.

해 석 례 법률상 근거 없는 통합 및 분리는 불가능

o **해석근거 :** 법무부, 「실무자를 위한 비영리·공익법인 관리·감독 업무 편람」(2017) 322쪽

o 「민법」에는 법인의 합병, 분할 등에 관한 규정이 없음. 따라서 현행법상 불가능함

o **해석근거 :** 「민법 일부개정법률안」(2011.6.22. 정부제출, 의안번호 1812312) 3·4쪽

o "현재는 비영리법인의 경우 **해산 · 청산 후 신설이라는 우회적 방법을 통해서만 조직을 변경할 수 있어** 법인 운영의 자유를 저해하는 문제가 있음."이라고 전제하면서,

- "비영리법인에 대한 **합병 · 분할제도를 도입함으로써** 우회적인 방법이 아닌 **직접적인 조직 변경이 가능하도록 함**."이라고 명시함
- 즉 「민법」에서는 합병이나 분할에 관한 **명시적인 규정이 없기 때문에 합병이나 분할이 되지 않음**을 밝히고 있음.

o 다만, 법인의 분할의 효과를 내기 위해 우회적인 방법으로서 법인이 ①재산을 출연하여 다른 법인을 설립하는 경우, ②자신의 기본재산이나 조직의 일부를 다른 법인에게 귀속시키는 경우를 예상할 수 있습니다.

- 이러한 절차는 모두 사회복지법인의 재산 처분행위를 전제로 하는 것으로서,

해당 재산에 대한 처분허가 여부나 사회복지법인의 권리·행위능력의 한계에 부합되는 재산 처분행위인지 여부와 직접적으로 연결되는 것이라고 할 수 있습니다.

o 우선 사회복지법인이 직접 사회복지법인이 아닌 다른 종류의 법인을 설립할 수 있는지 여부를 살펴보자면, 사회복지법인은 사회복지사업을 수행하는 데 한해서 권리·행위능력이 있다고 할 것이므로 이론상으로는 사회복지사업만을 수행하는 비영리법인을 설립할 수는 있다고 할 것입니다.

- 의료법인이나 학교법인의 경우 해당 법인들이 수행하는 사업이 사회복지사업이 아니고, 따라서 사회복지법인의 권리·행위능력을 넘어서는 영역이 되므로 사회복지법인이 설립할 수 없는 법인이라고 할 수 있을 것입니다.

- 「민법」상 법인으로서 사회복지사업만을 수행을 그 목적사업으로 하는 법인이라고 한다면, 사회복지법인이 해당 법인을 설립하는 것이 가능하겠으나, 「민법」에 따라 설립된 이후 사회복지사업이외의 사업을 수행하는 것으로 그 정관을 개정하는 것이 어렵지 않을 것이므로, 사회복지법인이 「민법」상 법인을 설립하는 것도 적절한 것으로 보기는 어렵습니다.

- 또한 「민법」상 법인의 설립을 허용할 경우 많은 법인들이 「사회복지사업법」 제27조에서 정하고 있는 잔여재산의 국가·지자체 귀속을 회피할 목적으로 새로 설립하는 법인으로 재산을 이전하는 데 악용할 여지도 있음을 고려해야 합니다.

o 반면 사회복지법인은 사회복지사업만을 수행하는 법인이므로 사회복지법인이 출연을 통하여 사회복지법인을 설립하고자 하는 경우, 이 또한 이론상으로는 설립이 불가능하다고 보기는 어렵습니다.

- 다만, 출연된 재산의 출연 목적이 해당 법인의 설립·운영을 통한 사회복지사업의 수행에 있는 것인데, 다른 사회복지법인을 설립하는 데 그 기본재산을 사용한다면 당초 설립자의 취지나 해당 사회복지법인의 설립목적에 부합되는 상황이라고 보기는 어렵습니다.

- 한편 하나의 사회복지법인이 사업수행이 가능함에도 불구하고, 다른 사회복지법인을 신설해야 하는 이유도 명확해야 할 것입니다.

- 간혹 사회복지법인의 주된 사무소와 실제 사업을 수행하는 장소가 멀다는 이유로 별도의 사회복지법인을 설립코자 하는 경우가 있는데, 이 경우 원격지에 있는 사업장을 그 사회복지법인의 분사무소로 하여 사업을 수행할 수 있기 때문에 굳이 새로운 사회복지법인을 설립해야 할 이유가 없다고 할 것입니다.

- 더구나 우리 「사회복지사업법」에서는 사업의 지리적 범위와 무관하게 주된 사무소 소재지를 관할하는 광역시도지사를 주무관청으로 하고 있기 때문에 원격지라는 이유로 새로운 법인을 설립한다는 것은 「사회복지사업법」에 대한 몰이해에서 비롯된 잘못된 경우라고 판단됩니다.

- 아울러 사회복지법인의 기관인 이사들 간에 문제가 있다거나, 설치·운영하는 시설의 장과 법인 간에 문제가 있는 것을 들어 법인을 분할하고자 하는 경우도 있으나, 이는 이사회 등 내부에서 자율적으로 해결할 문제인 것이지, 그 기관의 본체인 법인을 분리하는 것은 본말이 전도된 처사라고 할 것입니다.

- 또한 법인의 기본재산은 이사나 시설장의 소유가 아닌데도 불구하고 내부기관이나 피고용자와의 분란을 이유로 법인의 기본재산을 나눈다는 것도 어불성설이라고 할 것입니다.

- 나아가 법인의 분리는 기존 사회복지법인의 재산이 분할되어 사업을 수행하는 데 지장을 미치거나, 법인의 사유화(私有化)라는 문제를 야기시킬 수도 있는 사안이라고 할 것입니다.

o 새로운 사회복지법인의 설립을 허용한다고 하더라도, 종전의 사회복지법인이 출연하는 재산은 기본재산처분허가를 받아야 될 뿐만 아니라, 해당 재산에 부합되는 대금을 받아야 할 것입니다.

- 만일 반대급부 없이 재산을 무상으로 출연한 경우라고 한다면, 해당 결정을 내린 자들은 종전 사회복지법인에 대해 배임죄를 범하는 것이 될 수도 있다는 점에 유념해야 할 것입니다.

o 여컨대 사회복지법인의 분리나 분할은 법률상 근거가 없어 원칙적으로 금지되어 있다고 할 것이나 우회적인 방법을 통해서 그 효과를 낼 수 있는 여지는 있다고 할 것입니다.

- 하지만 이러한 우회적인 방법을 활용할 경우라도 사회복지법인의 권리·행위능력의 범위 내에서 분리하되, 그 분리의 필요성이 명확하고, 분리 과정 중에서 잔여 법인이나 신설되는 법인 모두 그 설립 근거 법률이나 주무관청에서 요구하는 기준 및 절차를 모두 충족시키는 경우에 한해서 가능하다고 할 수 있을 것입니다.

- 또한 기본재산의 처분이 배임죄 등에 해당되지 않도록 처리해야 할 것입니다.

해 석 례	2개 이상의 대학을 설치·경영하는 학교법인이 1개의 대학을 분리하는 경우 분리된 대학을 경영할 학교법인에 대한 설립허가의 기준

o **해석번호** : [법제처 10-0465, 2011.1.20, 교육과학기술부]

o 2개 이상의 대학을 설치·경영하고 있는 학교법인이 그 중 1개의 대학을 경영할 학교법인을 설립하려는 경우, 교육과학기술부장관은 설립될 학교법인이 경영하게 될 대학이 「사립학교법」 제5조 및 「대학설립·운영규정」에 따라 대학의 운영을 위해 갖추어야 할 시설·설비와 재산 등의 기준을 충족하지 못하는 경우에는 그 학교법인의 설립을 허가하지 않을 수 있습니다.

⇒ **(개인註)** 이를 반대해석 하면 분리되어 새롭게 만들어지는 법인이 법령상 기준을 충족하면, 신규 설립허가도 가능하다고 볼 여지가 큽니다.

사회복지법인 기본재산 "증여"의 한계

관련 법령 조문

「사회복지사업법 시행규칙」

제12조(재산의 구분 및 범위) ②제1항의 규정에 의한 기본재산은 다음 각호와 같이 목적사업용 기본재산과 수익용 기본재산으로 구분한다. 다만, 제13조제2항의 규정에 해당하는 법인에 있어서는 이를 구분하지 아니할 수 있다.

1. 목적사업용 기본재산 : 법인이 사회복지시설(이하 "시설"이라 한다)등을 설치하는 데 직접 사용하는 기본재산
2. 수익용 기본재산 : 법인이 그 수익으로 목적사업의 수행에 필요한 경비를 충당하기 위한 기본재산

제13조(기본재산의 기준) ②법 제23조에 따라 시설의 설치 · 운영을 목적으로 하지 아니하고 사회복지사업을 지원하는 것을 목적으로 하는 법인은 법인의 운영경비의 전액을 충당할 수 있는 기본재산을 갖추어야 한다.

o 증여를 제외한 매도·교환·임대·담보제공·용도변경의 5가지 행위는 원래 기본재산은 유지되거나, 해당 기본재산과 동가(同價)의 재산으로 변환되는 것입니다.

- 반면 증여는 앞에서 살펴본 바와 같이 무상(無償)으로 상대방에게 수여하는 것으로서, 증여가 발생한 후에는 해당 재산이 법인의 재산에서 사라지게 되어 다른 기본재산의 처분행위와 매우 다릅니다.

- 따라서 기본재산의 증여에 대한 처분허가 요청행위나 허가 행위는 매우 신중해야 할 필요가 있습니다.

o 우선 「사회복지사업법」 측면에서 살펴보면 사회복지법인이 기본재산의 순손실을 가져오는 증여행위를 하기 위해서는 해당 행위가 정관에 기재되어 있거나 논리적으로 해당 법인의 이익을 가져오는 경우가 되어야 할 것입니다.

- 그러나 타인에게 재산을 증여하는 것이 해당 법인의 이익을 가져오는 행위로 보기 어려우므로, 정관상 기재되어 있는 권리·행위능력의 대상이 되어야 할 것입니다.

- 한편 「사회복지사업법 시행규칙」 제12조에서는 사회복지법인의 기본재산을 "목적사업용 기본재산"과 "수익용 기본재산"으로 나누고 있습니다. 또한 사회복지시설을 설치·운영하지 않는 경우에는 구분을 두지 않아도 되는 것으로 규정하고 있습니다.

o 이러한 사항을 종합하여 보면, 수익용 기본재산은 그 수익으로 법인의 목적

사업을 수행해야 하므로 무상으로 증여하는 것은 불가능하고, 목적사업용 기본재산은 사회복지시설 등을 설치하는 데 직접 사용하는 것으로 그 용도가 한정된 재산이므로 이 또한 무상으로 증여하는 것이 불가능합니다.

- 만일 「사회복지사업법 시행규칙」 제13조제2항에 따라 시설설치·운영 이외의 사회복지사업을 지원하는 것을 목적으로 하는 법인이라고 한다면, 사회복지사업의 지원차원에서 증여하는 것은 가능할 수도 있을 것입니다.

- 그러나 이 경우 해당 법인의 정관 목적사업에 기본재산의 증여를 통한 사회복지사업의 지원이라는 문구가 명확히 있어야 할 것이며, 만일 그러하지 않음에도 불구하고 증여를 한다면 「형법」상 배임이나 횡령의 죄가 성립될 여지가 매우 큽니다.

o 요컨대 사회복지법인이 그 기본재산을 처분하는 방법 중 “증여”는 「사회복지사업법」 체계상 사실상 불가능한 행위라고 할 수 있습니다.

이사의 근로자성 인정 여부

o 법인의 이사는 「사회복지사업법」 제32조에 따라 준용되는 「민법」 제3장제3절에서 법인의 기관(機關)으로 분류하면서, 법인의 사무를 집행한다거나(「민법」 제58조), 법인을 대표한다는(「민법」 제59조) 등의 규정을 두고 있어 법인과 관련된 사무를 처리할 수 있는 여지를 두고 있습니다.

- 또한 「사회복지사업법」 제32조에 따라 준용되는 「공익법인의 설립 · 운영에 관한 법률」 제5조제9항에서는 주무관청의 승인을 받은 경우 상근임직원의 수를 정하고 보수(報酬)를 지급할 수 있는 것으로 규정하고 있습니다.

- 아울러 「사회복지사업법」 제21조제1항에서는 사회복지법인의 이사는 해당 법인이 설치·운영하는 시설의 시설장을 겸할 수도 있는 것으로 규정하고 있습니다.

o 한편 판례를 살펴보면, 일부 판례에서는 법인의 이사는 법인과 신뢰를 기초로 한 위임과 유사한 관계라고 판결([대법원 2013. 11. 28., 선고, 2011다41741, 판결]) 하고 있는 반면,

- 일부 판례에서는 이사라는 지위나 명칭과는 별개로 실제 해당 이사가 처리하는 사무나 법인과의 관계 등을 종합적으로 고려하여 근로자로 인정할 수 있다고 판시([대법원 2005. 5. 27., 선고, 2005두524, 판결], [대법원 2015. 4. 23., 선고, 2013다215225, 판결])하고 있습니다.

o 요약하여보면 사회복지법인의 이사가 해당 사회복지법인과 시설장으로서의 근로계약을 맺고, 실제 해당 법인의 지휘·통제를 받는 등 사실상 근로자로 역할을 수행하였다고 한다면,

- 해당 이사도 근로자인 시설장이라고 볼 수는 있다고 할 것입니다.

o 다만 유의해야 할 점은 근로자라고 인정한다고 하여 보조금을 재원으로 지급하는 인건비를 당연히 받을 수 있는 대상이 되는 것은 아니라는 점입니다.

- 사회복지법인의 이사 겸 시설장의 경우 그 권한이 매우 크기 때문에, 국가나 지자체에서 교부하는 인건비 보조금의 사용에 있어서 자신의 급여나 그 밖에 복리후생 사항을 우선적으로 처리함으로써 다른 종사자에 대한 처우가 오히려 나빠질 수도 있는 우려가 적지 않은 등 많은 부작용이 예상되어

- 보조금의 지급주체 별로 조건을 정하여, 이사 겸 시설장인 경우 해당 보조금을 재원으로 인건비를 지급하지 못하도록 하는 경우가 있습니다.

사회복지시설 수탁 주체 선정 시 유의사항

관련 법령 조문

「사회복지사업법」
제34조(사회복지시설의 설치) ④ 제1항에 따라 국가나 지방자치단체가 설치한 시설은 필요한 경우 사회복지법인이나 비영리법인에 위탁하여 운영하게 할 수 있다.

o 국가나 지방자치단체가 설치한 사회복지시설은 사회복지법인이나 비영리법인에게만 위탁하여 운영할 수 있음은 이미 살펴보았습니다.

- 즉 사회복지법인이나 비영리법인이 아닌 자는 「사회복지사업법」에 따라서는 사회복지시설을 수탁 받아 운영할 수 없습니다.

o 실무상 수탁법인을 선정함에 있어서 사회복지법인은 「사회복지사업법」에 따른 설립 허가증 등의 근거가 명확하여 혼동하는 경우가 거의 없으나, 비영리법인과 관련하여서는 그 범위를 명확히 하지 못하여 수탁 받을 수 없는 자에게 수탁을 하는 경우가 발생하기도 합니다.

- 실무상 혼동이 있을 수 있는 법인 또는 법인 유사 주체를 정리하면 다음과 같습니다.

[1] 비영리민간단체

o 비영리민간단체란 「비영리민간단체지원법」 제4조에 따라 중앙행정기관 또는 지자체에 등록된 단체를 의미합니다.

- 비영리민간단체는 같은 법 제2조에 따른 요건을 갖추고 등록을 하면 되는데 이때 등록이 가능한 주체는 법인격이 있는 법인이거나 법인격이 없는 사단체(社團體)를 모두 망라하고 있습니다.

- 따라서 비영리민간단체라고 할 때에는 해당 단체의 법인격 유무를 알 수는 없는 것이고, 이에 따라 비영리민간단체라는 지위만으로는 사회복지시설의 운영을 수탁할 수 있는 비영리법인이라고 단정할 수는 없다고 할 것입니다.

- 결론적으로 비영리민간단체라는 분류를 가지고는 사회복지시설을 수탁할 수는 없는 것이고, 반드시 그 법인격 유무를 명확히 한 후에 위·수탁 절차를 진행해야 할 것입니다.

2 법인으로 보는 단체

o 「국세기본법」 제13조에서는 "법인으로 보는 단체"라는 개념을 사용하고 있고, 이러한 개념을 근거로 하여 법인이 아님에도 불구하고 사회복지시설을 수탁하고자 하는 경우가 발생하기도 합니다.

- "법인으로 보는 단체"는 세법상 필요에 의해서 만들어진 개념으로 「국세기본법」이나 그 밖의 세법을 적용할 때만 유효한 개념입니다.

- 또한 「국세기본법」 제13조상의 정의에도 이미 나와 있듯이 애당초 "법인이 아닌 사단, 재단 그 밖의 단체"이므로, 「사회복지사업법」 제34조제4항에서 규정하고 있는 비영리법인이라고 할 수 없습니다.

- 따라서 "법인으로 보는 단체"는 「사회복지사업법」상 시설의 수탁 관련 조문을 적용함에 있어서는 관련이 없는 개념으로서, 사회복지시설을 수탁·운영할 수 있는 주체가 아닙니다.

양벌규정에 따른 처벌결과도 결격사유에 해당하는지 여부

관련 법령 조문

「사회복지사업법」

제19조(임원의 결격사유) ① 다음 각 호의 어느 하나에 해당하는 사람은 임원이 될 수 없다.

1의7. 제1호의5 및 제1호의6에도 불구하고 사회복지사업 또는 그 직무와 관련하여 「아동복지법」 제71조, 「보조금 관리에 관한 법률」 제40조부터 제42조까지 또는 「형법」 제28장·제40장(제360조는 제외한다)의 죄를 범하거나 이 법을 위반하여 다음 각 목의 어느 하나에 해당하는 사람

가. 100만원 이상의 벌금형을 선고받고 그 형이 확정된 후 5년이 지나지 아니한 사람

제56조(양벌규정) 법인의 대표자나 법인 또는 개인의 대리인·사용인, 그 밖의 종업원이 그 법인 또는 개인의 업무에 관하여 제53조, 제54조 및 제55조의 위반행위를 하면 그 행위자를 벌하는 외에 그 법인 또는 개인에게도 해당 조문의 벌금형을 과(科)한다. 다만, 법인 또는 개인이 그 위반행위를 방지하기 위하여 해당 업무에 관하여 상당한 주의와 감독을 게을리하지 아니한 경우에는 그러하지 아니하다.

참조 판례 양벌규정에 따른 처벌결과는 결격사유에 해당하지 않는다는 취지

o **사건번호 :** [대법원 2008.5.29., 선고, 2007두26568, 판결]

o 양벌규정은 형사법상 자기책임주의의 원칙에 대한 예외로서 그러한 양벌규정을 행정처분의 근거로 규정한 법규를 해석함에 있어서는 그 문언에 맞게 엄격하게 해석할 것이 요구되는 점 등에 비추어, '이 법을 위반하여 벌금형의 선고를 받고 3년이 경과되지 아니한 자'에는 중개보조인 등이 중개업무에 관하여 같은 법 제8조를 위반하여 그 사용주인 중개업자가 같은 법 제50조의 양벌규정으로 처벌받는 경우는 포함되지 않는다고 해석하여야 한다.

o 위의 판례는 부동산 중개업과 관련된 것으로서 양벌규정으로 처벌을 받은 경우 그 결과는 결격사유에 해당되지 않는다고 결정하고 있습니다.

o 이러한 판결의 전제사실이나 법령구조 및 판단의 근거 등은 「사회복지사업법」상 임원이나 시설장의 결격사유와도 매우 유사하다고 할 수 있을 것이고,

- 따라서 언뜻 보면 「사회복지사업법」 제56조에 따른 양법규정에 의한 벌금형은 결격사유에 해당되지 않는다고 보는 것이 바람직하다고 할 여지가 충분합니다.

o 그러나 사회복지법인의 임원이나 사회복지시설의 시설장은 중개업자와는 다른 차원에 있는 자라는 점에서 달리 바라봐야할 여지가 매우 큽니다.

- 중개업자는 개인의 영리를 목적으로 사업을 수행하는 사람이고, 그 중개인의 관리·감독 하에 있는 사람도 자신의 영리를 목적으로 중개업자에 고용되어 사업을 보조하는 사람이라는 점과 이러한 중개업자나 그 피용자가 수행하는 중개업의 경우

자칫 문제가 발생하더라도 금전적인 손해배상 등으로 쉽게 해결이 가능한 경우가 대부분입니다.

- 즉, 중개업자와 단순한 고용관계에 있는 사용인의 잘못한 사항을 들어 중개업자에게 과도한 책임을 묻는 것은 적절치 않다고 볼 수 있을 것입니다.

- 그러나 사회복지사업의 경우는 사회적 약자에게 제공되는 서비스로서 해당 서비스를 제공하는 주체가 매우 중요한 휴먼서비스이므로 사회복지법인의 임원이나 시설장 못지않게 직접 서비스를 제공하는 사람도 매우 중요합니다. 즉, 단순한 근로관계로만 이루어진 관계가 아니라 사회복지 관련 서비스를 제공함에 있어서 상당한 정도의 지도의무가 주어지는 관계라고 할 수 있습니다.

o 아울러 위 판결 당시 양벌규정에는 면책조항이 없었기 때문에 중개업자가 상당한 주의와 감독을 게을리 하지 않은 경우에도 양벌규정의 대상이 되었기 때문에[198] 당시에는 중개업자의 결격사유로 포함시키는 것이 부적절했을 수도 있었다는 점에서 현재 「사회복지사업법」 관련 상황과는 다르다는 것에 유의할 필요가 있습니다.

o 또한 양벌규정을 적용할 경우 "해당 조문의 벌금형"을 과한다고 명시하고 있으므로 실제 적용 조문은 양벌규정 조문뿐만 아니라 실제 종사자와 동일한 벌칙 조문을 적용받는 것이므로 "이 법"을 위반한 것이 명백하지만, 위 판결에서는 이와 관련된 사항에 대해서는 별도의 판단이 없이 간과한 부분이 있다고 할 수 있습니다.

o 요컨대 사회복지사업을 수행하는 법인이나 개인이 그 사업을 수행함에 있어 그 대리인, 사용인, 그 밖의 종업원 등은 해당 사회복지사업 수행에 필수 불가결한 요소로서 사회복지사업 수행 주체는 그 종업원 등에 대한 관리·감독을 성실히 이행해야 할 매우 큰 의무가 있다고 할 수 있습니다.

- 따라서 이러한 관리·감독의 의무를 성실하게 이행하지 못해 종업원 등이 「사회복지사업법」상 범죄를 저지르게 한 사회복지법인의 임원이나 시설장은 일정 기간 해당 직무를 수행하지 못하도록 하는 것이 바람직할 것으로 사료됩니다.

- 또한 이러한 결격사유는 종업원 등의 위반행위 방지를 위해 상당한 주의와 감독을 게을리 하지 아니한 경우에는 면책이 가능하기 때문에 이유 없이 가혹하다고 보기도 어려울 것입니다.

198) 결국 2010헌가10,49(병합),2010헌가31(병합),2010헌가43(병합),2010헌가45(병합),2010헌가46(병합), 2010. 9. 30. 등에서 단순위헌으로 결정이 되어 면책조항이 신설되었음.

사회복지시설을 설치할 수 있는 건축물

관련 법령 조문

「건축법」

제2조(정의) ② 건축물의 용도는 다음과 같이 구분하되, 각 용도에 속하는 건축물의 세부 용도는 대통령령으로 정한다.

1. 단독주택 / 2. 공동주택 / 3. 제1종 근린생활시설 / 4. 제2종 근린생활시설
5. 문화 및 집회시설 / 6. 종교시설 / 7. 판매시설 / 8. 운수시설 / 9. 의료시설
10. 교육연구시설 / 11. 노유자(老幼者: 노인 및 어린이)시설 / 12. 수련시설

「건축법 시행령」

별표1 : 용도별 건축물의 종류

o 「건축법」 제2조제2항과 같은 법 시행령 별표1을 종합하면 다음 표와 같이 사회복지시설의 설치가 가능한 용도별 건축물 구분이 가능합니다.

건축물 종류	설치가 가능한 사회복지시설
단독주택	o 단독주택 형태를 갖춘 - 가정어린이집 / 공동생활가정 / 지역아동센터 - 노인복지시설(노인복지주택 제외)
공동주택	o 공동주택 형태를 갖춘 가정어린이집 / 공동생활가정 / 지역아동센터, 노인복지시설(노인복지주택 제외)
제1종 근린생활시설	o 지역아동센터
노유자시설	o 아동 관련 시설(어린이집, 아동복지시설, 그 밖에 이와 비슷한 것), 노인복지시설, 기타 다른 용도로 분류되지 않은 사회복지시설

유의사항 제1종 근린생활시설 입주 지역아동센터 임대차 관련 유의 사항

o 단독주택, 공동주택, 노유자시설은 대부분 「주택임대차보호법」에 따라서 보호가 됩니다.

- 그러나 제1종 근린생활시설은 대부분 이른바 상가건물로서 「상가건물 임대차보호법」이 적용되는데, 동 법률에 따라서 보호를 받기 위한 조건으로 반드시 **"사업자등록"을 전제**로 하고 있습니다.
- 그런데 지역아동센터 설치·운영 주체가 사업자등록증인 아닌 **"고유번호증"을 받은 경우는 제대로 보호를 받을 수가 없게 된다는 점**에 유의해야 합니다.

※ 이러한 상황을 해소하는 차원에서 국회에 「상가건물 임대차보호법 일부개정법률안」(209199, 인재근의원 대표발의)이 상정된 바 있습니다.

취업제한 VS 결격사유

관련 법령 조문

「아동복지법」

제29조의3(아동관련기관의 취업제한 등) ① 법원은 아동학대관련범죄로 형 또는 치료감호를 선고하는 경우에는 판결(약식명령을 포함한다. 이하 같다)로 그 형 또는 치료감호의 전부 또는 일부의 집행을 종료하거나 집행이 유예·면제된 날(벌금형을 선고받은 경우에는 그 형이 확정된 날을 말한다)부터 일정기간(이하 "취업제한기간"이라 한다) 동안 다음 각 호에 따른 시설 또는 기관(이하 "아동관련기관"이라 한다)을 운영하거나 아동관련기관에 취업 또는 사실상 노무를 제공할 수 없도록 하는 명령(이하 "취업제한명령"이라 한다)을 아동학대관련범죄 사건의 판결과 동시에 선고(약식명령의 경우에는 고지를 말한다)하여야 한다. 다만, 재범의 위험성이 현저히 낮은 경우나 그 밖에 취업을 제한하여서는 아니 되는 특별한 사정이 있다고 판단하는 경우에는 그러하지 아니하다.

「노인복지법」

제39조의17(노인관련기관의 취업제한 등) ① 법원은 노인학대관련범죄로 형 또는 치료감호를 선고하는 경우에는 판결(약식명령을 포함한다. 이하 같다)로 그 형 또는 치료감호의 전부 또는 일부의 집행을 종료하거나 집행이 유예·면제된 날(벌금형을 선고받은 경우에는 그 형이 확정된 날을 말한다)부터 일정기간(이하 "취업제한기간"이라 한다) 동안 다음 각 호에 따른 시설 또는 기관(이하 "노인관련기관"이라 한다)을 운영하거나 노인관련기관에 취업 또는 사실상 노무를 제공할 수 없도록 하는 명령(이하 "취업제한명령"이라 한다)을 판결과 동시에 선고(약식명령의 경우에는 고지를 말한다)하여야 한다. 다만, 재범의 위험성이 현저히 낮은 경우, 그 밖에 취업을 제한하여서는 아니 되는 특별한 사정이 있다고 판단하는 경우에는 그러하지 아니하다.

「장애인복지법」

제59조의3(성범죄자의 취업제한 등) ① 법원은 성범죄(「성폭력범죄의 처벌 등에 관한 특례법」 제2조제1항에 따른 성폭력범죄 또는 「아동·청소년의 성보호에 관한 법률」 제2조제2호에 따른 아동·청소년대상 성범죄를 말한다. 이하 같다)로 형 또는 치료감호를 선고하는 경우에는 판결(약식명령을 포함한다. 이하 같다)로 그 형 또는 치료감호의 전부 또는 일부의 집행을 종료하거나 집행이 유예·면제된 날(벌금형을 선고받은 경우에는 그 형이 확정된 날을 말한다)부터 일정기간(이하 "취업제한기간"이라 한다) 동안 장애인복지시설을 운영하거나 장애인복지시설에 취업 또는 사실상 노무를 제공할 수 없도록 하는 명령(이하 "취업제한명령"이라 한다)을 성범죄 사건의 판결과 동시에 선고(약식명령의 경우에는 고지를 말한다)하여야 한다. 다만, 재범의 위험성이 현저히 낮은 경우, 그 밖에 취업을 제한하여서는 아니 되는 특별한 사정이 있다고 판단하는 경우에는 그러하지 아니한다.

o 사회복지시설과 관련된 일부 법률에서는 "취업제한"과 관련한 조문을 두고 있는 경우가 있습니다.

- 예컨대 「아동복지법」에서는 아동학대 관련 범죄자가 아동관련 시설에 취업 등을 하는 것을 제한하고 있고, 「노인복지법」에서는 노인학대 관련 범죄자가 노인관련 시설에 취업 등을 하는 것을 제한하고 있습니다.

- 「장애인복지법」에서는 위의 법률과는 약간 다르게 그 대상자가 누구든지 간에 성범죄를 저지른 범죄자에 대해서 취업 등을 제한하고 있습니다.

- 이러한 법률과 달리 「사회복지사업법」에서는 범죄를 저지르거나 및 특정 상황에 처해진 경우에 대해서 사회복지법인의 임원이나 시설장 및 종사자의 결격사유로 규정하고 있습니다.

o 이러한 법률 구조로 인해 「사회복지사업법」 제3조제1항에 따라 「아동복지법」 등에 취업제한이 있기 때문에 「사회복지사업법」상 결격사유가 적용되지 않는다는 주장이 있습니다.

- 그러나 취업제한은 특정한 시설뿐만 아니라 관련된 기관에 대해서 취업은 물론이고, 사실상 노무를 제공하는 것까지 막고 있으나, 결격사유의 경우는 해당 사회복지법인의 임원이 되거나 사회복지시설의 시설장·종사자가 되는 것을 제한하는 규정으로서 각각 다른 입법취지를 가지고 있다는 점,

- 취업제한의 대상은 범죄에 한정되어 있으나, 「사회복지사업법」상 결격사유는 범죄는 물론이고, 범죄와는 관련이 없는 사항까지 망라하고 있다는 점,

- 그 대상도 「사회복지사업법」상 결격사유는 사회복지법인이나 사회복지시설에 대해서만 적용되는 것에 반해 취업제한은 사회복지시설뿐만 아니라 사실상 노무를 제공할 수 있는 모든 기관에 대해서 적용하고 있는 점을,

- 모두 종합하여 보면, 취업제한 조문과 결격사유 조문은 동일한 내용을 가지고 있는 조문이라고 보기 어렵고, 이에 따라 「사회복지사업법」 제3조제1항이 적용된다고 보기는 어렵습니다.

o 따라서 개별 법률상 취업제한 조문과 「사회복지사업법」상 결격사유 조문은 일반법과 특별법 관계에 있다고 보기 어려우므로 양 조문을 모두 다 만족하는 경우에 한해서만 사회복지법인의 임원이나 사회복지시설의 시설장 또는 종사자가 될 수 있습니다.

출연(出捐) VS 후원(後援) VS 기부(寄附)

관련 법령 조문

「사회복지사업법」

제45조(후원금의 관리) ① 사회복지법인의 대표이사와 시설의 장은 아무런 대가 없이 무상으로 받은 금품이나 그 밖의 자산(이하 "후원금"이라 한다)의 수입·지출 내용을 공개하여야 하며 그 관리에 명확성이 확보되도록 하여야 한다.

「금품의 모집 및 사용에 관한 법률」

제2조(정의) 이 법에서 사용하는 용어의 뜻은 다음과 같다.

1. "기부금품"이란 환영금품, 축하금품, 찬조금품(贊助金品) 등 명칭이 어떠하든 반대급부 없이 취득하는 금전이나 물품을 말한다. 다만, 다음 각 목의 어느 하나에 해당하는 것은 제외한다.
   가. 법인, 정당, 사회단체, 종친회(宗親會), 친목단체 등이 정관, 규약 또는 회칙 등에 따라 소속원으로부터 가입금, 일시금, 회비 또는 그 구성원의 공동이익을 위하여 모은 금품
   나. 사찰, 교회, 향교, 그 밖의 종교단체가 그 고유활동에 필요한 경비에 충당하기 위하여 신도(信徒)로부터 모은 금품
   다. 국가, 지방자치단체, 법인, 정당, 사회단체 또는 친목단체 등이 소속원이나 제3자에게 기부할 목적으로 그 소속원으로부터 모은 금품
   라. 학교기성회(學校期成會), 후원회, 장학회 또는 동창회 등이 학교의 설립이나 유지 등에 필요한 경비에 충당하기 위하여 그 구성원으로부터 모은 금품

o 통상 법률에서 사용하는 출연(出捐)이라는 용어는 일반적으로 자기의 의사에 따라 금전을 지급하는 등 자신은 재산상의 손실을 입고, 상대방은 재산을 증가시키는 일을 의미합니다.[199)]

- 특히 이러한 출연이라는 용어는 「사회복지사업법」이나 「사회복지사업법」 제32조에 따라 준용하는 「민법」 및 「공익법인의 설립ㆍ운영에 관한 법률」에 관한 법률에서는 주로 법인의 설립이나 기본재산과 밀접하게 관련하여 사용되고 있다는 특징이 있습니다.[200)]

---

199) 법제처, 「법령 입안·심사 기준」(2022), 265쪽

200) 특히 「사회복지사업법 시행령」 제9조에서는 특별한 관계에 있는 자의 범위를 정하면서 출연자라는 용어를 사용. 이 때 출연자는 원칙적으로 해당 사회복지법인의 설립 시에 재산을 출연한 자를 의미하는 것이라고 할 것임. 하지만 출연자를 특별한 관계에 있는 자로 보는 취지가 재산의 출연하였다는 이유로 해당 사회복지법인에 부당한 영향력을 행사하고자 하는 것을 미연에 방지함으로써 사회복지법인 운영의 투명성을 높이고, 사유화를 방지하고자 하는 데에 있다는 것을 충분히 고려하고, 설립 이후에 재산을 후원한 자로서 당초 설립된 법인의

- 한편 "후원"이라 함은 「사회복지사업법」 제45조제1항을 참조하면, 아무런 대가 없이 무상으로 금품이나 그 밖의 자산을 지급하는 것을 의미합니다.

- 이러한 사항을 종합적으로 고려할 때, 아무런 대가 없이 법인에 대해 재산을 준 경우라고 한다면 이는 당연히 후원행위라고 할 수 있고, 다만 그 재산의 규모나 용도 등을 감안할 때 그 후원행위가 법인의 설립이나 설립에 준하는 정도에 이른다면 이러한 행위를 출연행위라고도 할 수 있을 것입니다.

- 이때 법인의 "설립에 준하는 정도"라고 하면 후원하는 금품으로 인해 해당 법인 설립의 근간이 되는 자산에 변동을 줄 정도라고 할 수 있는 것으로서, 후원의 결과 기본재산이 증가하는 경우나, 특정 목적사업이 추가되거나, 해당 목적사업을 우선 수행하게 될 정도 규모의 후원이 있는 경우라고 할 수 있을 것입니다.[201)]

o 요컨대 사회복지법인과 관련하여서는 후원이 가장 큰 개념이고, 그러한 후원 중에서 사회복지법인의 설립 또는 그 실체의 변경에 영향을 줄 정도에 이르는 후원은 출연이라고 할 수 있을 것입니다.

- 참고로 기부금은 「기부금품의 모집 및 사용에 관한 법률」 제2조제1호에 따르면 "명칭이 어떠하든 반대급부 없이 취득하는 금전이나 물품"을 의미합니다.

- 이는 「사회복지사업법」 제45조제1항에서 후원금을 "아무런 대가 없이 무상으로 받은 금품이나 그 밖의 자산"으로 정의하고 있는 것과 다를 바가 없다고 할 것입니다. 즉, 기부금이나 후원금은 각 개별 법률에서 그 용어의 정의를 달리하고 있을 뿐이지 본질적으로 동일한 개념이라고 할 것입니다.

재정에 큰 영향을 미치는 출연의 수준에 이를 정도로 후원을 한 경우라고 한다면, 해당 후원자를 출연자로 보는 것이 「사회복지사업법」의 취지에 부합하는 것이라고 할 것임

201) 「공익법인의 설립·운영에 관한 법률 시행령」 제6조, 정관 목적사업 추가를 위한 재산의 추가출연 조문 참조

(부록2)

사회복지법인
정관(예시)

제1장 총칙

제1조(목적) 이 사회복지법인은 「사회복지사업법」 및 관련 법률에 따른 사회복지사업을 수행함으로써 지역사회에 양질의 사회서비스를 제공하는 것을 목적으로 한다.

* 법률근거
- 「사회복지사업법」 제2조제1호 및 제3호
- 「사회복지사업법」 제17조제1항제1호(필요적 기재사항)
* 유의사항
- 사회복지법인은 사회복지사업을 수행만을 위해 설립되는 법인이므로 그 목적도 사회복지사업 수행에 대해서만 언급해야 함

제2조(명칭) 이 사회복지법인의 명칭은 "사회복지법인 OOOO"(이하 "법인")이라 한다.

* 법률근거
- 「사회복지사업법」 제17조제1항제2호(필요적 기재사항)
* 유의사항
- 다른 법인과 명칭상 혼동을 피하기 위해서 다른 법인과 유사하거나 동일한 명칭을 사용해서는 아니 됨
- 유사·동일명칭 확인은 인터넷등기소(iros.go.kr)에 접속하여 법인 상호찾기에서 확인
- 영문 명칭과 관련하여서는 대법원 등기예규 제1543호 「상호 및 외국인의 성명 등의 등기에 관한 예규」 참고

제3조(사무소 등의 소재지) ① 법인의 주된 사무소는 서울특별시 종로구 세종대로 1234에 둔다.

② 법인은 다음 각 호의 분류에 따른 분사무소를 둔다.

1. ○○○분사무소 : ○○시·도 ○○○시·군·구 ○○○로 ○○ (○○동, ○○○)
2. △△분사무소(사회복지시설) : ○○시·도 ○○○시·군·구 ○○로 ○○ (○○동, ○○○)

* 법률근거
- 「사회복지사업법」 제17조제1항제3호(필요적 기재사항)
- 「사회복지사업법」 제32조에 따라 준용되는 「민법」 제50조
* 유의사항
- 법인의 주소는 통상 행정동까지는 표기하는 것이 바람직
- 분사무소가 없는 경우에는 제2항의 내용은 불필요함
- 사회복지시설도 사회복지법인의 목적사업을 직접 수행하는 곳이므로 분사무소로 등록하는 것이 바람직

제4조(목적사업) 법인은 제1조의 목적을 달성하기 위하여 다음의 사업을 수행한다.

1. 「국민기초생활보장법」 제○○조에 따른 ○○사업
2. 「노인복지법」 제○○조에 따른 노인의료복지시설 중 무료노인요양시설 설치·운영
3. 「아동복지법」 제○○조에 따른 아동양육시설의 설치·운영
4. 국가나 지방자치단체가 설치한 사회복지시설 중 제1호부터 제3호까지와 관련된 시설의 수탁 운영

> * 법률근거
> - 「사회복지사업법」 제2조제1호 및 제3호
> - 「사회복지사업법」 제17조제1항제4호(필요적 기재사항)
> - 「사회복지사업법」 제32조에 따라 준용되는 「민법」 제34조
>
> * 유의사항
> - 각 호에서 열거하는 사업은 반드시 사회복지사업의 근거가 되는 법률, 즉 「사회복지사업법」 제2조제1호 각 목에서 열거하고 있는 법률에서 규정하고 있는 각종 사업만 수행 가능함
> - 국가나 지자체가 설치한 사회복지시설의 수탁 운영은 가능하지만 이 경우에도 구체적인 수탁 시설의 종류가 포함되어야 함
>   ※ 국가나 지자체가 시설운영을 위탁할 경우 제4호와 같은 사항이 목적사업에 기재되어 있는지 확인하므로 유의
> - 「민법」 제34조에 따라 법인은 정관으로 정한 목적의 범위 내에서만 권리·의무의 주체가 되므로 목적사업으로 열거하지 않은 사업은 **수행 불가능**
> - "국가나 지자체가 위탁한 사업"이나 "그 밖에 이 법인의 목적을 달성하기 위해 필요한 사업"과 같이 그 실체가 불분명한 사업을 지양

제2장 자산 및 회계

제1절 자산

제5조(재산의 구분) ① 법인의 재산은 기본재산과 보통재산으로 구분한다.

② 기본재산은 다음 각 호의 어느 하나에 해당하는 재산으로 하고, 그 밖에 재산은 보통재산으로 한다.

1. 설립 당시 기본재산으로 출연한 재산
2. 부동산
3. 구입가 5,000만원 이상인 재산
4. 제1호부터 제3호까지의 재산 이외에 이사회에서 기본재산으로 편입한 재산

③ 제2항에 따른 기본재산은 다음 각 호와 같이 구분한다.

1. 목적사업용 기본재산 : 제4조제1호부터 제4호까지에 따른 사회복지사업 및 사회복지시설을 설치·운영하는데 직접 사용하는 재산

2. 수익용 기본재산 : 제1호에 따른 기본재산을 제외한 기본재산

④ 제2항제1호에 따라 법인의 설립 당시 기본재산으로 출연한 재산의 목록은 별지 1과 같다.

⑤ 기본재산의 목록과 그 평가액은 별지 2와 같고, 평가가액의 변동이 있는 경우 지체 없이 이를 변경하여야 한다.

*** 법률근거**
- 「사회복지사업법」 제23조
- 「사회복지사업법」 제17조제1항제5호(필요적 기재사항)

*** 유의사항**
- 설립 당시의 기본재산은 향후 재산 변동을 확인하는 기본 자료가 되므로 반드시 별지로 기록하여 남겨야 함
- 시설운영을 하지 않는 사회복지법인은 굳이 목적사업용과 수익용 기본재산으로 구분할 필요는 없음
- 기본재산의 목록인 별지 1, 별지 2도 정관의 일부이므로 반드시 간인을 해야 함
- 별지 1은 설립 당시 기본재산에 관한 것이므로 해당 법인이 존립하는 한 영구히 개정할 필요가 없는 것이고, 별지 2는 현행 기본재산의 목록이므로 변경이 있는 경우 개정해야 함

→ 법인 설립 이후 최초의 정관에서는 별지 1과 별지 2의 기본재산 목록이 동일함

제6조(재산의 관리) ① 기본재산에 대하여 다음 각 호의 어느 하나에 해당하는 행위를 하기 위해서는 이사회의 의결을 거쳐, 서울특별시장의 허가를 받아야 한다.

1. 매도·증여·교환·임대·담보제공 또는 용도변경을 하려는 경우
2. 「사회복지사업법 시행규칙」 제15조제1항에서 정하는 금액 이상을 1년 이상 장기차입(長期借入)하려는 경우

② 매수·기부채납·후원 등의 방법으로 재산을 취득한 때에는 지체 없이 이를 법인의 재산으로 편입한다.

③ 제2항의 재산을 취득한 경우 그 취득사유, 취득재산의 종류·수량 및 가액을 매년 1월말까지 전년도의 재산취득상황을 서울특별시장에게 보고하여야 한다.

④ 기본재산과 보통재산의 운영과 관리에 관하여는 별도의 세칙으로 정한다.

*** 법률근거**
- 「사회복지사업법」 제23조·제24조
- 「사회복지사업법」 제17조제1항제5호(필요적 기재사항)

제7조(운영경비 등) ① 법인의 운영과 관련한 경비는 기본재산에서 발생하는 과실(果實), 수익사업에서 발생하는 수익, 기부금품 및 그 밖의 수입으로 충당한다.

② 법인이 의무를 부담하거나, 그 권리를 포기하고자 할 때에는 이사회의 의결을

거쳐야 한다.

* 법률근거
- 「사회복지사업법」 제17조제1항제5호(필요적 기재사항)

제2절 회계

제8조(회계구분) ① 법인의 회계는 다음과 같이 구분하며, 제2호에 따른 시설회계는 각 시설별로 별도의 시설회계를 둔다.

1. 법인회계 : 시설운영 및 수익사업을 제외한 법인 업무 전반에 관한 회계
2. 시설회계 : 제4조에 따른 사회복지시설의 운영에 관한 회계
3. 수익사업회계 : 제OO조에 따른 수익사업에 관한 회계

② 제1항제2호에 따른 시설회계는 해당 시설의 시설장이 법인을 대리하여 그 관리 전반에 관해 책임을 진다.

* 법률근거
- 「사회복지사업법」 제17조제1항제5호(필요적 기재사항)
- 「사회복지법인 및 사회복지시설 재무·회계 규칙」 제6조

제9조(회계처리 원칙) ① 법인의 회계는 「사회복지사업법」 및 관련 법령과 정관에서 정하는 바에 따라 처리한다.

② 그 밖에 회계의 처리와 관련하여서는 별도의 세칙으로 정한다.

* 법률근거
- 「사회복지사업법」 제17조제1항제5호(필요적 기재사항)

제10조(회계연도) 법인의 회계는 정부의 회계연도를 따른다.

* 법률근거
- 「사회복지사업법」 제17조제1항제5호(필요적 기재사항)
- 「사회복지법인 및 사회복지시설 재무·회계 규칙」 제3조

제11조(사업계획 및 예산) 다음 회계연도의 사업계획 및 예산은 이사회의 의결을 거쳐 확정한 후 해당 회계연도 개시 5일전까지 서울특별시 OO구청장에게 제출하여야 한다.

* 법률근거
- 「사회복지사업법」 제17조제1항제5호(필요적 기재사항)
- 「사회복지법인 및 사회복지시설 재무·회계 규칙」 제10조

제12조(사업실적 및 결산) ① 회계연도의 사업실적 및 결산은 해당 회계연도가 종료된 후 1개월 내에 감사의 감사를 받아야 한다.

② 제1항에 따른 감사가 종료되면 이사회의 의결을 거쳐 결산을 확정한 후 다음 회계연도 3월 31일까지 서울특별시 OO구청장에게 제출하여야 한다.

> * 법률근거
> - 「사회복지사업법」 제17조제1항제5호(필요적 기재사항)
> - 「사회복지법인 및 사회복지시설 재무·회계 규칙」 제19조

제13조(잉여금의 처리) 회계연도 결산 잉여금은 차입금의 상환, 시설회계 운영비용으로 우선 사용하고, 잔액이 있을 경우 이월하여 사용하거나, 이사회의 결의를 거쳐 이를 법인의 특정목적사업 수행을 위한 기금으로 적립할 수 있다.

> * 법률근거
> - 「사회복지사업법」 제17조제1항제5호(필요적 기재사항)

제3장 임원

제14조(임원의 정수와 종류) ① 법인은 그 임원으로 이사 8명과 감사 2명을 둔다.

② 법인의 이사는 다음 각 호와 같이 구분한다.

1. 대표이사 1인
2. 상근이사 1인
3. 이사 6인

> * 법률근거
> - 「사회복지사업법」 제18조
> - 「사회복지사업법」 제17조제1항제6호(필요적 기재사항)
>
> * 유의사항
> - 정수(定數)는 정해진 숫자를 의미하므로, "7명이상 10명이하"와 같이 정해지지 않은 수를 표기하면 법률위반임
> - 7명으로 할 경우 이사 1명만 궐위되어도 「사회복지사업법」 제18조제1항을 위반하는 위법한 이사회가 됨
> - 현행 임원에 대해서는 별도의 목록을 둘 필요가 없음
>   → 법률상 의무사항도 아니고, 등기로 확인이 가능하기 때문에 굳이 정관변경 절차를 거칠 필요는 없음

③ 설립 당시 임원은 별지 1과 같다.

제15조(임원의 직무) ① 대표이사는 법인을 대표하고, 법인의 제반 사무를 통할(統轄)하며, 이사회의 의장이 된다.

② 대표이사가 궐위되거나 유고로 인해 그 업무를 수행하지 못할 경우 대표이사가 지명하는 이사가 그 직무를 대행한다. 다만, 대표이사가 그 직무대행자를 지명하지 못한 경우에는 상근이사가 우선 직무를 대행하고, 상근이사가 대행하지 못할 경우에는 나머지 이사 중에서 연장자 순으로 그 직무를 대행한다.

③ 이사는 이사회를 구성하고 이사회의 권한에 속하는 사항에 대해서 심의·의결한다.

④ 감사는 다음 각 호의 직무를 수행한다.

1. 법인의 업무와 재산상황을 감사하는 일 및 이사에 대하여 감사에 필요한 자료의 제출 또는 의견을 요구하고 이사회에서 발언하는 일
2. 이사회의 회의록에 기명날인하는 일
3. 법인의 업무와 재산상황에 대하여 이사에게 의견을 진술하는 일
4. 법인의 업무와 재산상황을 감사한 결과 불법 또는 부당한 점이 있음을 발견한 때에 이를 이사회에 보고하는 일
5. 제4호의 보고를 하기 위하여 필요하면 이사회의 소집을 요구하는 일

* 법률근거
- 「사회복지사업법」 제18조 등
- 「사회복지사업법」 제17조제1항제6호(필요적 기재사항)
- 「공익법인의 설립 · 운영에 관한 법률」 제10조

제16조(임원의 선임) ① 임원은 이사회에서 선임한다.

② 대표이사는 이사 중에서 호선(互選)하며, 상근이사는 이사 중에서 서울특별시장의 승인을 받아 임명하되, 보수를 지급할 수 있다.

③ 임원을 선임한 경우에는 즉시 등기하고, 그 사실을 지체 없이 서울특별시장에게 보고한다.

④ 그 밖에 임원의 선임과 관련하여서는 「사회복지사업법」 및 관련 법령에 따른다.

* 법률근거
- 「사회복지사업법」 제18조제1항
- 「사회복지사업법」 제17조제1항제6호(필요적 기재사항)
- 「공익법인의 설립 · 운영에 관한 법률」 제5조, 제6조

* 유의사항
- 대표이사는 호선할 수도 있고, 별도의 결의에 따라 선임할 수도 있음

제17조(임원의 임기 등) ① 이사의 임기는 3년, 감사의 임기는 2년으로 하며, 연임(連任)할 수 있다.

② 임원 중 결원이 발생한 경우 2개월 이내에 보충해야 하며, 임기가 만료되는

임원의 후임자는 해당 임원의 만료 3개월전부터 1개월전에 선임하여야 한다.

③ 대표이사 및 상근이사의 임기는 해당 이사의 임기로 하고, 결원으로 인해 선임되는 임원의 임기는 전임자의 임기와 무관하게 제1항에 따른 임기로 한다.

* 법률근거
 -「사회복지사업법」 제18조제2항
 -「사회복지사업법」 제17조제1항제6호(필요적 기재사항)
* 유의사항
 - 임원의 임기는 「사회복지사업법」에서 확정적으로 규정하고 있는 사항이므로 정관에서 임의로 늘이거나 줄일 수 없음
 - 전임자가 있는 경우라고 하더라도 해당 임원은 선임되는 날 부터 3년 또는 2년의 임기를 새로이 시작하는 것임
 - 대표이사나 상근이사의 경우 호선하거나 이사 중에서 선임하는 자가 되므로 원래 그 사람의 이사 임기와 동일하게 임기를 인정하면 됨
 예) 임기가 1년 6개월 남은 이사를 대표이사로 선임하면, 그 대표이사의 지위도 향후 1년 6개월간만 유지됨

제18조(임원의 결격사유) 임원이 「사회복지사업법」 제19조제1항 각 호의 어느 하나에 해당할 때에는 즉시 그 임원의 직을 상실한다.

* 법률근거
 -「사회복지사업법」 제19조
 -「사회복지사업법」 제17조제1항제6호(필요적 기재사항)
* 유의사항
 - 해임절차 등 별도의 절차 없이 법률에 따라 당연히 직을 상실하게 됨

제19조(임원의 해임) ① 임원은 이사회에서 해임한다.

② 임원이 다음 각 호의 어느 하나에 해당할 때에는 해임할 수 있다. 다만, 제1호에 해당할 때에는 해임하여야 한다.

1. 「사회복지사업법」 제22조에 따라서 해임명령을 받은 때
2. 법령, 법인의 정관 또는 관련 규정에 위반한 때
3. 고의 또는 중대한 과실로 법인에 손해를 끼친 때
4. 업무능력이나 자질이 현저히 부족하여 임원으로서 업무 수행이 적당하지 아니하다고 인정되는 때
5. 그 밖에 임원으로서의 품위를 손상시키거나, 직무를 태만히 하는 등 임원으로서 직위를 유지하는 것이 적당하지 아니하다고 인정되는 때

* 법률근거

- 「사회복지사업법」 제22조
- 「사회복지사업법」 제17조제1항제6호(필요적 기재사항)

* 유의사항

- 임원의 해임은 법인의 자율이 우선이지만, 법 제22조에 따른 해임명령이 있는 경우에는 해임을 하는 것이 바람직

제20조(대표권의 제한) 대표이사 이외의 이사는 법인을 대표하지 않는다.

* 법률근거

- 「민법」 제41조·제59조
- 「사회복지사업법」 제17조제1항제6호(필요적 기재사항)

* 유의사항

- 정관에 기재된 대표권 제한 규정은 반드시 등기해야 함

제4장 이사회

제21조(이사회) ① 법인의 이사회는 이사로 구성한다.

② 대표이사가 이사회를 소집하며, 이사회의 의장이 된다.

* 법률근거

- 「사회복지사업법」 제17조제1항제7호(필요적 기재사항)
- 「공익법인의 설립 · 운영에 관한 법률」 제6조

* 유의사항

- 이사장을 대표이사와 별도로 둘 경우에는 그 선임방법을 별도로 두어야 함

> **제21조(이사회)** ① 법인의 이사회는 이사로 구성한다.
> ② 이사장은 이사 중에서 호선(互選)한다.
> ③ 이사장은 이사회를 소집하며, 이사회의 의장이 된다.

제22조(이사회의 심의·의결사항) ① 이사회는 다음 각 호의 사항을 심의·의결한다.

1. 법인의 예산, 결산, 차입금 및 재산의 취득·처분과 관리에 관한 사항
2. 정관의 변경 및 제규정의 제·개정에 관한 사항
3. 법인의 해산·합병에 관한 사항
4. 임원의 임면에 관한 사항
5. 법인이 설치한 시설의 장의 임면에 관한 사항
6. 법인이 설치한 시설의 운영에 관한 사항
7. 수익사업에 관한 사항
8. 그 밖에 법령이나 정관에 따라 이사회 권한에 속하는 사항

② 이사가 법인과 이해관계가 상반될 때에는 그 사항에 관한 의결에 참여하지 못한다.

* 법률근거
- 「사회복지사업법」 제17조제1항제7호(필요적 기재사항)
- 「공익법인의 설립 · 운영에 관한 법률」 제7조

제23조(이사회의 소집) ① 대표이사(이사장)는 필요하다고 인정할 때에는 이사회를 소집할 수 있다.

② 대표이사(이사장)는 다음 각 호의 어느 하나에 해당하는 소집요구가 있을 때에는 그 소집요구일부터 20일 이내에 이사회를 소집하여야 한다.

1. 재적이사의 과반수가 회의의 목적을 제시하여 소집을 요구할 때
2. 제15조제4항제5호에 따라 감사가 소집을 요구할 때

③ 이사회를 소집할 때에는 적어도 회의 7일 전에 회의의 목적을 구체적으로 밝혀 각 이사에게 알려야 한다. 다만, 이사 전원이 모이고 또 그 전원이 이사회의 소집을 요구할 때에는 그러하지 아니하다.

④ 대표이사(이사장)이 궐위(闕位)되거나 이사회 소집을 기피하여 7일 이상 이사회 소집이 불가능한 경우에는 재적이사 과반수의 찬동으로 서울특별시의 승인을 받아 이사회를 소집할 수 있다.

⑤ 제4항에 따라 이사회가 소집되면, 해당 이사회에 참석한 연장자 순으로 이사회를 주재한다.

* 법률근거
- 「사회복지사업법」 제17조제1항제7호(필요적 기재사항)
- 「공익법인의 설립 · 운영에 관한 법률」 제8조

* 유의사항
- 대표이사나 이사장 중에서 이사회 의장인 자가 소집

제24조(의결정족수 등) ① 이사회의 의사(議事)는 정관에 특별한 규정이 없으면 재적이사 과반수의 찬성으로 의결한다.

② 이사는 평등한 의결권을 가진다.

③ 이사회의 의사는 서면결의나 대리에 의하여 처리할 수 없다.

④ 이사회의 의결은 대한민국 국민인 이사가 출석이사의 과반수가 되어야 한다.

* 법률근거
- 「사회복지사업법」 제17조제1항제7호(필요적 기재사항)
- 「사회복지사업법」 제9조

제25조(이사회 회의록) ① 이사회는 다음 각 호의 사항을 기재한 회의록을 작성하여야 한다. 다만, 이사회 개최 당일에 회의록 작성이 어려운 사정이 있는 경우에는 안건별로 심의·의결 결과를 기록한 회의조서를 작성한 후 회의록을 작성할 수 있다.

1. 개의, 회의 중지 및 산회 일시
2. 안건
3. 의사
4. 출석한 임원의 성명
5. 표결수
6. 그 밖에 대표이사가 작성할 필요가 있다고 인정하는 사항

② 회의록 및 회의조서에는 출석임원 전원과 감사가 「인감증명법」에 따른 인감을 날인하되, 그 회의록 또는 회의조서가 2매 이상인 경우에는 간인(間印)하여야 한다.

③ 제1항 단서에 따라 회의조서를 작성한 경우에는 7일 이내에 회의록을 작성하여야 한다.

④ 작성된 회의록은 「사회복지사업법 시행령」 제10조의4 및 제10조의5에 따라 공개한다.

* 법률근거
- 「사회복지사업법」 제17조제1항제7호(필요적 기재사항)
- 「사회복지사업법」 제25조
- 「공익법인의 설립 · 운영에 관한 법률」 제10조제1항제2호(감사의 날인 근거)

제5장 수익사업

제26조(수익사업) ① 법인은 목적사업의 경비에 충당하기 위하여 다음 각 호의 수익사업을 할 수 있다.

1. 법인 수익용 기본재산을 활용한 부동산 임대업
2. ....

② 법인은 제1항에 따른 수익사업에서 생긴 수익을 법인 또는 법인이 설치한 사회복지시설의 운영 외의 목적에 사용할 수 없다.

③ 제1항에 따른 수익사업에 관한 회계는 법인의 다른 회계와 구분하여 수익사업 회계로 처리한다.

④ 대표이사는 이사회의 결의를 거쳐 제1항에 따른 수익사업을 경영하기 위해 관리자 또는 책임자를 임명한다.

* 법률근거
- 「사회복지사업법」 제17조제1항제8호(필요적 기재사항)

- 「사회복지사업법」 제28조
* 유의사항
- 법인의 설립 취지와 위배되는 사업은 가급적 자제하는 것이 바람직

제6장 사무국 등 실무조직

제27조(사무국) ① 법인의 업무를 원활히 처리하기 위해 사무국을 둔다.
② 사무국 업무를 처리하기 위해 서울특별시의 승인을 받아 보수를 지급하는 상근 직원을 둘 수 있다.
③ 사무국의 조직 및 운영에 관하여 상세한 사항은 별도의 세칙으로 정한다.

제28조(사회복지시설) 제4조에 따라 설치하거나, 수탁 받은 사회복지시설의 운영 등에 관하여 필요한 사항은 「사회복지사업법」과 해당 시설 근거 법령에서 규정하고 있는 사항에 위배되지 않는 범위에서 별도의 세칙으로 정한다.

제7장 정관변경 및 해산 등

제29조(정관변경) 법인의 정관을 변경하고자 하는 때에는 제14조제1항에 따른 이사 정수의 3분의 2이상의 의결을 거쳐 서울특별시장의 인가를 받아야 한다.

* 법률근거
- 「사회복지사업법」 제17조제1항제9호(필요적 기재사항)
- 「사회복지사업법」 제10조

제30조(해산·합병) ① 법인을 해산하거나 다른 사회복지법인과 합병하고자 하는 때에는 제14조에 따른 이사 정수의 4분의 3 이상의 의결을 거쳐 주무관청의 허가를 받아야 한다.
② 제1항에 따라 해산할 경우 대표이사가 청산인이 된다. 대표이사가 궐위(闕位)되거나 사고로 인해 그 청산인의 업무를 수행하지 못할 경우 나머지 이사 중에서 연장자 순으로 청산인이 된다.

* 법률근거
- 「사회복지사업법」 제17조제1항제10호(필요적 기재사항)
- 「사회복지사업법」 제30조

제31조(잔여재산의 귀속) 법인이 해산하여 그 청산이 완료되고 남은 재산은 서울특별시에 귀속된다.

* 법률근거

- 「사회복지사업법」 제17조제1항제10호(필요적 기재사항)
- 「사회복지사업법」 제27조

제8장 공고 및 공고방법

제32조(공고의 방법) ① 법인이 법령과 정관 및 이사회의 의결에 의하여 공고하여야 할 사항은 OO신문에 싣는다.

② 제1항의 공고기간은 7일 이상으로 한다.

* 법률근거
- 「사회복지사업법」 제17조제1항제11호(필요적 기재사항)

제9장 보칙

제33조(준용규정) 이 정관에 규정하지 아니한 사항에 대하여는 「사회복지사업법」, 「공익법인의 설립·운영에 관한 법률」 및 「민법」과 그 밖의 관련 법령에 따른다.

제34조(운영세칙) ① 이 정관의 시행에 관하여 필요한 사항은 별도의 세칙으로 정한다.

② 제1항에 따른 세칙의 제·개정은 이사회의 의결을 거쳐야 한다.

제35조(인장) 법인이 사용할 인장은 별지 3과 같다.

부칙(2018년 0월 0일)

제1조(시행일) 이 정관은 서울특별시장으로부터 법인설립허가를 받은 후, 그 설립등기가 완료된 날부터 시행한다.

제2조(설립당시 임원에 대한 경과규정) ① 이 법인 설립당시 발기인 총회에서 선임된 임원은 이 정관에 따라 선임된 것으로 본다.

② 설립당시 임원은 별지 1과 같다.

제3조(법률행위에 대한 경과규정) 이 법인 설립당시 한 행위는 이 법인이 한 행위로 본다.

* 유의사항
- 부칙은 정관이 개정될 때마다 새롭게 작성되는 것으로서 하나의 정관에는 "제정 시 부칙+개정된 횟수"만큼의 부칙이 존재해야 함

[별지 1]

설립 당시 기본재산 목록

출연자	구분	용도	소재지	금액(평가액)[③]	비고
홍OO	부동산(토지)	목적사업용	경기도 OO시 △△구 XX동 123-456	900,000,000	
김△△	부동산(건물)	수익용	서울특별시 △△구 XX동 456-789	1,200,000,000	
재단법인 XX재단[①]	현금	목적사업용	A은행[②] (상품명, 계좌번호)	500,000,000	

설립 당시 임원 목록

직위	성명	생년월일	최초 임기[④]	비고
대표이사	김XX	1958.07.01.	성립일부터 3년	
이사	이OO	1966.03.21.	〃	
……				
감사	박△△	1970.12.30.	성립일부터 2년	

유용한 TIP 별지 1 작성 방법

① 다른 법인도 사회복지법인에 출연할 수 있음

② 해당 법인이 성립된 이후에만 법인의 이름으로 은행 상품에 가입하여, 계좌번호를 받을 수 있기 때문에, 설립허가를 받을 때 조건부로 허가를 받아야 함

→ 법인 성립 후 일정 기간이내에 상품명과 계좌번호를 보충하도록 설립 당시 기본재산 목록에 한정하여 정지조건부로 허가를 내어 줄 수 있음

③ 평가액이나 당시 공시지가나 과세표준액을 표기하여도 무방

④ 설립허가 당시에는 법인이 성립된 날을 특정지을 수 없으므로 법인이 성립된 날부터 3년간으로 정할 수밖에 없음

[별지 2]

기본재산 목록

연번	구분	용도	소재지	금액(평가액)	비고
~~1~~	~~부동산(토지)~~	~~목적사업용~~	~~경기도 OO시 △△구 XX동 123-456~~	~~900,000,000~~	~~설립 당시 기본재산~~
	* 기본재산 처분허가('17.12.5.)를 받은 후 매각 * 매각 대금은 현금인 기본재산으로 편입				
2	현금	목적사업용	B은행 (상품명, 계좌번호)	1,000,000,000	종전 1호 기본재산 매각 대금
3	부동산(건물)	수익용	서울특별시 △△구 XX동 456-789	1,200,000,000	설립 당시 기본재산
4	현금	목적사업용	A은행 (상품명, 계좌번호)	500,000,000	설립 당시 기본재산
5	부동산(토지)	목적사업용	강원도 OO시 △△구 XX동 33-1	70,000,000	'18.3.23. 신규 매입

[별지 3]

법인에서 사용할 인장(印章)

① 법인 인감	② 대표이사인	③ 계인	④ 분사무소인

유용한 TIP 인장(印章)의 종류

① 법인 인감 : 「인감증명법」에 따라 사회복지법인 명의로 등록된 인감

② 대표이사인 : 대표이사 개인의 인장이 아니라, 대표이사임을 표시하고 있는 인장으로서 본 인장을 날인하여야만 대표권이 있는 자가 관련 행위를 한 것이 됨

③ 계인(契印) : 2종 이상의 법인 서류가 관련이 있음을 확인하기 위해서 찍는 인장. 통상 문서를 문서대장에 등록할 때 문서상단과 문서대장 목록부분을 연결하여 찍을 때 사용

④ 분사무소인 : 주된 사무소와 분사무소가 상당히 멀리 떨어져 있을 경우, 해당 분사무소에서 법인의 이름으로 특정 행위를 할 때 사용할 수 있는 인장
→ 분사무소 별로 만들 수 있고, 다만, 법인 정관이나 하위 규정에 위임관련 근거는 있어야 함.